Afin de vous informer de toutes ses publications, **marabout** édite des catalogues régulièrement mis à jour. Vous pouvez les obtenir gracieusement auprès de votre libraire habituel.

*A ma mère, professeur, et à mon père, agent de change,
qui m'ont aimé et ont assuré mon départ dans la vie.
A ma grand-mère, dont les prières m'ont tout d'abord
guidé vers la vocation religieuse.
A mon grand-père, qui m'a appris le sens de l'honnêteté
telle qu'on la pratiquait autrefois.
A mon oncle North, qui par son exemple m'a instruit
à la fois dans le courage et le « chutzpah »**
*A ma tante Maryon, qui m'a montré le vrai visage
de la grâce féminine.
A ma « seconde mère », Adelyn Breeskin, qui m'a ouvert
les portes du monde de la culture.
A mes « seconds pères », Norman Atkins,
de qui j'ai beaucoup appris sur le monde
et sur mes possibilités personnelles,
et Howard Goheen, qui m'a appris à souder
et à travailler de mes mains.
... à tous ces merveilleux parents et parents d'adoption,
je dédie ce livre sur l'art d'être parent.*

Fitzhugh Dodson

> « Il n'est qu'un âne pour renier sa famille.»
> *(Vieux proverbe syrien)*

---

* Note de l'éditeur : « chutzpah », mot yiddish qui désigne le culot (celui
de l'homme qui tue son père et sa mère et demande les circonstances
atténuantes parce qu'il est orphelin !).

Dr Fitzhugh Dodson

TOUT SE JOUE
AVANT 6 ANS

How to parent

Traduit de l'anglais par Yvon Geffray

SOMMAIRE

Note aux parents **15**

1. **Les mères et leurs sentiments** **23**
   Adaptation à l'état de mère. Sentiment d'incompétence. Sentiment de rancœur. Expression de ces sentiments. Votre bébé est unique en son genre. Respectez l'individualité de votre enfant. Les différentes étapes du développement de votre enfant. Son concept de soi.

2. **La première enfance** **31**
   Le « système optique » du concept de soi. L'optique du premier âge. Formation de la vision fondamentale de l'enfant sur la vie : confiance contre méfiance. Allaitement naturel ou allaitement artificiel. Doit-on suivre les désirs de l'enfant ou lui imposer un horaire strict ? Les horaires de sommeil. La brigade des couches. Le besoin de contact physique. Le rôle de la mère pour satisfaire les besoins du bébé, ses premières relations humaines. Besoins intellectuels. Stimulation sensorielle et intellectuelle : les objets, les jouets, la mère. Les trois premiers mois : les voies de la stimulation, un environnement coopérant. De 3 à 6 mois : une période de transition. De 6 à 9 mois : la peur des étrangers, la répétition, l'imitation. De 9 à 12 mois : passage de la station horizontale à la station verticale. Le jeu d'étiquetage.

3. **Les premiers pas** **63**
   Une période d'apprentissage : confiance en soi ou doute. L'âge de l'exploration. Faites-vous une maison sans dangers. Les jouets sont les livres d'histoires des premiers pas. Nécessité du jeu. Jeux de plein air. Jeux d'intérieur. Le développement du langage : passif et actif, jargon expressif. Votre maison : un centre d'études. Problèmes de nourriture. Entraînement à la propreté. L'attitude de votre enfant en face de son corps.

4. **Première adolescence (1ʳᵉ partie)** **85**
   Le calendrier du développement de votre enfant. Une étape de transition et de déséquilibre. Personnalité individuelle contre conformisme social. Acquisition de la conscience de soi. Contrôle des parents. Discipline à imposer aux enfants. Distinction entre actions et sentiments. Il faut tenir compte de l'affectivité. Technique du reflet des sentiments. Les grandes colères. Comment la conscience se développe.

5. Première adolescence (2ᵉ partie) **107**
Nouvelle aptitude au langage. Comment répondre aux questions d'un enfant. Valeur éducative de la télévision. La jalousie entre frères et sœurs. Comment atténuer les sentiments de jalousie. Comment apprendre à l'enfant à être propre. Les mouvements intestinaux. Education de la vessie. Ce que la mère pense de la propreté de l'enfant. Quels jeux donner à l'enfant en période de première adolescence. Valeur éducative du jeu. Expression non verbale des sentiments. Le jeu avec d'autres enfants : solitaire, parallèle, associatif, coopératif. Le jeu calme. Rite du coucher. Rôle du père.

6. L'âge préscolaire (1ʳᵉ partie) **139**
L'enfant de 3 ans. L'âge d'or de l'équilibre. L'enfant de 4 ans : l'âge débridé. L'enfant de 5 ans : l'âge adorable. Les besoins biologiques. L'énergie doit pouvoir se dépenser. Coordination musculaire latérale et directionnelle. Comment contrôler les élans de l'enfant. Les parents peuvent contrôler ces élans. L'enfant se sépare de sa mère. Un monde nouveau : les autres enfants. Apprendre à exprimer ses sentiments : répression contre expression. L'identification à un genre : masculin ou féminin. L'identification avec la mère. La découverte du sexe. Comment aider votre enfant à adopter une attitude saine à l'égard du sexe. Comment aider votre enfant à affirmer son appartenance à un genre et à un sexe. Le père.

7. L'âge préscolaire (2ᵉ partie) **163**
L'acquisition des attitudes sexuelles fondamentales. Pour une éducation sexuelle positive. Comment répondre aux questions de l'enfant sur la sexualité : honnêteté, franchise. Les livres d'éducation sexuelle. Le jeu sexuel. La nudité. L'idylle familiale. Le problème du « ménage à trois » et sa solution. Comment aider l'enfant à franchir ces étapes. Sensibilité à la stimulation intellectuelle. Techniques fondamentales d'apprentissage. Le choix d'une école maternelle. Critères de sélection : les maîtres, le matériel. Le point des connaissances en entrant à l'école primaire.

8. Peut-on apprendre à un dauphin à écrire à la machine ? 181
Signification et but de la discipline. Encouragez votre enfant quand il se tient bien. Neuf principes pour apprendre à votre enfant de bonnes habitudes affectives.

9. La discipline par autorégulation **193**
Comment fortifier le concept de soi de l'enfant. Comment

faire jouer les conséquences naturelles pour discipliner un enfant. Les conséquences artificielles : confiscation, isolement, punitions corporelles. Principes à observer quand on a recours aux conséquences artificielles. Les douze commandements des parents.

10. Votre enfant et la violence **213**
Actions violentes et sentiments violents : trouver une norme. Le syndrome de « l'enfant modèle ». Violence et agressivité. Danger d'avoir des armes chez soi. La violence à la télévision, jeux et jouets violents. Un sain exutoire.

11. L'école commence à la maison (1ʳᵉ partie) **227**
Le concept de quotient intellectuel. Différence entre le Q.I. d'un enfant et ses connaissances. Apprenez à votre enfant à penser. « La pensée de la main droite ». « La pensée de la main gauche ». La culture des images positives.

12. L'école commence à la maison (2ᵉ partie) **243**
Stimulez le développement du langage. La lecture avant l'école. Stimulation mathématique. Apprenez à compter à votre enfant. Comment il peut apprendre les chiffres. Pédagogie à l'intention des parents.

13. Comment choisir les jouets, livres et disques de votre enfant **267**
Les caractéristiques d'un « bon jouet ». Comment acheter de bons jouets. Faites naître l'amour pour les livres. Comment choisir les disques. Préparez l'enfant à comprendre et à aimer un disque.

14. Treize conseils à la douzaine **283**
L'essentiel pour élever un enfant. Le sens de l'enfance. Le mot de la fin.

Appendice A **293**
Jouets et matériel de jeu appropriés aux différents âges et stades de développement.

Appendice B **301**
Petit lexique des jouets bon marché ou à confectionner soi-même.

Appendice C **305**
Liste d'ouvrages pouvant aider les parents à mieux élever leurs enfants.

REMERCIEMENTS

Je remercie particulièrement les personnes mentionnées dans les pages qui suivent.

En écrivant ce livre, j'ai été frappé par le fait qu'aucun auteur ne peut vraiment prétendre être un « self made man ». Un livre est l'aboutissement de la pensée et du travail de beaucoup de gens, et je veux exprimer ma gratitude à ceux qui ont contribué à l'élaboration du présent ouvrage.

Je remercie les milliers de psychologues et savants spécialistes du comportement qui dans tous les pays ont étudié les enfants et leurs parents, et dont les expériences et les recherches m'ont permis d'écrire ce livre.

Je l'ai conçu à partir d'une série de conférences faites aux parents à l'Ecole maternelle de La Primera à Torrance (Californie), et que j'ai reprises chaque année depuis 1963. J'ai beaucoup appris par les commentaires et les questions posées par tous ces parents. J'ai aussi beaucoup appris des mères qui ont suivi deux de mes cours donnés à La Primera sur « Les cinq premières années de la vie ».

On a fort justement décrit la psychothérapie comme « une fenêtre ouverte sur les recoins secrets de l'âme » et je remercie mes malades, enfants et adultes, qui m'ont permis de regarder par cette fenêtre. Au cours de nos entretiens, ils m'ont appris beaucoup sur la condition humaine.

Je dois beaucoup aussi à feue Dorothy Baruch, dont les livres m'ont tant aidé à définir ma conception de la science et de l'art d'être parents, ainsi qu'au regretté Paul Tillich avec qui j'ai eu le privilège d'étudier et dont la pensée est à la base d'une grande partie de la psychologie humaniste de notre époque.

Je suis aussi profondément reconnaissant au Dr Seward Hiltner, qui le premier éveilla mon intérêt pour la psychologie ; au Dr Carl Rogers, dont les livres et les conférences m'ont beaucoup appris sur la signification de l'individu en tant que personne, et au Dr Volney Faw, qui a appliqué les théories du

Dr Rogers à sa vie et à son enseignement. Ma gratitude également au Dr Lee Travis, un de mes excellents maîtres qui m'a également beaucoup appris sur la psychologie dynamique.

Je veux aussi remercier ceux qui m'ont appris à rédiger : le regretté Halford E. Luccock, dont les leçons m'ont enseigné à manier la langue anglaise avec précision et esprit ; Rudolph Flesch, dont les livres sont un enseignement permanent dans l'art d'écrire ; William C. Chambliss, qui, parmi tant d'autres choses, m'a appris à écrire des textes documentaires, à faire la différence entre « un article » et un livre ; Bernice Fitz-Gibbon, dont le livre, *Macy's, Grimbels and me*, est une encyclopédie en un volume sur l'art de communiquer les idées ; et Erik Barnouw, Al Crews, Frank Papp, Everett Parker, qui m'ont tous beaucoup appris sur l'art d'écrire pour la radio et la télévision.

Mes remerciements sincères à tous ceux qui m'ont aidé tout particulièrement à faire d'un manuscrit un livre complet. A Elaine Magness et Mildred Schultz pour avoir si bien tapé ce texte, quelquefois précipitamment. A Jean Beckman pour une photocopie plus qu'accélérée. A Sharon Habbick, qui n'est peut-être pas la secrétaire parfaite ; mais je ne pense pas qu'on puisse ajouter quoi que ce soit à une moyenne de 100 mots tapés à la minute, à 120 mots en sténo, à une intelligence aiguë et sensible, à des trésors de bon sens, au tact et à la diplomatie d'une grande dame, et à un sens charmant de l'humour.

A tous ceux qui ont lu le manuscrit et ont fait des suggestions utiles : Janet Switzer, Ph. D. ; Allen Darbonne, Ph. D., et sa femme Ginny ; Al Bach, Ph. D., et sa femme Ramah ; Bob LaCrosse, Ph. D., et Jean LaCrosse, Ph. D. ; Digby Diehl ; Mac et Kate Friedlander ; Carol Kinnon ; Jeanne Harris ; Stanley et Maureen Moore ; Tom et Gladys Eason ; David et Ginger Tulk ; Carl et Ann Brown ; Charles et Bernadette Randall ; Mel et Joan Lindsey et Georges et Retta MacCoy.

A Charles M. Schulz, qui a si généreusement prêté son nom et son talent à mon livre, si bien que des centaines de milliers de gens qui ne l'auraient pas lu autrement le liront, ma gratitude inexprimable.

Et pour finir, à ma très habile « accoucheuse » des Editions Nash, mon éditeur, Sylvia Cross, qui a vu ce livre grandir de sa conception à l'accouchement.

Je suis profondément reconnaissant à tous. Sans eux, je n'aurais pu écrire ce livre.

Fitzhugh Dodson,
Monte Vista, Automne 1969.

PRÉFACE

Les jeunes parents ont beaucoup à apprendre de ceux qui sont déjà experts dans ce que le Dr Fitzhugh Dodson appelle l'art d'être parent. Et quand cette expérience de parent vient s'ajouter à celle d'un médecin psychologue de l'enfance qui exerce dans sa propre école maternelle, on devine qu'il y a encore plus à apprendre.

Comme le fait remarquer le Dr Dodson, « faire » un enfant ne nous donne pas automatiquement la sagesse et l'efficacité nécessaires à l'art d'être parent. Pour bien exercer cet art, il est essentiel de savoir comment les enfants grandissent.

Beaucoup acquièrent cette connaissance par expérience, au prix de nombreuses erreurs. Or, certaines de ces erreurs peuvent être évitées si l'on est quelque peu informé à l'avance du chemin que tous les enfants doivent parcourir jusqu'à leur complet développement.

L'auteur nous apprend une foule de choses sur ce chemin, en termes directs et précis. Il fait aussi remarquer qu'il ne suffit pas d'en connaître les étapes successives et d'attendre passivement qu'elles soient franchies. Les connaissant, une mère ou un père doit pouvoir faire face aux difficultés de comportement des enfants et les résoudre au cours de chaque étape.

Le fait que le Dr Dodson et moi ayons des opinions contraires sur certains points essentiels — je considère que donner le sein est indispensable lorsque c'est possible, et qu'il est par ailleurs accessoire d'apprendre à lire aux enfants d'âge préscolaire — ne diminue en rien la valeur d'ensemble de l'ouvrage. De telles différences d'opinion doivent exister entre tous les psychologues de l'enfance, comme entre tous les parents.

Le Dr Dodson se défend de prêcher l'évangile, mais il nous fait généreusement partager son expérience de parent, et ses avis de psychologue. Il ne vous demande pas de le suivre aveuglément. Les parents doivent pouvoir trouver dans un tel livre seulement ce qui les aide, et je crois qu'ils y trouveront beaucoup de choses.

La plupart des parents ont à leur disposition des notions générales sur le comportement de l'enfant, mais ce qu'ils recherchent surtout ce sont les conseils précis, ce qu'il faut faire et ce qu'il ne faut pas faire. Ces conseils précis, ce livre les dispense généreusement. Le chapitre sur la discipline est particulièrement utile de ce point de vue. Tous les parents sans exception devraient connaître les conseils qu'il donne sur le contrôle des influences ambiantes, la différence entre les conséquences naturelles et artificielles d'une action, le fait de donner un modèle positif plutôt que négatif, les neuf règles à observer pour discipliner un enfant et les « douze commandements » aux parents. Et l'auteur ajoute généreusement à tout cela un petit guide en treize points à l'intention des parents en difficulté.

J'apprécie particulièrement l'analyse calme, sensée et intelligente de la télévision que propose l'auteur. Parfaitement conscient de ses avantages, il se garde bien de la condamner pour ses inconvénients, et ne partage pas l'opinion souvent admise que les enfants apprennent la violence en regardant des spectacles violents sur le petit écran.

En fait, tout au long de l'ouvrage, le style calme et détendu fait presque oublier la gravité du sujet.

La plupart des parents seront heureux de l'aide précise que leur apportera ce livre, à une époque de changements sociaux où grandir n'est pas tâche facile et où le rôle des parents est décisif.

Je partage à fond l'opinion de l'auteur quand il nous dit : « Vous aurez beau apprendre tout ce que la science nous enseigne sur les enfants, si vous n'avez pas le sens de ce qu'est l'enfance, il vous faudra renouer avec l'enfant qui est en vous. C'est le meilleur guide que vous puissiez trouver. Privés du sens de ce qu'est l'enfance, nous comprenons mal les données scientifiques et nous en faisons mauvais usage, parce que nous les voyons uniquement à travers nos yeux d'adultes. »

Je suis encore absolument de son avis quand il insiste sur le fait que « chacun de vos enfants est une combinaison unique de gènes qui n'a encore jamais existé sur cette terre et ne se rencontrera plus jamais... Ce que vous pouvez faire de plus important pour votre enfant est de vous tenir à l'écart et de laisser s'affirmer la personnalité unique qui se trouve en puissance au fond de lui-même et qui est en train de se révéler ».

L'auteur a raison d'insister sur le fait que la société contemporaine n'assure pratiquement pas l'apprentissage du métier de parent. Et pourtant l'enfant n'aura jamais de professeur plus influent. L'auteur peut à juste titre affirmer que dans notre société aucun métier n'est plus complexe que celui qui consiste à être ainsi vingt-quatre heures sur vingt-quatre à la fois ce psychologue de l'enfance et ce professeur qu'on nomme parent.

Pour nous tous, être parent est un apprentissage permanent.

Chacun de nous doit apprendre ce métier sur le tas, mais nombreux sont ceux qui accueilleront avec reconnaissance l'aide efficace que leur apportera ce livre essentiel.

LOUISE BATES AMES, PH. D.
Gesell Institude of child development.

NOTE AUX PARENTS

Notre société contemporaine ne fournit pratiquement aucun apprentissage au métier de parent. On ne met pas tout à coup une secrétaire dans un bureau sans lui avoir appris la dactylographie et la sténographie, en lui disant simplement : « Vous êtes secrétaire, allez-y ! » Mais lorsqu'une femme devient mère, c'est comme si la société lui disait brusquement : « Vous êtes ''parent'', nous ne vous avons pas appris grand-chose de ce métier, mais allez-y, faites de votre mieux ! »

Etre parent signifie être un psychologue et un professeur d'un genre particulier.

Vous êtes un psychologue de l'enfance parce qu'il vous faut comprendre la psychologie de votre enfant. Vous pouvez être bon psychologue de l'enfance, ou moyen, ou même mauvais. Mais que vous aimiez cela ou non, c'est bien vous, madame, la psychologue de l'enfance ! Vous êtes aussi le professeur le plus influent que vos enfants auront jamais.

Vous êtes leur premier maître d'école. Ces choses que vous leur apprenez (même celles que vous leur apprenez sans vous en apercevoir) seront des « leçons » plus importantes que toutes celles des écoles ne sauraient être.

Mais, si vous êtes comme la plupart des femmes, vous avez sans doute bien peu de formation ou d'expérience pour vous permettre de bien exercer ce métier.

Vous avez sans doute acquis bien des connaissances à l'école mais, à moins d'avoir eu beaucoup de chance, vous avez sans doute bien peu appris qui puisse vous amener à comprendre les bébés et les jeunes enfants.

Les psychologues de l'enfance et les instituteurs travaillent en moyenne huit heures par jour. Ils ont chaque jour et à chaque week-end des heures de loisirs régulières. Ils prennent chaque année des vacances. Pas vous. Et cela suffit à rendre votre métier beaucoup plus pénible. De plus, les psychologues de l'enfance et les enseignants travaillent avec un grand nombre d'enfants. Ainsi les sentiments qu'ils éprouvent en leur présence sont beaucoup plus détachés que ceux d'une mère puisqu'ils se partagent entre un certain nombre d'enfants. Et parce que ces derniers ne sont pas les leurs, les comprendre et régler leurs problèmes ne les engage pas au niveau de l'affectivité.

Il n'y a pas de travail plus difficile dans notre société que d'être ce polyvalent unique en son genre, travaillant vingt-quatre heures sur vingt-quatre, à la fois psychologue de l'enfant et instituteur et qu'on nomme parent.

Etre parent est un apprentissage permanent

Etre parent est, pour nous tous, un apprentissage permanent. Quand nous apprenons une nouvelle technique — qu'il s'agisse de conduire, de jouer d'un instrument ou d'élever un enfant — c'est en faisant des erreurs que nous progressons. Mais la tentative et l'erreur solitaires représentent la façon la moins efficace d'apprendre.

Supposons que vous n'ayez jamais joué au bridge de votre vie et que vous décidiez de vous y mettre. On peut à la rigueur apprendre à jouer au bridge en grinçant des dents et en abordant la chose à contrecœur. Mais pour vous, quel pénible apprentissage ! Que de désagréments inutiles vous vous attirerez à essayer de toutes vos forces de découvrir tout seul les subtilités des annonces et la stratégie du jeu. Un moyen beaucoup plus facile et efficace consisterait à se faire expliquer les règles par un joueur compétent et expérimenté.

Mon intention est de vous communiquer ce que plus de vingt années de vie professionnelle et ma propre expérience de parent m'ont appris.

Pour qu'un livre ait des chances d'établir un contact entre l'auteur et le lecteur, il faut qu'il se présente comme un dialogue positif.

C'est pourquoi j'ai tenté d'aller au-devant de vos questions. Et j'ai essayé de deviner les moments où certaines données scientifiques pourraient vous sembler inattendues.

J'ai essayé d'écrire ce livre sur le ton d'une conversation entre amis, comme si nous étions, vous et moi, en train de bavarder en prenant une tasse de café. Par exemple, je cite de temps à autre mes expériences avec mes propres enfants. Et, bien que ce livre se fonde sur les travaux expérimentaux et cliniques de nombreux spécialistes du comportement, je n'ai pas fourni à l'appui de tel fait précis toutes les preuves scientifiques qui l'établissent. J'ai parfois cité quelques travaux fondamentaux mais j'ai réduit ce type de documentation au minimum.

Je sais que la plupart des lecteurs n'aiment pas qu'un livre soit bourré de notes savantes et de références à des expériences scientifiques.

Je me suis particulièrement intéressé à deux catégories de mères qui liront ce livre : la première est la mère qui n'a pas encore eu d'enfant. A certains égards, celle-ci lira ce livre au meilleur moment possible. Elle pourra apprendre beaucoup de choses qui lui serviront, avant d'avoir à résoudre les problèmes soulevés par les soins à donner à un vrai bébé.

Cependant, on ne peut apprendre à élever un enfant en lisant seulement ce livre, pas plus qu'on ne peut apprendre à conduire en lisant un manuel. Il faut adapter ce que dit ce livre à la réalité vivante de votre enfant. Et celui-ci ne ressemblera à aucun autre enfant au monde. C'est un être vraiment unique.

Ce livre, comme tout autre livre traitant de l'éducation, ne peut être qu'un ouvrage général par rapport à votre enfant. Une mère connaît son bébé mieux que personne, c'est pourquoi si certains passages vont à l'encontre de vos sentiments de mère, oubliez ce que dit le livre et suivez votre instinct.

Nous avons tous tendance, lorsque nous acquérons une connaissance nouvelle, à douter de nous et à désirer qu'un autre énonce des règles strictes pour nous montrer ce que nous devons faire. Avec l'expérience nous devenons plus confiants. Nous distinguons des cas où les règles strictes doivent être changées pour s'adapter aux situations particulières.

En me fondant sur ma propre expérience de parent, je peux vous assurer que vous vous sentirez plus sûr de vous en élevant votre second ou troisième enfant qu'en élevant le premier. Une des raisons pour lesquelles nous éprouvons plus de confiance en nous à propos du deuxième ou du troisième tient à ce que le premier nous a appris certaines choses. Avec ce premier enfant, nous gagnons un peu et nous perdons un peu. Nous commettons des erreurs et nous avons aussi des moments d'inspiration. Apparemment, il semble que nous commettions un peu plus d'erreurs avec le premier qu'avec les suivants. Lorsque vous comprendrez que vous avez réagi maladroitement avec votre enfant, c'est alors que vous aurez conscience d'appartenir vraiment au club des « gaffeurs » que nous appelons parents. Bienvenue parmi les membres du club !

Cela me mène naturellement à la seconde catégorie de mères qui lira ce livre. Elles ont un enfant de moins de cinq ans mais aussi un ou plusieurs enfants plus âgés.

Plusieurs passages de ce livre leur feront dire : « J'aurais souhaité lire ce livre il y a quelques années ! Je vois maintenant toutes les sottises que j'ai commises quand Sophie ne marchait pas encore. J'ai fait telle ou telle chose, maintenant je vois que cela n'était pas la meilleure solution. » Alors il se peut qu'elles commencent à se sentir coupables et à se faire des reproches.

J'espère que vous n'en êtes pas là. Aucun parent ne mérite d'être blâmé. Nous essayons tous d'élever nos enfants de notre mieux. Si l'on considère que la plupart d'entre nous n'ont absolument aucun apprentissage du métier, nous faisons, à mon avis, un travail tout à fait remarquable ! Etant donné notre manque d'entraînement pour cette fonction, c'est merveille que nos rejetons s'en tirent comme ils le font. Aussi j'espère que vous serez indulgent pour vous-même, surtout à propos des erreurs que vous pensez avoir commises avec votre aîné.

Pour ma part, mon expérience, souvent durement acquise, me permet de vous dire que vous pouvez être docteur en psychologie et commettre encore bien des erreurs en élevant votre premier enfant. Heureusement pour la suite de votre expérience, vous en commettrez beaucoup moins avec le second et ainsi de suite.

Mes expériences personnelles me font penser à l'histoire de ce psychologue qui, au début de sa carrière, avait six théories et pas d'enfant, et se retrouve à la fin avec six enfants et plus aucune théorie ! Puisque je n'ai que trois enfants, vous déduirez facilement qu'il doit me rester trois théories. Certains parents me disent qu'à leur cinquième ou sixième enfant, ils sont moins inquiets des fautes qu'ils peuvent commettre. Je pense personnellement que toute mère de quatre enfants ou plus mérite qu'on lui décerne automatiquement la croix du mérite social, et si les quatre enfants sont des garçons on devrait la décorer du mérite social avec la Légion d'honneur en prime !

Le sentiment de culpabilité ne favorise pas un bon exercice du métier de parent. Nous devons tous considérer que nous faisons de notre mieux en la matière. Le fait même que vous preniez le temps de lire ce livre sur la façon d'élever votre enfant montre que vous vous souciez vraiment de lui. Sinon, vous ne le feriez pas.

Malentendus à propos de la psychologie de l'enfant

Au fil des années, alors que les parents me parlaient de puériculture pendant mes leçons de médecine ou pendant les débats qui suivaient mes cours, j'ai découvert que bon nombre de pères et de mères commettent une erreur majeure à propos de la psychologie moderne. Je pense qu'il serait utile maintenant d'aborder certains malentendus avant d'aller plus avant.

C'est pourquoi, avant de parler de ce que la psychologie enseigne en puériculture, parlons un peu de ce que la psychologie *refuse de croire*.

La psychologie moderne *refuse de croire* qu'il soit bon pour les parents d'être libéraux si par libéralisme on entend : laisser l'enfant faire tout ce qu'il a envie de faire. Aucun psychologue sensé n'a jamais soutenu une idée aussi farfelue. Mais aussi incroyable que cela puisse paraître, j'ai réellement rencontré des parents qui laissaient chez eux leurs enfants crayonner sur les murs à plaisir, au crayon feutre ou à la craie, parce qu'ils pensaient qu'il serait mauvais psychologiquement de les en empêcher ! Ce qui se passe en fait dans la plupart des cas de ce genre, c'est que la mère a peur de dire « non » à son enfant et essaie de faire appel à la psychologie moderne pour justifier sa crainte d'être ferme avec lui.

Le second principe auquel la psychologie moderne se garde bien de souscrire est qu'à mesure que les enfants passent par certains stades de leur développement, les parents devraient se tenir désespérément à l'écart sans intervenir et laisser ce stade de développement suivre son cours.

Il est certain que les enfants passent par des étapes de développement bien distinctes, particulièrement à l'âge préscolaire. La mère qui s'attend à ce qu'un enfant de quatre ans agisse comme un enfant de trois ans s'expose à des déboires. Cependant, si les parents doivent admettre que les enfants passent par des stades de développement, ce n'est pas une raison pour qu'ils se sentent démunis et incapables de modifier en quoi que ce soit ces étapes. J'ai vu des parents tolérer de leurs enfants une conduite odieuse en la justifiant ainsi : « Je pense qu'il est en pleine évolution. » A ce stade, le père hausse généralement les épaules avec lassitude, comme pour dire : « On ne peut absolument rien y faire. »

Les parents ne sont pas démunis. La façon dont ils abordent une étape donnée agira directement sur la manière dont l'enfant réussira à la franchir. Je consacre une grande place dans ce livre à ces différentes étapes car je pense que les parents doivent en avoir une connaissance aussi précise que possible.

Ainsi de nombreux parents pensent que la psychologie moderne leur interdit de donner des fessées à leurs enfants. Certains psychologues et psychiatres ont effectivement énoncé cette idée. Cependant, en tant que psychologue, je crois qu'il est impossible d'élever efficacement des enfants, en particulier des garçons agressifs et pleins de vitalité, sans leur donner de fessées. Cela ne signifie pas que n'importe quelle fessée soit bonne pour un enfant.

Je me rappelle m'être adressé un soir à un groupe de parents, et avoir rencontré une de mes auditrices plusieurs semaines après dans un supermarché. Elle vint vers moi et me dit : « Depuis que vous avez dit que vous étiez d'accord pour les fessées, nos gosses en ont reçu et de bonnes ! » J'eus la nette impression que certains parents avaient pensé : « Le docteur Dodson est d'accord, allons-y pour les supplices chinois et les pouces écrasés. On va mettre Philippe au pas maintenant ! »

Dans le chapitre traitant de la discipline, j'expliquerai quel genre de fessée est positif et lequel est négatif. Mais la fessée est nécessaire et inévitable pour élever des enfants au psychisme sain.

Il y a une autre notion couramment répandue selon laquelle de bons parents ne sont jamais contrariés ou en colère. Tous les parents connaissent des périodes d'euphorie et de dépression. Il y a des moments où nous nous sentons parfaitement à l'aise lorsque nous maîtrisons en douceur le comportement difficile d'un de nos rejetons. Mais il en est d'autres où la plus petite sottise nous fait pousser les hauts cris.

Il est important pour les parents de pouvoir exprimer leurs sentiments et leurs émotions avec sincérité. La psychologie n'enseigne pas que nous devions rester toujours calmes et sereins. S'il en était ainsi, elle exigerait des parents une tension émotionnelle impossible.

Les gens pensent souvent qu'un psychologue leur dira ce qu'ils doivent ressentir en tant que parents et quel comportement, scientifiquement normal, ils doivent avoir avec leurs enfants qui grandissent. Il est regrettable que quelques psychologues aient donné aux gens des raisons de le croire. Malheureusement on ne peut s'empêcher d'avoir des soucis ou de penser autrement qu'on a l'habitude de le faire. Nos sentiments sont spontanés et nos pensées surgissent dans notre esprit sans que nous puissions les contrôler.

Je ne tenterai pas d'expliquer aux parents ce qu'ils devraient ressentir. Je leur dirai seulement ce qu'ils devraient faire. Vos actes sont subordonnés à votre volonté, mais non vos sentiments. Je vous donnerai des notions qui vous aideront à mieux comprendre vos enfants et je vous suggérerai ce qu'il faut faire avec eux pour qu'ils deviennent en grandissant des êtres heureux et intelligents.

Peut-être certains d'entre vous seront-ils purement et simplement incapables de suivre les conseils donnés dans ce livre ou dans tout autre traitant de psychologie de l'enfant. Vous vous apercevrez que, en dépit d'efforts très sincères de votre part, vos enfants vous échappent et que vous êtes au bout de vos ressources. Une telle situation implique que vous avez probablement besoin de l'aide d'un spécialiste. Autrement dit, vous avez besoin d'autre chose que de livres. Votre désespoir prouve qu'il y a en vous un *blocage affectif* que seul un professionnel peut vous aider à surmonter. Si vous pensez que tel est votre cas, il vous faut absolument consulter un spécialiste compétent : psychologue, psychiatre ou psychothérapeute.

Après avoir dissipé ces différents malentendus à propos de la psychologie moderne, considérons maintenant ce que les parents doivent savoir en matière de psychologie.

L'importance des cinq premières années

Pour vous le fait essentiel est sans doute de savoir *que les cinq premières années de la vie de votre enfant sont les plus importantes, les années formatrices.* Non que les années qui suivent soient moins importantes ou que tout soit joué pour lui avant son sixième anniversaire ; mais il est certain que les cinq premières années sont déterminantes.

Au moment où l'enfant atteint six ans, les structures essentielles de sa personnalité sont formées ; personnalité qu'il portera en lui toute sa vie. Elle déterminera, en grande partie, sa réussite scolaire et celle de sa vie d'adulte. Son comportement dans la société, son attitude vis-à-vis des problèmes sexuels, ce que sera sa jeunesse, quel type de personne il épousera et comment son mariage réussira.

Ces cinq premières années ne sont pas seulement importantes pour le développement émotionnel de l'enfant mais aussi pour son développement intellectuel.

Le meilleur moyen de vous faire prendre conscience de l'importance de ces premières années dans le développement intellectuel de votre enfant est de vous poser cette question : A quel âge pensez-vous que votre enfant ait atteint 50 pour cent de son développement intellectuel ? A 21, 17 ou 12 ans ?

La bonne réponse est 4 ans !

Le Dr Benjamin Bloom de l'Université de Chicago a conclu, à la suite d'innombrables recherches qui démontrent ce fait effarant, qu'un enfant atteint approximativement la moitié de son niveau d'intelligence à l'âge de 4 ans, 30 pour cent de plus à 8 ans, et les 20 pour cent qui restent à 17 ans.

A propos, ne confondez pas intelligence et savoir. Evidemment votre enfant n'aura pas acquis 50 pour cent du savoir qu'il aura à l'âge adulte dès l'âge de quatre ans. L'intelligence représente l'aptitude qu'a votre enfant à manipuler et traiter mentalement le savoir qu'il acquiert. Et 50 pour cent de cette capacité sont acquis dès l'âge de quatre ans.

Si votre estimation a été fausse, n'en soyez pas troublé. La plupart des adultes sous-estiment beaucoup à la fois l'intelligence et la capacité d'appréhension d'un enfant d'âge préscolaire. On a cru, jusqu'à ces dernières années, que chacun de nous naissait pourvu d'une certaine dose d'intelligence innée, fixée par l'hérédité, et définitive.

De récentes recherches ont démontré qu'il n'en est rien. Le type de stimulation intellectuelle qu'un enfant reçoit dans les cinq premières années de sa vie détermine essentiellement son intelligence d'adulte.

Puisque ces cinq premières années de la vie sont les plus importantes pour le développement, j'ai mis l'accent, dans ce livre, sur la première enfance. Les années qui la suivent et l'adolescence méritent d'être traitées séparément.

Ici, je vais prendre l'exemple d'un enfant imaginaire et considérer son développement depuis sa naissance en passant par ces premières années essentielles. Il serait maladroit de se référer à cet enfant imaginaire comme « il-ou-elle-suivant-les-cas ». Aussi, pour plus de commodité, parlerai-je de cet enfant au masculin. Si vous avez une petite fille, vous pourrez lire mentalement « *elle* » au lieu de « *lui* » toutes les fois que ce sera nécessaire.

Parlons maintenant des mères et de ce qu'elles éprouvent pour ce nouveau bébé.

1

LES MÈRES ET LEURS SENTIMENTS

La plupart des traités de puériculture commencent par décrire ce qu'est un bébé et comment en prendre soin. Ils négligent les sentiments de la mère. C'est, à mon avis, une grave erreur.

Les mères auxquelles je parle depuis des années, aussi bien comme patientes que comme amies et collègues, me disent que lorsque leur premier enfant est né, qu'elles l'ont amené chez elles de la clinique et qu'elles ont commencé à s'en occuper, elles se sentaient très peu sûres d'elles-mêmes. Comme me l'a dit une d'entre elles « Jamais je ne me suis sentie aussi inadaptée ! »

Quel que soit le nombre de traités de puériculture que vous ayez lus ou le nombre de cours de la Croix-Rouge que vous ayez suivis pour essayer de vous préparer à cette expérience, elle reste tout à fait nouvelle pour vous. Sa réalité ne vous touche pas tant que vous n'êtes pas, au retour de la clinique, vraiment confrontée à cette chose toute neuve, qui vit et qui respire : votre nouveau-né. Il est là, vingt-quatre heures par jour, définitivement installé.

C'est un effort d'adaptation terrible. Jamais encore vous n'aviez affronté une telle responsabilité. La plupart des mères sont terrifiées lorsqu'elles se rendent compte que pour la première fois de leur vie elles sont entièrement responsables de la vie d'un petit être. Devant cette responsabilité dont elles se trouvent chargées si brutalement, de nombreuses mères ont tendance à se sentir incompétentes.

Il arrive qu'une jeune mère doute à ce point d'elle-même qu'elle a tendance à se créer des soucis à propos de tout. Elle n'a pas assez d'expérience des bébés pour savoir interpréter les différents événements qui peuvent se produire. Si le bébé est profondément endormi, on dirait qu'il ne respire même pas. Et la jeune maman se précipite pour voir s'il est encore en vie ! Elle s'inquiète s'il semble étouffer ou éprouver des difficultés à digérer son lait. Chaque incident prend des proportions démesurées. Une jeune mère est très experte en l'art de faire des montagnes de tout. Elle craint que tout écart de ce qu'elle considère comme les normes de l'alimentation ou du sommeil du bébé ne soit le signe d'une maladie grave. C'est pour cela que de nombreuses jeunes mères sont tentées de téléphoner à toute heure à leur pédiatre surmené.

Le pire pour cette jeune mère c'est qu'elle n'ose avouer ce sentiment d'incompétence à qui que ce soit. Après tout, elle est douée de la faculté de raisonnement, la voilà mère maintenant et c'est le couronnement de sa vie de femme. Comment réagit-elle alors à cette première impression ? Elle imagine d'autres mères qui s'occupent de leur bébé avec compétence. Il lui semble être la seule à connaître de telles angoisses. Aussi aimerait-elle mieux mourir que d'avouer ses craintes. Si elle savait seulement que toute jeune mère pense comme elle, cela la rassurerait beaucoup. Et pourtant, croyez-moi, il en est de même pour toutes !

Voyez-vous, la jeune mère a reçu toutes sortes de messages de notre culture, certains explicites et d'autres implicites, qui lui ont enseigné que la mère est pourvue de façon magique et innée de cet « amour maternel » et de cet « instinct maternel » qui la rendent automatiquement capable de prendre soin de son bébé et de l'aimer. Le problème est qu'elle ne sent rien de tout cela ! Elle ne se sent pas très apte à prendre soin de son nouveau-né. Alors elle pense que toutes les autres mères sont naturellement douées de cet instinct maternel qui lui manque à elle seule. Elle est tellement occupée à s'inquiéter et à se dire qu'elle est incapable qu'elle ne trouve pas le temps de se raisonner et de se convaincre qu'il y a un monde de différences entre l'*amour maternel* pour un nouveau-né et le *savoir* et l'*expérience* des soins à donner à un bébé.

L'amour pour votre bébé viendra tout naturellement. Certaines mères ressentent peut-être un irrésistible élan d'amour maternel à la naissance de leur enfant. Pour d'autres, il se développe seulement peu à peu. Mais il n'y a pas une somme de connaissances toutes prêtes au sujet des nouveau-nés et des soins à leur donner, qu'on posséderait instinctivement, parce qu'on est femme. Cette somme est le fruit de l'expérience. Et jusqu'à la naissance d'un premier enfant, il se peut qu'on ne sache pas très bien ce que vivre avec un enfant signifie.

S'ajoutant à ce sentiment d'incompétence à donner des soins, il en existe un autre qui trouble tout autant la jeune mère : c'est la rancune. Beaucoup de mères sentent qu'elles en veulent au bébé à cause de cet horaire de vingt-quatre heures auquel elles se trouvent soumises tout à coup. Comme se lamentait un jour une jeune mère « Personne ne m'a jamais dit que ce serait comme cela ! »

La vie entière de la jeune maman semble graviter maintenant autour de ce tout-petit au berceau et elle lui en tient franchement rigueur. Et c'est tout à fait normal. Malheureusement, personne ne l'a préparée efficacement à connaître cette rancœur. Elle se sent souvent coupable d'en vouloir à ce nouveau-né qu'elle aime pour tout le reste.

Il faut que la jeune mère comprenne que ce ressentiment initial à l'égard de son bébé est *parfaitement normal*. Après une période d'adaptation à cette responsabilité inhabituelle, cette rancune disparaîtra et sera absorbée par un amour irrésistible pour son enfant.

Il y a une autre raison, cependant, qui pousse souvent une mère à en vouloir à son enfant. Elle a tendance à croire que celui-ci l'unira plus étroitement à son mari. Après tout, ils ont fait cet enfant ensemble, et elle pense que, le bébé une fois né, elle, son mari et le bébé formeront un nouveau trio très uni.

Malheureusement beaucoup de jeunes mères s'aperçoivent que c'est exactement l'inverse qui se produit. Au lieu de les rapprocher, l'enfant agit psychologiquement comme une cloison qui se dresserait entre eux. La mère voit que son mari est souvent jaloux de l'attention qu'elle porte à son nouveau-né. *Il se comporte plus comme un rival que comme un père*. De plus, il se peut que son mari ne joue guère un rôle actif et efficace dans la responsabilité morale du nouveau-né. Il arrive qu'il lui laisse l'impression qu'elle est seule responsable. Elle peut en vouloir au bébé d'avoir provoqué cette situation.

Il faut qu'une jeune mère sache faire face à cette rancune et qu'elle apprenne à l'accepter comme une part inévitable de cet ajustement que son mari et elle doivent faire à l'arrivée du bébé. Chaque mère trouvera sa propre méthode pour transformer sa famille en une nouvelle unité.

Si par hasard vous avez un mari capable de partager vraiment la responsabilité morale du bébé avec vous, sachez que vous avez beaucoup de chance. Servez-vous de lui pour sonder vos sentiments d'incompétence et de rancune. Comprenez bien que ces sentiments sont tout à fait normaux et n'hésitez pas à en discuter avec lui.

Si vous pouvez parler de cette incompétence et de cette rancœur avec votre mari, vous sentirez que dès cet instant la responsabilité de ce nouvel enfant ne repose plus uniquement sur vos épaules. Et rien que cela vous apportera un immense soulagement.

Souvenez-vous que depuis des milliers d'années les mamans doivent vaincre ces deux monstres que sont l'incompétence et la rancœur. Vous aussi vous pouvez les vaincre. Cela vous paraîtra difficile au début. Vous aurez des moments pénibles et sans doute pleurerez-vous un peu. Mais plus vous serez honnête avec vous-même et avec vos sentiments, plus vite vous pourrez franchir cette période d'adaptation.

Tôt ou tard, comme des millions de mamans avant vous, vous passerez ce cap difficile et vous vous retrouverez sur la terre ferme.

Alors seulement la mère et l'enfant pourront se réaliser pleinement au sein d'une nouvelle relation, celle du « Nous ». Entre-temps, il vous faudra encore apprendre beaucoup par expérience personnelle.

Votre bébé vient de naître : il vous semble minuscule, très fragile. Vous donnez une importance excessive à la moindre petite anomalie et vous y voyez le signe d'un accident grave. Une jeune maman éprouvera parfois un tel sentiment de panique que ni son intelligence ni son bon sens ne lui permettront d'analyser la situation. L'une d'elles m'a avoué un jour : « Il me fallait quatre heures pour essayer de retenir ce que je devais faire alors que j'avais réussi sans difficulté mes examens universitaires. Je doutais de mes capacités et commençais à me demander si oui ou non j'avais un brin de cervelle. »

En de telles circonstances une mère peut très bien oublier qu'elle a du bon sens. Aussi cherche-t-elle désespérément une autorité qui puisse lui indiquer ce qu'il faut faire : si elle ne peut pas immédiatement entrer en contact avec son pédiatre, elle se précipitera aussi bien sur le téléphone pour appeler une voisine.

Mais il faut qu'une maman comprenne bien que toutes ces angoisses sont normales. Incompétence, panique, rancune, c'est le lot de toute jeune maman. L'idée que votre nouveau-né n'est ni si frêle ni si fragile que vous l'auriez cru tout d'abord s'imposera à vous peu à peu. Depuis des millions d'années les bébés savent trouver les moyens de surmonter la maladresse et les sentiments d'incompétence de leur jeune mère. Votre nouveau-né survivra lui aussi à votre maladresse et à votre inquiétude. Avec l'expérience, votre confiance grandira aussi : vous le tiendrez plus confortablement, vous lui donnerez à manger avec plus d'aisance, et quand il aura deux mois vous vous rendrez compte qu'il a des chances sérieuses de survie.

Il est bon de faire venir une aide ou une personne de la famille, pendant les premières semaines qui suivent le retour de la jeune mère à la maison. Mais même dans ce cas, il vous faudra assumer entièrement seule la responsabilité psychologique de votre enfant. Toute jeune maman doit subir ce « baptême du feu » pendant les premiers mois de la vie de l'enfant. Personne ne peut le faire à sa place.

Bien sûr, c'est un grand réconfort de parler à d'autres mères, et de s'apercevoir qu'elles éprouvent les mêmes sentiments. Vous découvrez alors que vous n'êtes pas seule dans ce cas. Faire part aux autres de vos sentiments profonds constitue un bon remède pour la jeune maman que vous êtes. Parlez donc à d'autres mamans, de préférence plus expérimentées.

Mais ne commettez pas l'erreur de vous référer à votre voisine ou à une autre mère comme à une autorité supérieure. C'est justement ce que beaucoup de jeunes mères font lorsqu'elles s'affolent. Telle maman qui ne songerait pas à consulter sa voisine pour diagnostiquer les oreillons chez son enfant attend qu'elle lui donne un avis impératif sur l'allaitement au sein. Essayer de résister à ce genre de tentation. Utilisez les avis des autres mères comme catalyseur pour vérifier la valeur de vos propres sentiments. Mais ne les considérez pas comme des oracles. Et n'oubliez jamais que votre enfant est unique en son genre. Ce qui a très bien réussi à votre voisine et à son bébé ne sera pas forcément valable pour vous.

Votre bébé est aussi unique en son genre que ses empreintes digitales

Je n'insisterai jamais assez sur le caractère unique de votre bébé, et j'y reviendrai sans cesse.

Il n'y a pas un seul être au monde dont les empreintes digitales coïncident avec celles de votre enfant. Et ce qui est vrai pour ses empreintes est vrai de tout son être, physiologique et psychologique. L'agencement particulier de ses gènes n'avait jamais existé auparavant et n'existera plus jamais. Ne l'oubliez pas. Peut-être que la comparaison suivante me rendra plus explicite. Supposons que tout enfant soit, de naissance, d'une couleur absolument unique. Il n'y aurait pas deux enfants au monde qui seraient les mêmes. Bien entendu il y aurait des ressemblances. Un bébé orange ressemblerait davantage à un autre bébé orange qu'à un bébé vert. Mais chaque bébé orange aurait sa nuance personnelle. De même, chacun de vos enfants sera différent des autres.

Quand je dis que votre enfant est unique, j'entends par là qu'il ne correspond à aucune des descriptions d'ensemble données par les livres de puériculture. Si votre bébé et son comportement ne correspond à aucune des descriptions d'ensemble données vous hâtez pas de conclure pour autant qu'il a quelque chose d'anormal. Ses façons de manger et de dormir sont les siennes propres. Et c'est bien ainsi. N'essayez pas de le calquer de force sur une image idéale, prise dans un livre. Il est ce qu'il est et voilà tout !

Votre bébé « écrit » l'histoire de son propre développement au fur et à mesure qu'il grandit. Laissez-le faire. Chaque enfant a son propre style de vie. Ce style commence dès la naissance. Mes trois enfants, par exemple, sont absolument différents. Ces différences me sont apparues dès leur plus jeune âge.

J'aimerais que nous nous arrêtions un instant, et que vous compreniez comme il est merveilleux que personne au monde ne soit exactement comme votre enfant Il est absolument unique de son espèce. Apprenez donc à apprécier ce caractère unique. Imaginez qu'un grand peintre ait peint un tableau tout spécialement pour vous, le seul au monde en son genre. N'aimeriez-vous pas tout particulièrement ce tableau ? Mais bien sûr cette comparaison est faible pour décrire avec précision l'originalité parfaite de ce merveilleux tout-petit qui dort si paisiblement dans son berceau.

Quand j'insiste sur cette originalité, je ne veux pas dire pour autant que votre rôle de mère soit inutile. C'est tout le contraire. L'enfant a besoin de vous pour développer ce côté exceptionnel. Il ne peut pas le faire tout seul. Il a besoin que vous l'encouragiez à chaque pas sur cette voie. Je vais essayer au long de ce livre de vous dire comment on peut aider son enfant à faire briller toutes les facettes de sa personnalité.

Dès sa naissance, il est temps de respecter son individualité. Si vous savez accepter sa propre façon de manger et de dormir, son tempérament et son humeur de bébé, il vous sera plus aisé d'accepter son propre style de vie dans les étapes ultérieures de son développement.

En fait, votre enfant va devenir un enfant unique en son genre, que vous le vouliez ou non. Cela me fait songer à l'anecdote sur Margaret Fuller et Carlyle. M. Fuller, dans un moment d'effusion, tendit les bras un jour en s'écriant « J'accepte le monde tel qu'il est ! » Et Carlyle de répondre : « Parbleu ! Comment faire autrement ? »

Il en est de même avec votre enfant. Vous ne pouvez vraiment l'empêcher d'être ce qu'il est profondément. Pourquoi donc essayer ? Agir à l'encontre d'un style de vie naturel, c'est comme jeter une clé à molette dans les rouages d'une machine. En essayant de lui imposer votre propre style de vie vous aurez seulement réussi à en faire une caricature faussée et amoindrie de lui-même. Cela vous soulagera d'un grand poids si vous renoncez à essayer de former votre enfant à votre propre image. Laissez-le se développer naturellement et librement.

Le propos essentiel de ce livre est de montrer que votre plus beau cadeau consistera à lui laisser la liberté de s'épanouir pleinement. Il est unique en son genre. Laissez-lui la possibilité de le rester.

Les différentes étapes du développement de votre enfant

Avant que j'en vienne à votre nouveau-né, je voudrais dire quelques mots des enfants en général et des différents stades de leur développement.

Tous passent par ces différents stades. C'est une des découvertes essentielles des spécialistes du comportement dans les quarante dernières années.

Ces étapes sont beaucoup plus différenciées dans les cinq premières années que dans les suivantes. Ainsi, les changements qui s'opèrent chez un enfant entre son second et son troisième anniversaire sont énormes en comparaison de ceux qui se produisent entre huit et neuf ans.

Chaque enfant passe en général par les mêmes stades de développement. Cependant, chacun les franchit à sa façon, et à son propre rythme. Tel stade s'étalera sur un an pour un enfant, alors qu'un autre le franchira en six ou huit mois.

Le temps de chaque étape varie beaucoup avec l'enfant. J'insiste sur le fait qu'on ne peut les accélérer. N'essayez donc pas de le faire.

Chaque étape assure une base solide pour aborder la suivante, comme pour une maison. La solidité des fondations détermine la construction du premier étage, celle du premier étage celle du second. Les événements de la vie d'un enfant du premier âge sont révélateurs de ce qui se produira au deuxième âge. Et ce qui se produit au deuxième âge vous renseignera sur le troisième et ainsi de suite.

L'élément de loin le plus important dans la formation de cette structure de base de la personnalité est le *concept de soi*, c'est-à-dire l'image mentale que l'enfant a de lui-même. Quelque chose comme un schéma de son esprit. Son comportement dépend des schémas mentaux qui le guident, le plus important étant son concept de soi.

Sa réussite scolaire (et au cours de toute sa vie future) en dépend pour une grande part. J'ai fait subir récemment un test d'intelligence à un garçon de douze ans. Une partie du test consistait à réunir les morceaux d'un puzzle. Il essaya, mais abandonna rapidement en disant : « Je n'y arrive pas. C'est trop dur. » Son concept de soi lui avait suggéré qu'en face d'un obstacle ardu qui vous crée des difficultés, on abandonne.

Il y a aussi des enfants qui se voient à travers l'optique de ce concept de soi : « Je suis sage, aimé ; je sais faire des choses. Je peux en essayer de nouvelles et réussir. » C'est le cas des enfants qui ne posent de problèmes à personne, ni à l'école ni ailleurs. Ce sont les enfants qui peuvent apprendre le plus.

Mais il y a d'autres enfants qui se voient ainsi : « Je ne suis pas très sage, on ne m'aine pas, je ne sais rien faire, et en particulier rien de nouveau. C'est idiot d'essayer, parce que, de toute façon, je ne réussirai pas. » Ce sont là des jeunes qui posent des problèmes à eux-mêmes comme aux autres. Ce sont les enfants qui ont le plus de difficultés à apprendre.

Le concept de soi de votre enfant sera l'idée maîtresse de ce livre. Pas à pas, je vous montrerai qu'il se forme dès les premiers jours de la vie et se développe pendant les cinq premières années. Et je vous expliquerai comment on peut favoriser le développement d'un concept fort et sain chez l'enfant.

2

LA PREMIÈRE ENFANCE

Votre enfant commence à avoir conscience de lui-même dès qu'il est né.

Comparons cette conscience de soi à une paire de lunettes. A chacune des quatre étapes de son développement et cela jusqu'à l'âge de six ans, l'enfant adapte un nouveau verre à ses lunettes. Le verre qui correspond à chaque étape s'ajoute au précédent.

Examinons les verres du premier âge. Cette période débute avec la naissance et se prolonge jusqu'au moment où le bébé sait marcher. Pour la plupart des enfants cette période coïncide avec la première année. Pour ceux qui marchent très tôt, elle correspond aux neuf premiers mois ; aux seize premiers mois pour certains, plus tardifs.

Certaines mamans regardent peut-être leur enfant pendant cette période initiale et se disent : « Il ne pense rien de bien important. Après tout, un bébé n'est qu'un bébé. Il passe la plus grande partie du temps à dormir. Quand il s'éveille, on lui donne à boire, on le change, on le baigne. C'est cela la vie d'un bébé. Il est encore trop jeune pour apprendre grand-chose. Par la suite, il saura s'asseoir, jouer dans son parc et commencer à marcher à quatre pattes, mais il est bien trop jeune pour apprendre le reste maintenant. »

On ne saurait faire plus grave erreur. Loin d'être trop jeune pour apprendre, votre bébé commence à apprendre dès l'instant où il naît. L'optique de sa conscience de soi s'est formée avant qu'il n'ouvre les yeux. Pendant cette étape qu'est le premier âge, ce que votre enfant acquiert de plus important est sa vision fondamentale de la vie. De son point de vue de bébé, il établit sa philosophie de la vie et ses sentiments essentiels sur ce que représente le fait de vivre. Il est en train de forger pour son affectivité future une assise sentimentale faite ou bien de confiance et de joie de vivre, ou bien de méfiance et d'inaptitude au bonheur.

Confiance ou défiance, le sentiment profond qui s'établira

chez votre enfant est déterminé par l'entourage que vous lui donnez. Cet environnement constituera un élément du système optique de la conscience de soi à travers lequel il voit le monde. S'il se donne durant la première année une paire de lunettes résolument optimistes, il deviendra un adulte optimiste. Si par contre il se donne des lunettes pessimistes, il deviendra dans la vie quelqu'un de foncièrement pessimiste.

La première année est d'une importance absolument cruciale, plus que toutes les étapes ultérieures de son développement psychologique. Parce que le tout-petit dépend de vous entièrement en ce qui concerne son univers.

Dès qu'il commence à marcher, il commence à exercer un contrôle beaucoup plus grand sur son entourage. L'apprentissage de la parole élargira encore ce contrôle. Mais un tout petit bébé agit bien peu sur son environnement. C'est vous, presque uniquement, qui décidez de ce qu'il sera.

Que faut-il assurer à votre bébé ? Que devez-vous faire pour développer au maximum les possibilités de votre enfant ? Si vous, parents, savez voir quand les besoins fondamentaux de votre enfant sont satisfaits, il atteindra son plein épanouissement. Voyons donc quels sont ces besoins fondamentaux.

De toute première importance est le besoin de nourriture. A cet égard on peut le considérer essentiellement comme une bouche et un tube digestif. Un bébé ressent la faim comme une réalité intense et immédiate. Très jeune, disons à l'âge d'un mois, la sensation douloureuse de la faim le réveille. Quand il a bu, il se rendort jusqu'à ce que les malaises de la faim le réveillent de nouveau. Ensuite, les périodes de veille s'allongent : il ne se rendort pas dès qu'il a bu. Comment pourvoir à ce besoin alimentaire ? Très simplement : satisfaites-le. Cela a l'air tout simple et l'est en effet, mais la société a inutilement compliqué ce qui, au départ, est une démarche très naturelle pour les mères et les bébés.

Allaitement naturel ou allaitement artificiel : un faux problème

Tout d'abord, nous avons embrouillé la situation en engageant la controverse entre les partisans du sein et ceux du biberon. Il est très regrettable que le public se rallie, pour des raisons sentimentales, à un camp ou à l'autre.

C'est un sujet sur lequel médecins, infirmières, puéricultrices et entourage s'enflamment. Ainsi, par exemple, on arrive parfois à donner aux mamans qui ne nourrissent pas au sein un sentiment de culpabilité. Les gens disent : « Donner le sein c'est suivre la nature. » Remarque qui, selon moi, est à peu près aussi sensée que de dire : « Si Dieu avait voulu que les hommes volent, il leur aurait donné des ailes. »

La querelle peut être réglée par cette seule affirmation. Il n'existe absolument aucune preuve scientifique qu'une des deux méthodes soit plus bénéfique que l'autre pour les enfants, tant sur le plan physique que psychologique. C'est à vous seule qu'il appartient de choisir la méthode que vous préférez.

Cependant, si vous choisissez de nourrir au biberon, veillez bien à tenir l'enfant contre vous et à le cajoler tout comme si vous lui donniez le sein.

Il ne s'agit pas là non plus d'une règle stricte. Votre bébé n'encourt aucun risque psychologique si, par hasard, vous lui donnez hâtivement un biberon. Mais, en général, votre bébé réclame les mêmes caresses physiques quand vous lui donnez le biberon que celles qu'il aurait si vous choisissiez de le nourrir au sein.

Doit-on suivre les désirs de l'enfant ou lui imposer un horaire strict ?

Passons maintenant à la question capitale pour celles qui adoptent le sein comme pour celles qui adoptent le biberon : Quand faut-il nourrir l'enfant ? Question à laquelle on devrait naturellement répondre : quand il a faim. Malheureusement notre civilisation est parvenue à compliquer inutilement cette réponse simple et évidente.

Pendant les années vingt et trente, beaucoup de gens croyaient qu'il était bon de donner des habitudes aux bébés aussitôt que possible. Et une grande part de cet entraînement consistait, à leurs yeux, à habituer le plus rapidement possible les enfants à un horaire strict. C'est ainsi que les médecins imposèrent ce rythme alimentaire d'une tétée toutes les trois ou quatre heures. La mère était sensée accorder les tétées à ce rythme. Ce régime terrible violait l'un des principes les plus fondamentaux d'une éducation propre à rendre les enfants psychologiquement sains : le respect de leur individualité.

Chacun d'eux est un individu unique qui ressent le besoin de s'alimenter selon son propre rythme. Comment avons-nous jamais pu penser que nous pouvions mettre au point une cadence venue de l'extérieur, un horaire fixe, qui conviendrait à tous les bébés ? Que vous infligiez à l'enfant un rythme de trois ou quatre heures, c'est nécessairement faux. Il est logiquement impossible qu'il convienne à votre enfant. Car non seulement il est différent de tous les autres, mais même ses propres besoins alimentaires varient d'un jour à l'autre.

Qu'arrive-t-il à un bébé nourri à heures strictes ? Lorsqu'il a faim il se sent frustré. La faim telle qu'un bébé l'éprouve est une force qui domine tout. Lorsqu'il a faim, cette sensation est totale. Il n'admet aucun délai : il a besoin de manger. La plupart d'entre nous, en tant qu'adultes, n'ont jamais ressenti la faim comme un bébé peut le faire. Peut-être pourrais-je vous en donner une idée en vous disant que si un bébé doit attendre une demi-heure qu'on lui donne à manger, c'est comme si nous devions, nous, attendre trois jours.

Dans la plupart des cas, un bébé ne fait pas de manières. Quand il a faim et que vous ne lui donnez pas à manger, il attire votre attention sur sa faim de la seule façon qu'il connaisse : en pleurant.

Plus le temps passe sans qu'on le nourrisse, plus ses cris se font violents. C'est comme s'il vous disait : « Dans quel monde suis-je donc arrivé ? Je suis là en train de pleurer, de crier, de dire et de répéter que j'ai faim, mais personne ne me donne à manger ! » Et au fil des minutes, les pleurs changent de nature et de ton : au lieu d'un simple besoin de manger exprimé haut et clair, ils prennent maintenant le ton de la colère et du désespoir. Le bébé veut alors dire par ses pleurs : « Je suis furieux, je vous déteste tous et le monde entier avec vous. Je vous déteste parce que vous ne faites pas attention à moi ni à mes appels de détresse ! »

Si on maintient un bébé dans cet horaire strict, il commence à découvrir qu'il peut bien pleurer de toutes ses forces sans aucun résultat. On ne lui donne rien à ce moment-là. Il peut réagir à cette situation avec colère ou peut au contraire devenir amorphe et apathique, comme s'il avait abandonné tout espoir de voir ses besoins satisfaits. Le bébé a appris à étouffer sa colère et à lui substituer une résignation redoutable. Mais que l'enfant choisisse la colère permanente ou la résignation apathique, ce qu'il apprend dans les deux cas c'est la même défiance fondamentale pour la vie. Comment pourrait-on l'en blâmer ? Pour lui, la vie est une réalité détestable, une entreprise pleine de déception.

Notre société commence enfin à voir les terribles défauts du système de tétées à heures fixes. Des médecins toujours plus nombreux sont décidés à recommander, et des mères de plus en plus nombreuses à appliquer ce qu'on appelle maintenant les repas adaptés à la demande de chaque enfant. Cette méthode est fondée sur ce qui devrait tomber sous le sens et apparaître comme une vérité évidente : laisser le bébé lui-même vous dire quand il a faim en s'éveillant et en pleurant.

Par la suite, beaucoup de mères ont à lutter contre des problèmes insolubles concernant l'alimentation de leurs enfants et, du point de vue psychologique, il s'agit de faux problèmes.

Les problèmes d'alimentation surgissent presque toujours parce qu'une certaine contrainte, opposée aux besoins naturels, a été exercée soit pendant le premier âge, soit à trois ans. Après tout, les parents ont un grand allié naturel pour nourrir leur enfant : la faim qu'il ressent. Si nous respectons l'individualité de notre enfant et veillons à satisfaire ce besoin biologique, il ne doit plus y avoir aucun problème d'alimentation.

Il est important que les parents respectent l'individualité de leur enfant dès la naissance. Ce n'est pourtant pas souvent le cas. Des incidents comme celui-ci sont malheureusement chose courante. Il y a à peu près une heure et demie que le bébé a été nourri et s'est endormi. Il se réveille en pleurant. La mère est tentée de penser : « Pourquoi peut-il bien crier ? Il n'a sûrement pas faim, car cela ne fait pas longtemps qu'il a bu. » Qu'en sait-elle ? Peut-elle se mettre à la place de son bébé et dire s'il a faim ou non ? Pourquoi ne pourrait-il pas avoir faim ? Sur ce point, les mères des tribus primitives sont souvent plus sages que nous, car chaque fois que leur bébé pleure ou s'agite, elles lui donnent le sein. Alors, quand votre bébé pleure, donnez-lui à boire. Offrez-lui le sein ou le biberon. S'il montre, en crachant ou par quelque autre refus, qu'il ne veut pas de nourriture, vous saurez que ce n'est pas la faim qui le fait pleurer, mais une autre raison.

Ce que vous pouvez faire de plus important pour aider votre enfant à acquérir une confiance fondamentale en lui-même et à l'égard du monde où il vit — condition essentielle d'un concept de soi sain et vigoureux — c'est de le nourrir quand il a faim. Le bébé à qui on donne à boire quand ses pleurs et ses cris indiquent qu'il a faim pense : « Comme la vie est belle, comme c'est bon d'avoir à manger, j'aime la chaleur de maman qui me tient dans ses bras et me donne le sein ou le biberon. Ce monde est vraiment un endroit sûr et agréable, puisque lorsque je lui fais savoir que j'ai faim on me donne à manger. Je sais que tout se passe très bien pour moi et pour tout ce qui m'entoure. »

Le second besoin fondamental d'un enfant est la chaleur. Il est à peine besoin d'en parler parce que 99 pour cent des mamans veillent à ce que leurs bébés soient bien au chaud et ne prennent pas froid.

Le troisième besoin fondamental est le sommeil. Ce besoin, le bébé y pourvoit tout naturellement de lui-même. Il dort autant que c'est nécessaire. Lorsqu'il a assez dormi, il s'éveille. Néanmoins, quelques mots sur ses habitudes et son rythme de sommeil peuvent se révéler utiles.

Il n'est pas nécessaire que la maison soit silencieuse et calme pour qu'un bébé dorme. Nous connaissons tous ce type de mère qui marche sur la pointe des pieds et se précipite à la porte pour murmurer aux visiteurs : « Chut ! bébé dort ! » Attitude qui n'est vraiment pas indispensable. En fait si vous faites des efforts excessifs pour obtenir le silence, vous pouvez si bien conditionner l'enfant qu'à la longue cette absence artificielle de bruit lui deviendra nécessaire pour bien dormir.

Faites donc normalement ce que vous avez à faire lorsque votre enfant dort, et n'hésitez pas à faire marcher la radio ou la télévision dans une pièce voisine si vous en avez envie.

Ce que je voudrais dire encore au sujet de la répartition des heures de sommeil chez l'enfant est qu'elle est absolument différente de celle des adultes. Le très jeune bébé s'endort aussitôt après avoir bu. C'est très pratique pour vous. Mais, peu à peu, il restera de plus en plus longtemps éveillé après la tétée ; ce qui n'est pas spécialement gênant pendant la journée, mais peut devenir pesant au milieu de la nuit. Après une tétée, en pleine nuit, vous voulez vous rendormir parce qu'il vous faut vous lever tôt. Mais le bébé, lui, n'en sait rien. Il est rassasié, heureux, satisfait, et n'a pas envie de se rendormir tout de suite. Il veut jouer un moment et s'accorder une période de veille.

Il se peut aussi qu'un bébé se réveille et se mette à pleurer au milieu de la nuit pour une raison inconnue. Peut-être parce qu'il a des coliques ou des douleurs d'estomac auxquelles vous ne pouvez rien. Vous constaterez parfois que, même en le prenant et en le cajolant, vous ne pouvez le consoler ni faire cesser les pleurs Il pleure à perdre haleine et vous êtes là tous les deux, abrutis de sommeil, à essayer désespérément de l'empêcher de pleurer afin de pouvoir vous rendormir. En de tels instants vous découvrez que la civilisation n'est qu'un mince vernis à la surface de l'être primitif qui sommeille en vous. Peut-être allez-vous sentir monter la colère contre bébé, ou bien peut-être l'envie de le secouer, de le frapper, de crier pour le faire taire : « Tais-toi ! tu ne sais donc pas qu'il faut que nous dormions ! »

Comme personne n'a jamais évoqué ces moments-là devant eux, beaucoup de parents se sentent souvent terriblement coupables d'éprouver de tels sentiments. En fait vous êtes un père ou une mère parfaitement normaux si vous éprouvez cela. J'ai bien dit « éprouvez cela ». Mais si vous perdez vraiment votre contrôle, si vous frappez votre enfant, alors il vous faut consulter un médecin. Vous devez être capable de contrôler vos actes, mais il est normal de se sentir malheureux et furieux en de telles circonstances.

Un siège d'enfant peut se révéler utile pour y installer votre bébé. Il n'a pas seulement son utilité pour le transporter en voiture ou d'une pièce à l'autre afin de le surveiller plus facilement. Il peut aussi permettre à votre bébé de se tenir dans une position différente. Parfois, lorsqu'un bébé ne peut se rendormir couché dans son berceau, il peut le faire, à cinq heures du matin, assis dans un siège d'enfant. Mais souvenez-vous que, quel que soit le rythme du sommeil et des veilles d'un bébé, la différence entre ses habitudes et les vôtres vous causera toujours des ennuis et du dérangement.

La brigade des couches

Un autre besoin fondamental pour le bébé est de se débarrasser des déchets de son corps (l'urine et les selles). C'est encore un besoin auquel il pourvoira lui-même. Vous n'aurez pratiquement aucun ennui à ce sujet si vous ne commettez pas l'erreur grossière d'essayer de le « rendre propre » pendant la première année de sa vie.

Il se peut que vous soyez conditionnée par les habitudes qu'on vous a imposées dans votre enfance et que vous ayez de ce fait horreur des couches sales. Elles vous paraîtront peut-être répugnantes et nauséabondes. Si c'est le cas, essayer de ne pas communiquer ces sentiments à votre bébé. Il ne ressent pas ce dégoût pour les déchets de son corps. Si vous lui communiquez votre aversion, tout ce que vous réussirez à faire sera de rendre ses habitudes de propreté plus difficiles à acquérir ultérieurement. Beaucoup de mamans, à cause de leurs propres sentiments de dégoût, croient que le bébé ressent comme elles du dégoût devant les couches souillées ou mouillées ; c'est pourquoi elles s'empressent de changer une couche dès qu'elle est salie. Vous pouvez sans crainte prendre une attitude plus détendue lorsqu'il s'agit de le changer. Tant que bébé n'est pas dans une pièce froide, il n'est ordinairement pas gêné d'être sale ou mouillé. J'insiste sur ce point pour qu'ainsi, quand votre bébé dormira, vous ne vous sentiez pas obligée de vous lever pour le changer en pleine nuit.

Comprenez-moi bien cependant. Il ne s'agit pas de laisser bébé systématiquement dans des couches sales au point de provoquer chez lui des rougeurs et des irritations. Ce sur quoi j'insiste, c'est que la plupart des parents peuvent sans crainte se montrer beaucoup plus détendus qu'ils ne le sont habituellement quant à la nécessité de changer fréquemment leur enfant.

Le besoin du contact physique

Le besoin fondamental qui vient ensuite est celui des caresses ou encore de ce que le Dr Harry Harlow appelle « réconfort du contact physique ». Votre bébé ne peut pas savoir qu'on l'aime si cet amour ne lui est pas démontré d'une manière physique : c'est-à-dire en le prenant dans les bras, en le cajolant, en le berçant, en lui parlant et en lui chantant des chansons.

Diverses études en ont fourni la preuve sur le plan animal. Le Dr Harry Harlow a observé des bébés singes élevés par des mannequins recouverts de tissu éponge et équipés de biberons incorporés. Bien que ces singes aient été nourris de façon satisfaisante, ils n'avaient pas reçu la dose nécessaire de réconfort par le « contact physique », puisqu'il n'y avait pas de mamans singes avec eux pour les caresser et leur faire d'autres démonstrations physiques d'amour. Les résultats de cette expérience montrent que ces bébés singes, en grandissant, étaient devenus des singes adultes inadaptés à la vie sociale. Ils étaient incapables de s'accoupler à des individus de l'autre sexe, et manifestaient des comportements étranges et insolites très semblables à ceux qu'on observe chez les humains atteints de psychose.

Bien entendu il n'est pas question de faire cette expérience sur des humains en les privant du réconfort par le « contact physique » pour voir si effectivement leur vie adulte serait perturbée. Cependant, nous disposons des résultats d'une « expérience » malheureuse qui fut réalisée pour des raisons tout à fait différentes au XVIIIe siècle et qui illustre cette question de façon dramatique.

Frédéric II de Prusse voulait découvrir ce qu'était le « langage original » de l'humanité. Il pensait qu'il le découvrirait s'il pouvait faire élever des bébés sans que personne ne leur parlât.

Son raisonnement était que des bébés ainsi élevés, lorsqu'ils commenceraient à s'exprimer, parleraient la langue originelle de l'humanité. Il donna donc ses instructions pour que des nourrices et des bonnes donnent à manger aux enfants, les baignent et les lavent, mais ne leur parlent jamais. Il pensait que lorsqu'ils commenceraient à parler, ce serait en hébreu, ou en grec, ou en latin, et qu'ainsi il découvrirait quelle était la langue primitive de l'homme. Mais le malheureux résultat de son expérience fut que tous les enfants moururent, probablement faute de caresses physiques et de la tendresse maternelle qu'ils auraient eues si les nourrices et les bonnes avaient eu le droit de leur parler.

Des études faites sur les jeunes enfants élevés dans des institutions charitables mettent en relief les mêmes phénomènes. Quoique les bébés élevés dans les orphelinats et institutions soient nourris de façon satisfaisante, le personnel n'a pas le temps de les cajoler physiquement et de leur prodiguer les caresses maternelles. C'est pourquoi nous constatons que les enfants élevés dans l'atmosphère stérile et non stimulante d'un orphelinat sont à des degrés divers diminués psychologiquement.

Alors laissez-vous aller à votre instinct lorsque vous avez envie de caresser, de bercer bébé, de lui chanter des chansons et de jouer avec lui. Prenez-le dans vos bras ! Embrassez-le ! Serrez-le mille fois si vous en avez envie ! Non, vous ne le gâterez pas trop, car c'est le moyen pour lui de savoir qu'il est aimé.

Son premier contact humain

Jusqu'à présent, j'ai parlé des besoins fondamentaux du bébé comme s'ils étaient choses distinctes et isolées. Il n'en est rien en fait, car ordinairement ce sont bien tous ces besoins fondamentaux que vous cherchez à satisfaire, vous, la maman, aidée du père ou d'autres adultes qui peuvent vous seconder. En d'autres termes, c'est en général une seule personne qui veille à assurer tous les besoins du bébé. Et ce faisant, cette seule personne, la mère, satisfait les premiers besoins affectifs du bébé.

C'est vous, la maman, qui assurez à votre bébé ses premiers rapports essentiels avec un autre être humain. Cette expérience assure le fondement de ses relations avec les autres individus qu'il pourra rencontrer pendant sa vie. S'il s'entend bien avec vous, s'il sent que vous prenez réellement soin de lui et de ses besoins, il éprouvera un sentiment de confiance fondamental pour ce monde où il fait bon vivre. Si vous apportez à votre bébé cette chaleur humaine dont je parle, à la fin de la première année il possédera les bases solides d'un concept de soi et éprouvera un sentiment de profonde confiance et d'optimisme devant la vie.

Les besoins intellectuels

Votre bébé n'a pas seulement les besoins affectifs que nous venons de citer. Il a aussi des besoins intellectuels fondamentaux. Et pour comprendre ces besoins, il faut voir comment l'enfant perçoit le monde. Vous ne devez jamais oublier, parce que c'est essentiel, que le monde pour votre bébé est comme un film dont l'image ne se met au point que progressivement.

Par exemple, lorsque vous vous asseyez sur une chaise pour lire, vous savez parfaitement que la chaise sur laquelle vous êtes assis, ou le livre que vous êtes en train de lire, ou la lampe à côté de vous ne sont pas « vous ». Votre bébé, lui, ne le sait pas.

Il ne sait pas à l'origine distinguer dans son univers « ce qui est moi » et « ce qui n'est pas moi ».

C'est une réalité difficile à saisir pour beaucoup d'adultes, parce que nous avons passé de nombreuses années au cours desquelles la conscience du « moi » et du « non moi » dans l'univers qui nous entoure s'est exercée à tous les instants. Il nous est difficile d'admettre que pour notre bébé il n'y a pas de « je » ou de « moi » au début. Il faut des semaines à un bébé avant qu'il en prenne conscience. Parfois cette prise de conscience se manifeste de façon amusante lorsqu'on peut voir un bébé plus âgé de quelques mois commencer à découvrir avec délice que c'est «moi» qui peut faire bouger ses orteils ou ses doigts. Il découvre qu'il peut les faire bouger chaque fois qu'il le désire. Bientôt ce sera un bébé assis, tout joyeux, agitant les doigts, ivre du sentiment tout neuf de sa puissance.

Il est important de comprendre cet aspect de « mise au point » progressive de l'univers de bébé, car, en lui apportant les stimulations intellectuelles appropriées, vous aidez son univers à se préciser. Ce que le psychologue français Piaget exprime ainsi : « Plus l'enfant voit et entend, plus il veut voir et entendre. »

Des recherches menées par le Dr Wayne Dennis dans trois orphelinats de Téhéran éclairent ce sujet d'une manière dramatique. Dans le premier orphelinat presque tous les bébés étaient admis avant l'âge d'un mois. Ils étaient laissés presque tout le temps dans des berceaux individuels, couchés sur le dos sur des matelas mous, sans être jamais redressés ni retournés jusqu'à ce qu'ils apprennent eux-mêmes à le faire. On changeait leurs couches quand c'était nécessaire et on les baignait tous les deux jours. On leur donnait du lait dans des biberons calés dans le berceau, mais ils recevaient aussi de temps en temps des aliments semi-solides des mains d'une infirmière. Ils n'avaient pas de jouets. Bref le monde dans lequel ils vivaient manquait presque totalement de stimulations sensorielles et intellectuelles.

Quand ces bébés eurent à peu près trois ans, ils furent transférés dans un autre orphelinat qui assurait le même genre d'atmosphère et d'entourage immédiat. Le Dr Dennis put constater que moins de la moitié de ces enfants parvenaient à s'asseoir entre un et deux ans, et qu'aucun ne savait marcher. Par comparaison, rappelons que presque tous les enfants normaux élevés par leurs parents savent s'asseoir seuls vers l'âge de neuf mois et marcher vers l'âge de quinze mois. Parmi ceux qui avaient deux ans, dans le premier établissement cité, moins de la moitié étaient capables de se tenir debout en se cramponnant à une main ou à une chaise. Moins de 10 pour cent savaient marcher seuls. Le Dr Dennis découvrit aussi que dans le second orphelinat 15 pour cent seulement des enfants âgés de trois ans avaient appris à marcher seuls.

Au cours d'une étude ultérieure dans un orphelinat de Beyrouth, le Dr Dennis prit un groupe de bébés âgés de sept mois à un an, parmi lesquels aucun ne savait s'asseoir, et les soumit à un programme systématique de stimulations sensorielles. Pendant une heure par jour on les levait de leur berceau pour les placer dans une salle attenante. Là, on les installait dans des chaises basses et on leur donnait une quantité d'objets variés à regarder et à manipuler : fleurs naturelles, sacs en papier, morceaux d'éponge colorés, couvercles de boîtes en métal, chasse-mouches en plastique, moules à gelée aux teintes vives, plats multicolores, petites bouteilles de plastique et cendriers en métal. Aucun adulte ne s'occupait alors des enfants, personne ne les aidait à jouer avec les objets, ce qui aurait rendu la stimulation encore plus efficace.

Cependant, même avec cette stimulation très limitée d'une heure par jour, tous les bébés apprirent rapidement à s'asseoir sans aide. Après beaucoup d'hésitation chez certains, tous montrèrent le plus grand plaisir à jouer avec les objets proposés. Au cours de l'expérience, ces bébés augmentèrent environ de quatre fois leur développement moyen, résultat immédiat de la stimulation sensorielle fournie par le jeu et sans la stimulation qu'eût apportée la présence d'adultes à ces jeux.

Le même genre de preuve apparaît dans les études sur le développement de la connaissance chez les enfants dont les parents sont pauvres et occupent une situation inférieure dans la société, par comparaison avec des enfants de parents relativement aisés. Les enfants dont les parents appartiennent à la classe moyenne ont un niveau mental de connaissance et d'intelligence beaucoup plus élevé à l'âge de trois ou quatre ans que les enfants de parents déshérités. Pourquoi ? Parce que les enfants des classes moyennes reçoivent une stimulation sensorielle et intellectuelle plus grande même au cours du tout premier âge. Ils ont accès à un plus grand nombre d'objets variés avec lesquels ils peuvent jouer. Et leur mère met ces objets à leur disposition, accepte qu'ils s'en servent, encourage une expérimentation plus poussée en même temps qu'elle leur en parle.

En bref, la vieille croyance que chaque enfant vient au monde doué d'un certain capital intellectuel ne résiste pas aux preuves fournies par les dernières recherches. Les résultats scientifiques les plus récents montrent que chaque enfant reçoit en héritage un certain potentiel maximal d'intelligence qu'il peut virtuellement atteindre en grandissant. Pour l'un, cette intelligence maximale peut être celle d'un génie ; pour un autre, il peut s'agir d'une intelligence moyenne ; pour un autre encore, le degré maximal d'intelligence peut se situer au-dessous de la moyenne. Mais il dépend en grande partie de la somme des stimulations sensorielles et intellectuelles qu'il reçoit pendant les cinq premières années de sa vie, qu'il parvienne ou non au maximum d'intelligence qui est le sien.

Vous voyez donc comme il est important d'apporter à votre bébé la stimulation sensorielle et intellectuelle. Donnez-lui des objets avec lesquels il puisse jouer, des objets qui stimuleront ses sens : sa vue, son ouïe, son odorat, etc. Donnez-lui des objets qu'il puisse palper, sucer, mâcher, démonter.

Les choses les plus courantes dans la maison peuvent faire l'affaire : morceaux de tissu propre, qu'il pourra froisser et mordre ; bouteilles et plats en plastique pour serrer et cogner, pinces à linge et anneaux pour se faire les dents, papier cellophane, boîtes en carton vides et ustensiles de cuisine. La liste n'est pas limitative. Bien sûr, du fait que tout va à la bouche, veillez bien à ce que bébé ne puisse se saisir d'objets trop petits avec lesquels il pourrait s'étouffer.

Les fabricants de jouets proposent eux aussi de nombreuses réalisations ingénieuses ! Fouillez chez votre marchand de jouets pour trouver des hochets à suspendre, des portiques de berceaux. On peut ainsi se procurer du matériel adapté tel que des mobiles à suspendre au-dessus du landau ou du lit d'enfant ; un système d'anneaux et de barres horizontales que le bébé peut attraper pour se hisser ; ou bien un aquarium en plastique transparent contenant des poissons, à poser à côté du lit.

Vous pouvez aussi fabriquer vous-même vos propres jouets de stimulation sensorielle. Tout objet coloré et qu'on peut manipuler, assez gros pour être inoffensif, peut être utilisé comme jeu. Faites le tour de votre maison, ou allez au bazar ou au Prisunic pour voir ceux que vous pourrez créer pour votre enfant.

Mais n'oubliez surtout pas le meilleur de tous : ce jouet que votre bébé préférera à tout autre est un « parent », mère ou père.

Parlez à votre enfant et jouez avec lui comme il vous plaira. Commencez par lui parler. Beaucoup de mères changent les couches, donnent à téter ou baignent l'enfant sans mot dire. Pourquoi ne pas profiter de ces occasions pour lui parler ? Dites-lui ce que vous êtes en train de faire. Bien sûr, il ne pourra pas comprendre ce que vous lui dites, mais le son de votre voix lui communiquera une stimulation sensorielle et intellectuelle.

Que lui dire ? Tout ce que vous voudrez. Par exemple : « C'est l'heure du bain, mon bébé est bien content. Comment vas-tu trouver l'eau aujourd'hui ? » ou bien : « C'est l'heure de te changer ! On enlève la veille couche comme ça et maintenant on plie la neuve comme ça et on entoure le bébé comme ça et on attache l'épingle. Et voilà, ça y est. » Chaque maman, pour son enfant, sait trouver son propre répertoire de paroles et de chansons.

Lorsque vous ou votre mari chantez ou parlez à votre bébé ou que vous lui faites entendre des bruits pour l'amuser, que vous le bercez ou jouez avec lui, vous lui donnez une stimulation sensorielle qui lui assurera son développement intellectuel. De plus, vous pouvez y prendre vous-même un grand plaisir. Beaucoup de parents ne savent pas se donner cette joie. Quand ils parlent d'un bébé sage, ils entendent par là un bébé qui est tranquille et ne réclame pas beaucoup de soins si bien que la mère peut s'occuper facilement de son travail domestique et de ses autres enfants. Ce « bébé sage » reste à l'écart de la stimulation sensorielle qui lui permettrait de se développer et d'atteindre son potentiel maximal d'intelligence.

N'allez pas jusqu'à tomber dans l'excès inverse et conclure qu'il faut passer tous les instants où votre bébé ne dort pas à jouer avec lui. Même si vous avez une aide pour faire tout le travail de la maison et aucun autre enfant pour vous occuper vous n'aurez pas vraiment envie de jouer avec lui tout le temps où il reste éveillé. Que ce jeu ne soit jamais pour vous une obligation mais un plaisir. Parlez-lui, jouez avec lui, cajolez-le quand vous en avez envie. C'est ainsi qu'il aimera votre présence et que vous aimerez la sienne.

Vue d'ensemble du premier âge

Je voudrais vous donner maintenant un bref aperçu d'ensemble du développement de votre bébé pendant la période du premier âge, la première année de la vie. Cependant j'aimerais vous suggérer avant tout de vous procurer un livre qui décrit dans le détail le développement de votre enfant pendant les cinq premières années de la vie. Ce livre est le résultat de recherches effectuées sur des millions d'enfants par le Dr Arnold Gesell et ses assistants à la Yale Clinic of Child Development. Ce livre est une véritable encyclopédie des cinq premières années de la vie, et je pense que des parents ne devraient pas ignorer cet ouvrage. Il s'appelle *Le Jeune Enfant dans la civilisation moderne*, mais il pourrait bien s'appeler « L'Enfant, de la naissance à cinq ans » parce que c'est en fait le sujet traité. Il décrit la vie et le comportement d'un bébé de quatre semaines et suit les progrès de son développement jusqu'à l'âge de cinq ans.

Ce livre peut être particulièrement utile à l'occasion d'un premier enfant. Tous les parents apprennent à connaître les enfants en prenant leur premier-né comme objet d'expérimentation. Je pense parfois que nous devrions pouvoir utiliser notre premier enfant comme « cobaye » et repartir à zéro avec le deuxième, une fois qu'on en sait beaucoup plus (je suis sûr que cette pensée vous est venue à vous aussi, particulièrement si votre premier enfant a été très difficile). Le Dr Gesell vous donne la possibilité « d'avoir un premier enfant avant votre premier enfant ». Autrement dit, vous pourrez découvrir ce que sont les enfants et ce que vous pouvez raisonnablement attendre d'eux aux différents stades de leur développement en suivant les descriptions faites dans le livre du Dr Gesell. Que mon rapide aperçu sur la question ne vous dispense pas d'une lecture plus complète des recherches de ce médecin.

J'ai trouvé commode de classer ces généralités sur le premier âge en périodes de trois mois, tout en vous rappelant dès maintenant qu'il s'agit là de divisions arbitraires. Je veux vous donner une idée générale de la croissance et du développement de votre enfant pendant ces périodes et vous suggérer des moyens appropriés pour lui assurer sur le plan des jeux un entourage meilleur qui favorise son développement intellectuel.

Les trois premiers mois

De nombreuses études ont montré que les nouveau-nés sont nettement différenciés les uns des autres de bien des façons : par leur passivité ou leur agressivité, leur sensibilité à la lumière, au son, au toucher, par leur empressement à se saisir du sein ou du biberon, par leur tempérament, leur tonus musculaire, leur formule sanguine et leur équilibre hormonal.

Chez mes deux fils, la faim et les cris se manifestaient de façons très différentes lorsqu'ils étaient nouveau-nés. Quand Randy, mon fils aîné, se réveillait en ayant faim, il l'annonçait en poussant des cris perçants qu'on pouvait entendre de plusieurs maisons à la ronde et qui duraient jusqu'à ce que le biberon soit dans sa bouche. Mais Rusty, mon plus jeune fils, se signalait de façon toute différente ! Il se réveillait et jouait gaiement tout seul pendant quelques minutes. Lorsqu'il commençait à « annoncer » sa faim, il me rappelait ces réveils qui au début sonnent tout doucement et finissent par faire entendre un bruit à briser les tympans si on ne prête pas attention au premier signal discret. Il commençait par pleurer doucement, et ne se mettait à pleurer sérieusement que si on ne prêtait pas attention à ses premiers cris.

Nous avons donc le cas de deux enfants, deux garçons, ayant tous deux le même héritage génétique et qui sont pourtant très différenciés dès leur naissance dans leurs caractéristiques psychologiques et le schéma de leurs comportements.

Vos enfants seront tout aussi différenciés. Respectez l'individualité de chacun. Aucun d'entre eux ne correspondra exactement au schéma général du comportement prévu à un certain âge ou à un degré de développement. En gardant à l'esprit que votre bébé est un être absolument unique, passons à la description générale de bébé pendant les trois premiers mois de la vie.

Le nouveau-né passe la plus grande partie de son temps à dormir, parfois jusqu'à vingt heures par jour (mais là encore votre bébé peut être différent). Le bébé est aussi, d'une façon générale, passif et placide pendant les trois premiers mois ; il ne peut pas encore relever la tête, se retourner (sauf par accident) ni faire bouger son pouce et ses doigts séparément. Sur le plan des perceptions, le monde lui apparaît comme un ensemble énorme, mouvementé, bourdonnant. Quoiqu'il commence presque immédiatement à prêter attention aux visages, il ne peut encore les distinguer les uns des autres. Pourtant le nouveau-né peut déjà enregistrer dans son petit cerveau un nombre étonnant de choses. Les études récemment menées par le Dr Robert Fautz ont montré que les nouveau-nés peuvent discerner les ensembles visuels. Il a démontré qu'un nouveau-né passera plus de temps à regarder des silhouettes en noir et blanc que des plages de couleur sans tracé défini et qu'un dessin schématique du visage humain retiendra plus souvent son attention qu'une composition désordonnée des mêmes lignes. Le Dr Lewis a démontré que même au premier jour les bébés peuvent distinguer un certain nombre de sons et d'odeurs variées et deviennent rapidement conditionnés par ceux-ci lorsqu'ils sont répétés.

Les résultats de telles recherches prouvent que votre nouveau-né enregistre dans son cerveau ce qu'il entend, sent et voit. Il peut éprouver du plaisir à certaines sensations dès sa naissance et, dès qu'il en est capable, vous pouvez jouer avec lui. Non pas « jouer » au sens de le lancer en l'air et de jouer à cache-cache avec lui, mais en restant à son niveau qui est encore très primitif.

Vous pouvez commencer à jouer avec votre bébé en faisant travailler son acuité auditive. Les jeunes bébés ont l'ouïe très sensible et sursautent aux bruits forts et soudains. Mais il leur plaît d'entendre parler et chanter doucement. Ils apprennent à cesser de pleurer quand ils entendent un bruit de pas. Utilisez donc les portes magiques que sont les oreilles de votre bébé.

Parlez-lui et chantez-lui des chansons. Faites-lui entendre des bruits amusants. Jouez de différents instruments de musique. Faites-lui entendre des sons variés tels que le tic-tac d'une horloge, le bruit d'un métronome ou le tintement d'une cuiller contre un verre. Il se peut que rien ne semble se produire dans son esprit lorsque vous faites tout cela, mais ces bruits s'enregistrent dans son cerveau. Vous lui apportez une stimulation sensorielle positive.

La peau est un autre terrain privilégié de stimulation. Les bébés aiment le jeu épidermique des contacts et des caresses. Massez-le doucement cinq minutes avant ou après son bain. Ne le faites surtout pas si vous considérez cela comme une obligation ennuyeuse, mais seulement si vous en avez envie.

Vous pouvez lui faire faire quelques petits exercices très simples, sous forme de jeux corporels qui lui donneront un bon tonus musculaire. Lorsqu'il est couché sur le dos, tendez ses bras de chaque côté puis repliez-les sur sa poitrine, en répétant plusieurs fois le mouvement.

Vous pouvez aussi lui lever les jambes et le faire pédaler doucement. Dès qu'il aura compris, votre bébé rira ou sourira peut-être, particulièrement si vous accompagnez l'exercice d'un chant rythmé ou de bruits amusants.

Les yeux sont eux aussi un moyen de stimulation sensorielle. Son berceau est son univers, et comme il est triste pour bien des bébés ! Comment pourriez-vous supporter de vivre dans une maison ou dans un appartement aux quatre murs nus sans rien pour combattre cette triste monotonie ? Egayez l'univers du berceau de votre bébé avec des stimulants visuels. Prenez des morceaux de tissu, de papier ou de plastique aux couleurs vives, aux dessins audacieux et suspendez-les aux côtés ou au-dessus de son berceau. Achetez un mobile pour bébé, ou faites-en un avec des morceaux de feuille d'aluminium, de papier, de carton, des boutons de couleur ou n'importe quels autres objets suspendus à une ficelle ou à un fil. La plupart des mamans suspendent les mobiles au-dessus de la tête de leurs enfants. C'est une erreur que de suspendre un mobile dans cette position pendant les six premières semaines de la vie de votre bébé. Pendant ce temps, il reste étendu avec la tête penchée soit à droite soit à gauche lorsqu'il est sur le dos. Les mobiles devraient donc être attachés soit à gauche soit à droite du berceau. C'est seulement à six semaines qu'il commencera à être capable, physiologiquement, d'orienter sa tête et qu'il pourra tourner son regard vers le plafond.

Il est aussi très important de ne pas laisser votre bébé constamment dans son berceau. Asseyez-le sur vos genoux de temps en temps afin qu'il puisse voir les choses sous un angle différent, ou bien calez-le dans un siège d'enfant dans une pièce différente afin qu'il puisse voir ce qui s'y passe. Certaines mères peuvent souhaiter avoir un sac à dos pour porter leur enfant tandis qu'elles vaquent à leurs occupations. Cela ne plaira pas à toutes, mais si cette idée vous tente, cela peut donner à votre bébé des angles visuels intéressants.

Vous parlez à votre bébé et vous lui chantez des chansons, mais il a enregistré tout cela très passivement et ne vous a pas répondu. Lorsqu'il atteindra deux mois, vous noterez peut-être un changement.

Lorsque vous lui parlerez ou ferez des bruits absurdes en jouant avec lui, vous pourrez découvrir que votre bébé commence à faire des efforts pour vous « répondre ». Il ouvrira la bouche comme s'il essayait de vous parler. Plus tard, ces réponses deviendront cette conversation « type » de bruits dénués de sens qui s'établit entre le bébé et sa mère.

Les efforts de votre bébé pour vous répondre à cet âge sont liés à une autre étape importante du développement qui est à peu près simultanée : la préhension dirigée par la vue, une des premières grandes découvertes dans l'apprentissage de votre bébé pour maîtriser son univers. Elle se situe au moment où il est capable de voir un objet, de l'atteindre, de le toucher, tout cela en même temps, action qui lui ouvre les portes d'un monde nouveau.

Vous pouvez aider cette activité à se manifester à deux mois environ avec un système que vous ferez vous-même, simple et bon marché. Prenez des chaussettes d'enfant (les plus petites que vous puissiez trouver) de couleur vive : rouge vif ou jaune, par exemple. Coupez les extrémités et faites un trou dans le côté de la chaussette pour que le pouce puisse passer. Enfilez-les sur les mains de votre bébé en faisant sortir ses doigts. Vous avez réalisé pour lui des mitaines de couleur vive.

Tout d'abord, lorsqu'il agite ses mains, il ne se rend pas compte que ces choses-là, ces mains, lui appartiennent. Si vous lui mettez ces mitaines de couleur vous lui permettrez de prendre conscience de ce fait beaucoup plus tôt et cela stimulera le développement de sa préhension dirigée par la vue.

Je vous propose encore autre chose pour enrichir son univers visuel. Avez-vous pensé comme le monde est monotone pour un bébé que l'on change ? Il le voit alors qu'il est sur le dos, les yeux levés, et c'est un spectacle bien triste. Placez un miroir sur le côté afin que votre bébé puisse voir à la fois vos mouvements et les siens quand vous le changez ou que vous lui donnez son bain. Cela augmentera beaucoup son intérêt pour le monde qui l'entoure.

Votre bébé n'a pas seulement besoin d'être dans un univers qui l'intéresse, mais aussi auquel il participe. Il lui faut apprendre qu'il peut faire certaines choses qui agissent sur cet univers. J'ai déjà mentionné la nécessité de parler et de chanter. Tout aussi important est de répondre aux bruits qu'il fait. Votre enfant commence très tôt dans la vie à jouer avec les sons. Quand il baille et émet des sons inarticulés, si vous lui répondez par le même son, cela l'amuse beaucoup, De cette façon, il reçoit la réaction de son entourage et cela lui plaît. Il réagit comme un enfant avec un jouet nouveau. Il veut prononcer ces sons pour qu'on y réponde encore.

Votre bébé tire un grand profit de cet échange. C'est ainsi qu'il apprend et peut faire certaines choses qui agissent sur son univers. Il conçoit qu'il vit dans un monde auquel il peut participer. Cette leçon l'aidera dès son plus jeune âge à acquérir une confiance en soi et un désir de s'exprimer d'un type très primitif.

Un autre système simple que vous pouvez faire vous-même et qui peut donner ce sentiment de participation à votre bébé est une liasse de tissus. Vous pouvez la réaliser en cousant des tissus de textures différentes à la façon des couvertures en patchwork, sur un morceau de tissu caoutchouté d'environ soixante centimètres de côté. Votre bébé pourra tâter ces morceaux d'étoffe et sentir les différences. Un petit mouvement vers un tissu différent changera son expérience du monde qui l'entoure et cela le stimulera pour aller plus loin dans son exploration et dans les réponses qu'il peut en tirer.

Voici un autre procédé pouvant fournir à votre enfant la notion d'un monde auquel il peut participer : prenez un morceau d'élastique ou de corde et suspendez-y différents objets : une série de cuillers, un hochet, ou un bracelet de plastique de couleur, par exemple, qui ne présentent pas de danger. Ne suspendez pas des objets trop petits qu'il pourrait mettre dans sa bouche et avec lesquels il risquerait de s'étouffer. Suspendez la corde ou l'élastique avec tous ces trésors juste devant lui pour qu'il puisse les attraper avec ses mains. Assurez-vous que la corde ou l'élastique est assez robuste et assez épais pour qu'il ne puisse pas s'enrouler dangereusement autour de ses mains ou de ses pieds et couper sa circulation. Ainsi n'utilisez pas de ficelle.

En vous servant de « trucs » aussi simples que vous confectionnerez vous-même, vous enrichissez sa personnalité qui se développe sans cesse en le mettant en face de différents objets et de différentes situations. Vous lui apprenez qu'en agissant sur ce qui l'entoure il en obtient une réponse.

En présentant à votre bébé des situations dans lesquelles il apprend qu'il peut agir sur le monde qui l'environne, vous jouez un rôle particulièrement important à ce stade de son développement.

De trois mois à six mois

Trois mois marquent une transition.

Au début du troisième mois, le bébé essaye d'atteindre les objets. Ce mouvement indique le passage d'une orientation passive et involontaire à une attitude active de manipulation et d'exploration de ce qui l'entoure.

Pendant les trois premiers mois, le nouveau-né explore son univers avec ses yeux, ses oreilles et bien entendu avec sa bouche par la succion. Il va désormais l'explorer avec ses mains. Il va commencer à manifester ce que le Dr Gesell appelle « la soif de toucher ». Il adore saisir, tâter et manipuler les objets. A quatre mois environ ses mains prennent beaucoup d'importance. Jusquelà il avait découvert, grâce à la vue, que les objets avaient une forme et une couleur. Le voilà qui commence maintenant à découvrir, grâce à ses mains, que les objets ont d'autres qualités : douceur, dureté, consistance.

Un savant qui étudie le monde physique n'est pas plus avide et curieux dans sa recherche qu'un bébé de quatre mois qui cherche à savoir si les objets qu'il peut attraper et tenir sont durs ou mous, rugueux ou lisses, secs, humides ou pelucheux. Donnez donc cette occasion à votre bébé. Disposez à portée de sa main des masses d'objets différents et laissez-le les tâter, les toucher et les manipuler. Les échantillons de tissus que vous aurez préparés seront particulièrement appréciés.

C'est à cet âge que votre bébé commence à tout porter à sa bouche. En fait, la bouche semble être l'un des principaux organes des sens par lesquels le bébé cherche à explorer son univers. Il continue à en être ainsi pendant des années. C'est comme s'il se disait : « Je ne saurai pas vraiment à quoi cette chose ressemble si je ne la mets pas dans ma bouche. » Il est donc très important à ce stade que vous donniez le maximum de sécurité au monde qui l'entoure. Il vous faudra retirer maintenant les mobiles fragiles et les jolis objets pointus qu'il pourrait avaler (qui étaient excellents pour l'exploration visuelle des mois précédents). Il vous faut maintenant des objets robustes que le bébé ne peut avaler et avec lesquels il ne peut s'étouffer.

C'est à ce moment que les hochets deviennent d'actualité. Fouillez dans les magasins de jouets et achetez-en un choix varié. Il est un jouet destiné aux plus âgés que les enfants de trois à six

mois aiment mordre et manipuler : c'est une poupée de caoutchouc mousse (personnage de Walt Disney comme Pluto ou
Dingo) qu'on peut tordre dans toutes les positions. Les jouets de
caoutchouc qu'on peut presser comme des poires conviennent
très bien à cet âge. Attention pourtant à ceux qui contiennent un
sifflet métallique qui peut être arraché ou se détacher à l'usage et
avec lequel l'enfant pourrait facilement s'étouffer.

Vient alors le moment où votre enfant a envie de jouer avec
des jouets ou des poupées douces au toucher et qu'il puisse
cajoler. Attention aux yeux de verre, qu'on peut arracher et
mettre à la bouche. Là encore danger d'étouffement. On peut
acheter les « jouets à caresser » chez le marchand de jouets. Il est
possible également de les faire soi-même. L'enveloppe lavable
peut être faite de vieilles serviettes de toilette, de tissu ou de
toile cirée. Caoutchouc mousse en morceaux, kapok, ou même
vos vieux bas de nylon pourront servir pour la garniture.

Ne vous limitez pas au magasin de jouets : allez aussi faire un
tour au rayon d'accessoires pour animaux ! Les os en caoutchouc
et les grelots amusent souvent autant un bébé qu'un jeune chiot.

L'âge où l'on peut mettre un bébé dans un parc se situe de
préférence vers trois ou quatre mois, avant qu'il ait appris à
s'asseoir, à ramper, et avant d'avoir pris conscience de l'espace
d'évasion que représente le sol. Si vous le mettez plus tard dans
un parc il pourra le prendre pour une prison. Placez le parc près
de l'endroit où vous travaillez, dans une pièce principale ou la
cuisine, là où bébé peut le mieux profiter de votre compagnie et
voir ce qui se passe. Il peut aussi bien rester dans son parc loin
de vous, et apprendre ainsi à s'amuser avec les jouets que vous
avez placés près de lui.

De six à neuf mois

Vers six mois les bébés commencent à éprouver nettement ce
qu'on a appelé l'angoisse du nouveau-né. Votre bébé a acquis
pendant les six premiers mois de sa vie une notion précise de ce
qui lui est familier, les visages et les gens. Maintenant sa
conscience est assez développée pour qu'il discerne les personnes
et les choses qui ne lui sont pas familières et par conséquent
inconnues. Il faut agir très progressivement pour mettre en
contact un bébé de cet âge avec une personne qu'il ne connaît
pas encore. Ne le mettez pas subitement dans une situation
nouvelle. Si les présentations l'effraient ou le font pleurer, votre
bébé vous dit qu'il a peur. Laissez-lui du temps, plus de temps.

A cet âge il désire aussi gazouiller et faire entendre des sons.

L'échange de sons dépourvus de sens commencé à deux ou trois mois devient un système fixe et cohérent de jeu verbal entre vous. La première dent apparaît en général vers le septième mois. La dentition s'accompagne d'un besoin irrésistible de mordre les choses et c'est pourquoi ce bébé a besoin de jouets qu'il puisse serrer entre les mâchoires.

C'est aussi pendant cette période de six à neuf mois que l'enfant devient fasciné par la répétition. Il adore répéter quelque chose jusqu'à ce qu'il sente qu'il en est maître. Par exemple, il veut frapper et frapper encore un objet sur la table ou le plateau de sa chaise. Un adulte, vite exaspéré par la répétition, a beaucoup de difficulté à se rendre compte de la joie qu'un bébé éprouve à répéter tout ce qu'il fait.

C'est à partir de six mois que commence la découverte des joies de l'imitation. Elle restera pendant toute l'enfance un des plus puissants ressorts sociaux. L'enfant de six mois imite les gestes de ses parents, comme celui d'essuyer une table avec une éponge ; il imite aussi les sons émis par ses parents. Bien avant de pouvoir parler, il peut trouver le moyen de communiquer son message aux autres personnes. Il est comme le voyageur qui, en pays étranger, ne parle pas la langue et parvient pourtant au moyen de baragouinages et de gestes à indiquer ce qu'il désire.

Vers huit mois il va sans doute savoir ramper, activité qui fait de lui désormais un explorateur plus actif du monde qui l'entoure.

A huit ou neuf mois, bébé est trop grand pour prendre son bain dans le lavabo ou dans sa petite baignoire. Il est prêt à se baigner dans la· vôtre. Il faudra mettre très peu d'eau, car un bébé qu'on laisse seul dans une baignoire risque de se noyer. Ajoutez à l'eau du bain une collection de jouets flottants, gants de toilette, récipients, tasses en plastique, et tout un monde nouveau de joies pures lui sera révélé. Jouer dans l'eau est une des choses qui plaisent le plus à l'enfant. Peut-être parce qu'il se souvient confusément de sa récente vie dans le liquide amniotique dans le ventre maternel. Quoi qu'il en soit, le jeu dans l'eau est un des jeux les plus calmants et les plus relaxants.

Après avoir appris à ramper, votre bébé va maintenant commencer à évoluer à quatre pattes. Dès qu'il sait ramper et surtout s'il peut se dresser sur ses jambes, il est indispensable d'éliminer tout ce qui peut être dangereux pour lui. Vérifiez soigneusement qu'il n'y a pas d'épingle, punaise, clou, ou tout autre objet qui puisse être avalé, oubliés sur le sol. N'oubliez jamais qu'un bébé porte à sa bouche tout ce qu'il trouve ! Tout ce qui dépasse l'incite à saisir et à tirer, corde ou fil par exemple.

Veillez à ce que votre infatigable petit explorateur au visage toujours en l'air ne puisse tirer et faire tomber sur lui aucun objet coupant ou pesant.

Lâchez votre enfant de temps en temps hors de son parc. Le coin d'une pièce, ou même toute une pièce, les issues barricadées et ne contenant rien de dangereux, sera un champ d'action pour toute la journée. L'intérêt manifesté à la découverte du monde qui l'entoure poussera l'enfant entre six et neuf mois à se contenter souvent de jouer seul pendant une demi-heure d'affilée. Les objets les plus courants de la maison sont souvent les meilleurs jouets pour un bébé de cet âge.

L'âge précis auquel un bébé peut ouvrir sa main et lâcher les objets varie d'un enfant à l'autre. Quoi qu'il en soit, quand votre enfant atteint cette étape de son développement physique, le temps des épreuves est arrivé pour la mère. Bébé a découvert un jeu entièrement nouveau qui s'appelle « jouer à laisser tomber et à lancer les objets ». Les voici qui sautent hors du parc, s'écrasent au sol, du haut de la table ou de la chaise d'enfant ! Il ne fait pas cela pour vous contrarier ou vous faire des misères. Seulement, ce jeu fait partie de ses recherches d'ensemble sur les composants et accessoires du monde. C'est la découverte de la relation entre cette aptitude toute nouvelle de la main et les lois de la pesanteur, même s'il est incapable de formuler une telle relation.

De neuf à douze mois

Il arrive que certains bébés marchent déjà à neuf mois. D'autres commencent à un an ; d'autres encore ne marcheront pas avant quatorze ou quinze mois. Mais le problème de l'âge où la première velléité de marcher se manifeste importe peu. C'est pendant les trois derniers mois de sa première année que votre bébé achève le passage de la position horizontale à la position verticale. Il ne restera plus passivement et tranquillement allongé pendant que vous le changerez ou l'habillerez. Bien au contraire, il sera devenu un vrai « ver de terre ». Et il coopérera peut-être d'une façon très simple à son habillement.

C'est pendant cette période de trois mois qu'il commencera à jouer à des jeux aussi évolués que « taper des mains » et autres jeux d'imitation propres à la petite enfance. Encore qu'il ne sache pas parler, votre bébé peut maintenant comprendre une grande partie de ce qu'on lui raconte. Il est capable de saisir des ordres simples. Il comprend un certain nombre de mots qui jouent le rôle de mots clés dans les jeux familiers ou les activités de routine telles que les repas ou le bain.

Il vous faut maintenant commencer à aider votre enfant à étiqueter ce qui l'entoure. C'est une tâche aisée. N'utilisez qu'un seul mot à la fois. Montrez-lui et identifiez les objets et les lignes qui forment son univers. Quand vous lui donnez son bain, mettez votre main dans l'eau, éclaboussez-le un peu et dites « l'eau ». Quand vous lui donnez une cuillerée de compote de pommes, dites alors « compote ». Si vous conduisez à côté d'un gros camion sur l'autoroute, montrez-le lui et dites « camion ». Ce « jeu d'étiquetage », vous pouvez le pratiquer n'importe où et n'importe quand avec lui.

A ce stade, il se peut qu'il se limite à enregistrer intérieurement ce que vous dites. A un stade beaucoup plus tardif du développement du langage, il vous répétera ce mot. Le jeu d'étiquetage est une des actions les plus efficaces que vous puissiez accomplir pour stimuler le développement du langage.

Pendant ces deux ou trois derniers mois de la première année, vous pouvez commencer à initier votre bébé au monde des livres. « Des livres ! » allez-vous peut-être vous écrier. « Mais c'est ridicule ! Il les mettra seulement dans sa bouche ! » Rappelez-vous que c'est la façon dont il découvre à quoi ressemblent les choses, livres y compris. Ces premiers livres devront être soit de tissu soit de carton épais. Ils ne comporteront pas d'histoires, car il n'est pas encore mûr pour les histoires ; ce seront des images (accompagnées d'un seul mot) représentant des objets familiers.

Ces premiers livres ne sont en fait qu'une autre forme de jeu d'étiquetage.

Vous lui montrerez les images et prononcerez le mot correspondant à voix haute. Puis il voudra prendre ce livre. Il caressera et tapotera les pages et voilà ce livre dans sa bouche ! Plus tard, il voudra regarder les images et émettre des syllabes inintelligibles. Pour lui c'est « lire ». Mais ne méprisez pas cela. En commençant à lui rendre les livres familiers dès son plus jeune âge, vous posez les fondements de son goût et de son amour de la lecture.

« Mettre » et « enlever » sont le thème essentiel des jeux de cet âge. Les objets les plus familiers sont les jouets les plus magnifiques. Une grosse bouteille de plastique avec un large goulot et un tas d'objets usuels à y mettre et à en ressortir peuvent donner du plaisir. Une corbeille à papier pleine de lettres à jeter et d'enveloppes peut exercer une fascination inépuisable sur un jeune enfant de cet âge.

Les quatre commandements du premier âge

J'ai décrit le développement de votre bébé pendant la première année de sa vie et vous ai suggéré avec précision ce que vous pouviez faire pour lui permettre de se développer au maximum d'un point de vue affectif et intellectuel pendant cette période.

Avant de clore ce chapitre, je voudrais cependant attirer votre attention sur ce qu'il ne faut pas faire avec votre bébé à ce stade. Sous l'influence de voisines qui se proclament expertes en la matière (aussi bien intentionnées soient-elles), beaucoup de mères mal informées commettent de graves erreurs, des actions inutiles, parfois néfastes. Voici quatre commandements pour cet âge :

Votre bébé pleurer point ne laisserez.

Cela semble évident et pourtant vous seriez stupéfaits d'apprendre combien de mères ignorent le cri de leur enfant. L'un de mes anciens étudiants me fit une fois cette observation intéressante dans l'un de ses devoirs :

> « Nos voisins avaient un bébé de moins de trois mois, dont la chambre donnait juste en face de notre cuisine. Tous les soirs, de six à sept heures environ, pendant que nous dînions, nous entendions pleurer le bébé presque sans arrêt. Cela dura pendant des mois, les cris devenant plus forts au fur et à mesure que le bébé grandissait. La solution que les parents apportaient à ces cris consistait à s'enfermer à une distance assez grande pour ne pas les entendre. Ils nous expliquèrent que le bébé était très satisfait et que lui prêter attention risquerait de le gâter.
>
> D'après les notions sur l'enfant que j'ai acquises dans ce cours de psychologie, il me semble que ce bébé était trop évidemment insatisfait et qu'il avait besoin qu'on s'occupe de lui. Je crois que le bébé était beaucoup trop jeune pour devenir un enfant gâté comme ils le craignaient. Il me semble qu'un sentiment terrible d'insécurité a pu naître de cette expérience, aussi bien qu'une méfiance fondamentale du monde en général. »

On est stupéfait que des parents soient assez aveugles aux besoins de leur enfant au point d'ignorer ses pleurs. Quel langage voulez-vous qu'un bébé utilise quand il veut vous faire part de ses désirs et de ses besoins ! Son seul moyen d'expression ce sont les pleurs. Lorsqu'il le fait, il essaie toujours de vous dire quelque chose. Que se passe-t-il en lui si le monde persiste à ignorer ce qu'il essaie de dire ?

Un sentiment d'abandon complet et absolu, la rage et le désespoir : voilà ce qu'il ressent si l'on ignore ses efforts pour communiquer.

Supposons par exemple que votre machine à laver tombe en panne quelques minutes après que votre mari est rentré de son travail. La pièce est inondée rapidement et vous lui demandez de vous aider de toute urgence. Quelle réponse apporte-t-il à votre appel désespéré ? Rien, absolument rien. Il continue à plaisanter sur son travail. Vous êtes stupéfaite et réitérez votre appel de façon plus pressante en élevant le ton. Il ne répond pas davantage à ce que vous essayez de lui dire, vous voilà maintenant folle de rage. Non seulement vous êtes concernée par votre machine à laver et l'inondation de votre maison, mais vous avez un souci encore plus pressant : pourquoi ne pouvez-vous plus communiquer avec votre mari ? Pourquoi ne prête-t-il pas attention à ce que vous essayez de lui dire. Quelque chose ne va peut-être plus entre vous et c'est sans doute pour cela qu'il ignore ce que vous essayez de lui dire. Vous vous sentez complètement perdue et impuissante comme si vous jouiez quelque film ou spectacle télévisé étrange où l'héroïne devient folle parce que personne n'écoute ce qu'elle a à dire.

Cette analogie peut vous donner une idée de ce qu'un bébé peut ressentir quand on le laisse pleurer sans que ses parents lui répondent. C'est comme si le bébé criait au monde : « Occupez-vous de moi ! J'ai quelque chose de très important à vous dire. Occupez-vous de moi ! » Mais personne ne s'en soucie. Quand il lui aura été donné de vivre un certain nombre d'expériences de cette nature, croyez-vous qu'il puisse vraiment cultiver un sentiment de confiance fondamentale dans le bon côté de la vie ? Difficilement. Il aura une conception pessimiste de l'existence, il se sentira frustré et amer. Il se peut aussi qu'il abandonne et qu'il adopte l'attitude du « à quoi bon » face à la vie. Sentant au plus profond de lui-même que ses besoins ne seront jamais satisfaits, peut-être décidera-t-il qu'il est inutile d'essayer, et deviendra-t-il ce type d'enfant (et plus tard d'adulte) qui manque d'agressivité et se révèle incapable de diriger sa vie.

Ou bien il appartient à ce type d'enfant qui n'abandonne pas, en dépit de tout. Au lieu d'accepter passivement la situation, il peut manifester le besoin (et avec amertume) de forcer le monde à lui prêter attention. Combien de fois ai-je entendu des adultes dire d'un enfant plus âgé qui fait l'intéressant : « Oh ! il veut seulement se faire remarquer... » Certes, puisqu'il y a été contraint dès son plus jeune âge !

Une mère dit parfois, quand son bébé pleure : « Il vient de manger, il a été changé, par conséquent il n'est pas mouillé. Aucune épingle ne le pique, il n'a pas froid, il n'y a donc aucune raison pour qu'il pleure. » Elle ignore ses pleurs et vaque à ses occupations. Elle ne voit pas l'essentiel : il y a toujours une raison pour qu'un bébé pleure. Ce qu'elle devrait se dire c'est qu'elle ne sait pas pourquoi il pleure, car aucun bébé ne pleure sans raison. Il essaie toujours de vous dire quelque chose ; nous devons essayer de deviner ce qu'il désire.

Un bébé peut pleurer parce qu'il se sent seul. Les bébés peuvent avoir un sentiment de solitude tout comme les adultes. Lorsque nous nous sentons seuls, nous pouvons toujours inviter quelqu'un à venir prendre le café ou nous pouvons tout au moins décrocher le téléphone et parler. Tout ce qu'un bébé peut faire, c'est de pleurer. Quand il pleure, il peut vouloir dire : « Je me sens seul et je veux sentir un corps doux et chaud qui me tienne contre lui, j'ai besoin qu'on me calme et qu'on me chante quelque chose. Alors ça ira mieux. »

Mais le sentiment de solitude est seulement une des raisons pour lesquelles un bébé peut pleurer. Il nous arrivera de ne pas en trouver la cause. Nous serons parfois incapables d'apaiser son désarroi. Vous lui donnez à manger, vous le cajolez, vous lui chantez une chanson. Rien ne semble le soulager et la plupart du temps ces cris sont dus à des douleurs d'estomac ou à des coliques, puisque le système digestif du bébé n'est pas encore réglé. On peut quelquefois le soulager en lui massant doucement l'estomac ou en lui donnant à boire de l'eau tiède. D'autres fois, rien ne semblera pouvoir l'apaiser. La plupart du temps, cependant, si vous tenez votre bébé contre vous, cela lui permettra de se calmer même s'il souffre de coliques.

Il y a un autre type de pleurs que les mères ont besoin de connaître. C'est la crise de larmes qui signale que le bébé est fatigué et qu'il va dormir. La mère apprend très vite à la reconnaître et à savoir qu'il ne faut pas se faire de souci, car dans quelques minutes bébé sera profondément endormi. Il s'agit toujours de messages qui nous sont adressés. Le bien-être psychologique de votre enfant sera très différemment affecté si vous ignorez ses larmes et le message qu'il essaie de vous faire parvenir ou si vous prêtez attention à ses cris en essayant de deviner ce qui le rend si malheureux.

Point n'enseignerez à votre bébé à être propre.

De temps en temps, je vois des mères qui ont essayé d'apprendre à leur enfant à être propre dans sa première année. C'est une erreur rare mais *monumentale*. Une mère qui avait commis cette erreur m'amena un jour sa fille de sept ans pour que je la soigne.

L'enfant était aux prises avec un certain nombre de problèmes d'ordre psychologique, avec, entre autres, une peur terrible d'aller à l'école, des difficultés à se faire des amis, un attachement exclusif à sa mère et l'incapacité d'établir des relations avec les autres enfants. A tous ces problèmes s'ajoutait le fait qu'elle mouillait régulièrement son lit.

Lorsqu'un enfant de plus de cinq ans fait pipi au lit, on peut parier presque à coup sûr que, d'une certaine façon, l'éducation de l'enfant a été mal faite. Le plus souvent l'enfant, dans son subconscient (ce n'est ni conscient ni délibéré), se venge sur ses parents des vexations qu'il a subies lorsqu'ils essayaient de le rendre propre.

La mère dont je vous parlais tout à l'heure avait commencé à essayer d'éduquer sa fille à huit mois. Je lui demandai pourquoi elle avait commencé si tôt. Elle me répondit : « En fait, je n'y aurais pas pensé si tôt. C'était mon premier enfant et je crois que je n'y connaissais pas grand-chose. Une voisine me dit que c'était le bon moment et que son fils avait été propre à un an. Je réussissais très bien. Je la mettais sur le pot juste après lui avoir donné à manger et après un petit moment elle allait à la selle avec la régularité d'une horloge. »

La mère fut horrifiée lorsque je lui dis que c'était elle en fait qui s'était éduquée sa fille et non pas l'enfant qui n'avait pas été entraînée à régler ses propres besoins. Elle se contentait de répondre passivement à sa mère, qui s'était elle-même entraînée à s'occuper des besoins de sa fille. Je demandai à la mère ce qui était advenu de cette prétendue éducation depuis que l'enfant mouillait son lit. Tout honteuse elle me répondit : « Eh bien, je ne comprends pas. Mais elle a fait en quelque sorte machine arrière après qu'elle eut appris à marcher. J'ai dû recommencer complètement et c'est à ce moment-là qu'elle a commencé à mouiller son lit toutes les nuits. » Je lui fis remarquer que la petite fille n'avait pas *régressé* car elle n'avait jamais été vraiment propre au début.

Pour qu'un enfant apprenne à être propre, il lui faut maîtriser un certain nombre d'activités complexes, comprenant un contrôle neuro-musculaire de ses sphincters. *Ce contrôle neuro-musculaire est absolument impossible jusqu'à ce que l'enfant ait environ deux ans.* C'est alors le moment de commencer à l'éduquer, mais pas dans la petite enfance. Vous pouvez éduquer un enfant de moins d'un an, mais vous paierez cette éducation précoce très cher d'un point de vue psychologique. Personnellement, je ne pense pas que cela en vaille la peine.

Point ne craindrez de gâter votre enfant.

Ce que signifie « gâter un enfant » varie en fonction des critères de chacun.

Si par « enfant gâté » vous entendez un enfant de huit ans qui exige toujours que ses désirs soient satisfaits et pleure sans vergogne quand on n'y cède pas, qui ne peut supporter un refus, est incapable de partager quoi que ce soit avec d'autres enfants, a des accès de colère, est pleurnicheur, fait des histoires et est susceptible, alors, je suis d'accord, un tel enfant est un enfant gâté.

« Gâter un enfant » c'est accepter qu'il persiste à garder un comportement infantile bien au-delà du moment où il est psychologiquement apte à l'abandonner. La conduite d'un enfant de huit ans telle que je l'ai décrite plus haut conviendrait à un enfant de deux ans mais pas à un enfant de cet âge. Selon toute probabilité ses parents ne l'ont jamais encouragé ou ne lui ont jamais demandé de dépasser le stade des deux ans.

Mais — et c'est une restriction très importante — le concept « gâter un enfant » ne peut s'appliquer aux bébés. Nous faisons preuve de bon-sens si nous exigeons qu'un enfant de cinq ans abandonne son comportement de bébé, car il est tout à fait capable de le faire d'un point de vue psychologique. Mais nous manquons totalement de réalisme en exigeant d'un bébé qu'il abandonne son comportement de bébé. Il n'est *pas capable* de se conduire autrement. Après tout, c'est un bébé ! Donnons-lui donc le droit d'agir en tant que tel !

Nous réussirions beaucoup mieux à comprendre les bébés et les enfants si nous abandonnions ce terme de « gâter ». Ce concept n'est étayé par aucune donnée scientifique et remonte à une époque où nous n'avions pas les moyens d'étudier le comportement infantile. Le concept tout entier semble impliquer que si vous faites trop attention à vos enfants quand ils sont jeunes, vous allez à la catastrophe quand ils seront adultes. Mais vous ne nuisez pas à votre enfant en vous intéressant à lui quand il est tout petit. Vous pouvez toutefois porter préjudice à un enfant plus âgé en étant trop indulgent avec lui, en craignant d'être ferme, de lui imposer des limites ou en le laissant toujours agir à sa guise. Mais tout cela est très différent de l'intérêt qu'on peut lui porter. Réservons ce terme de « gâté » aux fruits plutôt qu'aux enfants et aux bébés.

Malheureusement un grand nombre de mères se tracassent et se demandent si elles gâtent ou non leur bébé. Elles ont tout spécialement tendance à s'inquiéter si l'une de leurs amies, du genre voisine qui prétend tout savoir, leur assure : « Ne faites jamais cela ou vous allez sûrement faire de lui un enfant gâté. » Ou bien vous entendez une mère vous dire : « Je le gâte à l'en pourrir. Je sais bien que je ne devrais pas, mais je n'y peux rien. » Ou bien c'est un père qui reconnaîtra : « Evidemment, on ne peut pas prendre un bébé dans ses bras chaque fois qu'il pleure, ou on en ferait un enfant gâté. Après tout, il faut qu'il apprenne qu'il ne pourra pas toujours en faire à sa tête ici-bas, et il vaut mieux qu'il l'apprenne tout de suite. »

Toutes ces remarques font preuve d'une incompréhension profonde de la nature des bébés. Un enfant a certes besoin d'apprendre qu'il ne peut pas faire tout ce qu'il veut. S'il ne le fait pas, ce sera vraiment un enfant gâté. Mais à quel âge faut-il commencer à le lui enseigner ? A deux ou trois mois ou même neuf mois, c'est bien trop tôt. Il est absurde de lui imposer des frustrations à cet âge en pensant que cela lui apprendra à faire face à d'autres frustrations plus tard.

Soyons clairs : il est impossible de gâter un bébé. Câlinez-le autant que vous voudrez. Donnez-lui à manger aussi souvent qu'il le désirera. Chantez-lui des chansons et cajolez-le autant qu'il vous plaira. Occupez-vous de lui toutes les fois qu'il pleurera : ce n'est pas pour cela qu'il sera gâté.

Le mieux qui puisse arriver à votre bébé, psychologiquement parlant, c'est que tous ses besoins soient satisfaits et qu'il se sente aussi peu frustré que possible. Son « ego » ou conscience de soi est encore trop malléable et trop tendre pour avoir la force de faire face aux frustrations dès maintenant.

En vieillissant, il aura bien le temps d'apprendre ce qu'est la frustration.

Point ne laisserez le père ignorer son bébé.

En tant que psychologue, j'avoue que je me demande pourquoi tant de pères restent loin de leurs bébés, d'un point de vue physique et émotif. Depuis plus de vingt ans, des mères viennent s'en plaindre auprès de moi. Elles me racontent : « Il dit que le bébé est si petit qu'il a peur de le lâcher. Il ne veut même pas le prendre. » Ou bien : « Il me laisse m'occuper de tout ce qui concerne le bébé. » Ou : « Mon mari, lui donner à manger ou le changer, vous plaisantez, sans doute ? »

Ce qui est clair lorsque vous écoutez ces mères c'est que les pères semblent avoir peur des bébés. Ils réagissent en restant éloignés de tout contact étroit toutes les fois que c'est possible. Nous ne sommes pas bien sûrs d'en connaître les raisons. Tout ce dont nous sommes sûrs c'est que beaucoup de pères restent effectivement à l'écart de leurs jeunes bébés et que ce n'est pas bon pour ceux-ci. En gardant ses distances avec son enfant, le père empêche vraiment que les liens étroits d'une chaude affection se nouent entre eux. Et cela donne un bien mauvais départ à la relation père-fils.

Les relations avec le père se classent *au second rang* dans l'ordre d'importance de la vie d'un enfant, particulièrement jusqu'à cinq ans. (Je consacrerai une grande part des chapitres suivants à montrer l'importance des rapports père-enfant.) Dès maintenant, j'insiste sur le fait que le rôle du père, comme celui de la mère, commence à la naissance. (Bien que, à la façon dont certains pères agissent, on pourrait croire que ce rôle ne commence que lorsque l'enfant a au moins deux ans !)

Je spécifie que je ne plaide pas pour que le père prenne la place de la mère en donnant le biberon au bébé ou en lui faisant faire son rot, en lui donnant son bain ou en le changeant. Ce ne serait pas sain psychologiquement pour la famille que le père rentre de son travail et qu'on attende de lui qu'il relaie la mère entièrement.

Ce que j'affirme c'est que les pères doivent apprendre à faire cela tout comme les mères. Personne, homme ou femme, ne sait en venant au monde comment tenir un bébé, par exemple. La plupart d'entre nous le font très maladroitement d'abord, jusqu'à ce que l'habitude vienne. Les cours de la Croix-Rouge sont excellents pour apprendre à s'occuper d'un nouveau-né, mais la meilleure occasion se présente avec votre bébé. Il est très difficile de se sentir proche d'un enfant que vous n'avez jamais tenu dans vos bras, jamais regardé baver et gazouiller dans son bain, avec qui vous n'avez jamais joué à cache-cache.

Si votre mari ne s'intéresse pas à votre bébé, personne d'autre que vous ne peut le pousser à le faire. Pourquoi ne pas commencer par essayer de découvrir *pourquoi* il ne s'y intéresse pas ? Cherchez dans son propre milieu familial. Peut-être que son père ne s'est guère intéressé à lui quand il était enfant, et qu'il répète le même procesus, suivant ce mauvais exemple. Peut-être se sent-il beaucoup moins habile que vous avec ce bébé tout neuf, mais il ne veut pas avouer ce sentiment devant vous. Quelles que soient ses raisons, essayez de le faire parler. Usez de tous vos artifices féminins pour éveiller son intérêt de père pour votre tout jeune bébé. Avec certains pères, il faudra faire des efforts assez éprouvants. mais cela en vaut la peine.

Les fondements de rapports faciles entre père et fils s'établissent dès la plus tendre enfance et ces années-là ne reviendront plus jamais. Le père qui décrète qu'il est trop pris par son travail pour le moment mais qu'il pourra plus tard consacrer plus de temps à son enfant se leurre. Très vite, avant qu'il n'ait eu le temps de s'en rendre compte, le « bébé » ira à l'école. Puis l'écolier des classes primaires semblera tout à coup s'être transformé en adolescent, et à ce moment-là l'enfant n'aura plus besoin de contact étroits avec son père. Ce sera alors trop tard. Parce que son père ne s'est pas intéressé à lui quand il était enfant, l'enfant se désintéresse de ce que son père veut maintenant lui dire. Le père est devenu un étranger pour son propre fils. Le fossé qui se creuse entre le père et l'adolescent dépend en grande partie des relations qu'ils ont eues dans les années précédant l'école. Et ces relations remontent souvent à la première enfance et à la façon dont les rapports se sont alors établis.

Conclusion sur la première enfance

Je vous ai indiqué ce que vous deviez faire avec votre bébé et ce que vous deviez éviter. J'ai essayé de vous donner une idée générale de votre bébé dans sa première année.

Qu'a-t-il appris ?

Si vous lui avez donné à manger chaque fois qu'il avait faim, il sait que le monde est un endroit où il fait bon vivre — un endroit où l'appétit est rapidement satisfait.

Si vous l'avez câliné, il sait qu'on l'aime de la seule façon qui soit à sa portée : par le réconfort du contact physique.

Si vous avez répondu à ses larmes comme à un message urgent qu'il vous adresse, il sait que vous viendrez à son secours chaque fois qu'il en aura besoin.

S'il a connu l'amour chaleureux d'une maman qui a répondu à tous ses besoins fondamentaux, il a pu faire l'expérience des premiers contacts affectifs profonds avec un autre être humain. Et cela le préparera à avoir des rapports sociaux satisfaisants.

Si sa mère et d'autres adultes l'ont soumis à des stimulations sensorielles et intellectuelles variées, alors il découvrira que le monde est un endroit merveilleux et fascinant et non une lugubre et triste prison. Les stimulations sensorielles et intellectuelles, s'ajoutant à la liberté d'explorer son univers, favoriseront le développement précoce de ses capacités intellectuelles.

Si votre bébé a pu faire ces expériences dans sa première année, il a acquis une bonne dose de confiance fondamentale et d'optimisme vis-à-vis du monde et de lui-même. Cette confiance de base forme le verre le plus important de ce système optique qu'est la « conscience de soi ».

Au moment où il quitte la première enfance, ce sentiment de confiance lui donnera la meilleure préparation possible à la seconde étape : celle des premiers pas.

3

LES PREMIERS PAS

Dès que votre bébé apprend à marcher, il aborde une nouvelle étape de son développement : celle des premiers pas. Cette étape lui offre un nouvel apprentissage, l'exploration active de ce qui l'entoure, ainsi que la possibilité d'acquérir la confiance en lui-même. Cela le place aussi dans une situation spécifique où il est particulièrement vulnérable : il doutera de lui-même si on le punit trop ou si on lui fait comprendre qu'il est « méchant » en explorant son univers.

Les premiers verres de ce système optique qu'est la conscience de soi se sont placés dans la première enfance au moment où votre bébé a appris à être fondamentalement confiant ou défiant face au monde. Maintenant, à l'âge où il voudra marcher, il va ajouter une seconde lentille à ce système : ou bien il sera sûr de lui-même ou bien il doutera.

Jusqu'à présent, les tentatives d'exploration de bébé ont été assez limitées et assez passives. Même lorsqu'il a commencé à ramper et à évoluer à quatre pattes pour se préparer à la marche, il se contentait d'un champ d'investigation restreint. Dès qu'il comprendra qu'il peut se promener tout seul dans toute la maison, il va se mettre à explorer activement son univers.

Cette étape est une période d'apprentissage aussi bien pour la mère que pour l'enfant.

Pendant qu'il apprend à explorer, sa mère découvre quels sont les objets qu'il est capable d'avaler et auxquels elle n'avait jamais songé.

Elle apprend à interpréter la signification des longues périodes de silence lorsque notre petit homme est dans une autre pièce. Ce silence indique qu'il est absorbé à commettre une sottise insoupçonnée. La maman se précipite dans la pièce silencieuse et trouve ce petit voyou ravi de décorer de festons les murs de la salle de bains avec son rouge à lèvres ou se délectant à faire des pâtés avec du détergent en poudre qu'il a éparpillé sur le perron.

Cette période du développement de l'enfant est celle de l'ex-

.ploration p.r excellence et toute mère doit prendre une orientation définitive en ce qui concerne sa maison et le jeune explorateur qui en fait le siège désormais. Ou bien elle conservera une maison réservée exclusivement aux adultes ou bien ce sera une maison sans danger pour les enfants. Si elle se décide pour la première solution, elle devra passer beaucoup de temps à mettre un frein aux activités de son bébé, verbalement et physiquement. Il lui faudra dépenser beaucoup d'énergie à lui dire « non », à lui taper sur les mains et à l'empêcher de toucher aux choses.

Beaucoup de mères agissent exactement comme cela. Elles essaient d'élever leur enfant dans une maison faite pour des adultes et non pour lui. Scientifiquement parlant, c'est une énorme faute d'éducation. La curiosité qu'il manifeste à ce stade est de la même veine que celle qui plus tard le fera réussir à l'école et dans son travail. S'il lui semble que sa curiosité l'expose à des rebuffades à jet continu, non seulement cela étouffera son instinct d'apprendre, mais il doutera de lui-même et l'élan de sa confiance sera brisé.

Laissez-moi faire cette comparaison : imaginez que votre enfant soit maintenant en 7ᵉ. La salle de classe possède un certain nombre d'objets éducatifs intéressants : des livres traitant de différents sujets, un microscope, un aquarium, des documents scientifiques. Il prend un livre de mathématiques et commence à le lire. La maîtresse aussitôt lui donne une tape sur la main et lui dit : « Non. Ne touche pas cela. » Il repose le livre. Il se dirige vers le microscope et commence à regarder. En un clin d'œil la maîtresse est à côté de lui : « Non, laisse cela », dit-elle. Repoussé une fois de plus, il retourne à sa place, et commence à lire *l'Ile au trésor*. La maîtresse est aussitôt sur lui : « Veux-tu t'arrêter ! »

Il ne faudrait pas plus de quelques semaines de ce genre de restrictions pour décourager complètement l'enfant d'apprendre quoi que ce soit dans cette classe.

Il se dirait vite : « Toutes les fois que j'ai la curiosité d'apprendre quelque chose, elle me gronde. Je dois être bien méchant. Je ferais aussi bien de ne plus rien apprendre et peut-être que ma maîtresse m'aimera. »

Si vous voyiez la maîtresse de votre fils tenir sa classe de cette façon, vous seriez furieuse. Vous lui diriez : « C'est ainsi que vous découragez systématiquement son désir d'apprendre. Vous étouffez sa curiosité du monde et vous détruisez en même temps sa confiance en lui-même. » Vous auriez sûrement raison de réagir de cette façon.

Ce que beaucoup de mères ne comprennent pas c'est qu'elles agissent exactement comme cette maîtresse, dans l'école qu'est leur maison. Elles apprennent à leurs enfants à se tenir à l'écart des objets réservés aux adultes, ce qui est bien pratique pour la mère en tant que maîtresse de maison. Ce qu'elles ne voient pas c'est qu'elles habituent leur enfant à refréner sa curiosité et ce besoin fondamental qui les pousse à en savoir plus sur ce qui les entoure.

Dès que votre enfant fait ses premiers pas, il vous faut considérer votre intérieur avec des yeux nouveaux — ceux d'un apprenti marcheur.

Il vous faudra placer les objets dangereux ou fragiles hors de sa portée. Il doit être libre de se promener dans la maison et d'explorer sans risquer de se faire mal ou de casser quelque bibelot qui vous est cher. Enlevez donc les vases, les porcelaines de valeur, ou, en tout cas, placez-les assez haut pour qu'il ne puisse pas les atteindre. Une maison qui contient mille interdictions ne sera sûrement pas un lieu d'expérimentation agréable pour votre enfant.

Vous devez prendre certaines précautions car, d'un point de vue psychologique, votre enfant est encore un bébé. Les Anglais le surnomment « petit vagabond » et c'est un terme très approprié. Ses facultés d'observation et de jugement sont très limitées.

Il ne sait pas faire la différence entre ce qui est dangereux et ce qui ne l'est pas et ses recherches aboutissent toujours à sa bouche. Bien que ce soit encore un bébé, il est maintenant capable de circuler. Pour lui c'est formidable de répandre une bouteille d'eau de Javel sur le sol et d'éclabousser, ce qui peut aussi bien atteindre ses yeux. C'est pour cela que vous devez le protéger de tous ces dangers latents que votre maison recèle. Les experts considèrent que 50 à 90 pour cent de tous les accidents qui blessent gravement ou tuent les bébés et les tout petits enfants auraient pu être évités si les parents avaient pris les précautions nécessaires et équipé leur maison dans ce sens.

Comment supprimer les dangers de votre maison

Plutôt que de vous fournir une liste de contrôle détaillée, je vous conseille de vous habituer à considérer votre maison selon l'optique de votre tout-petit, au lieu d'y penser en adulte. Vous considérez les cachets d'aspirine de votre armoire à pharmacie comme des médicaments que vous prenez par un ou deux à la fois pour un mal de tête ou une douleur musculaire. Votre bébé les considère comme une nouvelle sorte de bonbons. Et il peut se tuer en absorbant un tube entier de ces « bonbons »-là.

Faites une exploration lente et systématique de votre maison, y compris le sous-sol, la cour et le garage. Essayez de voir comme si vous étiez un petit enfant. Demandez-vous : « N'y a-t-il rien ici qu'il puisse attraper ? Rien qu'il puisse mettre dans sa bouche et avaler et qui puisse lui faire du mal ? » Enlevez tout cela. Voici quelques exemples de ce que vous devriez ôter au cours de votre tournée d'inspection à travers la maison.

Vérifiez tout ce qui est poison. Mettez tous les objets et produits empoisonnés hors de sa portée. Examinez ce qui se trouve sous l'évier de la cuisine, sur une étagère basse de la buanderie, sur une planche ou sur le sol du garage. Votre bébé peut-il atteindre un des produits suivants dans votre maison : ammoniaque ménager, chlore, poudre pour les fourmis, produit pour lustrer les voitures, cigarettes, antigel, eau de Javel, détergents, white spirit, peinture au plomb, cirage, tabac, désherbant, cire à meubles, insecticide, antimite ?

Votre armoire à pharmacie est particulièrement riche en poisons. Les médicaments que les adultes prennent par petites quantités sans danger peuvent être fatals à de jeunes enfants. Vous y avez sûrement des médicaments tels que de l'aspirine, des somnifères, du sirop à la codéine, des tranquillisants, du camphre ainsi que les flacons de vieilles ordonnances qui ne sont pas vides et qu'on n'a pas jetés. La seule protection efficace contre l'armoire à pharmacie (ou toute autre armoire pouvant contenir des objets ou des substances dangereuses) est de la fermer à clé.

En tant que parent d'un jeune enfant, il vous faut avoir un œil de lynx et examiner de temps en temps ce qui se trouve dans les pièces (particulièrement sur les parquets) ; assurez-vous qu'il n'y a pas de clous, de lames de rasoir, de morceaux acérés de jouets cassés, d'épingles de sûreté ouvertes ou autres objets dangereux.

Il faut aussi que les jouets et autres objets avec lesquels il s'amuse soient assez gros pour qu'il ne puisse les avaler (attention aux pièces, bonbons, épingles ou aiguilles, perles, trombones ou autres objets du même genre). Ne laissez pas non plus votre enfant absorber des aliments qui puissent l'étouffer, par exemple des noisettes, du pop-corn caramélisé.

Quand vous faites la cuisine, tournez les poignées des casseroles et des poêles vers l'arrière de votre cuisinière afin qu'il ne puisse les atteindre et les renverser sur lui. La corbeille à papiers et la caisse à ordures sous l'évier de la cuisine sont particulièrement dangereux pour les enfants car nous jetons sans y penser des choses qui sont virtuellement dangereuses pour lui.

L'électricité est bien entendu une autre source de danger. Couvrez les prises qui ne sont pas constamment utilisées de cache-prises de sûreté. Ils l'empêcheront de découvrir ce qui pourrait se passer s'il y glissait une épingle à cheveux ou un trombone. Ne laissez jamais non plus un poste de radio, un radiateur électrique portable, ou tout autre appareil près d'une baignoire.

Il va sans dire que les armes à feu et les munitions doivent être sous clé à tout moment et que les armes ne devraient jamais être chargées, même dans un placard fermé.

Un atelier est un endroit mortellement dangereux et il devrait être cloisonné ou séparé pour que l'enfant n'y pénètre pas. Sinon, vous lui offrirez l'accès à des jouets tels que blocs-moteur, scies, couteaux, peinture, mastic, etc.

Si votre bébé va jouer tout seul dans la cour (et c'est une bonne idée qu'il ait une cour où il puisse jouer), il faut qu'elle soit enclose et qu'il ne puisse sortir et s'exposer à toutes sortes de dangers. Un enfant a vite fait d'aller se promener tout seul et de courir des risques. La seule vraie précaution à prendre est de mettre une palissade au-dessus et au-dessous de laquelle il ne puisse pas passer.

Etant donné l'habileté que possède un petit enfant à apparaître aux endroits inattendus et à s'élancer sur une route avant que vous ne compreniez comment il a pu y parvenir, les voitures posent un problème majeur. Si vous conduisez une voiture avec de jeunes enfants autour de vous, regardez derrière la voiture, dessous et devant avant de démarrer. Redoublez d'attention lorsque vous reculez, car de très nombreux accidents se produisent quand une mère pressée sort ou rentre sa voiture en marche arrière. Lorsque vous vous garez, assurez-vous que vous avez tiré le frein à main et que vous avez enclenché la première vitesse. Lorsque votre voiture est garée à l'extérieur ou dans un garage non fermé à clé, remontez les vitres et verrouillez les portes de la voiture. Il est stupéfiant de constater comme les enfants sont habiles à lâcher les freins, à tomber par les portes ou à s'enfermer à clé.

A propos, il est beaucoup moins dangereux d'avoir dans votre voiture des glaces qui se remontent à la main plutôt qu'automatiquement. Et ne laissez jamais, au grand jamais, un bébé ou un jeune enfant dans une voiture tandis que vous courez faire un achat dans un magasin « pour une minute seulement ». Emmenez toujours l'enfant avec vous.

Une des initiatives les plus utiles que vous puissiez prendre est de prévoir avec votre mari une urgence éventuelle. Le fait est que les situations d'urgence se présentent toujours quand vous ne vous y attendez pas. La plupart d'entre nous n'ont jamais prévu ce qu'il faudrait faire en cas d'urgence. Par exemple, est-ce que vous téléphoneriez à votre médecin ou est-ce que vous vous précipiteriez au service des urgences de l'hôpital le plus proche ? Assurez-vous que vous avez placé près du téléphone et dans votre voiture les numéros de votre médecin, de l'hôpital, des pompiers, de la police ou tout autre numéro nécessaire en cas d'urgence. Tous les membres de votre famille devraient savoir ce qu'il faut faire. Il n'est pas besoin de rendre cette situation inquiétante pour vos enfants plus âgés : traitez cela avec réalisme comme un exercice d'incendie à l'école.

Ayez à portée de la main une trousse de premiers soins à la maison. Cette trousse devrait contenir une petite provision des antidotes universels pour poisons. Demandez à votre médecin ce que cette trousse devrait contenir.

Il serait bon que votre mari et vous suiviez des cours de secourisme de la Croix-Rouge. Ce que vous y apprendrez, le bouche-à-bouche par exemple, peut sauver non seulement la vie de votre enfant mais la vôtre aussi.

Les parents ont besoin d'être protecteurs mais pas trop. Il y a une grande différence entre les deux attitudes. Votre enfant a besoin que vous le protégiez des dangers dont il est inconscient parce qu'il est trop naïf. Mais il n'a pas besoin que vous le protégiez trop dans des situations qui ne présentent pas de danger véritable.

Si vous le protégez trop, vous lui donnerez seulement une peur inutile du monde qui l'entoure, et vous détruirez l'assurance qui grandit en lui de pouvoir se débrouiller.

Prendre toutes ces précautions dans votre propre maison peut vous apparaître comme un énorme surcroît de travail — et c'est vrai ! Mais une fois ces précautions prises et votre maison devenue sans danger, vous aurez la liberté de laisser votre enfant l'explorer tout son soûl et vous aurez l'esprit tranquille en sachant que votre maison est sûre (pour votre enfant).

Supposons qu'il en soit ainsi. Vous avez ôté ou mis sous clé tout ce qui représentait un danger virtuel. Vous avez décidé de ne pas forcer votre bébé à s'adapter à une maison réservée exclusivement aux adultes par le truchement d'interdictions et de tapes. Vous avez au contraire retiré vos vases de prix et bibelots fragiles pour que la maison soit adaptée à votre enfant (quand il sera plus grand, vous pourrez ressortir tout cela).

Une fois ces objets « incompatibles avec les premiers pas » cachés, votre maison sera un monde psychologiquement sain pour que votre enfant y vive et y apprenne à forger sa confiance en lui-même. Il faut maintenant faire un pas supplémentaire et apporter dans votre maison de nouveaux objets, des jouets qui stimulent son développement.

Les jouets sont nécessaires au développement du bébé

Il est bien triste qu'à la suite de notre héritage puritain, beaucoup d'adultes (les pères en particulier) considèrent le jeu comme une activité essentiellement frivole. C'est faux psychologiquement. Le jeu est nécessaire aux adultes car dans le jeu et les loisirs nous nous recréons véritablement et nous pouvons ainsi garder notre rythme de vie et faire convenablement notre travail. Imaginez un monde sans soirées, ni week-ends, ni vacances : comme nous nous sentirions vite frustrés ! Pour les adultes, le jeu contrebalance le travail. Pour les enfants et les petits enfants tout particulièrement, le jeu remplit une autre fonction.

Pour eux, c'est un moyen d'apprendre ce qu'est le monde. En ce sens, le jeu est très proche du travail pour un tout-petit. Notez bien que tandis que les adultes jouent à ce qu'ils ne font pas habituellement dans leur travail (à nager, à skier, à peindre, regarder la T.V. ou aller au cinéma) ce n'est pas vrai pour les jeunes enfants. Ils n'imitent pas les *jeux* des adultes, mais le *travail* des adultes. Les jeunes enfants sont des acteurs qui imitent les adultes qui s'occupent de leur maison, font la cuisine, font le plein d'essence, réparent les camions, construisent des maisons, pilotent des avions, vendent des marchandises ou soignent les malades. Le jeu est le moyen essentiel par lequel un enfant s'éduque.

Si vous le privez de jeux ou si vous lui fournissez un matériel qui ne convient pas, vous lui dérobez l'élément indispensable de cet apprentissage.

Pour la plupart des parents, les « jouets » s'achètent dans une boutique ou au rayon des jouets d'un grand magasin. Je voudrais cependant définir le mot jouet comme « tout objet avec lequel un enfant peut jouer ». D'après cette définition, les objets suivants sont des jouets : vieilles casseroles et vieilles poêles, une vieille boîte en carton, une corbeille à papiers pleine de vieilles lettres. D'après cette définition du mot jouet au sens large, de quels jouets votre enfant a-t-il besoin ?

Tout particulièrement de jouets avec lesquels il puisse assurer le développement de ses grands muscles en courant, sautant, cognant, grimpant, rampant et tirant.

Commençons avec les jeux de plein air de votre bébé, puisque c'est le milieu le plus naturel de la plupart de ses activités. Chaque enfant devrait disposer, dans son jardin, d'un dispositif qui lui permette de grimper. Le meilleur type est un portique dont les agrès vont presque jusqu'à terre.

Il se peut que vous ayez quelques difficultés à en trouver un, c'est pourquoi je vous proposerai un autre genre d'équipement pour grimper qui est excellent et peut durer jusqu'à l'âge scolaire. C'est la pyramide à grimper, fondée sur le principe de la pyramide géodésique mise au point par Buckminster Fuller. Grâce à la force de résistance du principe géodésique qu'inspire sa construction elle peut facilement supporter le poids de tous les enfants qui grimpent dessus. (Certains spécialistes peuvent en assurer l'installation.) Veillez à monter la pyramide sur sable ou sur herbe, de sorte qu'une chute éventuelle soit amortie.

C'est un jouet si parfait et si bien adapté à l'âge préscolaire que, si je devais me limiter à un seul jeu de plein air, c'est celui-là que j'achèterais. Il développe merveilleusement les muscles longs, l'agilité et l'assurance dans les mouvements corporels. De plus, on peut le recouvrir d'une bâche ou d'une toile et le transformer en une tente, un fort, une hutte d'indien ou toute autre cabane ou maison dont l'enfant a besoin dans le monde imaginaire de ses jeux.

Le second article de base pour les jeux d'extérieur est un bac à sable. Choisissez-le assez grand afin que plusieurs enfants puissent y jouer ensemble. Avec le bac à sable, il faut prévoir des ustensiles tels que moules pour faire des pâtés, tasses, cuillers, tamis et récipients de différentes dimensions. Le sable est une matière qui excite l'intérêt et la curiosité et qui permet de faire des choses inattendues et merveilleuses. L'enfant aime le faire glisser entre ses doigts, l'éparpiller, en faire des tas et des remblais, y tracer des dessins. Le sable encourage sa curiosité spontanée quant à la nature des éléments palpables du monde. Nous préciserons ce que représente le fait de « jouer au sable » et de « faire des pâtés de terre mouillée » quand nous aborderons la curiosité scientifique de l'enfant de trois à six ans.

Le sable et le bac à sable constituent par ailleurs un décor et un matériau privilégié pour jouer avec des petites voitures, des camions, construire des édifices et disposer des soldats. Votre enfant, surtout si c'est un garçon, aura besoin pour son bac à sable d'un grand choix de petits morceaux de bois rabotés, ainsi que de petites voitures et camions, soldats, personnages et animaux de plastique. On peut laisser dehors les sujets de plastique mais pas les voitures et camions de métal qu'il faut rentrer pour les préserver de la rouille. Mais ne comptez pas sur votre enfant pour les ranger car il n'est pas encore conscient d'une telle obligation.

Un grand nombre de mamans pensent à installer un bac à sable pour leur enfant mais oublient que l'enfant a besoin de jouer et creuser dans la terre. Oui, dans la terre, tout simplement. Il suffit pour cela d'une cuiller de métal assez solide, d'un godet de métal muni d'un manche, d'un plantoir, d'une petite pelle et d'un seau de plastique.

Le sable et la terre sont tout aussi importants que l'eau pour les petits. Pourtant beaucoup de mères ne les laissent pas « jouer avec l'eau » parce que cela salit la maison. Si par crainte de salir vous hésitez à laisser votre enfant jouer dans l'eau (tiède), n'en parlons plus. Ce faisant, votre refus sera sans doute plus néfaste que bénéfique, en risquant de transférer votre attitude négative à votre enfant. Dans ce cas, limitez les jeux dans l'eau à la baignoire et à l'heure du bain. Mais si vous êtes quelqu'un d'assez détendu pour accepter un peu de désordre et de saletés, n'hésitez pas à laisser votre enfant s'amuser avec de l'eau dans le sable et la terre. Il ne s'agit pas de le laisser tout seul avec un tuyau d'arrosage. Il n'est pas encore prêt à assumer tant de liberté. Arrangez-vous pour le surveiller vous-même quand il joue avec l'eau, disposez à côté de lui un grand récipient pour qu'il puise avec ses mains l'eau qu'il mélangera au sable ou à la terre.

Autre possibilité : un bassin de métal ou de plastique dur, de 1 à 1,50 mètre de diamètre, rempli d'eau à un niveau de 10 centimètres. L'enfant peut y jouer avec des boîtes de métal, des cuillers, des tasses de plastique, etc. Mais restez à côté de lui. Ce jeu nécessite la surveillance des parents.

Signalons un autre excellent jeu d'extérieur pour cet âge : un animal à roulettes sur lequel on peut s'asseoir, ou un « baby trotte » réglé à sa taille. Ce genre de jouet à roulettes est le tricycle des tout-petits. L'enfant pourra s'asseoir dessus et le faire rouler, ce qui l'aidera pour l'étape suivante à maîtriser les difficultés du pédalage sur un tricycle.

Le toboggan est souvent mis à la disposition des petits. Evitez d'acheter le modèle courant qui comprend aussi une balançoire. Le toboggan est à recommander mais les balançoires sont à déconseiller pour les tout-petits, car ils ne peuvent guère s'en servir seuls. C'est maman ou papa qui doivent asseoir l'enfant et le pousser. De plus, l'enfant qui se balance risque d'en renverser un autre et souvent ce jeu innocent se termine mal. En général, les meilleures installations de plein air pour cet âge sont du type statique (pour permettre de grimper) plutôt que du type mobile.

Des cubes creux de grandes dimensions favorisent aussi le grimper et les jeux de plein air. Il en existe peu dans le commerce ; il faut donc essayer de vous procurer, chez votre épicier par exemple, des récipients en plastique ou en bois. Préférez dans ce cas le plastique qu'on peut laisser dehors au bois qui se détériore et peut présenter des échardes. Le plus simple est encore qu'un papa bricoleur les fasse lui-même. Ces cubes, avec quelques planches de 1 mètre de long environ, soigneusement poncées et peintes, occuperont votre enfant pendant des heures et l'aideront à fortifier ses grands muscles.

En complément de vos propres jeux de plein air, emmenez votre enfant aussi souvent que vous pourrez dans un jardin public pourvu d'équipements de jeux. Là encore, surveillez-le tout de même car les balançoires et certains manèges tournants peuvent être dangereux.

Mais votre enfant aura aussi besoin de jeux d'intérieur pour son développement musculaire. Si je devais n'en choisir qu'un, je prendrais le portique d'intérieur avec toboggan. Votre enfant peut y grimper, monter à l'échelle, descendre le long du toboggan. Il peut aussi le recouvrir d'une toile et le transformer en fort ou en tente d'Indien. Ce jouet pourra servir jusqu'à l'âge scolaire.

Il faut aussi veiller au développement des petits muscles. Les jouets appropriés sont : des sacs de grosses perles à enfiler, des jouets à marteler, des jouets à démontage simple, des puzzles très simples, un petit établi avec des grosses vis et des écrous en bois ; quelques éléments de jeu de construction en bois peuvent s'ajouter aux voitures et aux camions bien qu'il soit encore trop tôt pour que l'enfant joue vraiment avec des cubes.

C'est aussi l'âge des jouets à tirer, spécialement ceux qui font du bruit en roulant.

L'enfant qui commence à marcher jouera aussi avec des poupées et des animaux doux au toucher. Il est normal à cet âge pour les garçons comme pour les filles de vouloir jouer avec des poupées et animaux et de dormir avec eux. Parfois des gens mal informés considèrent qu'il n'est pas viril pour un petit garçon de cet âge de vouloir jouer avec des poupées et animaux en mousse. Jouer à la poupée constitue un aspect positif du développement d'un garçon car cela encourage les sentiments de tendresse, d'amour et de protection. De plus, les jeunes enfants font participer les poupées et animaux à leurs jeux d'imagination. Ces jouets aident le petit garçon ou la petite fille à concrétiser les émotions et les sentiments qui font la trame de la vie familiale et à mettre en scène les rôles de mère, de père, de frères et de sœurs.

Où ranger tous ces jouets ? Evitez le classique coffre à jouets. Certes un enfant peut facilement y entasser les objets, mais il devient très vite un chantier de fouilles archéologiques, avec des couches variées remontant à l'ère primaire.

Installez plutôt des étagères sur lesquelles on puisse placer les jouets. Que ces étagères soient assez basses pour qu'on les atteigne facilement. Cette solution aide l'enfant à développer son indépendance du fait qu'il peut facilement atteindre ses jouets sans que la mère n'ait à les lui donner. Prévoyez ces étagères assez larges pour recevoir aisément les plus gros jouets, et munies d'un rebord qui empêche les balles et les jouets à roulettes de tomber. Une telle installation pourra servir jusqu'à l'âge scolaire.

A la place, on peut fabriquer des boîtes de contre-plaqué d'à peu près 25 × 50 centimètres, qu'on peint de couleurs vives et qu'on empile comme l'indique le schéma ci-dessous.

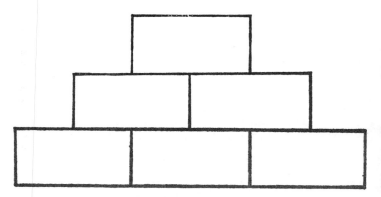

Ces boîtes ont l'avantage d'être mobiles et on peut ainsi les sortir de la pièce de séjour toutes les fois qu'on le désire.

Les jouets sonores et musicaux sont aussi très importants à cet âge. Les petits enfants adorent le rythme et les sons. Vous pouvez leur acheter des instruments rythmiques tels que tambours, timbales et triangles dans une maison d'instruments de musique ou bien vous pouvez les confectionner vous-même. Vous pouvez également former une collection intéressante de tambours avec une série de boîtes en fer-blanc vides et de tailles différentes. Les casseroles de métal font d'excellentes timbales. Ce que vous possédez chez vous de pots et de casseroles constitue en fait un ensemble très satisfaisant d'instruments rythmiques. Les marchands de jouets ou d'instruments de musique ont également des xylophones, des accordéons et d'autres instruments facilement maniables.

C'est le bon moment pour acheter deux sortes de tourne-disques ou de magnétophones : un mange-disques avec des disques à bon marché ou un lecteur de mini-cassettes que l'enfant pourra faire marcher lui-même.

N'essayez pas de conserver ces disques en bon état. Il les soumettra à rude épreuve mais cela l'amusera énormément. Il pourra les écouter tout seul en les posant sur le tourne-disques et en le mettant en marche.

Mais ce ne devrait pas être le seul contact de votre enfant avec la musique. Achetez un bon électrophone ou un bon magnétophone et de bons disques pour enfants que vous lui ferez entendre. Ne vous limitez pas aux disques dits « pour enfants ». Essayez la musique exotique et étrangère, du style des tam-tams africains ou polynésiens, la cithare indienne, le koto japonais et voyez si cela lui plaît. C'est à cet âge malléable et réceptif qu'il fait bon le guider à travers une gamme très variée de goûts musicaux. Si vous le faites, il aimera probablement n'importe quelle musique au rythme et au mouvement vigoureux.

Les livres sont désormais un instrument de jeu indispensable. Rappelez-vous que par *lecture* on peut comprendre très largement celle des catalogues que les adultes ne songeraient pas à appeler livres, comme un catalogue de timbres Thiaude, un catalogue de jouets ou de vieux magazines.

Vous pouvez continuer à aider votre enfant à étiqueter ce qui l'entoure en lui montrant telle image représentant un objet ou une personne et en prononçant à haute voix le nom de cet objet ou de cette personne.

Vous pouvez de plus commencer à lire des histoires à votre enfant. Il aime écouter les comptines, à petite dose, et les chansons enfantines commencent à très bien lui convenir. Faites un choix car certaines sont très démodées pour les enfants de notre époque.

Il faut encore des livres en tissu ou en carton car il a tendance à les explorer en déchirant les pages. Il aimera beaucoup les livres d'histoires avec des illustrations simples, à son niveau. Des livres tels que les albums du Père Castor ou les livres de la série « Je veux connaître » : « Mes premières découvertes » des éditions Flammarion.

Ces livres serviront pendant toutes les années qui précéderont l'école. Les parents peuvent d'abord montrer l'image et prononcer le mot. Puis en grandissant, l'enfant peut jouer à « trouver le chien, trouver le pompier, le tracteur », etc. Un peu plus tard, on montrera l'image et l'enfant prononcera le mot correspondant à l'objet ou à la personne.

Les livres cependant restent très inférieurs à la mère pour stimuler effectivement le développement du langage. Continuez le jeu « étiqueter ce qui nous entoure » que vous avez commencé dans la première enfance. Vous pouvez y jouer n'importe où. En voiture, vous pouvez montrer et nommer ce que vous dépassez : camion, tracteur, maison, église. Quand vous emmenez votre enfant au marché, vous pouvez dire : lait, orange, pomme, banane, poisson, biscuit...

Le développement du langage chez votre enfant comporte deux éléments essentiels : le langage passif (c'est-à-dire la compréhension de ce qu'on lui dit) et le langage actif (c'est-à-dire la parole).

A l'âge des premiers pas, la phase du langage passif dominera. C'est en fait une erreur que de qualifier cette étape de « passive » car l'intelligence de votre enfant fait effort pour comprendre et reconstituer sa langue maternelle qu'il entend parler autour de lui.

Le petit enfant commence à développer le langage en gazouillant comme nous l'avions noté dans le chapitre précédent. Plus tard, il va commencer à utiliser « le jargon expressif » comme l'appelle Gesell, gazouillis qui imite les sons et cadences du parler des adultes. N'hésitez pas à faire chorus dans le « jargon expressif », répondez-lui en gazouillant comme si vous teniez tous les deux une vraie conversation. Ce n'est pas un simple amusement, vous l'aidez aussi à développer son sens du langage.

A peu près en même temps que le « jargon expressif » apparaissent les premières « phrases » d'un seul mot. Ces mots isolés constituent pour l'enfant une affirmation complète : « (Je veux un)... *biscuit !* » ou « (Prends-moi dans tes)... *bras !* » ou « (Je veux aller)... *dehors !* ». Bien rares sont les parents qui restent insensibles au côté émouvant de cette communication possible par un seul mot. Cela me rappelle mon plus jeune fils à huit mois. Nous étions sur la plage dans un bungalow. Je faisais la sieste un après-midi quand il me tira en suppliant : « Dehors... à la mer... *plage !* »

Quand le petit enfant atteint dix-huit mois, il commence à remplacer par des mots son jargon. Son jeu de langage devient communication sociale. Son vocabulaire variera de 3 ou 4 à 100 mots. Il commence à former spontanément des phrases de 2 mots comme « regarde ça », ou « viens là », ou « au revoir voiture » ou « donner gâteau ».

La richesse du vocabulaire de votre enfant et le niveau atteint dans le développement du langage dépendront en grande partie de la façon dont vous lui aurez parlé et dont vous aurez joué par le moyen du langage. On ne peut créer aucun jouet, aucun ordinateur capables de lui enseigner le langage comme vous pouvez le faire.

Voilà votre maison devenue une « école du savoir » où votre enfant peut explorer son univers avec gaieté et vigueur et en tirer des leçons. Cette école a seulement besoin d'un élément pour la compléter : un maître informé. C'est là que vous et votre mari entrez en scène. Il vous faut savoir comment votre enfant se développe à ce stade, et vous aurez besoin de le suivre dans un livre comme celui de Gesell : *Le jeune enfant dans la civilisation moderne*. Vous y trouverez des chapitres décrivant en détail le comportement type d'un enfant d'un an, de quinze mois, de dix-huit mois. Par exemple, en lisant le chapitre consacré au bébé de quinze mois, vous saurez quel est son comportement habituel dans la journée et trouverez des indications sur le sommeil, l'alimentation, l'élimination, le bain, les vêtements, l'activité individuelle et le sens social à cet âge.

De plus, il vous faudra lire le chapitre sur l'enfant de deux ans, car il est probable que certains traits caractéristiques de l'enfant de cet âge se glissent dans le comportement de votre bébé de dix-huit mois.

Vous aurez aussi besoin de savoir quelles méthodes d'enseignement réussissent avec les enfants qui commencent à marcher, et celles qui sont vouées à l'échec. L'essentiel est d'éviter de forcer un très jeune enfant à faire face à un environnement uniquement d'adulte, avec beaucoup d'objets de prix et fragiles, si bien qu'il est constamment soumis à une série d'interdictions.

L'exemple suivant illustre ce danger. Je soignais une mère et sa fille. La première fois que la mère m'amena sa fille de sept ans, elle vint accompagnée du petit frère de dix-huit mois. La mère et le petit garçon restèrent assis dans la salle d'attente tandis que j'étais dans mon cabinet avec l'aînée. La mère n'avait absolument rien apporté pour que l'enfant puisse jouer pendant une heure. Bien que ce fût l'été, et que mon cabinet soit à cinq minutes de la plage, elle ne songea pas à y emmener le bébé, là où il aurait pu jouer tranquillement pendant une heure.

Je crois qu'elle espérait vraiment que le bébé resterait tranquillement assis pendant qu'elle lirait un magazine. Il n'en fut évidemment pas ainsi. L'heure que je passai dans mon bureau avec la petite fille fut ponctuée de bruits violents et de cris « non, non » de la mère. Qu'est-ce que cette mère enseigna à son enfant pendant une heure ? Elle lui apprit : « N'exerce pas ton initiative. Reste passif et tranquille. Reste assis et n'explore rien. »

Bien sûr, il faudra parfois formuler des interdictions. Mais elles devraient être réservées au feu dans la cheminée et aux fourneaux, à de vrais dangers qu'on ne peut éliminer de son environnement. Et lorsque vous dites « non, non » à un bébé, ne vous contentez pas de dire « non, non » ou « ne touche pas ». Il ne comprendra pas que cette défense concerne seulement certaines choses.

Usez au contraire de mots qui expliquent, tels que « non — le poêle brûle » ou « non — le feu brûlerait le bébé » ou « non —

on ne court pas dans la rue, bébé se ferait mal ». Vous essayez alors de lui faire comprendre que cette chose spécifique (le poêle chaud, ou le feu, ou autre chose) est dangereuse et lui fera mal. Et vous évitez de lui donner le sentiment que tout ce qui l'environne est dangereux et ne peut être touché.

L'une des meilleures façons d'empêcher un bébé de prendre un objet est de le distraire. Nous, parents, avons la chance que les bébés se laissent très facilement distraire. Quand nous en usons, nous sommes comme un magicien qui dit à l'enfant : « Oh ! oh ! Regarde cette chose étonnante, merveilleuse, sensationnelle que je vais te montrer et que tu pourras faire ! » (Eloigne-toi de ce fil de lampe ou du poêle brûlant dans lequel tu allais te cogner !)

L'enfant qui commence à marcher manifeste un comportement essentiellement actif et moteur ; il est donc inévitable qu'il renverse et heurte bon nombre d'objets.

Il est important que vous, qui êtes le professeur de sa maison-école, ne fassiez pas trop d'histoires chaque fois qu'il tombe. Si on ne se précipite pas pour le relever à chaque chute, il le fera tout seul. Si l'on s'abstient de tout commentaire lorsqu'il renverse ou heurte un objet, ces incidents de parcours ne lui paraîtront plus que des interruptions momentanées et gênantes de ses robustes activités de jeu. Cela fortifiera sa confiance en soi et il considérera les chutes comme faisant partie de son exploration quotidienne.

La fessée est une méthode d'éducation qui tend malheureusement à être utilisée par certains parents sur des enfants de cet âge. Sauf dans de très rares circonstances, il n'y a pas à administrer de fessée avant deux ans.

Si l'enfant s'obstine à traverser la rue en courant, vous pourrez être contraint de lui administrer une tape sur les fesses, mais il importe de diriger le comportement d'un tout-petit en organisant un environnement familial qui n'entraîne pas des centaines d'interdits, et en agissant au moyen de la distraction et même de la contrainte physique, sans avoir recours aux châtiments corporels.

La fessée est à réserver pour plus tard, et à proscrire pour les moins de deux ans. Si vous constatez que vous vous mettez en colère trop souvent et que vous le « corrigez » beaucoup, vous avez besoin de consulter un spécialiste qui vous aidera à surmonter vos problèmes psychologiques.

Une des raisons pour lesquelles beaucoup de parents frappent leurs enfants petits est qu'ils jugent leur comportement volontairement négatif. Par exemple, une mère trouve son enfant dans la bibliothèque en train de déchirer les pages de son plus beau livre. Elle pense qu'il agit ainsi par hostilité et méchanceté et le frappe. Pourtant il n'en est rien. Un enfant de quatre ans ferait cela parce qu'il a des sentiments hostiles et destructeurs, mais pas un moins de deux ans.

Pour ce dernier, déchirer les pages d'un livre fait seulement partie de son exploration scientifique dans le monde des livres. D'ailleurs, non content de déchirer les pages, il en mettra sans doute quelques-unes dans sa bouche.

Une maman ne doit pas confondre l'attitude normale d'un petit explorant son univers et le comportement hostile d'un enfant plus âgé. On ne peut reprocher à un enfant d'avoir les réactions propres à son âge.

Il est aussi un problème délicat pour beaucoup de mères : faire manger l'enfant. C'est en effet l'âge où les problèmes d'alimentation apparaissent. Or, sauf pour raison de santé sérieuse, il ne doit y avoir aucun problème. Et la seule cause psychologique est probablement que les parents ne sont pas de bons maîtres en la matière.

Voyons ensemble ce qui se produit souvent. Vers un an, un bébé se montre habituellement plus difficile et mange moins bien. Ne soyons pas surpris car s'il continuait à manger autant que pendant sa première année, on pourrait bientôt le montrer au cirque comme un phénomène. L'enfant manifeste seulement son individualité dans ses préférences alimentaires. De plus, comme pour les adultes, son appétit varie d'un jour à l'autre et d'une semaine à l'autre. Mais souvent une maman s'impatiente de voir son enfant manger trop peu. Contrariée et inquiète, la mère commence à vouloir le forcer à manger. « Pierre, finis tes carottes si tu veux être grand et fort. » Dès ces instant, on entre dans le cercle vicieux. Plus la mère insiste, plus l'enfant est capricieux et hostile. Moins il mange et plus la mère devient anxieuse, plus elle devient pressante et plus elle le gâte pour qu'il mange. En peu de temps la maman se trouve en face d'un problème là où rien n'existait peu de temps avant.

Tout cela est parfaitement inutile. Pourquoi ? Mais tout simplement parce que nous avons, nous les parents, un allié de taille : *la faim naturelle de l'enfant*. Si nous lui présentons des plats variés, équilibrés de façon raisonnable et que *nous le laissons se débrouiller seul*, il mangera assez de ce qui se trouve devant lui pour rester sain et fort. Mais il faut respecter sa propre individualité dans ses habitudes alimentaires. Laissez son goût changer de mois en mois et son appétit de jour en jour. S'il rejette brusquement un légume ou un fruit dont il raffolait la semaine dernière, qu'allez-vous faire ? Donnez-lui la liberté de le rejeter et n'essayez pas de le forcer ou de le cajoler pour qu'il le mange. Si vous offrez à votre enfant des repas complets, variés et bien équilibrés, et si vous le laissez manger selon ses besoins, vous n'aurez jamais aucun problème de nourriture.

L'âge des premiers pas est celui où votre enfant peut commencer à musarder pendant les repas. Cela vient en partie d'un appétit moins vif et aussi parce que des éléments beaucoup plus intéressants que la nourriture pure et simple entrent en jeu à l'heure des repas. Par autres éléments j'entends des activités aussi fascinantes que de transformer les plats en bouillie, taper avec la cuiller sur la table, ou jeter tout par terre. Ce comportement est parfois très irritant pour la mère. Mais il est important d'admettre que c'est une activité normale pour un petit enfant. Ce n'est pas un geste délibéré d'opposition ou de provocation vis-à-vis de sa mère. Comment réagir cependant ? Parfois faites-lui absorber patiemment quelques bouchées entre de courtes périodes de jeu et de distraction. Parfois aussi, lorsque vous verrez qu'il ne s'intéresse pas à ce qu'il mange et qu'il veut jouer, dites-vous qu'il en a assez. Descendez-le de sa chaise et enlevez les plats. S'il se met aussitôt à pleurer et à geindre, essayez encore une fois.

Nous en venons maintenant à ce point important : comment apprendre à un petit enfant à manger tout seul ? Je vous dirai simplement : donnez-lui en l'occasion.

Si vous avez laissé votre bébé de six mois tenir tout seul son biscuit, vous l'avez préparé à apprendre à manger tout seul avec sa cuiller. Le bébé qu'on n'a jamais laissé manger seul avec ses doigts entre six mois et un an aura probablement du retard dans cet apprentissage.

Quand votre petit atteindra à peu près un an, il saisira probablement la cuiller, ou montrera par quelque signe qu'il est prêt à essayer de se nourrir tout seul. Laissez-le essayer. Sans doute lui donnez-vous à manger plus vite et mieux, mais résistez à cette tentation de continuer à le faire. Continuer à lui donner à manger ne l'aidera guère à faire grandir sa confiance en lui-même et son initiative.

C'est au tout début des premiers pas, entre 12 et 16 mois, que la plupart des enfants désirent manger seuls, à la cuiller. Si vous ne leur en donnez pas la possibilité à cet âge ou un peu plus tard vers deux ans, essayer de manger tout seul n'aura plus rien d'excitant et l'enfant souhaitera alors que sa mère continue à le faire manger.

Un autre domaine qui apporte aux parents une somme de difficultés inutiles est l'apprentissage de la propreté. La plupart des livres du puériculture restent très vagues à ce propos. La mère qui tente de rendre propre son premier enfant est bien livrée à elle-même. Un des points essentiels est de savoir quand habituer l'enfant à être propre. Nombre de mères ont hâte de se débarrasser du problème des couches. Comment les en blâmer ? C'est gênant et cela donne bien du travail. Le jour où l'enfant peut se libérer de ses couches et subvenir à ses propres besoins est bien accueilli. Mais il faut nous demander à quel stade de son développement nous pouvons raisonnablement espérer que l'enfant y parviendra.

Comme je l'ai dit dans le chapitre précédent, les enfants n'ont pas la maturité neuro-musculaire suffisante pour contrôler les intestins et la vessie avant deux ans à peu près. Si vous essayez de les éduquer avant, ce sera soit un désastre d'un point de vue psychologique, soit une simple perte de temps et une contrainte inutile à la fois pour la mère et l'enfant. Abandonnez donc cette question jusqu'à l'âge de 2 ans. Nous en reparlerons dans le prochain chapitre lorsque nous aborderons ce stade de développement.

Vous allez peut-être rencontrer une voisine qui se vantera avec fierté qu'elle a éduqué son petit Marc à quinze mois et sans aucune difficulté. Il est possible que vous soyez impressionnée par cette affirmation et que vous vous demandiez si vous ne devriez pas essayer de rendre votre enfant propre à quinze mois vous aussi. Ce que vous et elle ignorez, c'est que le petit Marc mouillera peut-être son lit à quatre ou cinq ans et qu'il en sera peut-être ainsi pendant des années. Asseyez-vous, relaxez-vous et résignez-vous à ce petit souci que sont les couches pour quelque temps encore. Nous reviendrons sur ce sujet quand votre enfant aura atteint l'âge voulu.

J'aborde maintenant un point très délicat pour de nombreux parents : l'attitude de l'enfant vis-à-vis de son propre corps.

Supposons qu'on donne son bain à un bébé de douze ou quinze mois. Il explore son corps et ses appendices avec délice et fait toutes sortes de découvertes fascinantes. Il joue avec ses oreilles et tire sur les lobes. Maman commente : « Regardez la façon dont il joue avec ses oreilles. Cela prouve à quel point il est éveillé ! » Puis il découvre ses orteils et joue avec. Et maman de s'exclamer : « Oh ! il a une façon extraordinaire de jouer avec ses orteils. » Puis il découvre son pénis et commence à jouer. Croyez-vous que la mère dira : « Oh ! il est formidable, il joue avec son pénis. » Sûrement pas. Elle lui donnera peut-être une tape ou agira pour lui montrer qu'il fait mal. Je crains bien que de si tristes scènes ne se déroulent dans de trop nombreuses maisons.

Qu'est-ce que la mère apprend à son enfant en réagissant ainsi ? Tout d'abord, le prétendu problème sexuel n'existe pas pour un petit enfant ; il existe seulement dans l'esprit de la mère. Pour l'enfant, son pénis n'est pas plus intéressant en soi que ses oreilles ou ses orteils. C'est nous les adultes qui le poussons à s'intéresser de façon malsaine à ses organes sexuels en en faisant grand cas, et en lui donnant ce sentiment que les organes sexuels sont une région taboue de son corps.

Quand une mère réagit comme je l'ai décrit plus haut, c'est comme si elle disait à son enfant : « Tu as de jolies oreilles et tu as bien raison de jouer avec ; tu as de jolis doigts et tu peux t'en servir, tes orteils sont jolis, amuse-toi. Mais c'est mal et sale de jouer avec tes organes sexuels. C'est une partie de ton corps qui est laide. »

On pourrait tout aussi bien inculquer à nos petits le même sentiment d'intérêt coupable pour leurs orteils que celui ressenti par la plupart des enfants pour leurs organes sexuels. Et comment ? Rien de plus facile. La première fois qu'un enfant touche ses orteils, on lui donne aussitôt une tape sur les mains en lui disant : « Vilain, veux-tu ne pas toucher à cela ! » On veillerait aussi à ce qu'il garde ses orteils couverts en permanence. On lui dirait : « Mets vite tes chaussettes ! Tu veux donc que tout le monde voie tes pieds ? » En lui apprenant à nommer les parties de son corps, on laisserait délibérément de côté le mot « pieds ». Par tous les moyens on ferait des orteils une région taboue pour l'enfant.

Plus tard, quelles seraient les réactions et les sentiments d'un enfant ainsi influencé ? Déjà le classique jeu du « docteur » se jouerait de façon fort inhabituelle dans un quartier où les enfants auraient appris à considérer leurs pieds de la façon que j'ai décrite. Les gamins de six ans se diraient timidement à l'oreille : « Je vais te montrer mes pieds si tu me montres les tiens. »

A l'âge adulte, ils fréquenteraient des boîtes de nuit et cabarets d'un type entièrement nouveau. Au lieu de seins nus, ce sont des pieds nus qu'on montrerait dans les revues. Ils paieraient pour voir des jeunes femmes évoluer sur une scène en retirant leurs bas lentement et voluptueusement pour dévoiler leurs pieds. Ridicule ? A coup sûr. Mais si les adultes ne se comportent pas ainsi habituellement c'est seulement parce que nous sommes beaucoup plus sages à l'égard de nos enfants quand ils explorent leurs pieds que quand ils explorent leurs organes sexuels.

Comment faire lorsqu'un enfant (de moins de deux ans) découvre ses organes sexuels ? Exactement comme lorsqu'il découvre une autre partie de lui-même. Ainsi les organes sexuels ne deviendront pas des « endroits tabous » définitivement associés dans son esprit à la honte et au mal. Et nous aurons fait un grand pas pour aider notre enfant à garder vis-à-vis du sexe et de son corps une attitude saine en grandissant.

Il faut apprendre aux enfants le nom des organes sexuels et d'élimination tout comme pour les autres parties de leur corps. En général, notre culture laisse de côté le nom de ces organes. Les mères aiment apprendre à leur enfant comment on nomme les parties du corps et à jouer avec lui au jeu suivant : « Où est ton nez ? Met ton doigt sur ton nez ! Où est ton oreille ? Mets ton doigt sur ton oreille. » Mais leur arrive-t-il de continuer le jeu en disant : « Où est ton pénis ? Mets ton doigt sur ton pénis ? » C'est bien peu probable !

Spécialiste ou profane, chacun semble malheureusement éviter d'apprendre à l'enfant le nom de ses organes sexuels. C'est ainsi qu'un livre bien connu conseille vraiment d'apprendre à lire aux enfants dès le plus jeune âge en utilisant le vocabulaire « du corps » et suggère les mots : main, genou, pied, tête, nez, cheveux, lèvres, orteils, jambe, œil, oreille, bras, dents, ventre, bouche, coude, pouce, doigt, langue et épaule.

Pas un seul mot concernant le sexe, dans tout cela. Et pourtant la liste contient des mots relativement difficiles pour un enfant, tels que orteil et épaule.

Il faut donc apprendre à votre enfant des mots tels que pénis, sein et rectum tout comme nous lui apprenons des mots comme orteil, doigt ou jambe. Si nous procédons ainsi, il aura acquis un sentiment positif et acceptera ces parties de son corps. Nous l'aiderons à éviter plus tard des inhibitions sexuelles.

Le stade de développement d'un enfant qui commence à marcher peut se résumer en une phrase : c'est l'âge de l'exploration. Votre enfant est un jeune chercheur, explorant sans cesse son univers, y compris son corps. Il a besoin de fortifier ses muscles longs et courts, il lui faut aussi la possibilité de dépenser l'immense énergie que la nature lui a donnée. Mais le principe essentiel d'où découle toute éducation est que dans toutes ses explorations votre enfant doit construire sa confiance en lui. Il faut qu'il apprenne à se fier à ses aptitudes croissantes à marcher, courir, grimper et sauter, à faire des constructions avec des cubes, à jouer avec des voitures et des camions, avec du sable, de la terre et de l'eau, avec des poupées et des animaux en peluche, à créer des rythmes et des sons, à jouer et à coopérer avec sa mère, à élaborer des mots et des structures de phrases à mesure que son langage se développe, à s'amuser avec des livres et à se faire lire des histoires par les grandes personnes.

Si on lui donne la possibilité de jouer et d'explorer librement dans un univers ainsi ouvert aux stimulations il pourra acquérir de la confiance en lui-même. Ces sentiments formeront la seconde lentille de l'optique de son concept de soi. Mais si, au contraire, sa route est barrée par un flot constant d'interdictions un sentiment de doute à l'égard de ses possibilités se développera en lui et ce sera la ruine de son esprit d'initiative et de son dynamisme à l'âge d'homme.

À l'âge de l'exploration, le don le plus précieux que vous puissiez faire à votre jeune marcheur est la liberté d'explorer. Ce qui exige de vous, en tant que mère, patience et abnégation. Vous sentirez l'irritation monter en vous lorsque votre maison, au soir d'une journée de jeux, aura l'air d'avoir été ravagée par un ouragan. Mais rappelez-vous que ces belles maisons où on ne croirait jamais qu'il y a un enfant ne sauraient en aucun cas abriter et voir grandir des êtres qui éprouvent de la confiance en eux.

Avec un enfant entre un et deux ans, une maman peut au départ choisir entre deux perspectives : avoir une maison impeccable et élever un enfant plein de doutes et d'inhibitions ou bien avoir un intérieur régulièrement jonché d'objets variés et élever un enfant plein de confiance en lui. Si vous faites le second choix, vous lui assurerez les meilleures conditions pour aborder le stade suivant de son développement : celui de la «première adolescence ».

PREMIÈRE ADOLESCENCE

(Première partie)

L'âge des premiers pas dont nous venons de parler débute lorsque votre enfant commence à marcher, c'est-à-dire approximativement à un an, et dure à peu près jusqu'à la fin de la deuxième année.

Mais si l'on essayait de confronter mon plus jeune enfant à ce schéma type, on verrait qu'il a abordé l'étape des premiers pas à peu près à neuf mois, parce que c'est à cet âge-là qu'il s'est mis à marcher. Et quoique le schéma type indiquât son entrée dans la « première adolescence » à l'âge de deux ans, il aborda en fait cette étape à vingt mois à peu près. Et comment l'avons-nous su ? Parce qu'il nous le signala sans équivoque de la façon suivante : pendant toute la période des premiers pas, quand quelque chose ne lui plaisait pas, il disait « non, non » d'une voix tranquille, sans insister et sans faire d'histoire. Mais à vingt mois à peu près, en l'espace d'une semaine, ce fut soudain comme si nous avions un autre enfant devant nous. Lorsqu'on lui demandait s'il voulait quelque chose, il s'écriait de toute sa force « non, non et non, je ne veux pas ! » Dès lors nous fûmes renseignés : bien qu'il eût seulement vingt mois, il entrait dans un nouveau stade de développement. Sur le plan émotionnel il avait atteint le stade de la « première adolescence ».

Ainsi la durée de ces stades de développement peut varier avec chaque enfant, qui les traverse bien dans l'ordre indiqué dans ce livre, mais suivant son propre rythme, plus rapide à un certain moment, plus lent à un autre.

On retrouve ce même comportement typique de la première adolescence à peu près chez 50 pour cent des enfants de deux ans, tandis que 25 pour cent ont déjà franchi cette étape, et que les autres 25 pour cent ne l'ont pas encore atteinte.

Ne prenez donc pas ces descriptions générales de comportement type comme des phases que votre enfant doit absolument traverser exactement comme je les ai décrites. Ces exemples sont seulement donnés pour vous indiquer la direction probable des changements d'état que subira votre enfant. Il est important que vous sachiez l'*ordre* dans lequel il traverse ces étapes. Mais votre enfant marquera profondément de son individualité chaque étape franchie.

Le développement de l'enfant n'est pas un chemin égal et régulier conduisant à un comportement plus mûr à mesure qu'il grandit. Au contraire, la croissance et le développement d'un enfant passent par des périodes d'équilibre suivies de périodes de déséquilibre. Par exemple, le stade des premiers pas est une période d'équilibre, suivi du stade de la « première adolescence » (de deux à trois ans environ), qui est une période de déséquilibre. Puis vient le stade des trois ans qui est une période d'équilibre, puis vers quatre ans, c'est de nouveau le déséquilibre. Ensuite, à cinq ans environ, survient une nouvelle période d'équilibre. Curieusement, c'est comme si la nature avait fait en sorte que, pour nous rappeler plus facilement ce processus, les époques d'équilibre soient marquées par des nombres impairs (1, 3, 5 ans, et que les périodes de déséquilibre soient marquées par des nombres pairs (2, 4 ans).

Si vous voulez une définition simple de l'équilibre et du déséquilibre, que toute maman puisse comprendre, considérez que lorsque la présence de votre enfant à vos côtés est une joie (trois ans par exemple), il est dans une période d'équilibre. Quand il se comporte comme un petit monstre malfaisant (à deux ans par exemple), il est en période de déséquilibre. Suis-je assez clair ?

La première adolescence est un stade de transition. La première transition que nous rencontrons dans la croissance de l'enfant. Je l'ai appelée « première adolescence » à cause de sa ressemblance frappante avec la véritable adolescence, entre treize et dix-neuf ans (et que nous pouvons appeler « seconde adolescence »).

Treize à dix-neuf ans marque la transition entre l'état d'enfance et l'état adulte. Avant treize ans l'enfant agit dans les limites fixées pour lui par ses parents. Il n'est pas encore assez mûr pour agir seul et se fixer dans ses propres limites et ses propres lois. Mais à l'intérieur des limites fixées par ses parents, le préadolescent a atteint un certain équilibre psychologique. Pour atteindre l'équilibre supérieur d'un adulte, il doit commencer par briser l'équilibre de l'enfance. Une fois que le père ou la mère d'un adolescent a saisi ce concept fondamental, la déroutante complexité du comportement de l'adolescent devient immédiatement compréhensible. Dès lors les parents peuvent comprendre pourquoi un adolescent éprouve le besoin psychologique d'aimer un autre genre de musique, d'avoir une autre coupe de cheveux, de s'habiller autrement et en général d'avoir un comportement différent de celui que les adultes approuvent.

Comme l'a dit Mark Twain : « Quand j'avais seize ans, je pensais que mon père était l'homme le plus stupide du monde. A vingt ans, je fus étonné de voir tout ce que le bonhomme avait appris en cinq ans ! »

Ces étapes, faites d'orages et de tension, l'une comme l'autre, impliquent négation et rébellion.

Il est très important que les parents saisissent les aspects positifs de ce stade que nous avons appelé déséquilibre. Les parents qui ont déjà l'expérience de cette étape chez leurs enfants l'appellent « l'année terrible » et la redoutent. Mais voyons la chose d'un œil neuf : prenons un enfant de seize à dix-huit mois. C'est encore un bébé. Comment la nature peut-elle en faire un « trois ans » dont la personnalité ait la maturité caractéristique de l'enfant par rapport au bébé ? Notre mère Nature ne peut opérer ce changement qu'en brisant les principes d'équilibre qu'il avait atteints. C'est pourquoi, quand notre plus jeune fils se mit à crier bien fort « non, non ! » à vingt mois, nous comprimes que les principes de son équilibre de bébé étaient en train de céder.

Malgré les difficultés que l'attitude négative et d'opposition de votre « deux ans » vous causeront, rappelez-vous qu'il s'agit vraiment d'une phase positive dans son développement, sans laquelle il resterait figé dans l'équilibre du bébé.

Une amie peu au fait de psychologie enfantine m'écrivit voilà quelques années, alors que sa fille avait à peu près deux ans et demi. Elle me racontait l'incident suivant :

Alors qu'elle emmenait sa fille au supermarché, la petite s'accroupit tout à coup sur le trottoir et refusa de bouger d'un centimètre, au grand étonnement de la mère qui ne l'avait jamais vue agir ainsi auparavant.

Elle me demandait : « Pourquoi fait-elle cela ? » Et la réponse la plus simple eût sans doute été : «Elle fait cela parce qu'elle a deux ans et demi ! »

Si cette maman avait lu la description de l'enfant à deux ans et demi dans *Le jeune enfant dans la civilisation moderne* du Dr Gesell, elle aurait su immédiatement pourquoi sa fille agissait ainsi.

« Si on faisait voter à bulletin secret un groupe de parents en leur demandant d'indiquer l'âge le plus fatigant de la période préscolaire, la majorité se ferait certainement sur deux ans et demi, car cet âge a la réputation de présenter des attitudes extrêmes et contradictoires. C'est pourquoi la courbe de fréquence des fessées passe par un sommet à cet âge. »

A ce stade l'enfant ne s'intègre bien à aucun groupe social, et n'est pas vraiment disposé aux rapports de groupe avec ses semblables. Il a encore besoin de sa mère. La mère est le soleil autour duquel cette jeune planète tourne.

Il est généralement têtu et inflexible. Il exige que ses volontés soient satisfaites à l'instant même. Il est peu disposé au compromis, au don partiel, il s'adapte mal aux réalités. Rien de ce qui existe ne doit être changé. Si papa ou maman change un mot ou l'oublie dans une chanson ou une histoire connue, il proteste violemment. Toute routine domestique représente pour lui une suite d'événements strictement réglés et il tient absolument à ce que l'ordre des choses soit respecté. A cet égard, il fait penser à un vieux garçon tatillon et perfectionniste, aux habitudes définitivement réglées. Mais l'enfant, lui, peut très bien changer du tout au tout et d'un seul coup. Donnez-lui du jus de fruit dans un verre, il le voudra dans une tasse. Proposez-lui une tasse, il le voudra dans un verre.

Il est dominateur. Il aime donner des ordres. Il agit en petit roi, en maître de la maison. Il pourra essayer de faire quelque chose que manifestement il ne sait pas faire, comme de lacer ses chaussures tout seul, tout en refusant énergiquement qu'on l'aide. Puis, s'apercevant qu'il ne peut réussir tout seul, il éclatera en sanglots et fera une scène violente, vous accusant même peut-être de ne pas l'aider.

C'est aussi une phase d'émotions violentes, d'orages et de tensions, de fréquentes sautes d'humeur. C'est l'âge des extrêmes. L'enfant trouve souvent difficile de faire un choix simple et net et de s'y tenir. Il hésitera, ballotté entre ses sentiments les plus opposés, du « je veux cela » au « je n'en veux pas » et du « je veux faire cela » au « je ne veux pas le faire ». Rien que devoir décider s'il veut une glace et s'il faut s'arrêter dans une boutique pour la lui acheter peut provoquer chez lui un de ces violents accès d'indécision...

Il peut aussi battre les records dans tous les domaines : faire par exemple la même chose indéfiniment, ou répéter toujours la même phrase ou le même mot jusqu'à ce que la mère soit prête à crier grâce. Il est souvent difficile de lui faire adopter des nouveautés comme des plats inédits ou des vêtements neufs. Il a besoin de la sécurité qu'apportent l'ancien et le connu. C'est pourquoi il aime les rites : il faut tout faire d'une certaine façon et chaque fois exactement pareil. L'enfant de deux ans et demi est bien connu pour son rigorisme. Et quand ce rigorisme se heurte à celui des parents, gare ! A cet âge, l'enfant exige beaucoup de patience de notre part. Son aptitude à partager, à attendre, à céder est très réduite.

Quand à l'aspect positif, disons que l'enfant s'impose à cet âge par sa vigueur, son enthousiasme, son énergie. Si la mère se montre compréhensive, alors elle pourra l'apprécier et découvrir les aspects de son attachante personnalité. Car il sait être charmant parfois avec toute son exubérance, sa naïveté, son émerveillement devant un monde qu'il découvre nouveau et intact, son imagination, son enthousiasme pour la vie et sa générosité.

Et qu'apprend donc votre enfant à ce stade de son développement ? La mère d'un « premier adolescent » vous répondra sans doute par la même phrase que la mère d'un « teenager » : « Je me demande ce qu'il peut bien apprendre si ce n'est à se montrer insupportable et à me contrarier ! ». Et soyons francs, il y a une bonne part de vérité dans ces doléances maternelles.

Mais si vous regardez au-delà des épreuves quotidiennes, vous devez comprendre que votre enfant est en train de découvrir son *individualité* en opposition au *conformisme social*. (C'est exactement, en plus limité, la même expérience de développement qu'il fera plus tard entre treize et dix-neuf ans…)

Rappelez-vous qu'un nouveau-né n'a pas la conscience du « Moi ». Il lui faut un certain temps avant d'apprendre à distinguer le « Moi » du « Non-Moi » que représente son univers. Le stade de développement dont nous parlons est le premier au cours duquel votre enfant acquiert vraiment le sens de sa personnalité unique. Et l'une des choses qu'il doit nécessairement faire pour établir le sentiment de son identité est de s'opposer à ses parents, en prenant une attitude négative. Pour qu'il puisse définir qui il est et ce qu'il désire, il faut qu'il passe par une phase de négation et de défi.

En d'autres termes, la prise de *conscience de soi négative* fait partie de la lutte menée à cet âge pour la prise de *conscience de soi positive*.

Il est difficile de décrire avec des mots la différence entre le sentiment de son individualité chez un enfant qui commence à marcher et chez ce même enfant pendant la première adolescence. Il y a chez le « jeune marcheur » une faculté d'expansion naïve, innocente, spontanée, du fait qu'il est encore vraiment un bébé, bien qu'il soit capable de se déplacer. Mais l'enfant dans sa « première adolescence » a perdu cette qualité de naïveté, d'innocence, de spontanéité. Pour lui la vie n'est plus un sens unique, mais une route à deux voies. Pour la première fois de sa jeune vie, il se heurte à l'intérieur de lui-même à de puissantes tendances contradictoires. Son comportement montre qu'il se demande sans cesse : « Hé ! où ai-je envie d'aller ? Est-ce que je reviens en arrière pour redevenir un bébé, ou est-ce que je vais de l'avant pour devenir un enfant ? Qu'est-ce que je veux ? Est-ce que je veux faire ce que mes parents me disent de faire, ou bien ce que je veux faire, qui est justement le contraire ? Mais encore est-ce bien seulement le contraire ? Et qui est donc le « je » qui désire tout cela ? Et qui suis-je, en fait ? »

Un exemple pris chez les « grands » adolescents peut nous aider à préciser cette attitude typique du jeune enfant de deux ans. Une lycéenne de quinze ans allait acheter une robe neuve avec sa mère. Elle essaya beaucoup de robes mais ne semblait pas pouvoir se décider. Finalement elle se tourna vers sa mère et lui demanda : « Laquelle est-ce que je prends ? » La mère lui dit : « Je pense que la bleue fait très bien sur toi. » A quoi la jeune fille répondit sèchement : « Oh ! maman ! Tu essaies toujours de m'influencer ! »

Quelques mois plus tard, alors qu'elles faisaient du shopping ensemble, mais cherchaient cette fois une robe de bal, la jeune fille eut de nouveau des difficultés à se décider, et se tourna de nouveau vers sa mère pour lui demander son avis. La mère, avertie par la première expérience, lui répondit : « Je suis sûre que tu sauras très bien choisir toi-même. » Et la jeune fille lui répliqua : « Oh ! maman, tu ne veux jamais m'aider quand j'en ai besoin ! » La mère fut absolument stupéfaite, et quand elle me raconta l'histoire, elle s'écria : « Je pense que je ne comprendrai jamais les adolescents ! »

Il est en fait facile, quand on est informé, de comprendre l'attitude apparemment contradictoire de la jeune fille. L'adolescence marque la transition entre l'enfance et l'âge adulte. La première fois, la jeune fille souhaitait surtout être adulte. Aussi ne voulait-elle pas que sa mère l'aidât ce jour-là à faire son choix. La deuxième fois elle éprouvait l'envie d'être dépendante, de rester petite fille, et désirait cette fois l'aide de sa mère.

La « première adolescence » présente des aspects comparables. La plupart du temps cet âge est caractérisé par un « laisse, maman, j'aime mieux faire cela tout seul ». En certaines occasions l'enfant refusera l'aide de sa mère pour s'habiller et s'écriera, furieux : « Laisse-moi faire ! »

En d'autres circonstances il ne lâchera pas sa mère en déclarant qu'il est un bébé et que maman doit faire pour lui. Comme l'adolescent, l'enfant de deux ans est ballotté d'avant en arrière, d'une heure à l'autre, d'un jour à l'autre, entre son désir d'indépendance et son désir de se maintenir dans son infantile dépendance maternelle. Il se montre sous les traits de « Monsieur Oui-Non ». Pour cette raison, les règles et les limites imposées à l'enfant de deux ans doivent être souples. C'est une erreur pour les parents d'avoir *avec un enfant de cet âge* des principes trop stricts concernant l'habillement, l'heure du bain, etc. Tout simplement, les règles absolues et rigides ne s'appliquent pas à un enfant à ce stade de développement tant cet âge est fait de sentiments et d'aspirations complexes. En général, il est très souhaitable que les parents n'appliquent des règles et ne se fixent des limites précises et cohérentes que lorsque l'enfant arrive à l'âge de trois ans à peu près. Mais entre le deuxième et le troisième anniversaire, les parents pourraient avec profit adopter le sage conseil d'Emerson : « Une logique sotte est le démon des esprits faibles. »

Donc la tâche nouvelle assignée à l'enfant pendant ce stade de développement est d'acquérir fermement le sens de son individualité, le sentiment profond de ce qu'il est. Cependant, il doit apprendre en même temps à se conformer à ce que la société (c'est-à-dire surtout les parents, à cet âge) attend de lui.

Et là, les choses peuvent se gâter de deux façons. Premièrement, les parents peuvent exercer un contrôle trop strict et imposer une soumission trop grande, et l'enfant peut alors devenir trop docile. Je pense ici à un garçon que je connais et qui n'est jamais passé par le stade d'opposition typique des deux ans parce que sa mère ne le lui a jamais permis. Elle l'a dressé sans la moindre faiblesse à se montrer passif et obéissant. Elle ne tolérait aucun des élans impulsifs ni des éclats émotifs si caractéristiques de cet âge. Au contraire, elle récompensait son fils chaque fois qu'il se montrait tranquille, passif et « gentil ». Et ce système a très bien marché, dans la mesure où loin d'être pour elle une épreuve, ce stade du développement de son enfant fut relativement facile, mais cela n'a pas si bien marché pour l'enfant. Lorsqu'il entra à la maternelle, la maîtresse remarqua qu'il était craintif, ne jouait pas avec les autres enfants et se montrait renfermé. La mère, semble-t-il, l'avait trop bien entraîné à être passif et tranquille. Et ce comportement risquait d'en faire un adulte timide et manquant d'agressivité, redoutant de se lancer dans la vie et de tenter quoi que ce soit de nouveau.

Tous les enfants n'acceptent pas aussi facilement que ce garçon l'excès d'autorité des parents. Par leur nature, certains marmots sont plus coriaces que d'autres. Dans ce cas, l'excès d'autorité se heurtera à la résistance farouche de l'enfant, qui luttera jusqu'au bout plutôt que de céder. Toute la période de « première adolescence » devient alors un conflit où s'opposent la volonté des parents et celle de l'enfant. Peu importe qui remporte cette bataille, puisque l'enfant perd à coup sûr tout ce qu'il aurait dû acquérir pendant ce temps.

Il se peut aussi qu'en face de l'excès d'autorité l'enfant paraisse extérieurement se soumettre, alors qu'au fond de lui-même il réprime son hostilité. Il fait à contrecœur ce qu'on exige de lui, mais il devient sournois. Chaque fois que l'occasion se présentera, sans être vu, il libérera un peu de son hostilité sur son entourage, cassera un objet, pincera sa sœur, ou commettra un acte hostile ou destructeur. Il pourra très bien en grandissant devenir un moraliste vertueux et intolérant, apparemment plein de pieux principes, mais au fond de lui-même plein d'animosité. C'est exactement le pharisien décrit par Jésus : « Une tombe bien blanche, belle au-dehors, mais pleine à l'intérieur d'ossements et de pourriture. » (Saint Matthieu XXIII-27.)

A ce stade peut se poser aussi un autre problème ; celui de la mère qui a peur d'exercer son autorité. Elle cède à toutes les exigences de l'enfant. Quand il refuse les limites qu'elle lui oppose, elle repousse immédiatement ces limites et c'est l'enfant qui a le dernier mot. Il apparaît bientôt que dans la famille les rôles sont inversés. C'est l'enfant qui dirige et non plus les parents. Cela aboutit au « syndrome du garnement ». Ces enfants n'apprennent absolument pas à se conformer à la réalité pendant la « première adolescence », ce qui leur créera maintes difficultés quand ils entreront au jardin d'enfants et qu'ils découvriront alors que la maîtresse et les autres enfants exigent un respect élémentaire des règles de la société. Et ils en seront incapables, parce que leur mère ne les a pas aidés à apprendre ce respect élémentaire des lois pendant ce stade de la « première adolescence ».

Regardez autour de vous les adultes que vous connaissez. Je suis sûr que vous connaissez des gens terriblement timides et gênés, ainsi que des gens plus conformistes et soumis que d'autres. On dirait qu'ils ne se permettent jamais de se détendre ; ils sont raides, pointilleux, pleins de préjugés. Il en est d'autres aussi qui sont toujours en opposition. Vous pouvez être certain qu'ils prendront le contre-pied de n'importe quoi. Au sein des clubs et des associations, ce sont toujours eux qui font des histoires. Sur le plan psychologique, il leur faut toujours quelqu'un ou quelque chose à combattre. Or les adultes trop soumis comme ceux qui s'opposent sans cesse ont été dans la plupart des cas des enfants « mal pris » au seuil de leur enfance, qui commence généralement par ce stade que nous nommons la « première adolescence ».

La discipline

Le contrôle exercé par les parents nous amène à parler de

discipline. Jusqu'à maintenant, nous n'avons pas eu à parler de discipline pour l'enfant au vrai sens du mot. Il n'y a aucune raison pour qu'une mère impose rien de tel à un tout-petit ou à un « jeune marcheur », si on lui assure un entourage conforme à ses besoins. Mais au stade de la « première adolescence » l'enfant doit acquérir une discipline ; et une maman doit savoir comment agir à cet égard.

Dans ce chapitre je vais parler de discipline uniquement en ce qui concerne la première adolescence, mais il est important d'avoir une vue d'ensemble de ce qu'il faut imposer aux enfants. Aussi avant de continuer votre lecture, je vous invite à lire attentivement les chapitres 8 et 9 qui traitent de la discipline. Vous reprendrez ensuite la lecture de ce chapitre-ci.

Je suggère que nous commencions à discuter de cette question de la « première adolescence » en rayant définitivement de notre vocabulaire les mots : sévère et indulgent, ces mots qui déroutent les parents, parce que les parents sont toujours en train de se demander « suis-je trop sévère ? » ou bien « suis-je trop indulgent ? ». Or on ne devrait jamais se poser ces deux questions ni employer ces mots. La réussite ou l'échec d'une discipline n'a pas grand rapport avec votre sévérité ou votre indulgence.

La première chose à faire pour des parents, tout spécialement avec des enfants de l'âge dont nous parlons, est de distinguer entre les sentiments et les actes. Par actes, j'entends le comportement extérieur d'un enfant. Il traverse la rue, alors que vous le lui avez défendu ; il frappe un autre enfant alors que vous lui avez interdit de le faire ; il lance du sable alors que vous lui avez dit : « On ne lance pas de sable ! ».

Par sentiments, j'entends les émotions internes d'un enfant : un enfant peut être en colère ou heureux, avoir peur, éprouver de la timidité ou de l'affection.

Il est important que les parents fassent cette distinction entre les sentiments et les actes parce qu'un enfant peut apprendre à contrôler ses actes ; il ne peut pas apprendre à contrôler ses sentiments. Les sentiments d'un enfant, comme ses pensées, parviennent spontanément à son esprit. Il ne peut contrôler ni le moment où il les éprouve ni la façon dont il les éprouve.

Considérons par exemple la colère : un enfant ne peut s'empêcher d'être en colère ou hostile de temps en temps. Mais on peut raisonnablement espérer qu'il apprendra à contrôler les actes asociaux qui expriment ce sentiment : donner des coups, lancer du sable ou mordre.

La première chose à faire avec un enfant en période de « première adolescence » est de l'aider à imposer des limites raisonnables à ses actions. Malheureusement, beaucoup de parents ont manifestement mal compris la psychologie moderne en pensant qu'imposer des limites à un enfant équivaut toujours à le traumatiser ou à restreindre le développement de sa personnalité. La psychologue E. de Leshan raconte à ce sujet l'anecdote suivante : son mari fut appelé un jour au téléphone par un de ses amis d'une cabine proche de chez lui. Et cet ami lui expliqua : « Je ne peux t'appeler de chez moi parce que Bobby raccroche sans arrêt. » Bobby avait trois ans.

Mais quelles sont les limites raisonnables pour un jeune enfant ? On ne peut donner aucune règle absolue. Commencez par vous poser la question : « Combien d'interdictions formelles dois-je exiger à cet âge ? » Vous serez peut-être surprise en écrivant cette liste de découvrir qu'elle est plus courte que vous ne le pensiez.

Une femme vint un jour me consulter au sujet de son enfant qui avait des habitudes bizarres qui la tracassaient.

Et particulièrement celle-ci : au lieu de manger son gâteau comme les autres enfants, il enlevait la croûte de sucre qu'il roulait en boule, la mangeait et laissait le reste du gâteau sur son assiette. Pour quelque raison psychologique bien personnelle cela rendait la maman furieuse. Elle venait me demander quelle attitude générale avoir avec cet enfant, et me révéla cette particularité au cours de notre entrevue. Je lui demandai ce qu'elle avait essayé de faire pour changer cette façon peu orthodoxe de manger les gâteaux, et elle me dit :

« J'ai tout essayé ! Je l'ai grondé, je l'ai corrigé, je lui ai offert de l'argent s'il acceptait de ne plus le faire. Rien n'y fit. »

Je lui demandai alors pourquoi il était si important pour elle d'amener l'enfant à abandonner sa façon excentrique de manger les gâteaux. Est-ce que cela lui donnait des caries dentaires ou mal au cœur ? « Non, me dit-elle, c'est à moi que cela donne la nausée : je ne peux pas le voir gâcher ainsi le reste de son gâteau. »

Je lui proposai d'essayer à ce sujet une petite expérience. La fois suivante, au dessert, le petit garçon commença à détacher la croûte de son gâteau et à la rouler en boule. La mère, suivant mes instructions, ne dit rien, à la grande surprise du garçon, qui lui fit remarquer :

— Maman, j'enlève le sucre ! pensant que cette fois elle ne l'avait pas vu.

— Je sais, dit-elle en se cramponnant à sa chaise.

— Et tu ne fais rien ? demanda-t-il.

— Non.

Alors, comme d'habitude le petit garçon décolla la croûte de sucre, la roula en boule, la mangea et laissa le reste du gâteau. Il recommença quatre jours de suite. La mère ne disait toujours rien. Le cinquième jour, à sa grande surprise, il mangea son gâteau comme les deux autres enfants de la maison. Quand la mère vint m'en parler, elle n'en revenait pas. « Comment a-t-il pu changer ainsi ? », demanda-t-elle. « La comédie s'arrête quand le public est parti », répondis-je simplement.

Ce petit incident est révélateur de bien des choses, mais celle sur laquelle je voudrais insister est simple : il était stupide que cette maman insiste pour que son enfant mange son gâteau « comme tout le monde ». Au sujet de votre enfant de deux ans et de ce que vous voulez qu'il fasse, posez-vous toujours la question : quelle importance cela a-t-il qu'il fasse ceci ou ne fasse pas cela ? Est-ce que cela vaut seulement la peine d'en parler ? Il y a assez d'interdictions essentielles et de limites à imposer à un enfant de deux ans avec les poêles et fourneaux allumés, les dangers de la rue, le sable à ne pas lancer aux autres enfants, pour qu'il ne faille pas vous compliquer la vie, à vous comme à lui, avec une foule d'interdits sans aucune importance.

Beaucoup de parents pensent qu'il y a quelque part une liste magique des limites que tous les parents devraient imposer à leurs enfants. Cette liste ne peut exister, car chaque type de parent possède des qualités personnelles et un style de vie différents. Certains parents sont relativement détendus et considèrent quelques limites seulement comme essentielles. D'autres seront beaucoup plus stricts et feront respecter beaucoup plus d'interdits. Ces deuxièmes types de parents se sentiraient sans doute très mal à l'aise s'ils laissaient faire à leurs enfants ce que les premiers permettent.

Je vais vous confier un secret. A mon avis, les limites que vous imposez aux actions de votre enfant n'ont pas grande importance pourvu que ces limites soient sensées et logiques et qu'elles vous paraissent justifiées ainsi qu'à vos enfants.

Certes, c'est sans doute une erreur et une attitude contre nature que des parents n'imposent absolument aucune limite aux actions de l'enfant. Mais à l'opposé la situation sera intenable si vous essayez de tout interdire. La santé mentale et morale des parents et le développement harmonieux de l'enfant sont à chercher quelque part entre ces deux extrêmes ; il appartient à chaque maman et à chaque papa de définir pour lui-même ce « quelque part ».

La plupart des parents sont particulièrement conscients des limites qu'ils imposent aux actions de leurs enfants, mais sont le plus souvent perdus lorsqu'il s'agit de leurs sentiments.

Il faut tenir compte de l'affectivité

Pour avoir des enfants psychologiquement sains et pourvus d'un robuste concept de soi, il faut que les parents les laissent exprimer leurs sentiments. La réalité est malheureusement bien différente, la plupart des parents n'y autorisent pas leurs enfants.

Prenons un exemple parmi des centaines. J'ai surpris un jour cette conversation dans un jardin public : c'était une maman avec ses deux enfants, un garçon d'environ six ans et une fille de quatre. Le garçon, qui semblait très en colère contre sa sœur, disait : « Je te déteste, Susie. » Pensez-vous que la mère ait dit : « Tommy, explique-nous ce que tu ressens, dis à ta sœur ce qui se passe. » Non pas. Elle lui dit en fait : « Allons Tom, tu as une gentille petite sœur : tu ne la détestes pas, tu l'aimes. » Or, c'est un mensonge, et le petit garçon le sait bien. La mère est en train de le détourner de ses sentiments. Naturellement il n'est pas question qu'elle puisse vraiment transformer la colère qu'il ressent contre sa sœur. Tout ce qu'elle peut réussir à faire est de lui apprendre une attitude de mensonge vis-à-vis de ce qu'il éprouve, elle peut lui apprendre à « ensevelir ses pulsions », si bien qu'elles se manifesteront ensuite de manière sournoise : ainsi il battra sa sœur quand sa mère ne le verra pas.

On pourrait citer des centaines d'autres exemples, illustrant la façon dont les parents empêchent généralement les enfants de leur dire ce qu'ils ressentent.

C'est vrai pour tous les sentiments que nous considérons comme négatifs : colère, peur, timidité, peine ou inquiétude.

Les seuls dont nous n'essayons pas d'écarter nos enfants par nos paroles sont les sentiments « positifs » d'amour et d'affection. Je n'ai encore jamais vu une mère essayer d'empêcher un enfant de lui dire : « Maman, je t'aime ! »

Pourquoi cette attitude des parents ? Pourquoi ne permettons-nous pas à nos enfants d'exprimer aussi leurs sentiments négatifs ? La raison en est fort simple. Sans doute lorsque nous étions nous-mêmes des enfants ne pouvions-nous pas non plus les extérioriser. Et ainsi, sans le vouloir, nous transmettons à nos enfants les mêmes inhibitions psychologiques.

Nous devons laisser toute liberté à nos enfants pour exprimer tous leurs sentiments, les mauvais comme les bons. C'est seulement quand un enfant peut libérer ses mauvais penchants et les chasser que les bons peuvent prendre place. Si nous ne le laissons pas éliminer la colère et l'hostilité, il n'y aura pas de place pour l'amour et l'affection.

Les sentiments réprimés favorisent une mauvaise santé mentale. En règle générale, les enfants s'extériorisent jusqu'au mo-

ment où nous leur demandons de cacher ce qu'ils éprouvent.
C'est ainsi que deux enfants habitant le même immeuble peuvent
très bien se battre un matin, et être les meilleurs amis du monde
l'après-midi. Au contraire, les parents de ces mêmes enfants
peuvent rester fâchés pendant des mois.

Les adultes qui ont des problèmes psychologiques apprennent,
grâce à la psychothérapie, avant toute autre chose *à exprimer*
normalement leurs sentiments. Mais si nous le leur apprenons
dès leur plus jeune âge, normalement, ils jouiront, adultes, d'une
bonne santé mentale.

Les jeunes enfants ne peuvent pas refouler seulement certains
sentiments comme la colère et la peur, sans réprimer aussi les
autres. Si nous leur apprenons, enfants, à refouler leurs colères
et leur peur, nous finirons par leur apprendre inconsciemment à
réprimer aussi leurs « bons » sentiments positifs d'amour et
d'affection.

Il ne suffit pas aux enfants de pouvoir expliquer ce qui se
passe en eux. Il faut aussi qu'ils sachent que leurs parents
comprennent vraiment leur affectivité. Quand ils sont malheureux ou en colère, ou vexés, ils veulent qu'on les comprenne. Et
comment montrer à votre enfant que vous comprenez ce qu'il
ressent ?

Vous pouvez le faire superficiellement en lui disant simplement : Je sais ce que tu ressens. Mais c'est trop facile et trop vite
dit, et cela risque de ne pas le convaincre. Il est un moyen bien
plus sûr de faire savoir à votre enfant que vous le comprenez
profondément. Ce moyen fut découvert dans les années 40 par
un psychologue, le Dr Carl Rogers. C'est ce qu'il a appelé les
sentiments réfléchis.

Technique du reflet des sentiments

Voici comment la chose fonctionne : vous montrez à une autre
personne que vous comprenez réellement ce qu'elle ressent en
traduisant ses sentiments par vos paroles et en les lui réfléchissant comme si vous étiez son miroir. C'est très facile avec les
enfants de deux ans, parce que vous pouvez reprendre les
paroles mêmes qu'ils ont employées pour les exprimer.

Par exemple, votre bambin de deux ans arrive en pleurant,
furieux : « Jimmy (cinq ans) m'a battu ! » Là, la plupart des
parents poussent un soupir excédé en pensant : « Ça y est, voilà
que ça recommence. » Vous mettez face à face votre enfant de
deux ans et votre enfant de cinq ans et le procès commence :
« Allons, qui a commencé ? », etc. La nouvelle méthode des sen-

timents réfléchis vous enlève définitivement ce rôle d'arbitre. A sa place, lorsque votre enfant de deux ans dit « Jimmy m'a battu ! » vous pouvez répondre, l'air compatissant : « Oh ! Jimmy t'a battu ! » ou bien : « Tu es furieux parce que Jimmy t'a battu ! » ou : « Cela te met en colère que Jimmy te batte ! »

Vos paroles traduisent ses sentiments et vous les lui avez renvoyés. J'appelle cette méthode la technique de la rétroaction parce qu'en renvoyant à votre enfant ses propres sentiments vous lui démontrez par là que vous comprenez vraiment ce qu'il ressent.

Il y a quelques années, une maman que j'avais initiée à cette technique de la rétroaction me raconta un incident qui illustre la façon dont elle fonctionne. Elle appartenait à une association amicale de baby-sitters et gardait un soir les enfants d'un couple ami. Les parents venaient de coucher Jimmy et étaient sortis pour la soirée quand Jimmy sortit de sa chambre, anxieux et contracté, et lui dit : « Madame Jones, il y a un loup dans ma chambre ! » Cette maman me dit qu'avant d'apprendre la technique dont je parle elle aurait mal réagi devant cette situation, comme la plupart des parents. Elle aurait dit : « Allons, c'est ridicule, Jimmy, tu sais bien qu'il n'y a pas de loup dans ta chambre. » Et elle aurait fait le tour de la chambre avec le petit garçon en lui montrant qu'il n'y avait pas de loup, ce qui n'aurait en rien atténué sa peur. Au lieu de cette attitude raisonnable mais erronée elle aborda le sujet d'une façon différente : elle appliqua notre méthode.

Elle lui dit : « Assieds-toi ici, et parle-moi de ce loup. » Il lui dit combien ce loup lui faisait peur. Elle lui répondit des choses comme : « Tu as vraiment peur de ce loup ! » ou bien : « Ce vieux loup te fait très peur » et autres phrases du même genre. Elle n'essaya pas de le rassurer ni de le distraire. Elle se contenta de lui renvoyer les sentiments qu'il lui décrivait. Il lui dit qu'il avait très peur de ce loup, qu'il le détestait et qu'il allait le jeter dans la mer du haut des falaises. Finalement, après environ vingt minutes pendant lesquelles elle ne fit que lui réfléchir ses sentiments, il se tourna vers elle et lui dit : « Madame Jones, je pense que maintenant je peux aller dormir. » Elle le ramena dans sa chambre, le borda dans son lit, et quelques minutes plus tard il dormait.

Elle me raconta tout cela la semaine suivante et me dit : « Vous savez, ça marche vraiment. » En effet, ça marche. Essayez donc. Cette technique comporte d'ailleurs, si l'on peut dire, un auto-régulateur : si vous ne comprenez pas ce que l'enfant éprouve, il vous dira presque à coup sûr : « Non ça n'est pas ça, ça ne me fait pas ça. »

Cette technique de la rétroaction est facile à comprendre mais difficile à mettre en pratique parce que lorsque nous, parents, étions des enfants, on a pratiqué avec nous une autre méthode. Et nous avons passé de nombreuses années de notre vie à essayer de rassurer les autres, à leur donner des conseils, ou à les détourner de leurs sentiments, surtout si nous les considérions comme mauvais. Ainsi cette technique de la rétroaction va à l'encontre de toute l'éducation que nous avons reçue.

J'ai toujours laissé mes enfants exprimer leurs sentiments « négatifs » et hostiles à mon égard. Mais je dois avouer que parfois, au moment même où j'agis ainsi, j'entends au fond de moi-même une petite voix qui dit « Fais attention à qui tu parles mon garçon : je suis ton père ! » Cette voix, qui n'est pas celle du père scientifiquement et psychologiquement conscient que je suis, est la voix de mon propre père qui me parle, comme au temps où, enfant, je n'avais pas le droit d'exprimer ce que j'éprouvais.

Voilà en bref pourquoi il nous est difficile d'apprendre à utiliser cette technique de la réflexion affective : si on ne nous a pas laissés, enfants, exprimer librement nos sentiments, il nous paraîtra sans doute très difficile d'autoriser nos enfants à le faire.

« Mais cela ne revient-il pas à laisser un enfant vous manquer de respect, en particulier si vous le laissez vous dire qu'il vous déteste ? » Telle est la question que posent de nombreuses mères. Or je ne pense pas que pouvoir extérioriser librement ses élans ait un quelconque rapport avec le respect ou l'irrespect. Un enfant respectera ses parents s'il sent qu'ils en savent plus long que lui, qu'ils le traitent avec équité et le respectent. Mais de temps en temps, cet enfant « en voudra » à ses parents. S'il en est ainsi et que les parents ne le laissent pas s'exprimer l'enfant « leur en voudra » quand même.

Alors pourquoi ne pas le laisser extérioriser sa colère ? Car si nous l'en empêchons il lui sera beaucoup plus difficile de contrôler son comportement. Rien n'est plus dangereux que d'empêcher la vapeur de s'échapper d'une chaudière...

J'ai dit qu'il était important de faire une distinction entre sentiments et actions : j'ai suggéré d'imposer des limites raisonnables aux actes d'un enfant mais de lui laisser manifester tous les sentiments qu'il ressent. J'ai décrit la méthode de la rétroaction affective comme moyen de lui montrer que nous le comprenons vraiment. Je voudrais maintenant donner un exemple concret pris sur un enfant de deux ans et demi pour montrer comment s'opère dans la pratique cette distinction entre les sentiments et les actes.

L'incident suivant s'est produit plusieurs fois lorsque mon fils aîné en était arrivé au stade des deux ans et demi. Je l'avais emmené au jardin public et il jouait, très heureux, dans le sable. Finalement l'heure de partir arriva. Je l'en avertis un peu avant, pour le préparer au départ.

« Randy, lui dis-je, dans dix minutes il va falloir nous en aller. » Dix minutes plus tard, je lui dis « Randy, maintenant il faut partir » — « Non, je ne veux pas. » Pourquoi aurais-je pu croire un instant qu'il voulait partir ? Il était bien en train de s'amuser après tout. Je lui « réfléchis » alors ses sentiments. « Je sais que tu ne veux pas t'en aller parce que tu t'amuses bien dans le sable. » — « Je ne m'en irai pas ! » — « Tu t'amuses tellement bien que tu ne veux pas bouger d'ici ! »

Je continuai ainsi pendant encore quelques minutes, puis je finis par l'attraper et le porter de force dans la voiture, lui hurlant et me bourrant de coups de pied, moi lui « réfléchissant » encore ses sentiments tout au long du chemin : « Tu es furieux contre papa parce que tu veux rester jouer et qu'il t'emmène à la maison ! »

Analysons maintenant cet incident parce qu'il constitue une sorte d'instantané qui offre matière à réflexion sur les nombreuses manières dont on peut traiter un enfant à ce stade de développement.

Si je m'étais laissé intimider au point de rester au jardin public alors qu'il était vraiment l'heure de partir, je lui aurais appris à devenir un petit tyran et à refuser de se soumettre à des limites raisonnables. Et je ne l'aurais pas aidé à assimiler les normes raisonnables de conformisme social.

D'autre part, si j'avais refusé de le laisser manifester son mécontentement, j'aurais contrarié son individualité grandissante et le sens du respect de soi.

J'agissais au contraire comme si je lui avais dit : « Tu as le droit d'être en colère et c'est ce que tu ressens. Moi aussi je serais certainement en colère si quelqu'un m'empêchait de m'amuser. En tant qu'individu, tu as le droit d'avoir ces sentiments et de les exprimer. »

Cet incident illustre bien les nombreux cas similaires auxquels il vous faudra faire face avec votre enfant à cet âge. Laissez-lui l'occasion de s'exprimer, mais restez fermes et insistez pour qu'il respecte dans ses actes des limites raisonnables.

Ce que j'ai décrit est une manière *idéale* d'agir dans une telle situation. Cela ne veut pas dire que nous réagirons effectivement toujours de cette façon. Nous autres, parents, avons aussi des droits ! Nous avons le droit d'avoir nos mauvais jours, nos moments d'irritation et nos sentiments d'animosité.

Nous ne serons pas chaque fois capables de garder notre sang-froid et d'avoir un comportement idéal en face de l'enfant. Nous n'aurons pas toujours envie de le laisser dire ce qu'il pense. Parfois nous saurons tout juste aboyer : « Tais-toi ! c'est maman qui décide et vous, les gosses, vous n'avez qu'à vous taire ! »

Beaucoup de mères sont vivement contrariées quand elles se mettent en colère et se laissent aller à crier. En fait il n'y a rien là de bien extraordinaire, mais elles ont parfois l'impression qu'elles devraient toujours rester calmes et sereines. C'est l'attitude idéale, mais je n'ai encore jamais rencontré de parents qui soient capables d'appliquer ces principes en toutes circonstances. Puisque nous essayons de donner aux enfants le droit d'exprimer leurs pensées, il faut bien aussi accorder aux parents les mêmes droits. Si donc il vous arrive d'avoir envie de crier, faites-le. Et après avoir ainsi « éliminé » vos sentiments de colère, vos dispositions à l'égard de votre enfant seront certainement très différentes et vous pourrez lui dire ensuite : « Maman s'est mise en colère ; cela lui fait beaucoup de peine, mais cela va mieux maintenant. » Et il comprendra.

Il peut être réconfortant d'indiquer maintenant que tous les enfants ne donnent pas autant de mal à leurs parents pendant les « deux ans terribles ». Il existe chez eux de profondes différences de nature. Chacun est sur le plan biologique très différent des autres. Certains sont plus excitables, certains plus « faciles ». Ce qui veut dire qu'il sera moins ardu de piloter tel enfant que tel autre à travers le même passage difficile.

Mais tout enfant sain et normal doit manifester un certain degré de négativisme et de rébellion pendant ce stade. Et si vous perdez courage, rappelez-vous ceci : cela passera ! Quand l'enfant aura trois ans, vous serez étonnés de constater à quel point il deviendra subitement coopérant et « facile » en comparaison de son comportement à deux ans et demi.

Les mamans savent bien que le mot favori de cet âge est « non ». Et, soit dit en passant, ne nous étonnons pas qu'un enfant apprenne à dire « non » bien avant d'apprendre à dire « oui ».

Après tout, il a entendu le mot « non » prononcé par ses parents beaucoup plus souvent que le mot « oui ». Et si nous réduisons les « non » à leur minimum pendant l'âge des premiers pas, l'enfant nous le dira peut-être un peu moins souvent durant la « première adolescence ». Mais, de toute façon, nous assisterons à d'autres manifestations négatives ; l'enfant se sauve quand on l'appelle, donne des coups de pied, se tortille ou se raidit quand on veut lui faire faire quelque chose, ou « fait » de vraies colères. Habituellement ce type de comportement n'intervient pas pendant l'âge des premiers pas. Comment y faire face maintenant ?

Si vous avez lu les chapitres 8 et 9 sur la discipline, vous savez qu'une attitude qui est « renforcée » tend à se répéter. Si les parents répliquent au négativisme en se mettant en colère, ils renforcent inconsciemment le négativisme, et poussent l'enfant à devenir encore plus négatif.

Mais il existe des attitudes préférables à ce renforcement négatif. Il faut d'abord distinguer le refus verbal de la véritable attitude négative. Ainsi nous disons à notre enfant : « Allons, il faut mettre ton manteau pour sortir. » Et nous commençons à l'aider à l'enfiler. « Non, je ne veux pas ! », dit-il, cependant qu'il se contredit dans ses gestes puisqu'il passe ses bras dans les manches. Voilà un bon exemple de « négativisme verbal ». C'est comme s'il disait à sa mère : « Je sais qu'il fait froid dehors et j'ai vraiment besoin d'un manteau. Je sais aussi que tu es plus grande que moi et que tu peux m'obliger à mettre mon manteau. Mais reconnais, Maman, que moi aussi je suis quelqu'un, et que j'ai au moins le droit de protester un peu ! » Ce négativisme se présente comme un jeu : l'enfant joue en quelque sorte au « jeu de la désobéissance » avec sa mère.

Si celle-ci ne reconnaît pas le caractère ludique de cette attitude et réagit en durcissant la sienne, elle peut créer une crise là où il n'y en avait pas.

Le véritable comportement négatif, qui se distingue de la simple résistance verbale, se manifesterait dans cette même circonstance par la fuite ou l'opposition physique et violente contre la mère qui veut mettre son manteau à l'enfant. Si c'est le cas, la mère dispose de plusieurs « ripostes ». S'il s'agit d'aller jouer dans la cour, elle peut dire : « Il faut que tu mettes ton manteau pour sortir, mais tu préfères peut-être rester à la maison. » Si l'enfant désire vraiment jouer dehors, il y a quelques chances pour qu'il enfile à contrecœur son vêtement. Mais il peut s'agir d'une autre situation : par exemple, si la mère veut emmener l'enfant avec elle au supermarché, elle est pressée, elle n'aura pas le loisir de résoudre le problème avec calme. Alors, ce qu'elle peut faire, c'est de lui « réfléchir » ses sentiments (« Je sais que tu ne veux pas mettre ton manteau, je sais que cela te met en colère ») tout en continuant de passer de force ses bras dans les manches !

Les adultes ne sont pas les seuls pour qui « perdre la face » soit grave. Les enfants en période de « première adolescence » n'aiment guère cela non plus. Nous pouvons donc essayer d'éviter la confrontation directe avec un enfant qui manifeste son négativisme, et faire quelques avances qui lui permettront de sauver la face, en proposant par exemple une activité dérivatrice, ou en essayant de l'attendrir par une ou deux caresses. Si nos nerfs nous le permettent ! Mais surtout, en lui réfléchissant ses sentiments, nous l'empêchons de « perdre la face ». En effet, nous ne faisons rien d'autre que lui dire : « Je sais que tu n'es pas d'accord du tout et c'est tout à fait normal. J'en suis vraiment navrée parce que je sais bien ce que tu ressens, mais j'ai le regret de te dire qu'il va falloir m'obéir de toute façon. »

Comment réagir aux grandes colères

La grande colère est la manifestation ultime du négativisme. C'est un tel état de rage que l'enfant peut seulement pleurer, crier, hurler, ou se jeter à terre en donnant des coups de pied dans tous les sens. Si vous cédez à cette colère et faites ce que l'enfant désire, vous la renforcerez. Vous lui apprendrez à hurler davantage pour imposer ses caprices.

Ma fille avait dix ans quand elle invita une amie à venir passer le week-end en camping avec nous. La fillette répondit que ses parents avaient un autre projet pour le week-end, mais ajouta : « Ne t'inquiète pas, je peux me débrouiller. Je vais faire une grosse colère et maman me laissera venir ! »

Si par ailleurs vous perdez votre calme et vous mettez en colère vous-même, vous renforcerez celle de l'enfant. Dès lors il saura qu'il peut obtenir de vous ce qu'il veut n'importe quand avec une bonne colère. N'essayez pas de raisonner un enfant en rage ou de l'en distraire par des paroles. Il n'est plus alors qu'une tempête d'émotions. Il n'est pas en état d'écouter ce langage de la raison ou de la logique. Surtout, n'essayez pas de lui faire passer sa fureur en le menaçant d'une fessée. N'avez-vous pas entendu des parents dire à un enfant en rage : « Tais-toi, ou bientôt tu sauras pourquoi tu pleures. » Ce qui revient à vouloir éteindre un feu avec de l'essence.

Alors que faire quand votre enfant de deux ans et demi fait une grosse colère ? Ce que vous voulez faire comprendre à l'enfant est que cette rage paraît inévitable, mais ne le mènera nulle part. Et comment le lui faire comprendre ? Laissez-le faire sa colère tout seul.

Chaque maman doit trouver le moyen d'y parvenir. Certaines sauront rester sans rien dire et attendre que la crise se calme d'elle-même. D'autres préféreront parler et dire : « Je sais que tu es mécontent et furieux, mais va dans ta chambre jusqu'à ce que tu sois calmé. Quand tu auras terminé j'ai quelque chose de beau à te montrer. » D'autres diront plus sévèrement : « Va dans ta chambre. » A vous de trouver la méthode qui vous convient le mieux et à vous d'en user. Mais surtout, essayez d'aider votre enfant à sauver la face en lui offrant, quand c'est possible, un moyen élégant de sortir de l'impasse.

Ajoutons un mot sur les colères faites en présence d'amis, de parents, au marché ou au supermarché. Utilisez dans ce cas les mêmes techniques anticolères, mais sachez que vous avez contre vous un nouvel ennemi qui peut s'interposer pour vous empêcher de trouver la solution raisonnable. Il y a un public. Alors surgit le monstre ; le « Qu'est-ce que les voisins vont en penser ? ». Si votre public ne connaît pas la psychologie de l'enfant, il pensera sans doute que vous avez tort de ne pas donner une bonne fessée et d'arrêter fermement cette colère. Et puis après ? Est-ce que vous élevez votre enfant pour en faire un être sain et heureux ou pour faire plaisir à vos voisins ?

Comment la conscience se développe

Mais ces mêmes voisins fournissent l'occasion de développer un aspect important de la première adolescence : l'apprentissage de la soumission aux règles de la société, ou conformisme social. Au fond, un enfant apprend à former son attitude à l'égard des règles de la société en assimilant les limitations et les contrôles que vous lui enseignez. Il réalise cet apprentissage sous la forme de ce qu'on appelle généralement la conscience et qu'on peut considérer comme la voix intériorisée des impératifs et des interdictions émanant des parents. La conscience n'est pas innée ; personne n'en est pourvu à la naissance ; nous l'apprenons principalement de nos parents.

Certains enfants deviennent des adultes à qui la conscience fait défaut. Ce sont les psychopathes et les criminels qui peuvent commettre des actes antisociaux sans en éprouver la moindre culpabilité. Mais il existe aussi des enfants qui à l'âge adulte souffriront d'un excès de conscience.

Pour nous, psychologues, ils sont la clientèle typique. Ils sont excessivement inquiets et inhibés, craignant beaucoup trop d'être mauvais ou égoïstes, ou « bons à rien », beaucoup trop anxieux de plaire à autrui et soucieux de l'opinion des autres.

Nous ne souhaitons pas que nos enfants entrent plus tard dans l'une ou l'autre de ces catégories. Nous voulons qu'ils acquièrent en grandissant une conscience raisonnable et saine. Nous pouvons aider un enfant à acquérir ce type de conscience en nous montrant raisonnables quand nous lui demandons de se conformer aux règles sociales.

Le comportement de l'enfant révèle de façon très nette le développement de la conscience à ce stade. Il peut commencer par dire « Non, non » tout haut et pour lui-même, alors même qu'il est en train de faire ce qui lui est défendu. J'ai pu voir un jour mon fils aîné, alors âgé de deux ans et demi, debout devant des étagères pleines de livres et disant « Non ! Non ! » tout en tirant les livres des rayons. Activité interdite. Certains parents pourraient s'irriter devant une telle attitude et penser : « Eh bien, s'il peut dire « non », il sait que c'est interdit. Alors pourquoi le fait-il ? » Je répondrai que sa conscience commence tout juste à intérioriser l'interdiction de tirer les livres hors des rayons. Mais il n'a pas encore acquis assez de maîtrise de ses actes spontanés pour pouvoir écouter sa conscience naissante.

Il est important pour des parents de se rendre compte que le fait qu'il soit capable de dire « Non ! Non ! » est le premier pas dans le développement de sa conscience. Par la suite, il sera capable de se dire « Non ! Non ! » et en même temps de s'empêcher de faire tomber les livres. La principale fonction d'une conscience est de prévenir un comportement antisocial, et non pas seulement de donner à l'enfant un sentiment de culpabilité après avoir fait quelque chose de mal. Mais cette fonction préventive de la conscience ne s'affirme qu'avec le temps.

Il faudra bien les cinq premières années de la vie d'un enfant pour qu'il développe sa conscience, pour qu'il apprenne à intérioriser les impératifs du conformisme social. Ne le forcez pas dans cette voie. Le langage l'aide naturellement beaucoup à intérioriser ces impératifs. Le fait de formuler la réalité l'aide grandement à acquérir la maîtrise de lui-même et du monde. Et c'est précisément à ce stade de la première adolescence que le langage fait un prodigieux bond en avant.

PREMIÈRE ADOLESCENCE

(Deuxième partie)

A propos de l'âge des premiers pas, j'ai fait remarquer qu'il existe deux phases dans l'apprentissage du langage : le *langage passif* (compréhension) et le *langage actif* (la parole). De un à deux ans, le langage passif prédomine. Mais entre deux et trois ans, la phase active du langage prend le dessus.

A cet égard, le second anniversaire constitue un moment de transition et de développement rapide. Le jargon expressif est maintenant abandonné. On rencontre encore des phrases d'un seul mot, mais l'enfant commence à s'exprimer d'une manière plus complexe chaque jour.

A huit mois, l'enfant disait : « Viens », ou bien : « Ouvrez porte ». Maintenant, à deux ans, il utilise des phrases telles que : « Où est papa ? », ou bien : « Donner le journal à papa », ou encore : « Je ne veux pas aller au lit ».

L'usage, souvent correct, des pronoms se généralise. Le vocabulaire s'accroît lui aussi de façon prodigieuse.

Si vous avez beaucoup parlé et communiqué avec votre enfant, c'est maintenant qu'il en tirera tout le profit sur le plan du langage. Ce qu'il a pu enregistrer (intérieurement) à l'âge des premiers pas commencera maintenant à se traduire en paroles. En règle générale, plus vous lui aurez parlé, plus il parlera. Ce qui ne veut pas dire qu'il faut lui parler constamment et le noyer sous un flot de paroles. Mais plus il vous aura entendu prononcer de mots, plus son vocabulaire sera étendu. Ce fait est vérifié par les études comparatives entre des enfants issus de milieux pauvres et des enfants issus des classes moyennes. On parle très peu aux premiers en comparaison des enfants des classes moyennes chez qui les mères passent généralement beaucoup plus de temps à parler et à communiquer verbalement avec leurs enfants. Il n'est pas surprenant de constater d'énormes différences en faveur des enfants des classes moyennes sur le plan du vocabulaire et du développement du langage, et cela même à l'âge de quatre ans !

Certains enfants prononcent avec clarté et netteté dès qu'ils commencent à parler. Chez d'autres, ce qu'ils disent demeure pendant très longtemps incompréhensible pour les « non-initiés ». Parfois seule la mère est capable d'interpréter ce que l'enfant essaye de dire. Cela est dû en partie à des différences de constitution mais aussi au nombre de conversations que vous lui avez fait entendre et à la clarté de votre prononciation.

Si vous avez vu le film ou la pièce *Le Faiseur de miracle*, vous vous rappelez que dans la vie de la petite Hellen Keller, sourde, muette et aveugle, le moment décisif se situe lorsque son professeur a pu lui faire saisir que chaque objet *a un nom*. Votre enfant connaît le même tournant lorsqu'il se rend compte que tout porte un nom et qu'il peut l'apprendre. C'est un moment de découverte exaltante. De connaître le nom des objets qui l'entourent lui procure une force nouvelle pour dominer son univers. C'est à ce moment que, pour la première fois, il peut *intérioriser* son univers et manier les symboles qui le désignent. Il peut manipuler mentalement le nom des objets, sans avoir à manipuler les objets eux-mêmes. Cela lui permet d'avoir prise sur le monde. C'est cette maîtrise du langage nouvellement acquise qui lui confère véritablement sa supériorité sur les animaux inférieurs.

Il y a longtemps déjà, deux psychologues, le mari et la femme, Keith et Katy Hayes, travaillant ensemble en équipe, élevèrent un bébé singe chez eux en même temps que leur fille. Ils ont raconté cette histoire charmante dans leur livre : *Le Singe dans notre maison*. Chose curieuse, au début le bébé singe surpassa leur fille dans de nombreuses activités motrices et tests d'« intelligence », jusqu'à l'âge de deux ans. Mais à partir de deux ans, leur fille fit tout à coup des progrès spectaculaires et bientôt dépassa de loin le jeune singe par son adresse et sa maîtrise. Quelle était donc la cause de cette différence ? *L'acquisition* du langage par la petite fille, qui pouvait désormais intérioriser et symboliser son univers alors que le singe en était incapable.

Avec ses toutes nouvelles acquisitions du langage, votre enfant peut commencer à conceptualiser clairement le monde. Il peut raisonner, prévoir un futur proche. L'imagination pénètre dans ses jeux, il peut donner libre cours à sa fantaisie. Sa vie mentale a fait un pas de géant.

Auparavant votre enfant passait de longs moments à se livrer à des activités motrices telles que monter des escaliers. Désormais, pendant une très grande partie de son temps, il va s'exercer à l'usage des mots. La linguiste Ruth Weir a étudié le langage de son fils de deux ans en enregistrant ce qu'il se disait tout seul dans sa chambre avant de s'endormir. Elle décrit cette passionnante enquête dans son livre : *Le Langage au berceau*. Jacobson explique dans l'introduction qu'à maint endroit ces conversations enregistrées ressemblent étonnamment au texte des livres d'exercices conçus pour l'apprentissage personnel des langues.

Continuez donc tant que vous pouvez à jouer à « nommer les choses » avec votre enfant. A ce stade de son développement, il a ce que le Dr Gesell appelle « la soif de parler ». Il se prêtera au jeu avec enthousiasme, et sera fier de savoir le nom de tant de choses.

Comment répondre aux questions d'un enfant

Un aspect nouveau du développement du langage chez votre enfant à cet âge est le « jeu des questions ». Certaines de ces questions seront des variations sur le «'jeu de l'étiquetage ». « Et ça, qu'est-ce que c'est ? » sera la question type. Il en posera sur tout et sur n'importe quoi. Si vous vous sentez débordés par le torrent de ses questions, vous pouvez vous consoler en pensant qu'il est très intelligent. Et il est vrai que plus il est intelligent, plus il posera de questions !

Là encore, nous constatons un décalage entre ce qui convient le mieux à l'enfant et ce que des parents, êtres de chair, peuvent faire. L'idéal serait que les parents répondent à toutes les questions de l'enfant. C'est en le faisant que vous l'aiderez à développer son langage, son vocabulaire, sa puissance de raisonnement et son intelligence en général.

Mais en pratique, aucun parent n'est capable de répondre à toutes les questions d'un enfant de deux ans et demi. Faites donc de votre mieux. Mais n'allez pas penser non plus que vous risquez de ruiner ses chances et de bloquer son développement intellectuel s'il vous arrive de dire : « Je ne sais pas ! Maman est fatiguée ! »

Notre attitude dépend aussi de l'importance que nous accordons aux questions d'un enfant de deux ans sur le plan de son développement intellectuel. Malheureusement les questions posées par un enfant de cet âge gênent et dérangent beaucoup de mères qui voudraient bien souvent que leurs enfants se taisent et les laissent faire leur travail tranquillement. Mais si elles se rendaient compte de l'importance de ces questions et des réponses qu'on leur apporte, elles se comporteraient tout autrement.

Arnold, dans un livre appelé *Le Jeu de l'enfant*, donne un

exemple qui montre deux attitudes différentes des parents à l'égard du même enfant et des questions qu'il pose. La scène se passe dans une cuisine. La mère, en train de vider le bac à glaçons, en a laissé tomber un. Son jeune enfant survient et ramasse le glaçon. S'établit alors le dialogue suivant :

L'enfant : Pourquoi est-ce que la glace est froide ?
La mère : Parce qu'elle est gelée.
L'enfant : Pourquoi est-elle gelée ?
La mère : Pour qu'elle reste froide.
L'enfant : Qu'est-ce qui rend la glace froide ?
La mère : Le réfrigérateur.
L'enfant : Qu'est-ce qui refroidit le réfrigérateur ?
La mère : Il y a un moteur dedans.
L'enfant : Pourquoi ?
La mère : Pour le refroidir.
L'enfant : Pourquoi est-ce que le réfrigérateur est froid ?
La mère : Ecarte-toi de ce frigidaire.
L'enfant : Je veux savoir pourquoi le réfrigérateur est tellement froid.
La mère : C'est pour que la nourriture ne s'abîme pas.
L'enfant : Pourquoi est-ce que la nourriture s'abîme ?
La mère : A cause des microbes.
L'enfant : Qu'est-ce que c'est que les microbes ?
La mère : Des petites bêtes.
L'enfant : Qu'est-ce que c'est que des petites bêtes ?
La mère : C'est très petit.
L'enfant : Est-ce que je peux les voir ?
La mère : Non.
L'enfant : Pourquoi pas ?
La mère : Parce qu'ils sont trop petits.
L'enfant : Est-ce qu'ils sont plus petits qu'une souris ?
La mère : Beaucoup plus petits.
L'enfant : De combien plus petits ?
La mère : Eloigne-toi du réfrigérateur.
L'enfant : Mais je veux savoir pourquoi c'est froid !
La mère : Veux-tu t'éloigner du réfrigérateur !
L'enfant : Pourquoi est-ce qu'il y a un moteur ?
La mère · Pour la dernière fois...

Et ainsi de suite.

Puis, M. Arnold nous demande d'imaginer une réponse plus ouverte aux questions insatiables de l'enfant. Même décor, mêmes personnages, mais un contact humain différent. La maman est toujours aussi occupée, l'enfant toujours aussi débordant de questions. Mais cette fois la mère voit ces questions comme un moyen de l'aider dans son développement intellectuel et non pas une gêne.

L'enfant : Pourquoi est-ce que la glace est froide ?

La mère : La glace n'est rien d'autre que de l'eau gelée. Sais-tu qu'il fait si froid au pôle Nord que l'eau y est toujours gelée ? Si tu laisses de la viande dehors au pôle Nord, elle gèle et devient dure comme un caillou. Quand elle est gelée comme cela, elle ne peut pas s'abîmer. Tu te rappelles que j'ai jeté ce restant de bifteck haché que j'avais oublié de mettre au réfrigérateur la semaine dernière ! Je t'avais dit qu'il était abîmé.

L'enfant : Je me rappelle. Tu as dit qu'on ne pouvait pas le donner au chat. Qu'est-ce que ça veut dire : « Abîmé » ? Pourquoi est-ce qu'on ne pouvait pas le donner au chat ?

La mère : Il y a des millions et des millions de petites bêtes, si petites qu'on ne peut même pas les voir. Elles sont suspendues en l'air et certaines aiment se poser sur ce qui se mange pour se nourrir. Ces bêtes s'appellent des microbes et elles peuvent te faire très mal au ventre si tu en manges. Mais ces bestioles ont horreur du froid. Si tu gardes la nourriture au froid, elles ne s'y posent pas. Quand la nourriture est au réfrigérateur elles ne peuvent pas l'abîmer. Mais c'est aussi très mauvais pour tout le monde de rester au froid.

L'enfant : Pourquoi est-ce que c'est mauvais que je reste au froid ?

Et ainsi de suite.

Les conversations entre mère et enfant qui surgiront à tout moment dans la vie quotidienne constituent l'enseignement le plus important qu'un enfant puisse recevoir. Cet enseignement, ces « classes pratiques » pourraient s'intituler : « Introduction aux mystères du monde ».

Traitez votre enfant et ses questions avec le respect qu'exige sa jeune intelligence en plein développement. L'intérêt et l'attention que vous manifestez en partageant avec lui votre connaissance du monde et de ses mystères est un des plus beaux cadeaux que vous puissiez jamais lui faire.

Valeur éducative de la télévision

Un « jouet » que votre maison possède certainement peut se

révéler professeur et éducateur aux talents variés : c'est le poste de télévision.

La télévision est sévèrement critiquée depuis quelques années : on l'accuse d'être un désert culturel et il faut reconnaitre qu'il y a beaucoup de mauvaises émissions. Je déteste autant que vous les shows ineptes et les publicités stupides.

Personnellement je regarde assez peu la télévision tant la qualité des programmes est mauvaise. Les bons programmes pour les enfants sont fort peu nombreux. Beaucoup se limitent aux mêmes vieux dessins animés dans lesquels le même gros animal familier pourchasse toujours interminablement le même petit animal. Beaucoup de parents s'inquiètent aussi aujourd'hui de voir tant de violence à la télévision (je traiterai cette question au chapitre 10 : *Votre enfant et la violence*).

Reconnaissons que bon nombre de ces critiques sont fondées et que la qualité des programmes destinés aux enfants pourrait être grandement améliorée. Mais ce serait une erreur de négliger l'importante fonction éducative que peut jouer la télévision pendant la période préscolaire.

Ainsi depuis l'introduction de la télévision dans les foyers américains, le vocabulaire des enfants entrant à la maternelle et en première année d'école publique s'est enrichi considérablement par rapport aux années où la télévision n'existait pas. Le Dr Louise Ames, du Gesell Institute, précise à ce sujet : « A partir de trois ans, ils voient toutes sortes de choses qu'ils n'auraient pas connues il y a une génération. Leurs connaissances sont terriblement étendues. »

Edith Efron, dans un article intitulé : « Professeur télévision », fait le commentaire suivant : « Les élèves des cours préparatoires qui ont beaucoup regardé la télévision ont un vocabulaire souvent en avance d'un an sur celui des enfants qui ne la regardent pas. Plus un enfant est intelligent, plus l'écran lui apporte de connaissances. Tout compte fait, sur le plan éducatif, la télévision est bénéfique pour les jeunes enfants, quelle que soit leur intelligence naturelle. »

A propos des effets de la télévision sur les enfants, aux Etats-Unis, les études les plus complètes furent menées par le Dr Wilbur Schramm, qui étudia le cas de six mille enfants. Il démontra que les enfants les plus intelligents, ceux qui obtiennent en classe les meilleures notes sont des téléspectateurs assidus. D'après le Dr Schramm : « Les enfants intelligents ont comme caractéristique principale de commencer tout très jeunes. Ils commencent à regarder la télévision plus tôt que les autres, et pendant leurs premières années d'école, ils sont plus intéressés que les autres par la télévision. »

Apparemment donc, les autorités scientifiques les plus sérieuses s'accordent à dire que malgré ses défauts évidents la télévision a une saine influence éducative. Sans aucun doute, si les programmes étaient améliorés, la télévision pourrait apporter encore davantage.

N'allez pas conclure de tout cela que je conseille aux enfants d'âge préscolaire une dose massive et illimitée de télévision. Bien au contraire. Je crois qu'il faut stimuler le développement de votre enfant par des activités variées, à la maison aussi bien qu'à l'extérieur. Il faut qu'il grimpe, coure, fasse du tricycle, joue dans le sable, fasse des constructions, dessine, peigne, écoute des disques et des histoires qu'on lui lira. Mais je pense que la télévision a sa place de droit parmi toutes ces activités. Pas la part du lion, mais une place raisonnable.

Puisque nous parlons du développement du langage chez votre enfant, le moment paraît opportun de poser la question : « Faut-il apprendre à lire à votre enfant ? » Au chapitre 11 : *L'école commence à la maison* (première partie), j'étudierai cette question en détail et je donnerai quelques éclaircissements qui pourront surprendre, tirés des recherches les plus récentes sur la question. Mais dès maintenant nous pouvons répondre à cette question en disant : « Oui, je pense que c'est une bonne idée d'essayer d'apprendre à lire à l'enfant d'âge préscolaire. » Les conclusions d'études scientifiques récentes vont dans ce sens.

Mais la question décisive est « Quand ? ». Un des livres qui vous recommande d'apprendre à lire à votre enfant préconise l'âge de deux ans comme étant le meilleur pour commencer. Le même livre affirme : « Si vous acceptez de vous donner un peu de mal, commencez quand l'enfant aura dix-huit mois, ou si vous êtes très intelligent, dès l'âge de dix mois. »

C'est bien sûr une absurdité énorme et j'ai bien peur que beaucoup de mères désireuses de bien faire n'aient essayé d'apprendre à lire à un enfant de dix-huit mois, ou, pis encore, à un bébé de dix mois. Nous pourrions en rire si ce n'était pas tragique. Le moment d'apprendre à lire à un enfant à la maison se situe vers trois ans, et pas avant. Pas pendant la première adolescence, car pendant cette période l'enfant est partagé entre des sentiments opposés et lutte contre les contraintes dont nous avons parlé au chapitre précédent. Il n'a nullement besoin d'une contrainte supplémentaire : ne songez donc pas à lui apprendre à lire à cet âge.

La jalousie chez les enfants

Je voudrais aborder maintenant l'éternel problème de la jalousie

chez l'enfant, ou, comme nous autres psychologues l'appelons :
« La rivalité entre enfants d'un même lit ».

Chaque fois qu'un petit frère ou une petite sœur entre dans la
famille, votre enfant réagit de façon bien précise. Quand une
mère me dit : « Jean-Pierre a aimé sa petite sœur dès le premier
jour », je n'en crois rien. C'est psychologiquement impossible.
Pourquoi ? Faisons ensemble une supposition. Supposez que
demain votre mari vous annonce la plaisante nouvelle que voici :
« Chérie, la semaine prochaine mon ancienne amie Roxanne
viendra s'installer chez nous. Bien entendu je t'aime toujours
autant. Je serai avec toi le lundi, le mercredi et le vendredi. Mais
le mardi, le jeudi et le samedi je serai avec elle. Le dimanche
sera tiré au sort. » De plus, quand cette rivale vient en effet
s'installer chez vous, vous découvrez qu'elle n'a pas l'intention de
lever le petit doigt pour vous aider dans vos tâches. Elle se
contente de flâner toute la journée en lisant des magazines et en
prenant des boissons fraîches. Quels sentiments éprouveriez-vous
devant cette Roxanne ? Une belle fureur sans doute ! Eh bien,
c'est à peu près ainsi qu'un enfant d'âge préscolaire réagit à la
naissance d'un petit frère ou d'une petite sœur. Il se sent lésé,
ulcéré, hors de lui.

Il se sent abandonné par sa mère lorsqu'elle s'en va à l'hôpital
pour avoir ce nouvel enfant. Quand elle rentre à la maison avec
le nouveau-né, elle a très peu de temps pour s'occuper de l'autre.
Elle appartient toute à cet intrus. En plus de tout cela, tous les
parents et amis qui viennent à la maison s'extasient sur le
nouveau-né, disent qu'il est mignon et délaissent le « grand »
frère ou la « grande » sœur. Peut-on s'étonner après cela qu'un
enfant éprouve un sentiment d'hostilité à l'égard de son petit
frère ou de sa petite sœur ?

S'il est impossible d'empêcher un enfant d'éprouver de l'hostilité contre son petit frère ou sa petite sœur, vous pouvez atténuer
ces sentiments.

Vous pouvez donc prévenir votre enfant longtemps à l'avance
de cette naissance qui s'annonce afin que cela ne soit pas pour
lui une surprise complète. Ne lui en parlez pas neuf mois à
l'avance. C'est trop long pour lui. Un mois suffit. (Il s'en
apercevra sans doute avant en entendant les conversations autour
de lui.) Vous pouvez aussi aider votre enfant à se libérer de ses
sentiments envers le nouveau-né en lui faisant cadeau d'un
baigneur avec des couches, un berceau et une baignoire.

Suivant l'âge et le sexe de votre aîné, il pourra vouloir
s'occuper du bébé, lui donner des coups ou extérioriser ses
sentiments de diverses manières avec cette poupée qui se substitue à la réalité.

En partant à la clinique, vous pouvez cacher quelques petits cadeaux dans la maison. Téléphonez alors de la clinique, et dites-lui où il peut trouver une surprise pour lui. Il se sentira moins abandonné. Il sentira que vous pensez vraiment à lui, quoique vous en soyez loin. En rentrant chez vous, efforcez-vous, ainsi que votre mari, de ne pas vous montrer trop empressée avec le nouveau-né et de ne pas négliger le grand frère ou la grande sœur. Prenez le temps de lui témoigner amour et attention.

En général, un enfant d'âge préscolaire réagit de deux façons à la naissance d'un petit frère ou d'une petite sœur. Il veut tout d'abord redevenir petit, faire le bébé. C'est un réflexe de défense que nous utilisons tous, de temps en temps, en face de situations éprouvantes. Nous avons alors un comportement infantile. Or la plupart des parents font exactement le contraire de ce qu'il faut faire quand l'enfant manifeste ce désir de revenir en arrière. Ils essaient de lui montrer les avantages d'être plus âgé, alors que l'enfant ne peut pas percevoir ces prétendus avantages. Tout ce qu'il peut voir, c'est qu'il a, lui, pris la peine d'apprendre à manger tout seul ou à ne plus faire pipi dans sa culotte, tout cela pour que ce petit marmot vienne maintenant retenir l'attention de tout ce monde qui le regarde quand maman lui donne le biberon ou change ses couches.

C'est comme si l'aîné se disait : « Hum ! peut-être que si je recommençais à agir comme un bébé je pourrais obliger maman à me donner un peu de cet amour et de cette attention ! » C'est ainsi qu'il peut se remettre à se salir, à réclamer le biberon ou à exiger qu'on le prenne et qu'on le berce.

Et quelle est la réaction habituelle des parents devant cette tactique ? « Allons, tu es un grand garçon ; un grand garçon ne fait pas cela, cesse de faire le bébé ! » Et cette réaction des parents n'a d'autre effet que de le traumatiser davantage et lui faire désirer encore plus d'agir comme un bébé et d'être dorloté comme un bébé.

Que faire ? Laissez à votre aîné la possibilité de revenir en arrière s'il le désire. A la naissance de mon premier garçon, notre fille aînée avait six ans. Nous nous attendions à ce qu'elle veuille revenir à une attitude de bébé et elle ne manqua pas de le faire. Elle demanda un biberon, ce que nous lui donnâmes ; et pendant quatre ou cinq jours elle but son coca-cola ou son jus d'orange dans un biberon. Ces quelques jours passés, elle l'abandonna spontanément, comme pour dire : « Bon, je n'ai plus besoin de faire tout cela. Je pense qu'après tout ce n'est vraiment pas si drôle d'être un bébé et de boire au biberon ! » Nous recommençâmes l'expérience avec mon fils aîné quand il eut six ans et que son frère vint au monde. Chaque fois l'aîné « régressa » pendant quelque temps puis abandonna la régression quand ce désir momentané d'infantilisme eut été satisfait.

Votre fils ou votre fille aînés éprouveront de la colère et de l'hostilité envers le nouveau-né. Malheureusement, la plupart des parents essaient en lui parlant de l'écarter de ces sentiments : « Ne dis pas cela de ton petit frère, ça n'est pas gentil. Sois gentil avec lui, regarde comme il est mignon ! » Au lieu d'essayer de le détourner de ce qu'il éprouve, les parents devraient le laisser exprimer sa colère et sa jalousie pour le bébé. C'est un des cas où ils peuvent lui refléter ses sentiments : « Tu es en colère contre Jenny, tu crois que maman l'aime plus que toi. » Il peut même être utile d'exagérer un peu et de dire à l'aîné ce qu'on reproche au bébé (après tout, vous ne risquez pas de le vexer puisqu'il ne comprend pas encore ce que vous dites). Vous donnerez ainsi à votre aîné le sentiment qu'on peut sans risque dire ce qu'on n'aime pas chez le bébé.

Voici pour illustrer notre propos comment une maman décrit les réactions d'un garçon de dix-sept mois à la naissance de sa petite sœur :

> « Quand je rentrai à la maison avec Jenny, Mark me regarda d'abord comme si j'étais une étrangère. Il se mit à pleurer très fort quand son père prit Jenny dans la voiture pour l'emporter dans la maison. Il resta à l'écart pendant plusieurs heures. J'avais bien pensé voir Mark jaloux, mais je pensais que ce serait plus détourné, ou dirigé contre moi. Pas du tout ! A la première occasion il s'avança vers le bébé, le visage dur, et essaya de le battre. Il paraissait terriblement déterminé à écraser cette petite boule malfaisante et de toute évidence était en même temps affreusement malheureux de son geste et se mit à sangloter en disant : « Non, non ! » Tout en s'approchant... Tout rentra finalement dans l'ordre une semaine après mon retour. J'étais en train de langer Jenny et Mark me regardait, dans les bras de sa grand-mère. Jenny gazouilla un petit bruit, que j'imitai en disant à Mark : « Il dit des bêtises ce bébé ! » Soudain Mark fit un large sourire et dit « Bêtises ! » Il venait sans doute de découvrir que j'étais de son côté, nous étions ensemble, tous les deux, à nous moquer du bébé. Il n'y eut ensuite pour ainsi dire plus aucun problème. »

Il faut signaler que la rivalité entre frères et sœurs se manifeste dans les deux sens, de l'aîné au plus jeune et vice versa. On ne peut pas l'empêcher, *on peut seulement l'atténuer*. Les parents se demandent toujours pourquoi leurs enfants se disputent et se battent tant entre eux, alors qu'ils savent souvent jouer très gentiment, sans bagarre, avec un petit voisin. La réponse est que le voisin ne leur fait pas de concurrence auprès de la même mère.

Chaque enfant souhaite à certains moments voir disparaître tous les autres enfants de la famille pour avoir maman et papa rien que pour lui. Que pouvez-vous faire pour atténuer ces sentiments de jalousie entre vos enfants ? *Essayez de passer tous les jours un moment seule avec chaque enfant.* Faites-lui savoir que c'est son instant à lui et qu'aucun autre enfant ne peut l'en priver. Vous dites que vous n'avez pas le temps ? La mère de John Wesley, fondateur du méthodisme, avait onze enfants, et elle trouvait le temps de le faire tous les jours pour chacun d'eux !

Un autre moyen d'atténuer la rivalité et les crises de jalousie en voyage ou en vacances consiste à emmener avec vous un ami de vos enfants. Vous serez sans doute surpris de constater combien cela diminue la tension et réduit les chamailleries et les accrochages entre frères et sœurs.

Comment apprendre à l'enfant à être propre

La propreté de l'enfant se fait à ce stade de développement, tout au moins dans notre civilisation. Commençons par indiquer quelques données psychologiques essentielles à ce sujet. Tout d'abord, c'est un fait qu'aucune maman ne peut rendre un enfant propre avant qu'il n'y consente. Vous pouvez mener un enfant aux toilettes et vous pouvez recommencer des centaines de fois, mais s'il n'est pas prêt aux habitudes de propreté, vous ne pouvez pas le forcer malgré les cajoleries et les essais d'intimidation.

Deuxièmement, qu'est-ce qui pousse un enfant à abandonner ses anciennes habitudes d'élimination insouciante et à apprendre cette manière nouvelle et étrange de se débarrasser des déchets ? Il n'y a qu'une chose qui puisse l'y inciter. Il exige que votre amour et votre attention le récompensent d'avoir bien appris ce nouveau processus. Mais il ne peut vouloir votre amour et votre attention que si vous êtes déjà foncièrement en rapports d'intimité avec lui. Si vos rapports sont difficiles, il y a de grandes chances pour que vous ayez du mal à l'habituer à être propre.

Troisièmement, si vous commencez cette éducation avant que votre enfant ne soit, sur le plan neuro-musculaire, capable de contrôler ses sphincters, ou si vous insistez pour lui apprendre trop tôt à être propre, il trouvera qu'on est trop exigeant avec lui et trop tôt. Il va se sentir perdu, dépassé, traumatisé. C'est pourquoi j'ai indiqué avec insistance dans les chapitres précédents qu'on ne doit pas commencer d'habituer un enfant à être propre avant deux ans environ.

Quatrième remarque : pour beaucoup de parents, l'entraînement à la propreté semble très simple. Or si c'est fort simple dans l'esprit des adultes, c'est un apprentissage très complexe pour un enfant de deux ans. Lorsque les matières en mouvement dans l'intestin exercent une pression sur le rectum, il en résulte un relâchement des muscles rectaux qui provoque un mauvais mouvement intestinal. Pour entraîner un enfant à être propre, il faut lui apprendre à changer l'ordre de ces différentes phases. Il doit apprendre à supprimer les réflexes d'expulsion de ses muscles rectaux, apprendre à appeler ses parents, à aller jusqu'à la salle de bains, baisser sa culotte, s'asseoir sur le pot, tout en réprimant le réflexe impératif d'expulsion des muscles du rectum. Et un enfant n'est pas vraiment propre tant qu'il ne peut effectuer de lui-même tout ce processus nouveau pour lui.

Voyez-vous maintenant pourquoi c'est difficile pour un enfant de deux ans ? Si ses parents le punissent ou exercent d'autres contraintes à cause des « erreurs » et des « accidents » qui se produisent, il en résultera pour l'enfant de profonds traumatismes : peur, colère, défiance et blocages peuvent se manifester à la suite de la maladresse des parents.

Comment vous y prendre pour habituer l'enfant à être propre ?

Tout d'abord distinguons l'entraînement de l'intestin de celui de la vessie. Ils impliquent des mécanismes différents et doivent donc être abordés de manière différente. Habituellement, l'entraînement de l'intestin survient en premier. Commençons donc par cela.

Beaucoup de parents commencent à habituer l'enfant en calculant dans leur infinie sagesse d'adultes qu'il est l'heure d'asseoir le bambin sur le pot et de voir s'il peut provoquer un mouvement intestinal. Ce procédé paraît tellement logique à beaucoup de parents qu'ils ne peuvent en percevoir l'absurdité foncière. Peut-être la saisirez-vous mieux si je vous pose la question suivante : supposez qu'en ce moment, au milieu de votre lecture, un géant de trois mètres de haut vienne tout à coup vous soulever, vous emmène aux toilettes et vous dépose sur le siège en vous annonçant d'une voix forte et impérative : « C'est l'heure d'aller à la selle. » Supposez qu'alors il vous oblige à rester assis là pendant cinq ou dix minutes. Quelle serait votre réaction ? La même que celle de votre enfant dans des conditions analogues. Comparaison ridicule, dites-vous ? Réfléchissez, et voyez si beaucoup de parents ne méprisent pas les besoins biologiques de leurs enfants en agissant à la façon de ce géant de trois mètres.

Il y a déjà longtemps, dans un classique de la puériculture, *Les bébés sont des êtres humains*, le Dr Anderson Aldrich et sa femme Mary Aldrich décrivaient une méthode beaucoup plus satisfaisante pour entraîner un enfant à contrôler son intestin :

> « L'entraînement auquel nous le soumettons laisse de côté une des aptitudes les plus fondamentales du bébé, son processus physiologique de contrôle intestinal. Quand nous ne parvenons pas à synchroniser nos méthodes d'entraînement à de nouvelles habitudes avec ses efforts d'élimination tels qu'ils se produisent naturellement, nous laissons s'échapper notre plus grande chance. Le processus physiologique des mouvements intestinaux peut s'expliquer en peu de mots... Comme pour chaque autre activité vitale du corps, rien n'est laissé au hasard. Le bébé effectue un mouvement intestinal en se conformant à des règles bien définies, qui se manifestent automatiquement dans le côlon... A des intervalles de plusieurs heures, un événement physiologique assez spectaculaire qu'on appelle le mouvement des masses intestinales se produit. Tout le contenu du côlon au-delà de sa partie ascendante se divise en plusieurs longues masses ressemblant à des saucisses, et qui avec une rapidité surprenante descendent dans le rectum. La pression ainsi exercée sur le rectum déclenche la contraction des muscles abdominaux et le relâchement de ceux qui ferment le rectum. A ce moment, et pas à n'importe quelle heure arbitrairement choisie par nous, un mouvement intestinal se produit chez tous les bébés à qui on permet d'utiliser sans entrave leur contrôle automatique. Le mouvement des masses intestinales paraît pénible, car le bébé s'agite à cause de ces mouvements internes, fait des efforts vigoureux, puis se soulage...
>
> Il ne se passe pas longtemps avant que la question « d'éduquer » l'enfant ne vienne saboter tout ce beau mécanisme. On met bébé sur le pot, on attend qu'il aille à la selle. On le consulte rarement sur le choix de l'heure. Au contraire, on s'attend à ce qu'il s'exécute à une heure du jour qui semble la plus

conforme à son rythme de vie, de préférence juste après le petit déjeuner. Le fait que le bébé ait son propre mécanisme de déclenchement, le mouvement des masses intestinales, est totalement ignoré. En cas de refus, on en arrive vite à un conflit entre le bébé et sa mère, et les chances d'éduquer vraiment l'enfant sur ce point s'éloignent de plus en plus.

Il est néfaste pour la santé de ne pas tenir compte du mouvement des masses intestinales comme force initiale du rythme d'évacuation, car lorsqu'on ignore assez longtemps une activité naturelle, elle tend à disparaître complètement. C'est en fait ce qui se produit pour la plupart des enfants constipés, leur stimulus interne a soit disparu complètement, soit été ignoré pendant si longtemps qu'il ne peut plus être interprété comme un appel automatique à se rendre aux toilettes. »

L'erreur qui consiste à ne pas tenir compte du mécanisme personnel de déclenchement est souvent très lourde de conséquences pour le développement psychologique de votre enfant. Il croira qu'on attend de lui qu'il éprouve quelque chose (l'envie d'aller à la selle) qu'il ne ressent pas en fait, parce que le mouvement des masses intestinales ne se produit pas. Ce sentiment détruit peu à peu sa confiance en lui. Il pourra penser : « Peut-être après tout ne suis-je pas bon juge de ce qui se passe en moi. Maman a l'air de me dire que j'ai besoin d'aller à la selle parce qu'elle me met sur ce pot. Mais moi je n'en ai pas l'impression ! » Ou bien il pourra penser que vous exagérez et ne le comprenez absolument pas.

Suivant le degré d'agressivité de la mère au sujet de cette prétendue propreté et le caractère plus ou moins docile ou rebelle de l'enfant, toutes sortes de réactions psychologiques déplorables peuvent naître. Un enfant docile peut craindre d'être puni s'il ne réprime pas ses sensations biologiques et intestinales profondes. Il essaiera de toutes ses forces de vous plaire, mais il devra pour cela payer le prix : refuser ses sensations viscérales personnelles, ce qui ruine sa confiance en lui-même.

Il se peut aussi que l'enfant se plie facilement aux habitudes de propreté qu'on lui impose, mais transfère ses frustrations et ses conflits à d'autres domaines. Il peut devenir soudain timide ou peureux, ou faire des cauchemars. Il peut faire des difficultés pour manger, ou devenir rétif et hostile. La mère peut alors se vanter auprès des voisines d'avoir facilement éduqué son enfant à la propreté, et ne voir aucun rapport entre cet entraînement et les autres problèmes qui ont surgi tout à coup.

L'enfant peut ne pas être aussi docile. Il peut être rebelle. Il a découvert tout à coup que faire agir ses intestins d'une certaine façon paraît être l'action la plus importante qu'il puisse faire pour vous. S'il le fait comme vous le voulez, il est votre maître parce qu'il lui semble détenir le pouvoir de vous satisfaire. S'il ne va pas à la selle où et quand vous le désirez, il découvre alors qu'il peut vous mettre en colère. D'une manière comme d'une autre, il apprend qu'il peut agir sur vous. C'est le début des hostilités. Votre enfant s'est créé un schéma mental de rébellion qui s'étendra probablement à beaucoup d'autres aspects de sa vie et qui ne vous causera, à vous et à lui, que des ennuis. Toutes ces réactions néfastes peuvent être évitées. Il suffit de respecter le signal biologique particulier à votre enfant lui indiquant qu'il va avoir besoin d'aller à la selle.

Maintenant, soyons précis et parlons de ce que vous devez faire quand votre enfant a deux ans et que vous décidez de commencer à lui donner des habitudes de propreté. Commencez par lui apprendre des mots qui désignent ce qui se passe. Si vous commencez l'entraînement intestinal vers deux ans cela ne doit poser aucun problème. Quand vous le voyez pousser et faire des efforts, dites-lui seulement sans insister : « Jimmy est en train de faire dans ses couches. » Après avoir entendu plusieurs fois cette phrase, il se fera une idée précise de ce qui se passe. Bientôt il vous l'annoncera lui-même : « Maman, je suis en train de faire. » Quand il en est là, vous pouvez franchir l'étape suivante.

Utilisez un pot stable plutôt qu'un siège adaptable à la cuvette des W.-C. Et cela pour plusieurs raisons : d'abord parce qu'il peut s'asseoir sur un pot sans l'aide de personne. Ensuite, les enfants sont souvent effrayés par la hauteur d'un siège de W.-C. et le bruit de la chasse d'eau. Quelques semaines avant de tenter l'opération « bébé propre », placez son pot dans la salle de bains auprès des W.-C. mais n'essayez pas encore de lui apprendre à s'en servir. Vous devez seulement le mettre à l'aise et le familiariser avec l'objet. Il peut alors l'explorer autant qu'il veut et s'entraîner à s'asseoir dessus et à se relever.

Quand vous êtes vraiment prête à l'habituer, vous pouvez lui montrer le pot. Dites-lui qu'il est assez grand pour s'asseoir dessus et faire comme les adultes. Les jeunes enfants aiment imiter leurs parents et leurs aînés. Par leur inquiétude à propos de ces fonctions, de nombreux parents ne font pas appel à cet instinct d'imitation, quand ils veulent habituer l'enfant à être propre. Si vous pouvez être détendue à ce propos, cela aidera votre enfant de voir votre mari ou vous-même vous asseoir et aller à la selle.

Cela vous aidera également si vous avez un enfant plus âgé. Le plus jeune essaie d'imiter son aîné dans tout ce qu'il fait. Aller aux toilettes ne fait pas exception.

Une fois que vous lui aurez appris où et comment aller à la selle, dites-lui qu'il a grandi et qu'il n'a plus besoin de porter des couches. Mettez-lui un slip pour essayer et laissez-le se débrouiller. S'il est assez mûr pour le faire, vous pouvez disposer des slips dans un tiroir assez bas ou sur un rayon qu'il puisse atteindre aisément. De cette façon il peut changer son slip tout seul.

Puisque vous lui apprenez une chose nouvelle, rappelez-vous que les punitions nuisent toujours à tout nouvel apprentissage.

Les punitions sont nuisibles quand il s'agit de rendre un enfant propre. Il faut que le mouvement de cette masse biologique interne soit pour votre enfant le signal qui annonce qu'il a besoin d'aller aux toilettes. Il faudrait alors que vous souteniez ses succès par vos compliments et votre affection et que vous ignoriez ses échecs.

Laisser votre enfant utiliser parfois les W.-C. des grandes personnes aussi bien que d'autres systèmes est une bonne idée. Je vous montrerai l'importance qu'il y a à varier ces conditions en vous racontant ce qui m'arriva pendant un voyage en automobile. Nous roulions quand mon fils de trois ans annonça soudain, sur un ton d'urgence, qu'il avait besoin d'aller aux toilettes. Malheureusement, le premier poste d'essence était à des kilomètres de là. J'arrêtai donc la voiture et l'emmenai dans les buissons au bord de la route. « Non, s'écria-t-il, il n'y a pas de salle de bains ! » Il fut très malheureux de la situation. Il s'exécuta à regret. Ne laissez donc pas votre enfant s'habituer tellement à certaines situations familières qu'il ne puisse plus accomplir ces fonctions lorsque les conditions changent.

Il est également important d'attendre que votre enfant ait quitté la salle de bains avant de jeter aux W.-C. le contenu de son pot. Certains enfants sensibles pourraient, au stade de l'imagination primitive, considérer les W.-C. comme une machine violente et tumultueuse qui fait disparaître les choses. Ils pourraient en avoir peur. C'est bien sûr, pour les adultes, une façon complètement illogique d'imaginer les toilettes. Mais rappelez-vous que les enfants pensent différemment de nous.

Même si votre enfant n'a pas peur des W.-C., le fait que vous vidiez son pot est déconcertant. Il considère ses selles comme une partie de son corps et il les estime. Après tout, vous aussi vous avez attaché une grande importance aux selles de votre enfant et vous le lui avez montré. Puisqu'il va sur son pot pour vous faire plaisir, cette action a pour lui le même sens que le geste d'un enfant plus âgé qui offre un cadeau à une personne qu'il aime. Puisqu'il vous fait ce cadeau par amour, il peut lui sembler curieux et étrange que vous le jetiez immédiatement aux toilettes. Attendez qu'il ait quitté la pièce avant de vous en débarrasser.

Éducation de la vessie

Le contrôle de la vessie est plus difficile à obtenir que celui des intestins. Cela prend donc plus longtemps. Il y a plusieurs raisons à cela. D'abord, les sensations physiques signalant à un enfant qu'il a besoin d'uriner sont moins nettes que la sensation d'un mouvement intestinal. Deuxièmement, chez l'enfant et du moins au début, le fait d'uriner est un réflexe automatique que déclenche la tension de la vessie. Au contraire, lorsque les fèces se sont formées à la suite du travail intestinal, la défécation requiert simplement un acte d'expulsion. Autrement dit, il est plus facile pour l'enfant de se contrôler pour *faire* quelque chose que pour empêcher que quelque chose ne se produise.

Le contrôle de la vessie présente deux aspects : le contrôle éveillé et celui du sommeil. Le contrôle éveillé vient générale-ment en premier. Gesell a remarqué qu'il se faisait en trois étapes. D'abord, l'enfant prend conscience qu'il s'est mouillé. Puis il comprend qu'il est en train de se mouiller et peut le dire. Plus tard encore, il commence à anticiper et à penser qu'il va se mouiller. Avant de commencer effectivement l'apprentissage de votre enfant, vous pouvez l'aider à exprimer ces étapes par des mots. Lorsque vous le changez vous pouvez lui dire : « Pierre est mouillé, regarde. » Si vous avez un enfant plus âgé vous pouvez faire appel à l'imitation pour entraîner le plus jeune. Laissez le plus jeune regarder son frère uriner et dire : « Paul fait pipi maintenant, regarde. » Le père peut être d'une grande aide quand il s'agit d'un garçon en laissant l'enfant le regarder uriner debout. Si ces suggestions vous mettent mal à l'aise, n'essayez pas l'imitation comme méthode.

Quand vous serez prête à commencer à éduquer vraiment votre enfant à contrôler sa vessie, vous pourrez vous fier au signe biologique prouvant qu'il a besoin d'uriner, à savoir une vessie pleine. Mettez-le en slip et dites-lui qu'il est grand et qu'il peut faire pipi dans son pot. Si c'est un garçon, il se peut qu'il veuille uriner dans les W.-C. comme papa. Dans ce cas, tout ce dont vous avez besoin est une petite marche sur laquelle il puisse monter afin de pouvoir uriner debout.

Certains livres traitant de l'éducation des garçons et des filles donnent l'impression que garçons et filles urinent d'abord assis. Ce n'est pas du tout naturel pour un petit garçon, et c'est dû très souvent au fait que c'est la mère qui éduque l'enfant. Il est beaucoup plus naturel d'apprendre à un petit garçon à uriner debout en imitant papa ou ses grands frères. Si votre petite fille veut uriner debout, laissez-la faire, jusqu'à ce qu'elle comprenne que ça ne marche pas très bien pour elle.

Il vous faudra apprendre à votre enfant un mot simple, à son niveau, pour désigner ces fonctions biologiques. Pipi est facile à dire pour un enfant. Il semble que ce soit l'expression la plus répandue. Uriner présente des difficultés sémantiques. Le mot adulte uriner est trop difficile à prononcer pour un enfant. Mouillé est un mot simple également. Quoi que vous fassiez, évitez les circonlocutions que certains parents utilisent à cause d'une trop grande pudibonderie.

Là aussi il est bon d'habituer un enfant à uriner en différents endroits. Y compris dehors, afin qu'il ne se fixe pas trop exclusivement à un endroit ou à certaines conditions précises.

Le contrôle du fonctionnement de la vessie pendant la période nocturne suivra un progrès lent, avec des périodes d'hésitation, avant de se stabiliser définitivement. Ne comptez au début que sur des progrès lents. Récompensez l'enfant en le félicitant de ses succès et passez discrètement sur les « accidents ». Même quand l'enfant a acquis un bon contrôle général des fonctions urinaires, il aura encore des défaillances occasionnelles lorsqu'il sera absorbé par le jeu ou en cas de grande fatigue.

Le contrôle nocturne de la vessie ne peut être atteint que lorsque deux conditions sont remplies. Tout d'abord, l'enfant doit pouvoir contrôler la fonction pendant la journée. Ensuite, il doit pouvoir garder ses sphincters fermés sans se réveiller. Bien entendu, le contrôle nocturne sera plus difficile à acquérir que le contrôle de jour ; plus long aussi. Que devez-vous faire, vous parents, pour favoriser le contrôle de nuit ? Rien. Absolument rien. Le développement naturel de la vessie, et d'autre part le fait que l'enfant a appris en contrôlant sa vessie dans la journée que l'urine doit aller dans la cuvette des W.-C., apporteront tôt ou tard la solution au problème.

Quand votre enfant se réveille au milieu de la nuit, le lit mouillé, contentez-vous de changer les draps sans insister. Dites seulement : « La prochaine fois tu resteras sec toute la nuit », ou bien : « Peut-être que la prochaine fois tu te réveilleras à temps pour aller aux W.-C. »

Un enfant qu'on a entraîné au contrôle de ses intestins et — pendant la journée — de sa vessie, en suivant les méthodes décrites dans ce livre, et que sa mère a habitué à être propre d'une manière détendue, et comme sans y penser, ne doit pas avoir de problème pour parvenir au contrôle nocturne à un âge normal. Les difficultés du contrôle nocturne se présenteront chez l'enfant qu'on aura déjà contraint pour acquérir le contrôle de la journée et qui s'en fait tout un monde. Cet enfant-là sera plus long à acquérir le contrôle de nuit. Ou alors, il peut être irrité parce qu'on fait pression sur lui. Il se défoulera inconsciemment de cette animosité contre ses parents en mouillant son lit la nuit, parce qu'il peut alors « faire celui qui ne sait pas ». Il faut absolument que les parents admettent que *l'enfant ne mouille pas son lit délibérément*. Après tout, il dort quand cela se produit ! Il ne faut *jamais* punir un enfant qui fait pipi au lit.

Quelques cas de défaillance nocturne, très peu nombreux, ont des causes physiques. Ces cas sont clairs parce qu'il y a d'autres symptômes, comme l'inaptitude à se contrôler pendant le jour, ce qui permet au médecin de déceler les anomalies. Mais dans la plus grande majorité des cas, l'enfant mouille son lit à cause des tensions psychologiques qu'il subit. Si l'enfant mouille encore son lit après cinq ans, les parents doivent surtout s'abstenir d'essayer les différents remèdes de bonne femme que la plupart tentent cependant, malheureusement et sans succès (face à ce problème les parents font les choses les plus étranges). Si votre enfant mouille son lit après cinq ans, consultez un spécialiste plutôt que d'essayer de trouver la solution vous-même.

Vous pouvez montrer à un enfant le chemin des W.-C., mais vous ne pouvez pas l'y faire « aller » avant qu'il n'y soit prêt. Supposons qu'il ne le soit pas encore. Supposons qu'après une dizaine de jours, vos efforts pour le rendre propre soient absolument vains. Concluez-en donc que votre enfant n'est pas encore prêt pour cet entraînement. Revenez-en aux couches, et attendez quelques mois avant votre prochain essai. Nous avons commencé avec notre fils aîné quand il avait environ deux ans. Après une semaine il fut évident qu'il n'avait aucune envie d'apprendre à être propre à ce moment-là. Plutôt que d'engager le conflit, nous en revînmes aux couches et nous essayâmes à deux ans et demi. Même résultat. Il n'était pas prêt. Nouvel essai donc, un mois environ avant ses trois ans. Et alors en l'espace de trois semaines, il apprit à contrôler ses intestins et sa vessie. Avec le plus jeune nous avons essayé aussi à deux ans. Il n'était pas prêt. Après être revenus aux couches, nous avons fait un nouvel essai à deux ans et demi ; il était prêt : trois semaines plus tard il était propre.

Ce que la mère pense de la propreté des enfants

Voyons un peu ce que ressent une mère quand elle essaie d'entraîner son enfant à être propre (beaucoup de livres traitant de puériculture semblent laisser de côté cette importante question) et qu'elle a décidé pour cela d'utiliser les méthodes préconisées dans ce livre. Voici la minute de vérité : elle vient de retirer les couches. Que se passe-t-il ? Peut-être rien de positif le premier jour ni les jours suivants. L'enfant salit plusieurs culottes par jour, et c'est tout ce que vous obtenez ! Qu'en pense la mère ? Elle se sent généralement désemparée, maladroite : « Cela avait l'air tellement facile dans le livre », pense-t-elle. « C'est moi qui ne sais pas m'y prendre, je ne suis pas une bonne mère. Peut-être que je ne suis pas douée pour ces choses-là ? » Il est naturel et normal d'avoir cette impression, particulièrement pour un premier enfant.

Cela l'aidera à se rappeler que le facteur le plus important quand on veut rendre un enfant propre n'est pas ce qu'elle peut faire en tant que mère, mais bien si l'enfant est disposé à assimiler cette nouvelle technique. Si l'enfant n'est pas vraiment mûr pour cela, il ne l'assimilera pas. Qu'elle se souvienne que la façon d'apprendre une nouvelle technique consiste à faire des erreurs et à profiter de ces erreurs. Pour un enfant, devenir propre passe par les mêmes voies. Votre enfant commettra beaucoup d'erreurs et il lui faudra du temps pour apprendre.

Jusqu'à présent mon exposé a porté sur ce qu'une mère peut toujours faire en ce domaine, car il s'agit de son action. Je voudrais maintenant parler de quelque chose qui échappe au contrôle d'une mère : ses impressions profondes, ce qu'elle ressent dans cette circonstance. Nous devons reconnaître franchement le fait que les adultes et les jeunes enfants ne se font pas la même idée des déchets humains. Un bambin n'est nullement gêné par une couche salie. Il peut même trouver agréables son odeur et son contact. La plupart des mères ne semblent pas partager le même enthousiasme pour la couche en question. Pour un enfant, les matières ne sont qu'une intéressante espèce « d'argile marron ». Il l'étalera sans complexe comme n'importe quelle autre substance. Il en tirera même une fierté particulière parce que c'est lui qui l'a faite.

Or, il est bien sûr souhaitable d'apprendre à un enfant à déposer cette argile marron dans la cuvette des W.-C., plutôt que de s'en servir pour quelque création artistique. Mais dans la mesure du possible il faut que nous nous gardions de lui imposer à ce sujet des sentiments de répulsion. Cela peut nous sembler difficile, à cause justement de la répulsion qu'on nous a inculquée à l'égard des excréments et de l'urine, quand on nous a appris à être propre. Notre subconscient n'a pas oublié ce temps-là.

C'est pourquoi une mère se comportera différemment en nettoyant un enfant qui s'est sali et en lui donnant son bain par exemple. Elle pourra laisser paraître du dégoût dans son expression, et même employer des expressions telles que : « Ces couches sentent mauvais », ou « bébé sent mauvais », ou encore « le vilain sale ! ».

Si la mère communique de tels sentiments de dégoût à un enfant, il se sentira « sale » ou « vilain » parce qu'il élimine les déchets de son corps. Cette attitude peut avoir un effet désastreux sur son développement sexuel. Du fait que les organes de l'élimination sont dans la proximité immédiate des organes sexuels, l'attitude prise à l'égard des uns peut malheureusement se généraliser et s'appliquer aux autres. L'enfant en viendra vite à penser que tous les organes situés « plus bas » ou « là » sont mauvais ou dégoûtants. Ces attitudes de honte ou de dégoût peuvent entraver ou empêcher le développement d'une attitude saine à l'égard des fonctions sexuelles.

Une mère ne peut contrôler ses sentiments profonds lorsqu'elle change ou nettoie un bébé qui s'est sali. Mais autant que possible, si elle éprouve du dégoût ou de l'aversion, elle ne doit pas le montrer. Paraître considérer ces choses comme normales, sans plus, est la meilleure attitude à prendre. Si on peut y parvenir.

J'ai traité ce sujet très en détail parce qu'en plus de vingt ans d'expérience médicale personnelle j'ai été stupéfait de voir combien les parents embrouillaient et compliquaient de façon inimaginable ce qui se réduit en fait à *faire acquérir à l'enfant une nouvelle technique*. Si vous n'êtes pas pressé, si vous commencez cet apprentissage l'esprit détendu, sans paraître y attacher trop d'importance, si vous respectez les signaux biologiques indiquant que votre enfant a besoin de vider ses intestins ou sa vessie, alors l'apprentissage de la propreté peut s'accomplir simplement et sans soulever de problèmes psychologiques.

Quels jeux donner à l'enfant en période de première adolescence

Abordons un aspect plus plaisant de la « première adolescence » pour parler de l'enseignement par le jeu. Les équipements et jouets, etc., que j'ai indiqués pour l'enfant qui fait ses premiers pas au chapitre 4 seront bien sûr encore utilisés à fond. Mais l'enfant de deux à trois ans attend que vous y ajoutiez de nouveaux équipements en rapport avec son nouveau degré de maturité.

Puisque nous lui demandons de ne plus s'amuser avec les déchets de son corps, nous pouvons lui offrir la possibilité de le faire avec du sable, de la terre, de l'eau, de la pâte à modeler, de la peinture et de l'argile.

« Jouer à l'eau » garde toute son importance avec un enfant de cet âge. Il peut se servir pour cela de l'évier ou de la baignoire. Il aime énormément tremper des éponges dans l'eau et les presser, remplir et vider des verres ou des récipients en plastique. Sans doute vous lasseriez-vous très vite de faire cela, mais un enfant de deux ans, lui, ne s'en lasse pas. Les parents sont souvent étonnés de voir qu'il peut jouer dans l'eau pendant des heures.

Pour apporter de la variété aux jeux dans l'eau, donnez-lui un ustensile de cuisine et des habits de poupée ou un mouchoir « à laver ». Il aimera aussi les pailles en plastique qu'il peut utiliser pour souffler de l'air dans l'eau et pour faire quelques expériences de physique à son niveau. Un peu de savon en paillettes apportera de la variété et de l'intérêt à ces jeux. Faire des bulles et de la mousse est une chose merveilleuse quand on a deux ans. Toutes sortes de jouets flottants rendront aussi les jeux dans l'eau plus intéressants.

N'oubliez pas qu'à cet âge l'enfant *aime* nettoyer après avoir sali ou mouillé les lieux en jouant avec de l'eau. Les parents avisés sauront profiter de cette disposition parce qu'elle disparaît ensuite. Laissez-le donc essuyer les objets avec une éponge ou un grand torchon absorbant.

A cet âge l'enfant aime aussi « peindre » à l'extérieur avec de l'eau. Il lui suffit pour cela d'un gros pinceau et d'un seau d'eau. Il aime aussi beaucoup les matériaux qu'on peut modeler à son goût, comme la pâte à modeler, et l'argile. La pâte à modeler est certainement ce que préfèrent les mères parce qu'elle fait moins de saleté que l'argile. On peut l'acheter ou la faire soi-même. Voici une recette simple : mélanger deux tasses de farine et une tasse de sel. Ajouter la quantité d'eau nécessaire pour lui donner la consistance de la pâte à pain ou à pâtisserie. Si elle colle trop, ajouter un peu de farine. En changeant les proportions, on peut obtenir des pâtes plus ou moins molles. On peut y incorporer des colorants alimentaires pour faire plus joli, et aussi un peu de talc parfumé pour lui donner une bonne odeur. Une ou deux gouttes d'huile lui permettra de se conserver longtemps. On peut la garder dans un sac en plastique : elle se conserve à peu près un mois.

Quand les enfants de cet âge se servent de pâte à modeler, ils ne construisent rien de précis. C'est le matériau en lui-même qui les intéresse. Ils aiment l'écraser, le mouler, le compresser, le palper et lui donner des formes. Cela les détend énormément. Leurs meilleurs outils sont leurs mains. Mais après un certain temps passé à modeler avec les mains, on peut changer en leur proposant des abaisse-langue.

Préparez pour votre enfant un carré de contre-plaqué de cinquante centimètres de côté. Imperméabilisez-le avec du vernis. L'enfant peut alors manipuler sa pâte à modeler ou son argile sur cette planche.

Mettez une feuille de plastique ou de toile cirée sur le sol, des journaux sur la table sous le contre-plaqué et tout est prêt.

Autre article pour lequel votre enfant est mûr et qui lui servira pendant tout son âge préscolaire : un grand tableau noir (ou vert) d'au moins 1,20 mètre de côté. Il faut qu'il ait cette largeur pour que votre enfant puisse y gribouiller ou y dessiner avec de grands gestes et sans se limiter ni se retenir. (Il est étrange de constater que très peu de parents pensent à donner un tableau aux enfants de deux ans.) Ce tableau peut être cloué au mur de la chambre. Il sera l'un des jouets éducatifs aux possibilités les plus variées.

Disposez de la craie blanche et de couleur dans une boîte ou sur un support fixé au tableau. L'enfant peut alors griffonner autant qu'il le veut sur le tableau. Cela doit diminuer les risques de griffonnage sur vos murs. Pourtant, il serait surprenant que dans l'élan intempestif de son âge votre enfant ne fasse pas au moins une incursion sur les murs de votre appartement.

Les gribouillages sont le prélude à l'écriture et au dessin. L'enfant qui n'a pas eu la possibilité de gribouiller librement écrira et dessinera plus tard que les autres. Aucun enfant ne vient au monde capable de coordonner l'action du pouce et celle des autres doigts pour tenir le crayon ou la plume. Votre enfant doit apprendre cet entraînement des petits muscles afin de pouvoir maîtriser les techniques de l'écriture et du dessin. La façon dont votre enfant apprend à coordonner les petits muscles indispensables pour manier le crayon est le gribouillage.

Un tableau présente de nombreux avantages. C'est un objet que votre enfant peut utiliser pendant tout son âge préscolaire et au cours préparatoire. Il lui sera d'un grand secours pour apprendre à écrire et à dessiner entre trois et six ans.

Les pastels (ou les craies d'art) peuvent maintenant faire leur apparition. (Eviter les pastels avec un enfant d'un an parce qu'il essaierait de les manger.) Le papier doit être assez grand pour ses gestes. Des feuilles de papier d'emballage font l'affaire. Vous pouvez même prendre des journaux. Votre enfant dessinera et gribouillera sur des journaux avec autant d'entrain et de plaisir que sur du papier blanc. Un grand rectangle de contre-plaqué constitue un bon support pour le dessin. On peut y fixer le papier avec des épingles à linge ou des pinces à dessin. On choisira bien entendu pour cet âge des pastels gros et peu fragiles.

On peut maintenant introduire la peinture dans les activités. Avec un chevalet. Fixé au mur, il est plus solide que le modèle du commerce, sur pieds, qui peut se renverser trop facilement. Si vous avez assez de place, un chevalet d'intérieur fixé au mur, et un chevalet extérieur fixé à des piquets feront le bonheur de votre enfant. Vous pouvez confectionner un chevalet d'extérieur avec un panneau de contre-plaqué d'à peu près 0,50 sur 1 mètre, assez grand pour qu'on puisse y accrocher des feuilles de papier journal. Prenez deux morceaux de bois d'à peu près 5 centimètres d'épaisseur et fixez-les au dos du panneau aux coins inférieurs, de façon que votre chevalet soit légèrement incliné quand il sera accroché. Creusez deux trous à chaque coin en haut qui vous serviront à accrocher le chevalet sur deux clous ou deux vis plantés dans une palissade ou un mur. Une tablette avec un rebord fixée au panneau permettra de poser les godets à peinture. Toute espèce de récipient en plastique avec un couvercle qui se visse convient parfaitement. L'enfant peut plonger son pinceau directement dans le pot. Le couvercle peut être revissé après la séance de peinture. Vous serez plus tranquille si vous mettez à l'enfant une blouse, une vieille chemise de papa dont on a coupé le bout des manches et boutonnée dans le dos.

Utiliser des peintures à l'eau et prévoir une bonne provision de papier. Pour le papier, on peut prendre des journaux, du papier journal non imprimé ou du papier d'emballage. Si vous avez la chance d'habiter près de l'imprimerie d'un journal, demandez des chutes de papier. La plupart des imprimeries de journaux en possèdent dans leurs locaux.

Pour cet âge les pinceaux doivent être faciles à manier. Ne donnez pas des pinceaux trop petits ou avec des manches trop fins. Votre enfant a besoin d'un pinceau à long manche et dont les poils ont plus d'un centimètre d'épaisseur à leur extrémité. Pour commencer, faites utiliser une seule couleur à la fois. Quand l'enfant s'est habitué à cette couleur et s'en est servi pendant un certain temps, vous pouvez ajouter une autre couleur à son répertoire.

Certains adultes prennent pour un « tableau » ce que peint un enfant de deux ans et demandent : « Qu'est-ce que c'est ? » C'est une erreur, car pour l'enfant de cet âge il ne s'agit pas d'un

« tableau » au sens courant du terme. Pour lui, c'est une expérience sur les couleurs et les lignes. Il est fasciné par la façon dont il peut faire apparaître les signes et les couleurs. Quand il a fini de peindre, il ne s'intéresse plus à son « tableau ». Ce qui compte pour lui c'est l'expérimentation et l'action. A travers sa peinture, il extériorise des sentiments profonds qu'il ne peut encore exprimer par des mots.

Tout cela vous amène à poser la question que vous avez sans doute à l'esprit : quelle est la valeur de tout ce fouillis de pâte à modeler, d'argile, de pastels ou de peinture ? Est-il tellement nécessaire que des parents se donnent tout ce mal ? Je dis « Oui » sans aucune hésitation ! Votre bambin n'a pas encore appris à mettre en paroles tout ce qu'il ressent. Ces activités autres que la parole l'aident à exprimer les sentiments pour lesquels il ne dispose pas encore de mots, et aussi ceux qu'il ne pourra jamais exprimer par les mots. Elles enrichissent et favorisent son affectivité, son subconscient et son intuition.

A l'âge de la première adolescence, les jeux d'extérieur ont toujours autant d'importance. Le dôme à grimper est toujours un jeu apprécié. Un chariot à traîner, un tricycle pour pédaler, de gros ballons à rouler et à pousser, de gros cubes creux pour traîner et construire des choses. Tout cela l'aidera à développer ses muscles longs et à acquérir force et adresse. Les jeux avec du sable et de l'eau ont toujours autant de succès eux aussi.

Disons quelques mots sur l'aptitude d'un enfant de deux ans à jouer avec les autres enfants. Une erreur répandue parmi les adultes consiste à surestimer cette aptitude. Souvenez-vous, je l'ai dit plus haut, qu'à l'âge de la première adolescence l'enfant n'est pas encore prêt à participer à un groupe de jeu. C'est pourquoi une maman qui laisse seuls ensemble plusieurs enfants de deux ans dans un jardin doit s'attendre à ce que des coups soient échangés. Ce qui se produit sans tarder !

Un seul partenaire au jeu, telle est la règle à respecter, car la personnalité n'est pas encore assez structurée pour régler les problèmes complexes posés par des partenaires multiples. Il est intéressant de noter qu'un enfant plus âgé, de cinq à six ans, est généralement le meilleur partenaire pour un enfant de deux ans. Mais naturellement pas le grand frère ou la grande sœur ! Les meilleurs jeux seront ceux dont les éléments peuvent se partager entre plusieurs enfants, sans entraver l'action. (Ils ne manqueront pas de se disputer pour un seul tricycle ou quelque camion.) Le sable, la pâte à modeler ou les cubes seront d'autant mieux accueillis que vous pourrez les partager et en donner suffisamment à chacun.

N'attendez pas d'un enfant de deux ans qu'il partage des

jouets avec un autre enfant. Souvenez-vous qu'il est inapte à jouer avec les autres. Une heure de jeu en groupe, à cet âge, est un maximum. Il faut rester à proximité, de façon à pouvoir détecter les signes de fatigue, intervenir avant que les disputes ne prennent trop d'ampleur et faire cesser les jeux au moment approprié.

A ce sujet, voyons comment se développe l'aptitude au jeu collectif.

Il y a d'abord le temps du jeu solitaire, pendant lequel le bambin n'a aucune aptitude à jouer avec les autres. A l'âge des premiers pas, un autre bébé est un jouet, pas un compagnon de jeu. L'enfant examine l'autre enfant attentivement, comme il le ferait pour un jouet ou tout objet intéressant en enfonçant son doigt, en pinçant ou en le caressant, mais jamais en *jouant* avec lui.

Pendant la première adolescence l'enfant effectue la transition entre le *jeu solitaire* et le *jeu parallèle*. Cela veut dire que deux enfants ou davantage occupent le même espace géographique, mais que le jeu d'un des enfants est indépendant de celui des autres, même s'ils éprouvent du plaisir à être ensemble.

L'étape suivante est le *jeu associatif* dans lequel tous les enfants font la même chose, comme jouer dans un bac à sable, faire des pâtés, frapper à terre avec des bâtons. Il n'y a cependant pas vraiment *d'échange* entre eux.

Le *jeu coopératif* n'intervient que lorsque l'enfant est au stade de développement suivant, après trois ans. Dans le jeu coopératif, les enfants peuvent discuter leurs plans et se distribuer des rôles, désigner ceux qui à tour de rôle pousseront le chariot et qui sera dans le chariot.

A l'âge de la première adolescence, l'enfant a besoin de jeux calmes autant que de jeux d'action. A mesure que son langage effectue un gigantesque progrès, il montre une sensibilité accrue pour les mots, les matériaux de construction du langage. Il aime jouer avec les mots, imiter les sons, répéter des comptines familières. C'est pourquoi cet âge aime les « nursery rhymes ». Lorsque vous lui faites la lecture, il adore les répétitions comme dans « Les Trois Petits Cochons » ou « Blanche-Neige ». Il exulte en anticipant l'épisode suivant.

Malheur à vous si vous apportez des changements à une histoire familière ou si vous en oubliez une partie ! Il aime les histoires qui racontent ses propres expériences : aller au marché, circuler en voiture, jouer au jardin public, qu'elles soient tirées d'un livre ou que vous les inventiez vous-même en racontant les aventures imaginaires d'un garçon qui lui ressemble beaucoup.

Un des meilleurs jeux calmes pour cet âge est le « jeu du

silence ». Appelez-le ainsi, car les jeunes enfants aiment bien faire tout ce que vous appelez « jeu ». Dites à peu près : « Pierre, nous allons jouer à un nouveau jeu ; ça s'appelle le « jeu du silence ». Nous allons rester tous les deux tranquilles et sans faire de bruit, autant que possible, et écouter. Chut : écoute très très attentivement et dis-moi ce que tu entends. » Il vous citera alors tous les bruits qu'il peut entendre de l'endroit où vous jouez : peut-être une voiture en bas dans la rue, des oiseaux qui chantent dehors, ou la radio chez les voisins.

Une variante du « jeu du silence » consiste à demander à l'enfant de fermer les yeux et de deviner le bruit que vous allez faire. Vous pouvez frapper un verre avec une cuiller, gratter sur une lime à ongles, ou faire tout ce qui peut produire un bruit intéressant et caractéristique. Une autre variante : « Maintenant écoute bien, je vais murmurer quelque chose tout tout doucement. Voyons si tu peux l'entendre. » Murmurez alors un ordre simple à exécuter comme, par exemple : « Lève-toi et va toucher la porte du couloir. » Après quelques ordres, vous pouvez clore la séance en lui murmurant l'endroit où il peut trouver une petite surprise que vous aurez cachée pour lui.

Ce « jeu du silence » est particulièrement recommandé à cet âge. Il aide l'enfant à s'entraîner au calme et à écouter. C'est aussi une bonne formule pour une mère épuisée par un bambin hyperactif, qui a besoin d'une méthode douce pour se calmer. Le « jeu du silence » est aussi un bon moyen de faire rentrer à la maison un enfant qui refuse de venir manger ou n'est pas très enthousiaste pour prendre un bain ou se coucher.

Un autre aspect important du changement qui intervient pendant la première adolescence réside dans les habitudes alimentaires. La nourriture d'un enfant ne devrait jamais poser de problèmes psychologiques si vous comptez sur sa faim naturelle pour l'inciter à manger. Abstenez-vous de le forcer et de le presser de manger. Il mangera certainement moins et moins bien que vous ne souhaiteriez, mais il mangera tout de même assez pour compenser son immense dépense d'énergie journalière. Présentez-lui des repas bien équilibrés et laissez-le tranquille. N'insistez pas pour qu'il finisse son assiette ou pour qu'il termine sa viande et ses légumes avant d'avoir son dessert.

Parfois des difficultés surgissent du fait que certains parents commencent déjà à vouloir que l'enfant « se tienne bien à table ». Les parents, trompés par l'aisance du langage tout récemment acquis, concluent de cette maturité que l'enfant est capable de se montrer plus mûr sur tous les plans. Mais il est bien trop tôt pour apprendre à un enfant « à bien se tenir à table ».

J'ai dit qu'à ce stade du développement l'enfant aime beaucoup les rites. C'est donc le bon moment pour instituer un rite au coucher. Cela présente de nombreux avantages. Malheureusement, il n'existe pas chez les jeunes enfants de « besoin naturel de se coucher ». Nous avons besoin de tout ce qui peut favoriser le coucher, et si un rite peut s'établir et se révéler utile, profitez-en ! Il faut arriver pour cela à faire admettre à l'enfant que se coucher est une issue aussi inévitable que le coucher du soleil.

Je vous propose ici un rite fort simple : tout d'abord éviter les jeux d'action après le dîner, qui excitent l'enfant et rendent difficile le retour au calme. Vous pouvez commencer le rite du coucher par un bain. La plupart des mères ne voient dans le bain qu'une solution de propreté, mais un enfant de cet âge y voit la possibilité de jouer dans l'eau. Donnez-lui souvent la possibilité de jouer dans l'eau et il sera propre par-dessus le marché. Laissez-le jouer dans la baignoire aussi longtemps qu'il voudra et vous dire lui-même quand il est prêt à en sortir. (Si pour une raison quelconque vous êtes pressée un soir, essayez d'accélérer l'opération.) Donnez-lui beaucoup de jouets dans la baignoire, cela le détendra et le calmera. Après le bain il pourra se coucher et manger au lit. Ainsi vous faites accepter le coucher en promettant la récompense de quelque chose à manger. Ce petit repas au lit peut vous fournir l'occasion d'une conversation affectueuse et spontanée. Par ce moyen aussi, le coucher sera plus facilement admis grâce à votre présence maternelle. Après le repas, vous pourrez lui lire une ou deux histoires.

Voici le moment où le père peut figurer dans la cérémonie rituelle. Certains pères n'aiment pas lire des histoires aux jeunes enfants. C'est bien dommage. N'insistez pas, cette histoire ne plaira pas à l'enfant s'il sent que son père ne la lit pas de bon cœur. Certains pères rentrent trop tard de leur travail pour pouvoir lire une histoire à l'enfant qui est au lit. Si vous avez la chance d'avoir un mari qui aime le faire, il serait merveilleux que papa relaye maman pour donner la collation au lit ou « lire l'histoire ». Je l'ai fait moi-même avec mes trois enfants et cela m'a apporté énormément de joie. En lisant des histoires à un enfant vous lui apprenez beaucoup. Vous lui montrez que vous l'aimez puisque vous lui donnez de votre temps. Vous lui apprenez que vous aimez les livres et vous lui apprenez du même coup à les aimer. Et vous découvrirez toutes les conversations qui surgiront spontanément de ce douillet moment de lecture.

Quand vous faites la lecture à un enfant, tenez le livre de telle sorte qu'il puisse voir les images. Elles sont d'une grande importance. Aidez-le aussi à apprendre à « voir les détails » des images en lui posant des questions sur les personnes et les objets qui y figurent.

Cette habitude de lire des histoires à un enfant quand il est couché peut être poursuivie jusqu'à l'âge de sept ou huit ans, ou jusqu'à ce qu'il vous dise nettement qu'il ne veut plus qu'on le fasse. Certains parents cessent dès que l'enfant sait lire. C'est une erreur, car même quand il saura lire, il continuera à aimer encore pendant quelques années le contact et la chaleur de votre présence pendant cette heure de lecture.

Si vous aimez inventer des histoires, quelle merveille pour le rite du coucher ! L'enfant appréciera particulièrement les aventures d'un enfant imaginaire qui peut être lui-même, à peine transposé. Si vous n'avez encore jamais raconté d'histoires à un enfant, c'est le bon moment pour vous y mettre. Votre public aimera vos histoires, quelles qu'elles soient. Mêlez-y si possible des bruitages amusants, c'est le triomphe assuré. Faites l'expérience de ce truc simple bien connu des orateurs : élevez ou abaissez la voix de temps en temps, comme un acteur. Forte ou chuchotée, votre voix captivera à coup sûr votre auditoire. Demandez de temps en temps ce qui va arriver ensuite. Naturellement il vous le dira. Alors vous direz : « C'est cela ! Pierrot a retrouvé la poupée et il l'a ramenée chez lui ! »

Beaucoup d'enfants ont peur du noir à cet âge. Pourquoi combattre cette peur et forcer un enfant qui a peur à serrer les dents et à dormir dans une pièce sombre ? Rien ne vous empêche de laisser une petite lampe tamisée dans sa chambre pour dissiper sa frayeur.

L'équilibre psychologique de votre enfant vaut bien les quelques francs supplémentaires que vous coûtera cette lumière. Et n'allez pas craindre que votre enfant ait toujours besoin pour dormir d'une lumière dans sa chambre. En grandissant, il perdra ce besoin et dormira très bien dans le noir.

Il n'y a aucune raison non plus pour que votre enfant ne continue pas d'avoir droit à son biberon du soir, même à deux ans ou deux ans et demi. Beaucoup de voisines expertes en la matière vous en feront le reproche « Quoi ? Encore un biberon à deux ans ! » Oui, et alors ? Qu'y a-t-il d'anormal à cela ? S'il a encore besoin d'un objet pour se sécuriser, il n'y a aucune raison pour le lui faire abandonner maintenant. Mes trois enfants prenaient un biberon en se couchant, et n'en perdirent l'habitude qu'entre deux ans et trois ans et demi.

Il est réconfortant que ce rite du coucher soit un moment de plaisir pour l'enfant. Il faut qu'il soit impatient d'aller se coucher. Il ne doit pas considérer cet instant comme une brimade qui consisterait à l'exiler brutalement dans le noir pendant que le reste de la famille se distrait. Que la cérémonie rituelle du coucher soit non seulement un moment de plaisir pour l'enfant mais aussi pour le père et la mère.

Cela m'amène à insister sur le rôle du père. J'ai vu récemment une annonce publicitaire à l'occasion de la fête des pères, et qui disait : « A ton tour, mon vieux, de faire quelque chose pour papa. Il paye le dentiste, les vacances, la guitare électrique... C'est un chic papa, non ? Dis-le-lui donc avec un cadeau très spécial de chez X. » Du point de vue de X, c'était une bonne publicité, bien rédigée, mais ce qui m'a intéressé en tant que psychologue, c'est la conception du rôle de père qu'elle implique. Si on s'en tient à cette annonce, il semblerait se limiter à faire des cadeaux matériels à l'enfant : le dentiste, les vacances, la guitare électrique.

Nous ferions bien de garder à l'esprit cette parole d'Emerson : « Les cadeaux ne sont pas des dons, les cadeaux sont des excuses pour ce qu'on ne donne pas. Le seul don qui compte est un peu de soi-même. » Voilà ce qu'un père doit donner : un peu de lui-même, en passant du temps avec son enfant, en accomplissant *ce qui leur fait plaisir à tous les deux*. Si un père se résigne tristement à faire quelque chose avec son enfant par pure obligation familiale, sans y prendre aucun plaisir, l'enfant en aura conscience et ne tirera pas grand profit du temps qu'ils passeront ensemble.

C'est pourquoi il est impossible de préciser avec exactitude quelles activités un père doit avoir avec son enfant. Les pères ont des aspirations et des goûts très différents. Je suis sûr qu'un père aimera faire avec un enfant de deux ans des choses telles que lire des livres ou raconter des histoires, nager ou barboter dans l'eau, l'emmener au jardin public ou au parc d'attractions, ou tout simplement faire une promenade avec lui dans la rue. Au cours d'une promenade, l'enfant peut ramasser des cailloux, observer les fourmis dans l'herbe, entreprendre toutes les petites activités de recherche passionnantes à cet âge. Mais chaque père devra trouver sur place les activités auxquelles il aime se livrer avec son fils. S'il lit Gesell ou d'autres bons livres sur la psychologie de l'enfant (voir la liste des ouvrages recommandés en fin de volume), ces jeux en commun lui apporteront davantage. Il sera sensible aux étapes du développement affectif et intellectuel de l'enfant qu'il ne remarquerait pas s'il était complètement ignorant de sa psychologie.

J'ajouterai encore un mot avant de terminer ce chapitre. A l'âge de la première adolescence, l'aspect le plus marquant du développement est la qualité dynamique de la personnalité. Il faut que les parents acceptent cette qualité dynamique pour aider l'enfant à asseoir son individualité et se bâtir un robuste concept de soi.

Il est curieux de voir que nous voulons tous que nos enfants deviennent en grandissant forts et dynamiques, alors que trop souvent les parents ne savent pas accepter ce même dynamisme quand ils ont deux ans. Un enfant de deux ans est tout dynamisme. Qui pourrait ne pas voir son opposition vigoureuse à la contrainte, sa joie de vivre naturelle, exubérante, sensuelle, ses exigences de satisfaction immédiate, son engagement total et enthousiaste au monde à mesure qu'il le découvre. Toutes les activités qui en font un être authentique se manifestent à partir de cet élan dynamique. Sans lui, il n'aurait pas appris à s'asseoir, à ramper, à marcher, à parler. Cette qualité dynamique est une grande source d'équilibre psychologique, ne la redoutez pas. Il ne faut pas qu'il la perde. Il faut au contraire entretenir cette force vitale et la considérer comme un atout au lieu d'un défaut dont il faudrait débarrasser votre enfant.

A ce stade de la première adolescence donnons à l'enfant trois choses : le respect de son dynamisme vital, des règles adaptées à ce dynamisme et notre souplesse d'adaptation. Ainsi nous l'aiderons à compléter le système optique de son concept de soi en y ajoutant la lentille spéciale à cette étape.

6

L'ÂGE PRÉSCOLAIRE

(Première partie)

Si vous êtes encore en ce moment en train de vous débattre avec un enfant au stade de la première adolescence, vous apprendrez avec soulagement que la nature vous réserve une prochaine étape beaucoup plus facile.

Je me rappelle avec précision la première adolescence de mon fils aîné. Nous nous disions en grinçant des dents : « Vivement qu'il ait trois ans, il sera moins dur, sinon nous ne tiendrons pas ! » Et, effectivement, à trois ans, il changea du tout au tout. Nous savions qu'il entamerait à cet âge une nouvelle période beaucoup plus facile de son développement, et pourtant nous eûmes de la peine à croire que notre fils de trois ans était le même que le petit démon que nous avions connu à deux ans et demi.

Par exemple, je me rappelle qu'un jour, peu après ses trois ans, il me demanda : « Papa, est-ce que je peux regarder la télé ? » Je faillis en tomber frappé d'étonnement parce que tout au long de l'année précédente il ne s'était jamais soucié de me demander la permission de faire quoi que ce soit. Mais ce comportement était le signe d'un nouveau stade de développement, pendant lequel un enfant fait son possible pour essayer d'être aimable et de satisfaire ses parents. Il éprouve un réel plaisir à être coopérant, alors que pendant la première adolescence on a souvent l'impression que son seul plaisir consiste à vous mettre des bâtons dans les roues.

L'étape préscolaire s'étend à peu près du troisième au sixième anniversaire. Contrairement aux étapes précédentes, on ne peut y rattacher aucune tâche spécifique ou caractéristique. Votre enfant doit faire face à de multiples activités pour son développement. La façon dont il les aborde et les domine déterminera son concept de soi et la structure même de sa personnalité qui prendra sa forme définitive dès son sixième anniversaire.

Avant d'examiner ces différentes tâches à accomplir pour son développement, examinons rapidement cette étape, année par année, afin de donner une idée d'ensemble et typique de l'enfant de trois ans, quatre ans, cinq ans.

L'enfant de trois ans

Commençons par l'enfant de trois ans. Son équilibre avec lui-même et le monde qui l'entoure est bien plus assuré. Il a accompli le passage entre le bébé et l'enfant. Il n'est plus anxieux comme il l'était pendant la transition qui a précédé. De ce fait, il n'a plus autant besoin d'être protégé par des rites. Il ne sent plus la nécessité de tout faire d'une façon immuable. Il est habité par un esprit nouveau de coopération et un désir de s'attirer l'approbation de ses parents et même de ses aînés.

Alors qu'à l'étape précédente il était le plus grand non-conformiste du monde, le voici qui est heureux d'obéir et de faire plaisir. Les grandes colères cessent et ses parents s'aperçoivent qu'ils peuvent vraiment commencer à raisonner avec lui (alors qu'auparavant ils ont dû avoir l'impression qu'il était absolument impossible de le faire).

De même, il n'est plus aussi dominateur, exclusif ou tyrannique. On n'a plus à se plier à ses décisions. Le maître des lieux, le petit tyran qui veut imposer sa loi à tous, a abdiqué. Il commence à sentir en lui l'aptitude à partager, à attendre son tour. Il sait mieux s'occuper patiemment à divers travaux au lieu de tout embrouiller comme à deux ans et demi. Cela est dû en partie à une nouvelle confiance en lui et en partie aussi à l'atténuation des angoisses de la transition. Son activité motrice et musculaire est plus assurée. Il sait être plus patient pour s'habiller ou empiler des cubes. Les progrès de son langage lui permettent de mieux comprendre les autres et de mieux contrôler ses propres élans. Il adore les mots nouveaux. A mesure que son horizon intellectuel se développe, tout un monde neuf d'imagination et de fantaisie s'ouvre à lui. C'est l'âge où il crée un compagnon de jeu imaginaire, enfant ou animal, que lui seul peut voir. Il éprouve un puissant besoin de compagnie. Un enfant qui doit jouer seul la plupart du temps sera plus tenté d'imaginer ce compagnon de jeux. Les parents ne doivent pas s'en préoccuper. Ce compagnon de jeux peut subsister pendant plusieurs années. Puis il disparaîtra. Entre-temps, il constituera une espèce de dispositif de sécurité pour l'enfant qui l'a créé.

Mais les rapports avec des enfants de son âge prennent aussi beaucoup d'importance. A deux ans, il en était au stade du jeu parallèle. Maintenant, l'aptitude à agir en commun, à attendre, à prendre son tour, à partager, à accepter d'échanger ses jouets se développe en lui.

Trois ans, c'est vraiment « l'âge d'or », une époque très plaisante pour les parents comme pour l'enfant qui se veut en paix avec son univers. Il aime la vie, ses parents, a bonne opinion de lui. Les parents devraient tirer parti de cet âge heureux, parce que la prochaine étape sera tout mouvement et bruit.

Trois ans est une étape d'équilibre. Mais la nature nous prépare une autre étape de déséquilibre : quatre ans. Une fois de plus, le comportement de l'enfant doit se débrider pour accéder à une nouvelle phase d'intégration. Quatre ans, c'est l'âge où l'on force et où l'on brise l'ancien équilibre. Pour décrire les enfants de cet âge en quelques mots, je dirai qu'ils ressemblent aux deux ans et demi, mais qu'ils sont plus mûrs, et moins difficiles à maîtriser.

L'enfant de quatre ans

Cet âge est marqué par le déséquilibre, l'insécurité et le manque de coordination dans presque tout le comportement. L'enfant qui a pu paraître assez bien coordonné à trois ans peut maintenant trébucher, tomber, avoir peur de tomber. Les signes physiques de tension sont plus fréquents : l'enfant cligne des yeux, mord ses ongles, met ses doigts dans son nez, touche ses organes sexuels, suce son pouce. Il peut même avoir des tics faciaux.

Il devient en même temps un individu au sens social très développé. Les amitiés comptent beaucoup, malgré ses difficultés à s'entendre avec ses amis. En présence d'autres enfants, ses problèmes rappellent ceux qu'il a connus à deux ans. Il est autoritaire, querelleur, agressif. Les parents sont tentés de penser qu'il en est revenu à l'état des deux ans et demi, alors qu'il s'agit en fait d'un bond en avant qui conduit à une nouvelle étape stable et positive : celle des cinq ans. Mais il est vrai que l'enfant de quatre ans fait souvent penser à ce qu'il était à deux ans et demi. Il est sujet aux mêmes réactions extrêmes : tantôt timide, tantôt surexcité. Beaucoup d'enfants redeviennent aussi attachés aux rites. Ils se fixent dans des habitudes rigides pour manger, s'habiller ou dormir. Il peut être très difficile de leur faire admettre le moindre changement. Leur inquiétude affective s'exprimera par des larmes, des pleurnicheries et d'innombrables questions.

Les « quatre ans » aiment jouer ensemble. Mais si un anthro-

pologue étudiait la psychologie sociale et la vie tribale des
« quatre ans », il aurait fort à faire. Les rapports sociaux à cet
âge n'ont rien de réunions mondaines, mais sont toujours ora-
geux et violents. Les intrus sont tenus à l'écart dès qu'une bande
s'est constituée. On commande, on exige, on pousse et on frappe
beaucoup. Le langage devient vantardise. On échange volontiers
des injures. C'est un âge rude et sans détours qui se soucie peu
de l'opinion des autres.

Gesell propose, pour caractériser cet âge, le mot : « débridé ».
L'enfant est débridé dans son comportement moteur. Il donne
des coups de pied, des coups de poing, pique des colères. Il est
également débridé en paroles. Il est fasciné par les mots et leur
sonorité. Pour la première fois il comprend qu'il existe une série
de mots qui ne sont pas du goût des parents. La plupart de ces
mots ont trois, quatre ou cinq lettres. Il se rend compte qu'il
peut faire bondir ses parents en lâchant une de ces perles,
surtout s'il y a un public. Les termes scatologiques le réjouissent
particulièrement, il dira : « Maman, tu sais ce que je veux pour
déjeuner ? Du jambon, des carottes, de la glace, du caca ! » A ce
moment il éclatera de rire, emporté par son irrésistible drôlerie,
conscient du principe du « renforcement » expliqué au chapitre 8. La mère avertie s'abstiendra de valoriser ces mots brefs en
manifestant son mécontentement et en y prêtant trop d'attention.
Elle les ignorera au contraire. Ils finiront par disparaître lorsque
l'enfant atteindra cinq ans.

L'enfant de quatre ans est débridé aussi dans ses contacts avec
les personnes. Il aime résister aux ordres et aux injonctions, les
interdictions l'irritent, il fait l'intéressant, se vante, jure. « Je vais
te donner un coup de poing » est la menace favorite qu'il adresse
aux autres enfants. Son imagination se débride elle aussi. C'est
un des facteurs qui lui rendent difficile la distinction entre le réel
et l'illusion. La démarcation entre la réalité et l'imaginaire ne lui
paraît pas évidente. Il est plein d'histoires invraisemblables qu'il
vous narre sans sourciller. Les parents ne doivent pas commettre
la bévue de le traiter de « menteur » à cet âge-là. Ce serait
ignorer que, ce qu'il essaye de faire, c'est de distinguer la réalité
de la fiction. Mais en le faisant, il perd le contrôle de son
imagination. Par exemple, il affirmera à ses parents qu'il a vu
« une bête plus grande que la maison » dans le jardin ou qu'hier
après-midi il est « monté jusque sur la lune dans une fusée ».

Il n'a pas le sens de la propriété, sauf pour croire que tout ce
qu'il voit lui appartient. Mais un enfant de quatre ans n'est pas
plus « voleur » qu'il n'est « menteur ». A cet âge, il confond le
fait d'avoir entre ses mains et le fait de posséder. Le jouet pris
chez le petit voisin lui « appartient » parce qu'il jouait avec, l'a

mis dans sa poche et l'a rapporté chez lui. Telle est la théorie de la propriété quand on a quatre ans.

Son dynamisme est extraordinaire, sa vitesse de propulsion élevée. Il monte et descend les escaliers en courant, fonce à travers la maison ou l'appartement, claque les portes avec fracas. Sa rapidité d'élocution est aussi très grande. C'est un bavard qui adore discuter de tout. Il est son propre commentateur du monde qui l'entoure, et quelquefois aussi son propre public.

Il adore forger des mots dépourvus de sens ou trouver des rimes. Avec un de nos garçons, nous avons un jour cherché des rimes pendant une demi-heure d'affilée. Les parents avisés peuvent user de cette passion nouvelle pour le langage pour jouer à toutes sortes de jeux avec des mots (voir chapitre 11). Il aime tout particulièrement l'humour, l'exagération et les comptines. Si vous entrez dans le jeu, votre bambin de quatre ans appréciera beaucoup que vous lui posiez des questions du genre : « Est-ce que tu as un éléphant dans ta poche ? »

Il aime la dramatisation, le jeu scénique, et sait bien se servir des marionnettes à main. Il organisera autour de lui une mise en scène interminable aussi bien à la maison que dehors, avec des cubes, des voitures, des camions, des trains, des bateaux, des poupées ou de petits personnages.

Un enfant de quatre ans nous fait penser à cet homme décrit par Stephen Lea Cock, qui sauta un jour en selle et s'élança au galop « dans toutes les directions ». Le « quatre ans » ne sait jamais précisément où il va. Sa grande vitesse de déplacement et sa structure mentale flottante le conduiront sur des voies écartées et imprévues. Un enfant de quatre ans, à qui sa mère demandait ce qu'il était en train de peindre, répondit : « Comment veux-tu que je le sache, je n'ai pas encore fini ! » Il peut commencer ainsi à dessiner une tortue, qui se transformera en cours d'exécution en dinosaure ou en camion. Il est sujet aux mêmes écarts imprévisibles quand il raconte ce qu'il a vu.

Comme Gesell le décrit : « Il peut être tranquille, bruyant, calme, péremptoire, à l'aise, impératif, allusif, indépendant, sociable, athlète, artiste, prosaïque, imaginatif, coopérant, indifférent, curieux, direct, prolixe, plein d'humour, dogmatique, stupide et batailleur. »

A cause des caractères particuliers à cet âge, les enfants de quatre ans doivent être traités avec fermeté. Les parents faibles ou hésitants ont fort à faire avec eux. L'enfant de quatre ans se complaît dans la variété. Il lui faut souvent changer de rythme. Une mère avisée saura toujours prévoir quelque nouvelle activité pour intéresser son enfant de quatre ans et l'écarter d'une situation qui commence à mal tourner. Les jeux et son comportement peuvent facilement dégénérer en sottises s'ils ne sont pas contrôlés. Il faut que la mère ou le père prévoient le moment où cela va se produire et proposent alors une activité nouvelle et intéressante.

A cause de son sens social plus développé et du fait que les amitiés occupent une plus grande place à quatre ans qu'à trois, on peut comme sanction efficace l'isoler du groupe. Que la mère dise quelque chose comme : « Puisque tu ne peux pas jouer avec Pierrot et Jean-Paul, joue tout seul maintenant. Peut-être que dans un moment tu pourras revenir jouer avec eux. Je verrai cela ! » De cette façon, la mère lui donne une occasion de « sauver la face ». Elle motive aussi son désir de modifier son comportement de façon à pouvoir le réintégrer dans le groupe. Si possible, qu'elle annonce alors ses décisions d'un ton calme, sans intonations autoritaires et punitives dans la voix.

Tel est l'enfant de quatre ans. Et juste quand les parents commencent à penser que la vie ne vaut plus la peine d'être vécue avec ce petit monstre, il atteint cinq ans. Tout change brusquement ! Au déséquilibre des quatre ans succède l'équilibre des cinq ans.

L'enfant de cinq ans

Cinq ans est un âge délicieux. Terminé, le comportement débridé. Maintenant l'enfant se montre volontiers raisonnable, sérieux, stable et bien équilibré. Intimement sûr de lui, il est calme, sympathique, pas trop exigeant dans ses relations avec les autres. Il n'essaye de faire que ce qu'il croit pouvoir mener à bien, et, de ce fait, réussit généralement ce qu'il entreprend. Alors que quatre ans signifie flottement, cinq ans est synonyme de concentration et de netteté. Par opposition à l'enfant de quatre ans qui ne sait souvent pas ce qu'il va dessiner avant de commencer, l'enfant de cinq ans conçoit à l'avance un projet précis, et il réalise le dessin qu'il avait projeté. Alors qu'à quatre ans ne pas terminer ce qui était commencé ou changer de direction ne le gênait pas particulièrement, à cinq ans il aime terminer ce qu'il commence. A quatre ans on va à l'aventure, à cinq ans on sait où s'arrêter. Et contrairement au comportement exubérant et débridé de ses quatre ans, il manifeste maintenant une grande économie et un grand contrôle de l'activité motrice.

L'enfant de cinq ans est heureux de vivre dans ce monde qui est le nôtre. Il donne des définitions pragmatiques : « Un trou est fait pour creuser, une glace est faite pour manger. » Il n'est pas en conflit avec lui-même ni avec son entourage. Il est content de lui et les autres le sont aussi. Il retrouve l'esprit de coopération et le désir d'approbation qu'il manifestait à trois ans, mais à un degré supérieur. Maman est encore le centre de son univers, et il aime rester auprès d'elle, agir pour elle et avec elle. Il aime lui obéir alors que quelques mois auparavant il lui aurait résisté obstinément. Comme à trois ans, il recommence à aimer qu'on lui dise ce qu'il doit faire et ce qu'il peut faire.

Malgré son grand amour pour sa maison et pour sa mère, le foyer n'est plus tout à fait suffisant pour lui. Il est mûr pour une expérience communautaire élargie. Il aime jouer avec les copains dans son quartier. Il est prêt pour la maternelle et même très impatient d'aller « à l'école ». La maternelle est pour lui l'activité idéale parce qu'une maîtresse compétente peut lui permettre d'épanouir ses immenses aptitudes intellectuelles. S'il n'y a pas de maternelle à proximité, il faudra s'occuper spécialement de ses jeux.

Gesell décrit en ces termes l'enfant de cinq ans : « Il présente un remarquable équilibre de qualités et d'habitudes d'indépendance et de sociabilité, de confiance en soi et de conformisme, de sérénité et de sérieux, de prudence et de logique, de politesse et d'insouciance, de sympathie et d'assurance. »

Il nous offre tout à la fois un remarquable dosage de qualités, on peut bien le dire. L'avoir à ses côtés est un vrai plaisir. Physiquement, il a acquis équilibre et adresse musculaire. Sur le plan affectif, il est parfaitement équilibré. Sur le plan intellectuel, il est plein de curiosité et d'enthousiasme pour apprendre. Cinq ans est cet âge délicieux où un enfant prend la vie comme elle vient et la trouve bonne. Laissons un enfant de cet âge se résumer lui-même. Quand on lui demanda : « Qu'est-ce que tu préfères ? » il répondit : « Jouer. »

Vous pouvez voir qu'il y a d'énormes différences psychologiques entre les enfants de trois, quatre et cinq ans. Celui qui participe à leur vie et les éduque doit en tenir compte. N'attendez pas d'un enfant de quatre ans qu'il obéisse comme un enfant de cinq ans. Malgré ces différences, ces trois âges ont beaucoup de choses en commun et c'est pour cette raison qu'on les range dans le même stade de développement.

Il y a pour l'éducateur des tâches urgentes qui apparaissent sans cesse comme les thèmes d'un morceau de musique tout au long de ces trois années. Le thème est rendu différemment suivant les années, mais on retrouve bien le même motif. Quels sont ces leitmotives, ces tâches urgentes des années préscolaires ? Qu'est-ce que l'enfant doit apprendre pendant ces trois années pour compléter son concept de soi et la structure fondamentale de sa personnalité ?

Les besoins biologiques

Tout d'abord, nécessité d'assurer son développement musculaire complet. Votre enfant a une tendance naturelle à libérer de l'énergie : à courir, sauter, grimper, se tortiller, bouger, en un mot à ne jamais s'arrêter. Parce que les parents sont sur le plan biologique des êtres beaucoup plus indépendants, nous avons tendance à négliger et à sous-estimer cet aspect dynamo-biologique.

Je remarquai un jour dans un restaurant un jeune couple assis en face de moi, avec leur petit garçon âgé de quatre ans environ. Celui-ci se trémoussait sans arrêt sur sa chaise, changeant sans cesse de position. Le papa s'écria, excédé : « Tu ne peux donc pas te tenir tranquille ? » J'avais envie de lui dire (envie seulement bien entendu !) : « Non, il ne peut pas, pas plus que vous à son âge ! » En d'autres termes ce père attendait de son gamin une maturité biologique qu'il ne pouvait avoir.

Considérez votre enfant de trois à cinq ans comme une usine biologique. Il absorbe des matières premières sous forme de nourriture et les utilise pour fabriquer d'énormes quantités d'énergie.

Un psychologue fit un jour l'expérience suivante : il filma pendant une heure un « préscolaire » en action dans un jardin. Ensuite, ce film fut montré à un membre d'une équipe universitaire de football américain à qui on demanda de faire pendant une heure tout ce que l'enfant avait fait. A la fin de l'heure, le joueur de football était épuisé.

Cela pour dire qu'il faut fournir à l'enfant beaucoup d'espace et beaucoup de jeux d'intérieur et d'extérieur qui lui permettront de libérer son énergie illimitée et de se livrer à tous les exercices dont il a besoin pour fortifier le contrôle et l'efficacité de tous ses muscles. Les enfants ont besoin de courir, de sauter et de crier. Cela va souvent à l'encontre des goûts des adultes qui ont besoin de paix, de tranquillité et d'ordre, ce qui nous rend difficile de satisfaire pleinement les besoins biologiques de l'enfant. Quoi qu'il en soit, si nous ne le laissons pas libérer son immense énergie de façon constructive, il le fera sûrement de façon destructive. Ses muscles et sa coordination musculaire ne peuvent se développer que s'il a la possibilité permanente de se servir de tous ses muscles. Si on a imposé à un enfant d'être trop tranquille et gentil pendant les années préscolaires, il sera désavantagé plus tard vis-à-vis de ses camarades. Il lui manquera les bases essentielles de la coordination musculaire nécessaire pour manifester une habileté normale dans les jeux et les sports (et par conséquent dans les relations sociales) de la grande école.

Bien plus, l'habileté motrice est le fondement des aptitudes intellectuelles, qui se manifesteront dans la lecture, par exemple, beaucoup plus que les parents ne peuvent se l'imaginer. La coordination musculaire se compose de deux facteurs essentiels : la coordination *latérale* et *directionnelle*. On peut définir la première comme le sens profond de la propre symétrie — notre notion de la gauche ou de la droite. C'est comme la carte de notre espace intérieur qui permet à un enfant d'actionner doucement l'une ou l'autre main ou l'une de ses deux jambes ou les deux jambes ou les deux mains à la fois. La seconde peut se définir comme la projection dans l'espace de la coordination latérale ; c'est-à-dire la conscience que vous avez de la gauche et de la droite, du haut et du bas, de devant et de derrière, dans le monde qui nous entoure.

C'est pour ainsi dire la carte de l'espace extérieur. Les sensations que vous éprouvez dans votre peau (où est votre côté gauche, où est votre côté droit ?) ont leur contrepartie dans la direction donnée par le monde extérieur.

Ces cartes internes et externes dépendent de schémas musculaires et de mouvements moteurs que votre enfant doit apprendre avant d'aller à l'école. On peut les considérer comme « le savoir des muscles ».

Vous pouvez vous demander quel rapport tout cela peut avoir avec des activités intellectuelles comme la lecture. Beaucoup plus qu'on ne le croit. Si un enfant n'a pas acquis une bonne latéralisation, il lira les lettres et les mots à l'envers. Remarquez, par exemple, que la seule différence entre la lettre *b* et la lettre *d* est une différence de latéralité. Si à cinq ou six ans votre enfant ne possède pas une bonne conscience de la latéralité, il éprouvera des difficultés à distinguer ces deux lettres.

Donnez à votre enfant toutes les occasions de grimper, de ramper, de construire, de courir et de tomber. Vous n'aurez pas alors à vous faire de souci pour le développement de son sens de la latéralité et de la direction.

Le contrôle de ses mouvements impulsifs

C'est pendant cette période préscolaire que votre enfant apprend aussi à contrôler ses mouvements instinctifs. Un bébé naît à l'état de jeune sauvage incapable de contrôler ses impulsions.

Quand il approche de l'âge des premiers pas, ce contrôle reste encore primitif. Si un autre enfant lui prend un jouet, il frappera probablement l'enfant pour le reprendre.

S'il trébuche sur un chariot, il le frappera sans doute du pied, mécontent. Mais entre la troisième et la sixième année, votre enfant va travailler activement à établir un système de contrôle de ses impulsions. Cela, cependant, ne peut se faire en un jour. Si vous l'aidez raisonnablement et habilement en ces années préscolaires, au moment où il approchera de son sixième anniversaire, votre enfant a toutes les chances d'avoir mis en place un contrôle satisfaisant. Cela signifie qu'il aura développé l'aptitude à s'empêcher effectivement de frapper, voler, ou de manifester tout autre comportement asocial susceptible de lui apporter des ennuis à l'école. Cela veut dire aussi qu'à partir de six ans vous devriez rencontrer relativement peu d'occasions où une fessée soit nécessaire.

Certains parents ne semblent pas comprendre que l'établissement de ce contrôle de soi prend du temps. Ils semblent croire qu'une fois qu'on a dit « non » à un enfant il devrait instantanément obéir. Vous entendrez parfois des parents s'écrier : « Tu ne sais donc pas ce que « non » veut dire ? » Bien sûr que si ; mais son système de contrôle n'est pas encore assez sûr pour qu'il puisse affronter ce « non ».

Apprendre cela à un enfant exige un grand nombre de répétitions pendant les années préscolaires, avant que l'habitude de refréner les instincts antisociaux ne soit prise. Rappelez-vous lorsque votre enfant a commencé à parler. Il n'a pas commencé à utiliser des phrases compliquées : « Jacquot et moi allons jusque chez le pâtissier acheter une glace. » Il a commencé par faire des phrases d'un ou deux mots. Puis il s'est habitué aux phrases plus complexes. Les parents sont d'ordinaire compréhensifs et patients quand grandit l'aptitude de l'enfant à maîtriser le langage. Ils ont tout autant besoin d'être patients quand l'aptitude de l'enfant à contrôler ses impulsions se développe.

Le psychanalyste de l'enfance Selma Fraiberg donne cet exemple amusant des difficultés éprouvées par un enfant de deux ans pour apprendre à maîtriser ses mouvements instinctifs et renoncer à un caprice. Cette petite fille aimait les sucreries. Quand on arrivait au dessert, elle s'excitait et tapait sur le plateau de sa chaise avec une cuiller en criant : « Dessert ! Dessert ! » Ce jour-là le dessert était une glace ; il fallait que sa mère aille à la cuisine la prendre dans le freezer. Les cris et les coups de cuiller agirent sur les nerfs de la maman qui s'écria, irritée : « Oh ! Catherine, montre-toi un peu patiente ! » Quand la maman revint, elle fut saisie de crainte car la petite fille semblait avoir une convulsion. Elle était assise toute raide dans sa chaise, les poings serrés, les yeux fixes, le visage rouge, et elle paraissait ne pas respirer. « Catherine ! qu'y a-t-il ? » s'écria sa mère. Catherine relâcha sa respiration et desserra ses poings : « Je suis en train d'être patiente », dit-elle.

Repousser une envie immédiate exigeait un tel effort que la petite fille avait dû faire appel à toutes ses réserves d'énergie pour s'opposer à cet élan. C'est pour cette raison que les enfants mettent si longtemps à maîtriser leurs instincts.

Les parents peuvent commettre deux fautes majeures. en apprenant à leurs enfants à se contrôler. D'une part, nous pouvons ne rien exiger, et l'enfant de six ans restera à peu près au même point qu'à deux ans. Il sera incapable de contrôler ses instincts asociaux. La plupart des parents ont cependant tendance à commettre l'erreur opposée qui est de pousser l'enfant à se maîtriser trop tôt. C'est pour cela qu'il est utile de savoir ce qu'on peut raisonnablement attendre d'un enfant pendant les années préscolaires.

Une lecture attentive du livre *Le jeune enfant dans la civilisation moderne* du Dr Gesell devrait y aider. Nous ajusterons nos exigences à ce qu'un enfant peut raisonnablement faire à tel ou tel âge. La pression des parents pour que l'enfant se contrôle trop tôt peut entraîner de nombreux problèmes : refus de manger, musardise, ongles qu'on mord, craintes, cauchemars, tout cela peut cacher la réponse de l'enfant à une pression trop grande pour le contraindre à se maîtriser trop vite. Les parents doivent manifester une exigence de plus en plus grande, insensiblement, pour le contrôle de ses instincts antisociaux. Le bon âge pour commencer est trois ans, car c'est un âge équilibré et coopérant. A ce moment, l'enfant maîtrise assez le langage pour pouvoir assimiler ce contrôle. En laissant un enfant exprimer ses sentiments par les mots, nous l'aidons à devenir capable de contrôler ses instincts et ses actes asociaux. Si nous lui laissons dire à sa sœur qu'il la déteste, nous lui rendons plus aisé l'effort de réprimer l'envie de la frapper ou de casser ses jouets. Vous lui direz : « Non, Charles, tu ne dois pas frapper ta sœur. Mais je sais que tu es furieux contre elle et que tu voudrais la frapper ; alors tape dans ce punching-ball à la place. »

Le Dr Ruth Marthey fait une suggestion extraordinaire en proposant aux parents de fournir une autre issue aux instincts asociaux de l'enfant. Elle suggère que vous donniez à l'enfant ce qu'elle appelle des « poupées à battre » qui sont faites pour recevoir des coups sans que les suites soient néfastes. Ces « marionnettes à coups » sont de solides poupées de chiffons informes. La tête peut être faite de toile rembourrée, avec les traits du visage brodés avec des fils de couleurs. Un corsage de femme ou une chemise d'homme cousus autour du cou de la marionnette la complète. Faites des marionnettes représentant chaque membre de la famille : maman, papa, les frères ou sœurs. Ces marionnettes se révéleront très utiles pour éliminer les instincts asociaux et remédier à la perturbation des sentiments.

Le Dr Marthey cite un exemple pour prouver l'utilité de ces petites créatures : Marie avait trois ans quand son frère est né. Elle appela immédiatement son bébé marionnette « Antoine », du nom de son frère. Du jour où le véritable Antoine arriva de la clinique commença le jeu favori de Marie : « battre Antoine ». Chaque fessée était bien sûr méritée. Antoine était méchant, il cassait les assiettes, il pleurait la nuit. Pour le vrai Antoine, Marie se montrait douce et maternelle. La marionnette suffisait à libérer son sentiment de jalousie.

Si votre enfant peut aller à l'école maternelle à trois ou quatre ans cela l'aidera à apprendre à maîtriser ses instincts.

La séparation de la mère

Votre enfant, à l'âge préscolaire, apprend à se séparer de sa mère. Dans la première adolescence, il ne sera pas encore tout à fait prêt. Pour l'enfant de deux ans, sa mère est encore le centre du monde et il a besoin d'elle. C'est pourquoi il n'est pas très bon d'envoyer un enfant de cet âge à l'école. Généralement, il n'est pas prêt à quitter sa mère trois heures par jour pour aller jouer avec d'autres enfants sous la surveillance d'une étrangère (sa maîtresse). Bien sûr, si une mère qui travaille doit confier son enfant de deux ans à une crèche pour des raisons financières, il n'y a pas le choix. Mais idéalement, un enfant ne devrait pas commencer à aller à l'école avant trois ans.

A cet âge, un enfant a besoin de compagnons de jeux. Il veut se séparer de sa mère et prendre de l'indépendance. La meilleure façon de l'aider dans ce sens est de l'envoyer dans une bonne école maternelle. Même si un enfant de trois ans veut se séparer de sa mère et rejoindre le monde des enfants de son âge, il éprouve encore des sentiments partagés quand il s'agit de quitter la sécurité protectrice de sa mère.

Il est donc normal qu'il ressente « l'inquiétude de la séparation » — que certains enfants éprouvent plus que d'autres — car sa mère a été son « point d'appui » pendant trois années complètes.

Peut-être pouvons-nous mieux nous en rendre compte si nous pénétrons, en imagination, dans l'esprit d'un enfant de trois ans à son premier jour d'école maternelle. Nous pouvons imaginer le monologue suivant : « Maman m'a conduit dans cet endroit que je ne connais pas. Elle m'a dit que cela me plairait et que je m'amuserais bien, mais maintenant je n'en suis pas sûr. Maman m'a dit que la dame qui est là-bas est la maîtresse. Comment est-elle ? Sera-t-elle gentille avec moi ? Est-ce qu'elle s'occupera de moi ? Qui sont tous ces enfants que je ne connais pas ? Je n'ai jamais vu tant d'enfants ensemble dans le même endroit ! Est-ce qu'ils vont m'aimer ? Est-ce qu'ils vont être de gentils camarades pour jouer, ou est-ce qu'ils vont me battre ? J'ai peur. Finalement, je ne suis pas sûr du tout d'aimer cet endroit. Maman ! ne me laisse pas ! J'ai si peur que j'ai envie de pleurer. »

Et il se met à pleurer. Si vous vous trouvez dans une maternelle un jour de rentrée, en septembre, vous y trouverez bon nombre d'enfants en train de pleurer, que les maîtresses tiennent sur les genoux et tentent de consoler.

Tous, je dis bien tous, les enfants de trois ans éprouvent plus ou moins les sentiments que je viens d'essayer de décrire. Si l'enfant est psychologiquement sain et équilibré, il peut les éprouver de façon momentanée. Puis il se laissera conduire au milieu des autres et commencera de s'occuper avec eux. Mais même si l'enfant sans pleurer et sans faire d'histoires peut se mettre à jouer avec les autres, il sera peu enthousiaste quand il s'agira de laisser partir sa mère.

Examinons encore une fois les sentiments qu'il éprouve : « Bien sûr, je m'amuse avec cette terre glaise, mais je m'ennuie de toi, Maman. Cela me fait tout drôle d'être ici tout seul. Maman, tu as dit que tu reviendrais à l'heure, mais est-ce que c'est vrai ? Je crois que je vais téléphoner pour être plus sûr. » (A ce moment il décroche un téléphone jouet que la maîtresse de la maternelle a intelligemment placé là pour cela.) « Allô ! Maman ? Oui, je suis ici, je joue avec de la terre glaise, cela me plaît bien. Est-ce que tu vas bientôt venir ? D'accord, Maman, à tout à l'heure ! »

Un enfant peut exprimer son impression de séparation, non pas avec des mots, mais par une sorte de «langage somatique » ou par des symptômes physiques. Quand c'est l'heure de partir à l'école le matin, il peut avoir de violentes douleurs aux jambes, mal au cœur, ou des étourdissements.

Un jeune enfant peut aussi manifester des réactions différées quand on le sépare de sa mère. Tout semble aller pour le mieux la première semaine. L'enfant entre sans protester à l'école, apparemment sans se soucier du reste. Sans que nous nous en rendions compte, il cache son anxiété en faisant bonne figure. Mais cette anxiété finit par être plus forte que lui après deux ou trois semaines et il dit alors à sa mère, stupéfaite, qu'il a peur d'aller à l'école. « Comment ? Il n'avait aucune appréhension la première semaine ! » Mais si, il avait peur ! Mais la mère ne s'en est pas aperçue parce qu'il se retenait. A la longue il n'a pas pu réprimer davantage son anxiété qui a fini par déborder.

Séparer votre enfant de vous et le livrer à lui-même en

compagnie d'enfants de son âge est *un grand pas* à franchir pour lui. S'il ne peut fréquenter la maternelle, il faudra l'aider à réaliser ce processus indispensable de séparation d'avec vous en l'encourageant à se mêler aux jeux des petits voisins, ce qui, particulièrement avec un enfant timide, ne sera pas aussi facile que s'il peut aller à la maternelle. Car, dans ce cas, une maîtresse compétente peut aider l'enfant à effectuer cette séparation. Vous pouvez y parvenir malgré tout, et au chapitre 11 je vous indiquerai comment vous pouvez recréer chez vous des conditions semblables à celles d'une école maternelle.

Le monde nouveau des autres enfants

Votre enfant d'âge préscolaire est en train d'apprendre les relations « donner » et « prendre » avec les autres, c'est-à-dire avec le groupe de ses égaux. Le monde des relations d'égal à égal est terriblement différent du monde de sa famille. Par exemple, un jour dans une maternelle un petit garçon voulait jouer avec un camion, jouet qu'avait justement en mains un autre enfant.

— Donne-moi ce camion ! demanda-t-il.
— Je joue avec, répliqua l'autre.
— Donne-moi ce camion ! répéta-t-il.
— Non ! dit l'autre.
— J'ai mal au cœur, donne-moi ce camion !

L'autre ne répondit pas. En observant cette scène, on aurait presque pu voir fonctionner les rouages dans l'esprit du premier garçon : « Cela marche pourtant tout seul avec Maman et elle me cède. Pourquoi est-ce que cela ne marche pas avec ce petit garçon ? »

Ainsi, dans la joie et la tristesse, péniblement et en douceur, l'enfant de trois ans apprend que le monde des relations avec ses égaux est un nouveau monde avec un autre ensemble de règles et d'exigences. Dans sa première expérience du groupe, il est confronté à la fois avec ses points forts et ses faiblesses. Il est heureux s'il est accepté et souffre d'être repoussé. Il apprend à donner et à recevoir.

Au milieu de ses égaux, un enfant acquiert des habitudes sociales. Il lui faut apprendre à partager, à attendre son tour, à demander quelque chose à un autre, à exprimer ses sentiments par des mots. Il a besoin d'apprendre à se battre pour défendre ses droits, à dire ce qu'il pense sans coups de poing, à participer aussi bien qu'à observer, à développer sa confiance en soi par ses relations avec les autres enfants. Aucun enfant ne vient au monde avec ces habitudes fondamentales sur le plan social et affectif.

Votre enfant aura besoin de jouer avec d'autres enfants et de prendre des habitudes sociales à trois, quatre et cinq ans. L'école maternelle est un lieu idéal pour les acquérir, car cet apprentissage est supervisé par un maître expérimenté. Dans les jeux avec les enfants du voisinage, il apprend à frapper ou à manquer son coup, à supporter et à se tromper. Il n'y a personne pour aider un enfant timide à s'intégrer au groupe, à construire sa confiance en lui-même et à perdre sa timidité.

Apprendre à exprimer ses sentiments

Entre trois et six ans, votre enfant apprend à exprimer ou à réprimer ses sentiments. Dans le chapitre précédent j'ai insisté sur l'importance pour un enfant de les exprimer plutôt que de les refouler intérieurement si bien qu'ils ressurgissent sous une forme déguisée et dangereuse. C'est au long de ces années que votre enfant va construire son attitude fondamentale envers tout ce qu'il ressent intérieurement. Ou bien il va croire que ses sentiments et ses émotions sont dangereux et qu'il ferait mieux de les refréner ou bien il va apprendre à être à l'aise avec eux, qu'ils soient négatifs ou positifs.

Si je pouvais avoir une baguette magique et faire à tous les enfants un seul don pour améliorer en une nuit leur santé mentale, ce serait celui-ci : bannir de leurs esprits l'idée du « bien » et du « mal » appliquée aux sentiments. Ils pourraient réserver ce concept du bien ou du mal seulement pour les actes. Même la loi de notre pays nous accorde le droit de cette distinction entre nos sentiments et nos actes. Il se peut que nous ayons envie de tuer quelqu'un (nous disons alors : « J'étais tellement furieux que je l'aurais tué avec plaisir ») et la loi ne fait aucune objection à ce que nous le pensions. C'est seulement lorsque nous matérialisons notre hostilité que la loi intervient et dit : « C'est mal. » Pourquoi les parents ne donneraient-ils donc pas à leurs enfants les mêmes droits que ceux que la loi de notre pays accorde à tous les citoyens ? Ce qui empêche les parents de le faire c'est qu'ils en ont été privés eux-mêmes dans leur enfance. Et cette idée est si profondément ancrée dans notre subconscient que nous croyons mauvais de permettre aux enfants de s'exprimer de cette façon.

Prenons cet exemple. Une maman a emmené son fils de deux ans et demi faire les courses avec elle. Elle a déposé ses emplettes dans son chariot, et le petit garçon est assis également dans le chariot. Survient une dame âgée qui se penche sur lui en souriant : « Oh ! le gentil petit garçon ! » Le petit garçon lève les yeux vers Mme Dupont et s'écrie à haute et intelligible voix : « Va-t'en ! Je ne t'aime pas ! »

Si vous étiez la mère, comment réagiriez-vous à cet incident ? Je crains que bien des mères ne disent au petit garçon quelque chose comme : « Ce n'est pas une façon de parler à cette gentille dame ! Demande pardon. » Ou bien vous vous excuserez auprès de la dame et direz : « Il a seulement deux ans et demi et il ne sait pas très bien encore. » En d'autres termes, beaucoup de mères laisseraient entendre au petit garçon que c'était mal d'exprimer ce qu'il ressent.

Je ne pense pas qu'elles aient raison. Je crois que les petits garçons ont le droit de dire ce qu'ils pensent à cet âge. Il est nocif pour le développement de leur personnalité, leur spontanéité, leur authenticité d'enfant, que nous leur apprenions à *cacher* leurs sentiments en ces premières années.

Je ne plaide pas pour que tous les enfants de tous âges puissent dire ce qu'ils pensent n'importe quand et n'importe où quand ils en ont envie. Il faut qu'ils respectent les sentiments des autres et soient polis avec eux. Mais ils ne peuvent apprendre à être délicats avec la sensibilité des autres dans la période préscolaire sans courir le risque d'inhiber leur propre verve et spontanéité. Le petit garçon de deux ans et demi n'avait pas encore appris à traiter courtoisement les sentiments de cette femme.

C'est à l'âge de six ans qu'il faut apprendre à l'enfant que les autres éprouvent quelque chose ; vous aurez alors le temps de lui apprendre qu'il y a des circonstances et des endroits où l'on peut exprimer ce qu'on ressent, mais qu'il faut quelquefois le garder pour soi sous peine de s'attirer des ennuis. Au niveau des classes primaires, on peut apprendre aux enfants à reconnaître les circonstances où certains sentiments peuvent s'exprimer librement et celles où il n'est pas prudent de le faire. Mais l'âge préscolaire est celui pendant lequel il faut encourager nos enfants à s'exprimer librement.

Identification à un sexe : masculin ou féminin

A l'âge préscolaire, votre enfant apprend aussi à reconnaître à quel sexe il appartient. J'ai dit dans les précédents chapitres que les garçons et les filles sont pour ainsi dire asexués au cours de leurs premières années, jusqu'à trois ans environ.

Ils jouent avec les mêmes jouets, apprécient les mêmes choses. Les petits garçons, par exemple, pendant ces premières années, aiment jouer avec des poupées et des animaux en chiffon, comme les petites filles. Bien sûr, il existe des différences entre les garçons et les filles même pendant ces premières années. Les filles, en général, ont tendance à montrer une maturité plus précoce que les garçons en bien des domaines (tel que le langage). Les garçons ont tendance à se montrer plus agressifs et plus actifs physiquement. Mais dans l'ensemble la distinction entre les genres n'apparaît de façon nette qu'à l'âge de trois ans. Dès lors, les garçons et les filles vont se comporter différemment et vont avoir une vision différente d'eux-mêmes et du monde. Un livre récent, analysant les résultats de quelque neuf cents enquêtes, résume ainsi les différences entre petits garçons et petites filles.

> Les petits garçons provoquent plus de bagarres, font plus de bruit, prennent plus de risques, ont une pensée plus indépendante, sont plus difficiles à éduquer et constituent le plus fragile des deux sexes... Il meurt plus de garçons que de filles pendant la première année de la vie ainsi que par la suite. Ils courent plus de risques de bégayer, d'avoir des difficultés pour lire et de souffrir d'anomalies affectives de toutes sortes. Ils sont en retard d'un an ou davantage sur les filles en ce qui concerne leur développement physique. Au moment de commencer leur scolarité, même les muscles de leurs mains sont nettement moins développés.
>
> Les petites filles sont au contraire plus robustes et plus mûres, mais beaucoup plus soumises, passives, obéissantes, conformistes, sédentaires. Elles s'intéressent plus aux gens qu'aux objets, font preuve de plus de sympathie pour les autres, sont plus sensibles à leurs réactions et ont beaucoup plus de dispositions pour retenir les noms et les lieux.
>
> Scientifiquement, on n'a pu établir aucune différence de quotient intellectuel entre les garçons et les filles durant leur enfance, cependant leur style de pensée et d'acquisition intellectuelle est très différent. Les filles excellent sur le plan oral. Elles savent parler avant les garçons, et plus tard font moins de fautes d'orthographe et écrivent davantage. Les garçons les surpassent dans le domaine de la pensée abstraite, y compris les mathématiques et les sciences. Les garçons ont aussi tendance à créer davantage. »

Comment expliquer ces différences profondes et si tôt manifestées ? Selon toute probabilité ces différences sont dues à des facteurs hormonaux ou génétiques d'une part, et, d'autre part, à la façon dont les enfants sont élevés. Les experts ne sont pas d'accord sur l'importance des facteurs biologiques par rapport à celle des facteurs éducatifs et culturels.

Cependant, en tant que parents, nous devons veiller à ce que nos garçons et nos filles parviennent à un accord profond et définitif avec leur sexe. L'affirmation nette de son identité en tant que représentant de son propre sexe est une pièce vitale du concept de soi et de la santé mentale de l'enfant.

Il faut nous rappeler que les garçons et les filles ont généralement tendance à s'identifier à leur mère qui est le personnage principal dans la vie d'un jeune enfant.

Le garçon, du fait qu'il aime sa mère, désire tout autant que la fille s'identifier à elle. Il est normal qu'un petit garçon de trois ans affirme à sa mère qu'il « sera maman quand il sera grand, comme toi » ! Il n'est pas rare qu'un petit garçon veuille enfiler les chaussures de sa mère, comme celles de son père, ou utiliser son rouge à lèvres ou son parfum.

Pourtant, entre trois et six ans, les garçons et les filles commencent normalement à suivre des chemins différents dans leur développement psychologique.

Certes, l'enfant de trois ans déjà très mûr intellectuellement commence à prendre conscience des sexes. Mais un enfant d'âge préscolaire peut encore ne rien y comprendre. Un garçon de cinq ans, à qui on demandait en lui montrant un bébé tout nu si c'était un garçon ou une fille, répondit : « Je ne sais pas, c'est difficile à voir sans les vêtements. »

Néanmoins, d'une façon ou d'une autre, les enfants entre trois et six ans découvrent qu'un garçon a un pénis et qu'une fille n'en a pas. Cette découverte marque un tournant dans la vie de beaucoup d'enfants, quoique bien des parents semblent rester dans une béate ignorance à ce sujet, et ne voient pas ce que cela signifie pour un enfant. Bien entendu, si les parents veulent l'ignorer c'est parce que cette découverte est du domaine du sexe ; et beaucoup de parents sont sous l'influence d'un très grand refoulement qui les rend sourds, muets et aveugles à ce que les petits enfants peuvent éprouver à ce propos.

Plus l'atmosphère familiale est saine en ce qui concerne la sexualité, moins le choc psychologique causé par cette « découverte » sera grand chez le petit garçon ou la petite fille. Plus « l'atmosphère » sexuelle sera répressive et culpabilisante, plus l'enfant aura de difficulté à assimiler cette découverte surprenante. Indépendamment de l'ambiance familiale, chaque enfant va réagir d'une façon différente, personnelle, unique. Cependant nous pouvons quand même décrire en général les réactions typiques des petits garçons et des petites filles qui découvrent que les garçons ont un pénis alors que les petites filles n'en ont pas.

La petite fille pourra se sentir lésée et pensera qu'à cet égard elle appartient à une race inférieure. Ou bien elle pourra penser qu'elle est née avec un pénis, qu'on lui a enlevé, peut-être comme punition. Je sais que certains d'entre vous pensent en me lisant : « Tout cela n'a aucun sens ! Je n'ai jamais entendu parler d'une chose pareille ! » Ce que j'indique est cependant le résultat d'observations faites par des spécialistes du comportement sur des milliers de petits enfants. Si vous avez l'esprit vraiment ouvert, vous pouvez faire le même genre d'observation en ce qui concerne le jeu, la conversation et les questions de votre enfant. Par exemple, je me souviens que mon plus jeune fils disait à sa mère, alors qu'il avait environ trois ans : « Maman, où est ton pénis ? » Elle répondit : « Maman n'a pas de pénis. Seuls les garçons et les hommes en ont. » « Si, tu en as un, insista notre fils. Où est-il ? Est-ce que tu le caches ? »

Si une mère observe sans préjugé le comportement de son enfant, elle trouvera de nombreux exemples de ses réactions devant les différences anatomiques entre sexes. Voici un incident décrit par une maman dans son journal à propos de son enfant de trois ans :

> « Caroline envie le caractère masculin de son frère Pierre, âgé de cinq ans, et elle le manifeste de nombreuses façons, surtout lorsqu'elle essaie d'uriner comme lui, debout. Je l'ai observée ce matin quand elle essayait.
>
> Elle était seule dans la salle de bains. Caroline a enlevé son slip et s'est plantée devant les toilettes comme pour faire pipi. Elle a apparemment décidé que ça ne fonctionnait pas car elle a bientôt abandonné.
>
> Alors, elle s'est pincé la peau et a essayé de la plier en forme de pénis ; elle pensait évidemment qu'elle pourrait s'en faire un de cette façon et qu'elle pourrait ainsi uriner. Mais elle n'a pas réussi, car il n'y avait pas assez de peau.
>
> Une fois de plus elle a essayé d'uriner debout. Puis, peu à peu, elle s'est hissée jusqu'à la cuvette. Dans cette attitude assise à califourchon, tournée vers le mur, elle a uriné. Puis elle est redescendue et a enfilé son slip. »

Envisageons ce problème les petites filles se sentent quelque peu lésées et envient les garçons. Cela ne veut pas dire qu'elles en soient forcément traumatisées. Généralement, si la petite fille a un concept de soi équilibré, elle se fera à l'idée qu'elle est différente. Elle comprendra qu'il y a beaucoup d'autres choses chez une fille qui compensent le manque de cet appendice.

Une maman peut aider sa fille à acquérir confiance et estime de soi en lui expliquant que si les petits garçons et les hommes ont un pénis, elle a une chose que les garçons n'ont pas : un utérus. Elle peut expliquer qu'un utérus est comme un petit sac spécial dans le ventre des petites filles et des femmes et que c'est l'endroit où les bébés grandissent, que les petites filles deviennent des femmes et qu'elles peuvent avoir des bébés mais que les garçons ne peuvent pas. Je me rappelle une petite fille à qui sa maman avait expliqué tout cela, qui arriva à l'école dans les jours qui suivirent en s'exclamant fièrement : « J'ai un utérus, j'ai un utérus ! »

Les garçons peuvent éprouver une profonde détresse en découvrant que les femmes et les petites filles sont dépourvues de pénis. Un petit garçon, avec un raisonnement primitif et direct, peut conclure qu'on a coupé ce pénis, et qu'il peut subir aussi ce châtiment s'il n'est pas gentil. Un garçon de cinq ans demandait un jour à sa mère où était son pénis. Elle lui rappela qu'elle lui avait déjà dit que les hommes et les petits garçons en avaient mais pas les petites filles et les femmes. Il lui répondit : « Oui, je me rappelle maintenant, c'est là où on te l'a coupé ! »

Dans une maison où l'atmosphère concernant les questions sexuelles est détendue et saine, où on considère les organes sexuels avec sérénité, le petit garçon qui craint qu'il puisse arriver quelque chose à ses organes génitaux comme punition se rassurera très vite. Le petit garçon en est généralement très fier et aime se montrer à ses parents et à ses camarades. Si une mère peut être détendue à cet égard, elle s'amusera probablement de la façon naïve dont son petit garçon montre ses caractères masculins découverts depuis peu. L'incident suivant relaté par une maîtresse d'école maternelle l'illustre très bien :

> « Charles et Jeanine, tous deux âgés de trois ans, construisent une maison avec des cubes géants. Tout à coup Charles lève les yeux et dit : « Je vais faire pipi. » Jeanine continue à jouer. Charles insiste : « Veux-tu venir avec moi aux toilettes et me voir faire pipi ? » Jeanine acquiesce. Elle se lève et suit Charles aux toilettes. Sans avoir l'air de rien remarquer, je les suis et reste derrière la porte ouverte

d'où je peux les observer sans les gêner. Charles
ouvre son pantalon et dit fièrement : « J'ai un
pénis ». Jeanine hausse les épaules et répond prosaï-
quement : « Je sais. » Charles urine et Jeanine l'observe. Elle semble un peu intéressée, sans plus.

Enfin, Charles lui dit : « Je n'ai pas besoin de
m'asseoir comme toi, je peux faire pipi debout. »
« Ça n'a pas d'importance, dit Jeanine avec obstination, mon frère fait comme toi. »

Que peut une mère pour aider son enfant à affirmer son
appartenance au sexe féminin ou masculin ? Le facteur essentiel
est que vous et votre mari acceptiez le sexe de votre enfant. Si
vous êtes heureux que ce soit un garçon, il y a toutes les chances
pour qu'il soit heureux d'être un garçon. Si vous êtes satisfaits
d'avoir une fille, elle serait heureuse de l'être.

Mais le petit garçon et la petite fille ont aussi besoin de
modèles à imiter. A cet égard, je pense qu'il est plus facile pour
les petites filles que pour les petits garçons d'accepter et de
fortifier cette conscience de leur propre sexe. Il y a plusieurs
causes à cela. Entre autres la différence qui existe entre notre
société urbaine d'aujourd'hui et ce qu'elle était il y a cent ans. A
cette époque, la plupart des gens vivaient dans des fermes ou
dans de petites villes. Un petit garçon d'alors voyait beaucoup
son père. Il traînait derrière lui dans la ferme. Même si son père
exerçait une activité telle que celle de notaire dans une ville de
province, il rentrait déjeuner à la maison. De nos jours, les pères
partent travailler le matin de bonne heure et reviennent tard le
soir. Il arrive qu'un petit garçon voie très peu son père, sauf
pendant les week-ends.

Il y a cent ans, on trouvait très peu d'institutrices dans nos
écoles, et souvent garçons et filles avaient des maîtres à l'école
primaire. Maintenant un garçon rencontre parfois son premier
professeur homme en première ou en terminale. Il faut aussi
considérer comme conséquence du divorce l'absence d'un modèle
masculin pour les petits garçons. C'est généralement à la mère
qu'est confiée la garde de l'enfant. C'est une situation plus facile
à affronter pour les petites filles, car elles ont besoin d'un
modèle féminin. Mais qu'en est-il du petit garçon qui verra peut-
être rarement son père, en de telles conditions ? Où trouvera-t-il
son modèle ?

Le remède à ces états de fait est simple mais apparemment
difficile à appliquer : il faut que le père passe beaucoup de
temps avec son enfant, garçon ou fille. Je souhaiterais détenir un
moyen miraculeux pour convaincre les pères de l'importance de

leur rôle. Malheureusement, beaucoup d'hommes paraissent si souvent esclaves de leur ambition et d'un besoin irrésistible de réussir, qu'ils trouvent peu de temps à consacrer à leurs enfants quand ceux-ci sont petits.

Ils trouvent une explication logique en disant qu'ils travaillent pendant ces longues heures pour assurer financièrement l'avenir de leur famille.

Plus tard lorsque les enfants auront grandi, ils pourront passer plus de temps avec eux, pensent-ils. Malheureusement, il en est rarement ainsi. Quand un père ne consacre pas beaucoup de temps à ses jeunes enfants, et s'il n'établit pas des liens profonds dans ces années décisives, plus tard les enfants ne manifesteront pas beaucoup d'intérêt pour leur père. Et c'est fort triste.

Même un père très occupé peut faire pour son jeune fils (et sa fille également) beaucoup de choses auxquelles il ne songe pas la plupart du temps. Par exemple il peut avoir de petites cartes à son bureau et les envoyer par courrier à son fils. Les enfants reçoivent peu de courrier, et ils seront fous de joie de recevoir une lettre de papa. Il peut aussi s'arranger pour lui téléphoner de temps en temps. Une conversation de cinq minutes peut représenter beaucoup pour son enfant.

Chaque père devrait s'arranger pour que son enfant visite les lieux où il travaille et voie ce qu'il y fait. Un père devrait y songer. Il est important d'expliquer à un enfant en quoi consiste son travail en se mettant à sa portée. Certains métiers se prêtent plus facilement que d'autres à une explication. La mère peut aider l'enfant à jouer à « Papa qui travaille ». On peut aussi aider l'enfant à faire un livre s'intitulant « Le travail de mon papa ». J'expliquerai plus en détail comment créer de tels livres au chapitre 11.

Les garçons ont besoin de déguisements pour exprimer les activités masculines, de même que les filles ont besoin de déguisements féminins. Si vous fouillez dans la maison, vous trouverez sans doute pour les petites filles de vieux vêtements, des chaussures, chapeaux et bijoux de leur maman. Mais rien pour les garçons. Il faut fournir au petit garçon des chapeaux, de vieux blue-jeans, de vieilles chaussures, des treillis, des calots, des casques. Une visite dans un magasin de surplus vous fournira ces articles masculins.

Plus importantes encore sont les attitudes du père et de la mère envers leur petit garçon ou leur petite fille. Si une mère est fière non seulement de la féminité de sa fille, mais de la virilité naissante de son petit garçon, tout se passera bien. Il faut qu'une mère admette qu'il est dans la nature d'un garçon de tenir tête, d'être espiègle, chahuteur et grossier. Elle ne doit pas essayer d'en faire une créature docile, douce et calme qui ressemble à une fille.

Quant au père, il a lui aussi un rôle déterminant à jouer. Il peut apporter au petit garçon les jeux virils et la rudesse qui lui sont nécessaires. Il peut en même temps offrir à sa petite fille la tendresse et la douceur dont elle a besoin pour stimuler sa coquetterie et sa féminité.

Il est bon de garder à l'esprit qu'aucun enfant n'est complètement masculin ou féminin. Sinon, comment pourrait-on parvenir à une compréhension réciproque entre les deux sexes ? Nous devons éviter les images stéréotypées telles que : « Il faut être dur et insensible pour être viril », « Les garçons ne pleurent pas », « Les filles n'ont pas besoin de penser ». Nous voulons faire de nos fils des hommes capables de montrer des qualités aussi « féminines » que la compassion et la compréhension des autres. Et nous voulons que nos petites filles deviennent des femmes un peu moins conformistes, plus originales, plus aventureuses, capables de raisonner avec autant de logique qu'un homme.

C'est pour toutes ces raisons qu'il ne faut pas être rigide dans le concept de comportement féminin ou masculin que nous transmettons à nos enfants.

Ceux-ci doivent pouvoir manifester des sentiments et avoir un comportement convenant aussi bien au sexe opposé qu'au leur. Qu'un garçon de trois ans s'occupe de la maison, que sa mère lui apprenne à faire de la cuisine ou de la pâtisserie ne lui fera pas de mal. Pas plus que cela ne nuira à une petite fille de jouer avec des camions et des voitures de pompiers si elle le désire. Encouragez vos enfants à se comporter comme on l'attend de leur sexe, mais ne soyez ni rigide ni stéréotypée.

7

L'ÂGE PRÉSCOLAIRE

(Deuxième partie)

Pendant les années qui précèdent l'école primaire votre enfant acquiert des attitudes décisives et fondamentales à l'égard de la sexualité. Dans les chapitres précédents j'ai dit qu'avec un enfant jusqu'à l'âge de trois ans tout ce que vous aviez à faire était de vous abstenir de lui donner une éducation sexuelle négative. Maintenant le moment est venu de commencer à lui donner une éducation sexuelle positive. Dès cet âge il voudra savoir et devra savoir beaucoup de choses concernant la sexualité.

En tant que psychologue ayant eu à résoudre les problèmes les plus intimes de gens depuis plus de vingt ans, je suis pleinement conscient du fait que la plupart des parents, dans leur affectivité la plus intime, portent les cicatrices du manque d'information, de la culpabilité et de la peur concernant le sexe, sentiment qui chez eux ont leur origine dans l'enfance. Seul un psychologue peut avoir conscience des choses incroyables que tant de gens cachent au plus profond d'eux-mêmes au sujet de la sexualité. Dès lors, comment s'étonner que beaucoup de parents trouvent difficile de répondre aux questions de leurs enfants et de les éduquer sur ce sujet, qui pour tant de gens demeure si gênant et si délicat ?

Si nous avions eu la chance d'avoir grandi dans une île des mers du Sud, il en serait sans doute tout autrement. Dans ces îles, les adultes ne connaissant pratiquement aucun cas d'homo-sexualité, de fétichisme, de voyeurisme, ni aucune autre déviation ou névrose sexuelle qui sont malheureusement si fréquentes dans notre société. La raison pour laquelle dans ces sociétés les adultes ne souffrent d'aucune de ces déviations est tout simplement qu'on leur a donné une éducation sexuelle saine lorsqu'ils étaient enfants.

La plupart d'entre nous n'ont pas eu cette chance. Je sais pertinemment que vous pourrez suivre mes conseils sur l'éducation sexuelle de vos enfants seulement dans la mesure où l'éducation, ou la non-éducation sexuelle que vous-même avez pu recevoir vous le permettra. L'idéal serait de traiter toute cette question aussi tranquillement et naturellement que toute autre. Les enfants n'éprouvent aucun intérêt anormal pour la sexualité ; elle ne les obsède pas. Ce sont les grandes personnes qui leur apprennent à être obsédés par le sexe.

Quand les enfants posent des questions concernant la sexualité, c'est pour eux comme s'ils demandaient pourquoi il pleut et où le soleil s'en va la nuit, ou ce qui fait pousser les fleurs. Mais quand ils constatent des réactions très différentes de notre part à leurs innocentes questions sur la sexualité, ils ont immédiatement le sentiment que nous considérons ces choses comme taboues et malsaines mais pourtant fascinantes.

Nous devons avant tout essayer de répondre à leurs questions aussi ouvertement, directement et honnêtement que possible. Ces questions arrivent presque toujours quand on s'y attend le moins. La première chose qu'un enfant de trois ans demande est bien sûr la question classique et inévitable : « D'où viennent les bébés ? » A quoi on peut répondre très simplement : « Les bébés viennent dans les mamans. Ils poussent dans un endroit spécial du corps de la maman qui s'appelle l'utérus. » Cette réponse suffira généralement, jusqu'à ce que l'enfant désire une explication plus complète. Donnez des réponses courtes et simples aux questions posées sur les problèmes sexuels, tout comme pour les autres questions. Si votre enfant veut une explication plus détaillée, ne craignez pas d'être trop bref. Il vous posera d'autres questions.

A ce propos, pour une raison que je n'ai jamais pu saisir, les mamans disent parfois à leurs jeunes enfants que les bébés poussent dans l'estomac de la mère. Ce qui bien sûr est une erreur anatomique mais engendre aussi toutes sortes d'idées erronées et fantastiques dans l'esprit de l'enfant au sujet des autres aspects de la sexualité. Que répondre alors quand l'enfant demande : « Comment est-ce que le bébé entre dans l'estomac ? » ou bien « Comment est-ce que le bébé sort de l'estomac ? » Parlez donc de l'utérus à votre enfant, non de l'estomac.

Souvent les enfants ont peur de poser des questions. C'est pourquoi, en plus des réponses à toutes les questions que votre enfant voudra vous poser, vous devrez faire un pas en avant afin de lui donner à ce stade de son développement une éducation sexuelle positive. Il convient de lui lire un livre qui lui donnera d'une façon plus ou moins détaillée une idée générale du processus sexuel et de la façon dont les bébés viennent au monde. Il existe des livres excellents qui font cette mise au point et je vous recommande d'en acheter au moins un pour le lire à votre enfant.

Par exemple :

La Merveilleuse Histoire de la naissance racontée aux enfants, Dr L. GENDRON. Prod. de Paris N.O.E.

Ainsi commence la vie, J. POWER. Ed. Laffont.

Dis-moi, Maman, Sten HENGELER. Ed. Famille et Culture.

Pas de mise en scène spéciale quand vous ferez cette lecture. N'agitez pas de drapeau, ne dites pas d'un ton confidentiel : « Ce soir, Pierrot, nous allons faire de l'éducation sexuelle ! » Lisez-lui ces livres comme vous liriez n'importe quel livre. Répondez aux questions comme vous répondriez aux questions posées sur n'importe quel autre livre.

Une chose cependant en rend la lecture différente. A cause de l'atmosphère angoissée et malsaine qui dans notre société entoure les questions sexuelles, les enfants ont plus de difficulté à comprendre ce que nous leur disons à ce sujet. L'arithmétique ou l'astronomie, moins porteuses d'émotions, leur sont souvent plus accessibles. C'est pourquoi nous devons répéter souvent les explications. Une explication en réponse à une question de l'enfant ne dissipera pas forcément d'un seul coup la confusion de son esprit. Ainsi, il sera judicieux de lire ces livres à votre enfant non pas une fois mais plusieurs.

Pour être tout à fait précis, je les lui lirais une fois à trois ans, une fois à quatre ans, et une fois à cinq ans. A ce moment, il pourra les avoir à sa disposition et les consulter à loisir dès qu'il saura lire. La façon dont les questions sont traitées dans ces ouvrages devrait apporter à l'enfant tout ce qu'il souhaitera savoir jusqu'au début de l'adolescence. A ce moment-là, une éducation sexuelle d'un type absolument nouveau sera abordée.

S'il se trouve que vous êtes enceinte, c'est une occasion privilégiée de renseigner votre enfant sur la sexualité et la naissance. Au moment opportun, vous pourrez lui dire que vous avez un bébé qui pousse dans votre ventre et que bientôt il aura un petit frère ou une petite sœur. A ce propos, n'oubliez pas ce que nous avons dit au chapitre précédent au sujet de la jalousie entre frères et sœurs à la naissance d'un nouvel enfant. Votre enfant sera certainement très curieux de savoir comment ce tout petit bébé grandit en vous, comment il se nourrit, comment il va sortir. C'est le moment de ressortir un des livres d'éducation sexuelle que vous aviez déjà lus et de le relire à votre enfant.

Faites-lui bien remarquer comme il était tout petit quand il a commencé à grandir en vous. Il sera vivement intéressé de voir ce à quoi il ressemblait aux différents stades de son développement dans l'utérus.

Question délicate : comment l'enfant sort-il de la mère ? Si votre bambin vous pose cette question, demandez-lui de deviner avant de lui donner la réponse. Ainsi vous pourrez découvrir les idées erronées qu'il a sur la question et rectifier sa conception avant de lui donner la réponse juste. Il peut croire que le bébé sort par l'anus ou le nombril. Vous pourrez alors lui dire : « Non, le bébé ne sort pas par-là. La mère a un trou spécial pour les bébés, comme un petit tunnel. Ce passage est très élastique. Quand le bébé est sur le point de sortir, le tunnel s'élargit assez pour laisser passer le bébé. Quand le bébé est sorti, il se resserre et redevient comme avant ».

Venons-en maintenant à cet aspect de l'éducation sexuelle des trois à cinq ans qui est probablement le plus délicat pour les parents. Que faire quand un enfant joue avec ses organes sexuels ? Dans plusieurs ouvrages on parle à ce sujet de « masturbation infantile », ce qui, à mon avis, est un terme bien mal choisi car il ne s'agit absolument pas de masturbation, laquelle n'apparaît qu'à l'adolescence, lorsque les organes ont atteint leur développement complet. Dire qu'un garçon de trois ans qui joue avec son pénis dans son bain se masturbe est faux. Disons tout simplement qu'il joue avec ses organes sexuels. Plus jeune, il pouvait le faire uniquement par curiosité, lorsque ces organes ne représentaient rien de plus pour lui que ses oreilles ou ses pieds. Mais il découvre maintenant qu'ils sont effectivement des endroits privilégiés. Il découvre qu'il peut éprouver un plaisir particulier à caresser ses organes sexuels. Autrefois on croyait que rien de tel ne pouvait se produire avant l'adolescence, mais l'ère victorienne est passée depuis longtemps, et nous savons maintenant que le genre de plaisir sexuel éprouvé dans ce jeu fait partie du développement normal de l'âge préscolaire.

Comment faire avec votre enfant quand il se comporte ainsi ? La solution idéale serait de le laisser faire sans rien dire. Après un certain temps il cessera et passera à d'autres activités. Si vous avez vous-même une attitude assez détendue pour le laisser faire, très bien. Mais sinon ? Si cela vous contrarie au plus haut point ? Alors je crois que la meilleure solution est de le distraire en lui proposant une activité nouvelle et qui puisse l'intéresser. Mais, quoi qu'il en soit, essayez de rester calme et d'agir adroitement. Ne vous précipitez pas comme s'il y avait le feu, en vous écriant : « Viens vite, Pierrot, veux-tu faire une bonne partie de dada avec maman ? »

Jusqu'à présent j'ai indiqué l'attitude à prendre quand votre enfant se livre à ces jeux, mais vous pouvez avoir à faire face à une situation différente s'il pratique le jeu sexuel en groupe.

Ordinairement les jeux sexuels collectifs sont provoqués par la curiosité et prennent traditionnellement la forme du jeu du « Docteur ». L'un des enfants joue le rôle du docteur qui examine un petit garçon ou une petite fille « malade ». Et chacun à son tour examine ou se fait examiner. Une fois passée la première curiosité, ce genre de jeu perd généralement son intérêt et disparaît. Il ne laisse aucune trace fâcheuse chez les participants.

S'il vous a. ive de faire irruption au milieu d'un de ces jeux, ne soyez pas prise de panique à l'idée que vous hébergez un groupe de jeunes pervertis. Ne punissez pas, ne grondez pas. D'un ton naturel, dites-leur que vous savez qu'ils sont curieux de voir comment ils sont faits les uns et les autres. Mais que maintenant, leur curiosité étant satisfaite, ils peuvent « jouer à autre chose ». Lancez alors le groupe dans une nouvelle occupation.

En réagissant ainsi, votre enfant et les autres sauront que vous avez accepté leur manière, enfantine et normale, de satisfaire leur curiosité sexuelle, mais qu'ils peuvent désormais cesser leurs jeux sexuels collectifs. Ne cherchez pas à savoir si votre enfant joue au docteur ou non. Respectez sa vie privée. Il se peut que vous ne sachiez jamais rien de ses jeux sexuels avec des enfants de son âge. C'est très bien ainsi. Si votre enfant grandit dans une atmosphère saine en ce qui concerne la sexualité, le jeu sexuel ne deviendra jamais une obsession pour lui.

Il faut prévoir le cas où c'est une autre mère qui découvre le jeu et qui vous téléphone d'une voix étranglée d'indignation pour vous informer que Pierrot, qui n'est à son avis qu'un petit maniaque, a entraîné sa fille de quatre ans dans le garage ! Tout dépend alors de vos rapports avec cette maman. Sachez, si le hasard vous impose d'entendre cette tirade de la mère outragée, qu'elle a dû être traumatisée par une mauvaise éducation sexuelle pour réagir ainsi. Et si une autre maman adresse à votre enfant des réprimandes cinglantes à cause de jeux de ce genre, prenez-le à part, expliquez-lui que Mme Toulemonde est très fâchée contre lui, mais pas vous. Qu'il n'aurait pas dû jouer ainsi dans le garage avec sa fille, mais qu'elle n'avait pas besoin d'en faire toute cette histoire.

Un dernier aspect de l'éducation sexuelle des jeunes enfants : peut-on se montrer nu chez soi devant ses enfants ? A l'époque victorienne, des parents n'auraient pas même imaginé que leurs enfants puissent les voir nus ou même en tenue très légère. Les portes des salles de bains étaient fermées à clé. De nos jours le mouvement inverse semble avoir atteint sa course extrême et quelquefois les parents se montrent nus devant leurs enfants jusqu'à l'âge de dix ans et même après. Quelle est la meilleure attitude ?

En général, je pense que l'attitude plus détendue qui prévaut de nos jours est beaucoup plus saine pour la sexualité de nos enfants. Je crois que jusqu'à ce que l'enfant ait six ans, une politique très libre concernant la nudité à la maison est souhaitable. Après six ans, je crois qu'il doit en être tout autrement. Ordinairement, lorsque les enfants atteignent sept ou huit ans, ils manifestent une sorte de pudeur instinctive, que nous, parents, devons encourager. C'est alors qu'un enfant pourra exiger que la porte de la salle de bains soit fermée quand il prend sa douche. Respectons son droit à l'intimité. Il est bon qu'à ce moment les parents veillent à se couvrir suffisamment quand ils font leur toilette.

Si les parents doivent ainsi changer d'attitude, c'est que pour un enfant de neuf ou dix ans, ou plus, voir ses parents nus peut provoquer une stimulation sexuelle. Cette stimulation sexuelle précoce peut engendrer des problèmes.

Un enfant de neuf ans que j'ai suivi en psychothérapie peut illustrer ce propos. En plus de voir l'enfant une fois par semaine, je voyais les parents ensemble une fois par mois. Entre autres problèmes, l'enfant était anormalement préoccupé par les questions sexuelles. Je me renseignai sur l'atmosphère qui régnait dans la famille sur le plan sexuel et j'appris que la mère, qui se targuait d'avoir dépassé les tabous « victoriens », ne portait souvent chez elle qu'un slip et un soutien-gorge. Cette maman fut surprise quand je lui conseillai de changer ses habitudes vestimentaires parce que son fils devait y être trop sensible. « Mais il ne s'en aperçoit sans doute même pas ! » dit-elle. Et son mari, plus réaliste, lui dit alors : « Chérie, cela me retourne, et je crois que cela le retourne, lui aussi ! » Ce qui était la vérité.

Mon opinion est que les parents comme les enfants adoptent naturellement un comportement plus pudique à l'âge de l'école primaire. Jusque-là, parents et enfants peuvent avoir une attitude beaucoup plus détendue en ce qui concerne la nudité.

Les « idylles familiales »

Pendant la période que nous décrivons, l'enfant doit franchir une étape normale que nous appellerons les « idylles familiales ». C'est un phénomène différent chez les garçons et chez les filles, aussi devrai-je les décrire séparément. Commençons par le garçon.

A un certain moment, vers trois ans, un petit garçon commence à découvrir que son père entretient avec sa mère des relations différentes des siennes. Jusque-là son intelligence n'était pas encore assez mûre pour qu'il s'en aperçoive. La maman, bien sûr, a toujours été la personne la plus importante de sa jeune existence. Mais alors qu'il s'est senti jusque-là le petit bébé dépendant d'elle, maintenant ses sentiments à son égard changent. Le fait nouveau et décisif est qu'en fait il tombe amoureux de sa mère et sent se développer une nouvelle tendresse pour elle. Il devient son petit prétendant. C'est un fait normal, tous les petits garçons l'éprouvent. Certains peuvent garder secret ces sentiments, les autres, surtout s'ils sont élevés dans une famille où ils peuvent s'exprimer librement, les manifesteront très nettement.

Le petit garçon veut que sa mère soit toute à lui, et commence à ressentir de l'hostilité envers son père, qui est maintenant un rival pour la possession absolue de sa mère.

Un jour que nous en étions là avec mon fils aîné, nous nous rendîmes en famille au zoo. Je marchais en tenant ma femme par la main, quand soudain il surgit derrière nous et nous sépara en disant : « Je casse votre amour ! » La psychologue Dorothy Baruch raconte un incident amusant qui illustre bien les sentiments nouveaux de tendresse qui se manifestent chez un petit garçon à cet âge :

> Paul, qui a cinq ans, monte une scène de son invention dans la maison de poupée de sa sœur aînée. Il installe le père et la mère qui dorment ensemble dans leur chambre. Il couche le bébé dans la chambre voisine. « C'est dans le noir, il fait nuit », dit-il. Puis, chantant l'air de « Douce Nuit » *(Silent Night)* il fait entrer le petit garçon sur la pointe des pieds dans la chambre des parents, tire la mère du lit où est le père et la met dans celle de l'enfant. A cet instant il change de chanson et fredonne l'air d'une marche nuptiale. Puis il fait se lever la poupée qui représente le père et lui fait quitter la maison. Il chante alors joyeusement *Jingle Bells*.
>
> Le père de Paul qui a suivi la scène lui demande alors : « Sais-tu ce que tu as chanté ? »
>
> « Oh ! bien sûr, répond Paul en souriant, c'étaient les airs de ce que veut le petit garçon. Il veut que la maman soit la mariée et le papa le père Noël qui apporte la maman au petit garçon comme cadeau de Noël et puis il s'en va sur son traîneau tiré par des rennes. »

On entend souvent les garçons de cet âge dire que quand ils seront grands ils épouseront leur mère. Ou bien, comme le disait récemment à sa mère un gamin de cinq ans : « Tu sais maman, je voudrais que tu sois plus jeune et toute petite et pas mariée avec papa ! »

Ne nous contentons pas de sourire avec indulgence à ces charmants mots d'enfants, mais prenons-les au sérieux. Ces sentiments et ces idées fantasques sont très importants chez un petit garçon. C'est le moyen inventé par la nature pour le préparer à son rôle ultérieur d'époux. Cette « idylle familiale » qui le voit tomber amoureux de sa mère à cet âge est une étape vitale de son développement. La mère est la première femme de sa vie, son premier amour et les sentiments qu'il éprouve inconsciemment pour sa mère orienteront le choix ultérieur de sa femme. Il voudra épouser une jeune fille qui en un sens lui rappellera sa mère. Il y a même une vieille chanson qui reprend ce thème enfantin : « Je veux une fiancée qui ressemble à celle qui a épousé mon papa chéri ! » Cependant la nature n'a pas souhaité que cette fixation sur la mère soit définitive. Elle veut qu'il s'en dégage vers six ou sept ans, ce que font la plupart des petits garçons. Cependant, entre trois et six ans, ces sentiments de tendresse sont vécus intensément dans le cœur du petit prétendant de la maman.

L'ennui dans tout cela est que l'« idylle familiale » est aussi un « ménage à trois ». Le petit garçon n'éprouve pas seulement un sentiment profond, tendre et fantasque pour sa mère, il éprouve aussi de la jalousie et de l'hostilité pour son père. Si le père ne se rend pas compte de ce qui se passe, et c'est le cas pour beaucoup de pères, dois-je ajouter avec regret, cet aspect du développement de son enfant peut le décontenancer.

Je me souviens qu'un jour, rentrant de mon travail et ayant embrassé tendrement mon fils de trois ans à la porte de la maison, je l'ai entendu me dire : « Va-t'en ! Je veux maman ! » Même en sachant ce qui se passait en lui à ce stade de son développement, j'eus du mal à ne pas réagir et à ne pas me sentir affecté.

Ces sentiments de rivalité pour le père et d'hostilité à son égard mettent le petit garçon dans une situation inconfortable. Il aime son père et a besoin de lui. Comment peut-il en même temps souhaiter qu'il s'en aille afin d'avoir sa mère toute à lui ? Ces sentiments ambivalents à l'égard du père sont très difficiles à accorder au fond de soi pour un petit garçon.

Du fait qu'il ressent cette rivalité et cette hostilité contre son père, le réflexe de défense qui consiste à prêter aux autres les sentiments que nous éprouvons pour eux fait que le petit garçon projette sur son père ses propres sentiments. Il commence par penser que son père voit en lui son rival et se montre hostile envers lui. Du fait que le père est beaucoup plus grand et plus fort, le petit garçon commence à craindre qu'il ne se venge et ne le punisse sévèrement, ce qui se concrétise souvent par des cauchemars si fréquents chez les enfants entre trois et six ans. Le petit garçon projette sa frayeur de voir son père le frapper ou le punir sur un tigre, un lion ou un monstre qui le pourchassent dans ses rêves.

Dans une atmosphère familiale saine, le petit garçon se rend compte peu à peu que son désir fantasque de remplacer son père ne se réalisera pas. Séparer la réalité des fantasmes est une des principales démarches intellectuelles d'un enfant de cet âge. (Souvenez-vous des difficultés que rencontre l'enfant de quatre ans pour séparer la réalité de l'imaginaire.)

Il lui faudra généralement toutes ces années de trois à six ans pour abandonner l'idylle imaginaire avec sa mère et admettre le fait que sa mère est la femme de son père et non la sienne. Mais finalement il se fait à cette idée et commence à adopter l'attitude : « Faisons contre mauvaise fortune bon cœur. » Puisqu'il ne peut être le père, il décide qu'il voudra lui ressembler.

C'est alors que commence le processus d'identification avec le père. L'enfant le prend comme modèle et l'imite de toutes les façons possibles. Ces deux processus (l'abandon progressif de l'idylle imaginaire avec la mère, et l'abandon progressif de la rivalité avec le père et son remplacement par l'identification) occupent entièrement trois années de cette étape de son développement.

Mais notre société a rendu cette épreuve plus difficile pour les petits garçons, et cela pour deux raisons. Tout d'abord, le père est pour beaucoup d'enfants un personnage tellement distant et absent de nos jours qu'il est difficile de s'identifier à lui et par conséquent de trouver une issue au « ménage à trois ».

Ensuite, si un divorce survient quand le garçon a entre trois et six ans, cela lui rend aussi la tâche difficile. Il désire que sa mère soit toute à lui et que son père s'efface. Donc, par le divorce, il lui semble que ses désirs sont comblés comme par miracle. Puis le petit garçon pense que peut-être, d'une façon qui lui échappe, il est responsable du divorce. Après tout, n'est-ce pas exactement ce qu'il souhaitait ? Son rêve se réalise maintenant et il se sent terriblement coupable. Généralement il essaie tristement d'arranger ce qu'il pense avoir provoqué.

Donc, s'il se trouve que vous divorciez pendant que votre petit garçon traverse cet âge préscolaire, veillez bien à ce qu'il ne se sente pas responsable. Utilisez la technique du reflet, décrite au chapitre 4, pour l'aider à exprimer verbalement ses sentiments, aussi irrationnels qu'ils puissent être. Par la suite vous pourrez lui expliquer qu'il n'est pas responsable du divorce.

Dans la plupart des familles qui vivent en harmonie, le petit garçon a résolu vers six ans le problème de l'idylle familiale. Il porte maintenant au plus profond de son subconscient les images du type de femme qu'il voudra épouser, de même que celles du type de mari qu'il souhaitera être pour cette femme. Si entre six et trois ans il ne résout pas avec succès le problème de l'idylle familiale, il sera ultérieurement incapable de trouver une épouse.

Passons maintenant à la petite fille, parce que ses amours familiales prennent une forme quelque peu différente. Rappelons que pour le petit garçon le premier objet d'amour est la mère, image de tendresse qu'il garde tout au long de son idylle familiale. La petite fille commence par le même premier objet d'amour : sa mère. Mais, contrairement au garçon, il lui faut transposer son image amoureuse de sa mère sur son père. Ce qui rend l'idylle familiale plus compliquée pour elle.

Quand la petite fille commence à acquérir de l'indépendance et à se différencier de sa mère, elle découvre au sein de la famille un nouvel objet de tendresse et tombe amoureuse de son père. Comme les garçons, certaines gardent secrets ces sentiments et ces rêves alors que d'autres les expriment librement.

Les petites filles peuvent se montrer très féminines et coquettes à cet âge. Quand ma fille avait cinq ans, elle sortit un jour de sa douche, prit sa serviette, l'enroula autour d'elle et me dit en ondulant des hanches : « Eh ! papa, regarde-moi ! »

Les petites filles savent se montrer beaucoup plus subtiles que les garçons dans leur façon d'arriver à leurs fins pendant la période de l'idylle familiale. Cela tient au fait que les femmes ont plus de finesse dans les relations humaines. En fait il se peut même que la mère ne se rende pas compte à quel point sa petite fille est en lutte secrète avec elle pour obtenir l'amour de son père. Vous croyez qu'elle veut très gentiment vous imiter quand elle essaie d'apprendre à faire la cuisine et le ménage, alors que dans son for intérieur elle tente de montrer à son père qu'elle serait pour lui une bien meilleure épouse que vous.

La petite fille se trouve aussi dans une situation très différente du garçon, car elle dispose de moins de temps avec ce père aimé. Dans notre société les pères sont le plus souvent absents. Le petit garçon a beaucoup plus de temps à passer avec l'objet de son amour idyllique : sa mère, tandis que la petite fille passe des journées à attendre impatiemment son père. Cela l'oblige à vivre son idylle surtout en imagination.

Elle éprouve des sentiments d'hostilité et de rivalité envers sa mère, ce qui la trouble autant que le petit garçon jaloux en lutte contre son père. Elle se sent dépendante de sa mère à cause de l'amour et des soins constants qu'elle lui prodigue. Elle sent que c'est affreux de vouloir que sa mère s'en aille et ne revienne plus jamais ! Et de même que le petit garçon projetait ses sentiments d'hostilité sur son père, elle projette les siens sur sa mère. Elle imagine que sa mère sait qu'elle désire vivement se débarrasser d'elle, donc lui est hostile et veut la punir.

Pendant toute cette période ses rêves sont souvent perturbés par des cauchemars où elle se voit poursuivie par une affreuse sorcière ou un monstre, représentation inconsciente de la mère hostile et vengeresse qu'elle imagine.

Dans une famille normale, la petite fille apprend aussi que papa appartient à maman et qu'elle ne peut l'avoir à elle. La découverte de cette idée se prolonge pendant toute la période de trois à six ans. Progressivement elle renonce à ses aspirations amoureuses pour son père et leur substitue les traits de l'homme qu'elle aimera et qu'elle épousera plus tard. C'est ainsi que la petite fille, comme le petit garçon, résout le problème du « ménage à trois ».

Posons maintenant la question importante : « Que pouvez-vous faire, vous et votre mari, pour aider vos enfants entre trois et six ans à évoluer normalement et à résoudre ce problème ? »

Avant tout, la qualité de vos relations conjugales sera décisive pour vos enfants dans cette crise. Si vous avez une vie conjugale stable où domine l'amour, vos enfants se rendront compte progressivement que leur idylle est impossible, et sauront en trouver l'issue pendant ces années préscolaires. Mais si vos relations conjugales sont marquées par une profonde mésentente, le problème sera difficile à résoudre pour vos enfants.

Si votre union est compromise, ce que vous pourriez faire de plus efficace pour aider vos enfants à résoudre l'idylle familiale qu'ils vivent serait de consulter un conseiller conjugal. Ce que je dis là est à prendre très au sérieux.

Votre enfant essaiera certainement de faire naître des discussions entre votre mari et vous afin d'en tirer profit. Il essaiera, d'une façon enfantine, de dresser des obstacles entre vous. S'il y a des difficultés majeures dans votre ménage, le petit garçon peut réussir à ce que sa mère le traite davantage comme un « amoureux en miniature » plutôt que comme un enfant. Si une mère se délecte trop des attentions de son jeune fils parce qu'elle sent que son mari ne s'intéresse pas assez à elle, c'est une réaction qui n'est pas saine pour le petit garçon. La mère aura tendance à diminuer le père aux yeux du fils au lieu d'affirmer son prestige. Les petites filles peuvent évidemment jouer le même jeu du « diviser pour régner » en essayant d'opposer leur père à leur mère.

A cette période les parents doivent veiller à ne pas laisser l'enfant qui trouve des failles dans leur union utiliser ces points faibles pour « diviser pour régner ». Il faut que l'un et l'autre résistent à la tentation de répondre à la séduction romantique de l'enfant en accueillant ouvertement ses avances. Il leur faut réagir en le « repoussant tendrement », rejeter ces liens romancés que l'enfant leur offre. La mère doit faire comprendre au petit garçon qu'elle aime papa, qu'elle est la femme de papa et qu'elle veut que son petit garçon lui aussi aime papa. Le petit garçon ne pourra pas l'épouser quand il sera grand car elle est déjà mariée à papa et très heureuse. Un jour il trouvera une femme pour lui et l'épousera. Pour le moment, il est son petit garçon et celui de papa aussi.

De même, le père devrait expliquer clairement à la petite fille qu'il l'aime beaucoup mais que maman est sa femme. Non, elle ne pourra pas épouser papa quand elle sera grande. Il est déjà marié à maman et très heureux. Mais elle est sa petite fille et personne ne pourra occuper la place privilégiée qu'elle occupe dans ses affections. Un jour, elle trouvera un mari et l'épousera.

Ni le père ni la mère n'ont besoin de désabuser l'enfant brutalement. Il ne faut pas l'encourager à croire que ses caprices se réaliseront un jour mais vous pouvez agir avec tact pour lui présenter la situation réelle. Il ne faut pas non plus que votre enfant se sente ridicule ou fou d'avoir rêvé de pareilles choses. Rappelez-vous que c'est une étape normale de son développement et une préparation naturelle de son mariage futur.

Par-dessus tout, vous ne devez pas l'encourager activement à faire de tels rêves. Ce serait faire naître un attachement beaucoup trop étroit qu'il aura beaucoup de mal à rompre par la suite. Nous connaissons tous des hommes qui n'ont jamais pu dénouer ces amours familiales, briser les liens qui les attachaient à leur mère, trouver une femme et fonder un foyer.

Si vous et votre mari êtes des gens suffisamment réfléchis, dont l'union est équilibrée et heureuse, votre enfant franchira sans encombre les obstacles de cet amour quand il atteindra l'âge de six ou sept ans.

Sensibilité à la stimulation intellectuelle

Pendant cette étape du développement préscolaire, votre enfant traverse une période pendant laquelle il est particulièrement sensible à la stimulation intellectuelle. Avec les stimulations appropriées, il développera des aptitudes et un état d'esprit essentiels qu'il gardera pour le reste de sa vie.

On peut simplement définir l'intelligence d'un enfant par l'ensemble de ses aptitudes à apprendre. Chaque fois que vous l'augmentez, vous faites croître son intelligence.

Dans les tests d'intelligence pour enfants, vous trouverez des épreuves étalonnant la capacité à suivre des directives, à écouter attentivement une histoire, à la résumer, à se rappeler les mots ou l'ordre des mots dans une phrase, à assembler les morceaux d'un puzzle, à faire avec des cubes un dessin qui corresponde à celui qui se trouve sur une carte. Ce sont des exemples des aptitudes de base qu'un enfant devrait acquérir entre trois et six ans. Ce sont les années où on « apprend à apprendre ».

Comment s'assurer qu'il reçoit la quantité optimale de stimulation intellectuelle et émotionnelle pendant cette période ? L'une des façons les plus sûres est de l'envoyer dans une bonne école maternelle vers l'âge de trois ans.

Il me faudrait peut-être expliquer ce que j'entends par « maternelle » puisque beaucoup de parents semblent malheureusement confondre « école maternelle » et « garderie ». Une garderie correspond exactement à son nom. C'est un centre dans lequel les mères qui doivent travailler peuvent faire garder leurs enfants de deux à six ans pendant leur absence. Ces garderies prennent les enfants en charge dès 6 heures et demie le matin et les gardent jusqu'à 18 heures le soir. Certaines sont valables, avec des maîtres qualifiés, de vastes installations et un bon programme éducatif. La plupart sont épouvantables et dirigées par des gens non qualifiés qui exercent ce métier pour gagner autant d'argent qu'ils le peuvent aussi rapidement que possible. Dans certains de ces centres on commet des erreurs psychologiques choquantes à l'égard de ces enfants. Les parents naïfs ne sont peut-être pas capables de les distinguer.

Une école maternelle est tout à fait différente. Elle n'a pas été conçue *a priori* pour les enfants de mères qui travaillent. Elle fonctionne habituellement à mi-temps plutôt qu'à plein temps.

Une école maternelle ne prend généralement pas d'enfants de moins de trois ans. Ces écoles sont également appelées « écoles préparatoires ».

Une autre variante est l'école maternelle faite avec la coopération des parents. Le personnel n'est pas composé de maîtres professionnels mais de parents. Habituellement le directeur est un homme de métier rémunéré et les maîtres, des mères qui enseignent à tour de rôle.

Des parents, qui par ailleurs sont intelligents, ignorent tout du domaine de l'enseignement en maternelle, ou, comme on l'appelle maintenant, de l'enseignement des jeunes enfants. J'ai entendu des architectes, des banquiers, des avocats et leurs femmes dire : « Oh ! après tout, l'école maternelle n'est rien d'autre que du baby-sitting amélioré, n'est-ce pas ! » C'est une appellation aussi peu appropriée que de dire que Harvard n'est rien d'autre qu'un terrain de jeux pour adolescents mûris.

J'ai aussi entendu des mères pourtant intelligentes affirmer avec beaucoup de sérieux : « Ce n'est pas vraiment nécessaire d'envoyer mon fils à l'école maternelle car il a des tas de camarades pour jouer dans le voisinage. » Il ne leur viendrait pas à l'idée de dire qu'elles n'envoient pas leur enfant de quatrième à l'école pour la même raison.

Si les profanes ignorent ce qui se passe dans le domaine de l'enseignement des premières années, certains pédagogues semblent avoir des idées tout aussi confuses.

Certains livres traitant de pédagogie semblent affirmer que l'école maternelle est seulement bonne pour le développement émotionnel de l'enfant et n'offre rien de particulier quand il s'agit de son développement intellectuel. Nombre de ces livres s'interrogent sur le problème, doit-on ou ne doit-on pas envoyer un enfant à l'école maternelle ? Une telle hésitation me paraît absolument ridicule.

Cependant, comment ferez-vous pour trouver une bonne école ? En tant que psychologue ayant des rapports nombreux avec les écoles maternelles et l'enseignement qui y est dispensé, je dois reconnaître cette triste vérité que beaucoup de mères choisissent une école en fonction de la commodité qu'elle représente pour elles. La mère choisit l'école parce qu'elle est proche de son domicile ou parce qu'elle sait qu'il y a un autobus de ramassage pour cette école. Je suis franchement stupéfait et consterné devant une telle attitude.

On doit faire la différence entre les différentes écoles maternelles en fonction des trois points suivants : 1° les maîtres, 2° l'équipement, 3° le programme. Le plus important, c'est les installations et le personnel. Une maîtresse qualifiée et expérimentée, chaleureuse, détendue et qui paie de sa personne joue un rôle déterminant.

N'hésitez pas à parler à la maîtresse, à lui poser des questions sur ses connaissances des tout jeunes enfants. C'est votre droit de le savoir. Après tout, c'est *votre enfant* que vous confiez à ses soins.

La plupart des parents savent peu de choses sur l'équipement et le programme d'études des écoles maternelles.

Plusieurs livres sont valables à ce sujet :

Votre enfant et l'école maternelle, P. LEQUEUX-GROMAIRE. Ed.

Casterman. Col. V3.
   Les Parents, l'école, J. VÉDRINE, id.
   L'Ecolier, sa santé, son éducation, P. DEBRAY-RITZEN, id.

Si vous avez peu de connaissances sur les écoles maternelles vous serez sans doute stupéfaite de voir quels équipements intérieurs et de plein air peuvent favoriser le développement à la fois émotionnel et intellectuel d'un jeune enfant. Observez si les écoles maternelles que vous visiterez sont abondamment pourvues de jouets éducatifs et de matériels de jeux ou essaient de lésiner sur l'équipement.

Quant aux méthodes, il faut que vous sachiez qu'il existe de nombreuses divergences en haut lieu en ce qui concerne les écoles maternelles.

Un groupe est partisan de l'enseignement des arts traditionnels et des activités manuelles, qui aident l'enfant dans son développement émotionnel.

L'enfant y trouve donc l'occasion de développer sa musculature au moyen d'un équipement de plein air pour grimper, de construire de gros cubes creux et des planches et de faire du tricycle. A l'intérieur, il pourra jouer avec de l'argile, peindre avec ses doigts, au pinceau, dessiner, faire des constructions avec des cubes, faire de l'expression corporelle et se servir d'instruments variés qui aideront au développement de ses muscles *courts,* de son sens de la créativité et de ses émotions. Et l'enfant est essentiellement guidé par sa maîtresse dans l'apprentissage des relations sociales avec les autres enfants.

L'autre·méthode est celle que nous pouvons appeler la démarche « cognitive ». Elle prétend que rien n'est mauvais dans la méthode précédente mais qu'elle devrait être enrichie. Ses partisans pensent que l'enfant devrait être soumis à différents types de stimulation sensorielle dans ces premières années, sans qu'on fasse pression sur lui ou qu'on change l'atmosphère détendue de sa première enfance en une classe formelle inadaptée à cet âge. Pour ce genre de méthode « cognitive », on trouve du matériel éducatif nouveau et de nouvelles techniques apparaissent. Je me réfère aux bâtonnets arithmétiques de Cuisenaire, à l'arithmétique structurale de Catherine Stern, aux magnétophones, au matériel éducatif avec lequel l'enfant apprend à imprimer, au matériel pour le développement du langage comme les marionnettes et autres objets à manipuler, et au matériel d'enseignement programmé pour apprendre à lire.

Les pédagogues des écoles maternelles semblent très divisés à ce sujet. Les tenants de la tradition pensent qu'il faut rester fidèle à des activités comme les jeux de construction avec des cubes, la peinture au doigt et la culture en pots.

Ils pensent qu'apprendre à lire à un enfant d'école maternelle c'est inévitablement faire pression sur lui et lui « voler son enfance ». D'autres insistent sur le fait que si un enfant est prêt à apprendre à lire, il faut lui donner ses chances.

Je suis fermement partisan de la méthode « cognitive ». Je ne vois pas pourquoi les méthodes des écoles maternelles devraient être les mêmes qu'en 1930 ou 1940. Dans dix ans nous verrons avec stupéfaction qu'il se trouvait des éducateurs pour penser qu'on « volait l'enfance » d'un petit en lui apprenant à lire à la maternelle. Nous avons accumulé une masse considérable de données scientifiques prouvant qu'il est important de stimuler les connaissances d'un enfant, si nous voulons l'aider à développer son intelligence au maximum plus tard dans la vie. Nous n'avons rien d'autre que des légendes de bonne femme pour affirmer qu'en stimulant la connaissance de l'enfant on risque de lui nuire sur le plan émotionnel.

L'école que vous choisirez pour votre enfant préconise peut-être l'ancienne méthode. Si cette école défend les « arts et activités manuelles » mais est par ailleurs une bonne école avec de bonnes maîtresses, c'est bien, votre enfant en tirera profit. Mais si vous pouvez trouver une école plus nouvelle qui favorise la stimulation cognitive aussi bien que le reste, c'est encore mieux.

Prenez le temps de voir cette école en activité. Faites garder votre enfant et visitez l'école toute seule pendant une demi-journée complète. N'emmenez pas votre enfant, car vous passerez votre temps à le surveiller au lieu d'avoir l'occasion d'observer ce qu'est sa maîtresse éventuelle. De cette façon, vous verrez un aspect authentique de l'enseignement tel qu'il est donné tous les jours par l'école.

Si l'école ne vous autorise pas à visiter et à observer de cette façon, méfiez-vous.

Il vous faudra sans doute vous renseigner sur les techniques et les méthodes d'enseignement en parcourant un ouvrage sur les écoles maternelles. Autrement vous pourriez ne pas reconnaître un enseignement de qualité en le voyant en action devant vous ! Souvent la pédagogue très expérimentée parle très peu et reste presque toujours au fond de la classe, n'intervenant que si un conflit menace d'éclater. Si vous n'êtes pas au courant, vous pourriez penser : « Alors ! elle ne fait presque rien ? Qu'est-ce que cet enseignement ? » Vous n'aurez pas remarqué l'art et la finesse avec lesquels le professeur guide le groupe.

Il est un aspect important de l'école que vous devez pouvoir juger sans avoir aucune connaissance technique des écoles maternelles : c'est le climat de la classe. Règne-t-il une atmosphère chaleureuse et détendue dans laquelle les enfants se sentent libres de s'exprimer ? Ou est-ce une atmosphère tendue où planent les punitions et les contraintes morales, une classe où la maîtresse fait honte à un enfant ou l'envoie au piquet, ou lui dit : « Tu n'est pas gentil, Jean-Pierre. » Je doute que vous vouliez mettre votre enfant trois heures par jour dans une classe où il sera soumis à ce genre d'atmosphère critique et répressive.

Que vous puissiez envoyer votre enfant à la maternelle ou que vous préfériez reconstituer l'équivalent d'une maternelle chez vous, plus vous en saurez sur les techniques pédagogiques, mieux vous pourrez guider votre enfant. Si vous trouvez sur le sujet un livre qui vous plaise (à la bibliothèque par exemple), vous ferez un investissement judicieux en l'achetant comme ouvrage de référence.

La dernière année de la maternelle est une année décisive d'apprentissage pour l'enfant.

Du fait qu'elle offre tant de merveilleuses possibilités et que l'enfant de cinq ans est en général tellement prêt à apprendre, il est triste et regrettable que tant d'enfants ne puissent pas à ce jour en profiter. Cette déplorable situation tient au fait qu'il y a des secteurs sans maternelles, ou qu'on les a supprimées par manque de place.

Quelle solution adopter s'il n'y a pas d'école maternelle publique dans votre quartier ? Je dis très nettement : si vos moyens vous le permettent trouvez un bon « kindergarten[1] » privé et inscrivez-y votre enfant. S'il le fallait, j'emprunterais plutôt l'argent nécessaire. Les parents s'endettent souvent pour envoyer leur enfant au collège, mais très peu de parents songent à emprunter pour l'envoyer à la maternelle. Pourtant ces premières années d'enseignement sont si importantes que, à mon avis, il vaudrait mieux emprunter pour la maternelle que pour l'université, si vous aviez à choisir. Tout ce que j'ai dit à ce sujet pour le choix d'une bonne maternelle avant cinq ans s'applique aussi au choix d'un « kindergarten » pour les enfants de cinq ans.

Comment préparer votre enfant à cette première année d'enseignement véritable ? Si vous suivez les conseils que je donne au chapitre 11 : « L'école commence à la maison », première partie, votre enfant sera parfaitement prêt à l'affronter.

Si votre école n'a pas de dernière classe de maternelle, les suggestions que j'ai faites au chapitre 11 ne sauraient la rempla-

---

1. Dans tout ce passage, l'auteur décrit une situation particulière aux Etats-Unis : dans ce pays, le *kindergarten* est la dernière classe de l'école maternelle, avant l'école primaire. (N. d. T.)

cer, ni se substituer à tout ce qu'elle apporte, en particulier les contacts avec d'autres enfants de cinq ans. C'est seulement ce qu'on peut faire de mieux pour la remplacer.

Dans ce chapitre nous avons parcouru un immense terrain, ce qui n'a rien d'étonnant puisque un énorme développement s'effectue chez votre enfant de six à trois ans. Résumons donc ce qui s'est passé pendant ces années si importantes.

Regardons tout ce que votre enfant a pu apprendre pendant cette phase de son développement.

Il a satisfait ses besoins biologiques de développement musculaire, tant pour les grands muscles que pour les petits muscles.

Il a appris à contrôler ses élans instinctifs.

Il s'est séparé de sa mère.

Il a appris l'échange sur lequel se fondent les relations avec les enfants de son âge.

Il a appris à exprimer ou à contenir ses sentiments.

Son appartenance à un sexe s'est définitivement précisée.

Il a fixé son attitude fondamentale à l'égard de la sexualité.

Il a résolu progressivement l'« idylle » en famille.

Il a traversé une période de son développement pendant laquelle il est particulièrement sensible à la stimulation intellectuelle et, souhaitons-le, il a reçu le maximum de ces stimulations.

Voilà donc votre enfant. Il a passé cinq ans en voyageur sur notre vaisseau spatial : la Terre. Et si vous avez suivi les conseils donnés dans ce livre, votre enfant doit avoir maintenant un robuste concept de soi et les bases d'une personnalité saine et stable. Si tout s'est déroulé normalement, votre enfant doit avoir acquis un sentiment fondamental de sûreté, de confiance en lui, et une forte conscience de son individualité. Pour vous qui l'aidez à se forger des bases solides pendant les cinq premières années de sa vie, l'essentiel du travail est terminé.

Après vous avoir ainsi entraîné à travers cette étude chronologique des cinq premières années de sa vie, je vais traiter en détail dans les deux prochains chapitres un sujet vital pour son éducation. Non seulement pendant ces cinq premières années, mais tant que vous l'aurez sous votre responsabilité. Il s'agit du problème permanent de la discipline.

PEUT-ON APPRENDRE À UN DAUPHIN À ÉCRIRE À LA MACHINE ?

La discipline est un sujet particulièrement délicat de nos jours parce que beaucoup de mères sont déroutées par les opinions contradictoires qui sont émises à ce propos. Un livre conseille telle attitude, l'autre conseille l'inverse. Une voisine vous conseille une ligne de conduite, mais une autre ne jure que par le contraire. Les mères s'interrogent sans cesse : « Suis-je trop sévère ? Suis-je trop indulgente ? Ai-je eu tort ce matin de donner une fessée à Patrick ? Je crois que j'ai eu raison mais je n'en suis pas sûre. »

Tout d'abord, qu'entendons-nous exactement par le mot *discipline* ? C'est un mot aux sens multiples et aux implications variées.

Un dictionnaire le définit ainsi : « (1) Instruire, éduquer ou entraîner et (2) châtier, punir. » Comme synonymes il propose : « Entraîner, former, éduquer, instruire, exercer, régler, corriger, châtier et punir. » Si vous interrogiez un groupe de mères au hasard, la plupart d'entre elles y verraient sans doute ce qu'il faut faire pour qu'un enfant se conduise convenablement. Dans l'esprit de bien des gens, discipline est presque synonyme de punition, comme moyen d'obtenir qu'un enfant se tienne bien.

J'aimerais proposer une définition bien plus large : « Entraînement. » Le mot *discipline* contient le mot *disciple*. Quand vous disciplinez votre enfant vous l'entraînez vraiment à devenir votre disciple, à vous d'être son professeur.

Nous devons, nous les parents, nous poser la question : « Quel est le but vers lequel nous tendons dans l'entraînement auquel nous soumettons nos enfants ? » Si nous réfléchissons sérieusement à la question, la plupart d'entre nous répondront que notre but est de former un adulte qui a appris à se maîtriser, à faire ses propres choix et à régler sa conduite, à exercer sa liberté en individu responsable.

Des milliers d'expériences effectuées sur les animaux, des rats aux dauphins, ont apporté des indications sur la manière d'atteindre ce but avec nos enfants. Je demande aux mères qui me lisent de ne pas se choquer. Je n'ai pas dit qu'il n'y a pas de différence entre votre enfant et un dauphin ! Mais de même que les médecins ont beaucoup appris sur les remèdes et les vaccins en les utilisant d'abord sur des animaux inférieurs, nous avons beaucoup appris sur la façon de traiter les enfants en traitant expérimentalement des animaux inférieurs.

C'est ainsi qu'un psychologue désira un jour étudier sur des animaux l'efficacité de différentes méthodes d'éducation. Il fit passer à travers un labyrinthe deux groupes différents de rats, un à la fois, avec de la nourriture à l'autre bout. Il s'agissait d'utiliser deux méthodes différentes pour découvrir laquelle réussissait le mieux. On guida un des groupes sur le bon chemin jusqu'à la nourriture, chacun dans un petit chariot à rat, manipulé par le psychologue. Les rats du second groupe furent simplement placés dans le labyrinthe, là encore un à la fois, et on laissa chacun trouver son chemin, en se trompant et en tâtonnant vingt fois de suite. On les lâcha ensuite, deux par deux, en prenant un rat de chaque groupe. Le second groupe arriva largement en tête parce que les rats du premier groupe n'avaient pas eu à réfléchir sur la disposition des couloirs qu'on leur avait fait traverser dans le chariot.

Vous percevez le rapport entre cette expérience et la méthode pédagogique moderne de la « découverte ». Un enfant retient beaucoup mieux ce qu'il a lui-même découvert que les notions toutes prêtes qui lui sont fournies par un professeur. Cette expérience est très révélatrice de la manière d'enseigner à un enfant à se contrôler lui-même.

Si les mères et les pères avaient une expérience personnelle de dressage des animaux, ils ne commettraient probablement pas les fautes les plus courantes constatées dans l'éducation des enfants. Cela peut sembler un peu exagéré, aussi vais-je vous donner un exemple.

Les mères et les pères, dans tous les Etats-Unis, se donnent beaucoup de mal pour rendre leurs enfants insupportables. Ces parents bien intentionnés ne s'en rendent pas compte, bien entendu. Mais l'attention, l'approbation et l'affection qu'ils accordent aux enfants sont des encouragements puissants. Tout comportement d'un enfant qui entraîne attention et réaction chez ses parents, se trouve encouragé et fortifié.

Prenez la scène suivante observée dans un magasin. Un enfant demande quelque chose d'une voix calme. Sa mère ne répond pas. Elle est occupée à parler à une amie ou à un employé. La voix de l'enfant se fait plus forte, plus plaintive et plus pressante.

La mère réagit enfin. Sans le vouloir, elle a appris à l'enfant que plus il élève la voix, plus il est désagréable, plus il insiste et plus il a de chance qu'on lui cède.

Inconsciemment, sa mère a suivi le chemin le plus direct pour apprendre à l'enfant à être détestable. C'est comme si elle se disait : « Je désire que Patrick apprenne à être détestable, à demander ce qu'il désire de la façon la plus irritante et la plus déplaisante. Chaque fois qu'il demande quelque chose gentiment et sans crier, je suis trop absorbée par mes activités de grande personne pour lui prêter attention. Je ne lui répondrai et ne lui accorderai mon attention que s'il fait « la comédie », boude, crie, ou fait une grosse colère. »

Un jour un garçon de huit ans, que je voyais pour des séances de psychothérapie, avait un nœud à son lacet de chaussure. Il me demanda de le lui défaire. Je lui dis : « Je suis certain que tu peux le défaire toi-même, Richard.

— Non, je ne sais pas. Il faut que vous me le défassiez.

— Je sais que c'est difficile à dénouer mais je suis sûr que tu peux le faire, dis-je.

— Je vais le faire dénouer par maman si vous ne voulez pas. »

A ces mots il ouvrit la porte donnant sur le salon d'attente et courut jusqu'à sa mère : « Maman, le docteur Dodson n'est pas gentil, il ne veut pas me dénouer mon lacet ! Défais-le moi ! »

Au début sa mère lui résista suivant les conseils que je lui avais donnés auparavant, dans le but de lui apprendre à être indépendant.

« Non, Richard, tu peux bien défaire le nœud toi-même.

— Je ne peux pas, je ne peux pas ! Défais-le !

— Tu peux le faire, tu n'as qu'à essayer. »

Richard entra alors dans une violente colère. Il se roula sur le sol et se mit à donner des coups de pied en criant : « Je ne peux pas ! Je ne peux pas ! Défaites-le ! »

Alors la mère céda brusquement : « Ça va, Richard, dit-elle écœurée, je vais te le défaire. »

Je décidai qu'il était temps d'intervenir : « Madame Goodwin, dis-je, vous allez commettre une erreur en faisant ce que vous demande Richard. »

Elle s'arrêta, réfléchit pendant une minute, et dit : « Non, Richard, je ne déferai pas ton nœud, tu peux le faire toi-même. »

Richard continua de hurler et de frapper du pied pendant quelques minutes. Puis, voyant que cette fois elle ne céderait pas, il se releva tout d'un coup et revint en courant dans la salle de consultation. Je le suivis et je fermai la porte derrière nous. Il resta assis dans un coin, me tournant le dos, pendant quelques minutes, silencieux et boudeur. Puis il se retourna, me fit un sourire malicieux et me dit : « Vous voulez jouer aux dames ? » Je lui répondis : « Volontiers. Si tu arrangeais ce lacet, après nous pourrions jouer. »

Cette façon de réagir au comportement infantile et très humain de Richard est un exemple de ce qu'il faut faire pour ne pas encourager de mauvaises habitudes. On utilise les mêmes méthodes dans le dressage des animaux. Mais l'aspect le plus important de l'entraînement à donner aux enfants demeure, bien sûr, l'encouragement[1] positif.

Vous dites par exemple à un enfant de huit ans : « J'aimerais que tu me dises des mots à haute voix aussi vite que tu peux, l'un après l'autre. N'importe quels mots. Tous ceux qui te viendront à l'esprit, vas-y ! »

Vous avez décidé à l'avance que chaque fois qu'il dirait le nom d'un animal vous diriez : « bien » et que vous ne diriez rien après les autres mots. Bien entendu, l'enfant ne sait rien de tout cela. Il commence à dire des mots. A chaque nom d'animal, quel qu'il soit, vous dites : « Bien ! » Faites le compte des réponses.

Faites cette expérience et vous vous apercevrez que le nombre de « noms d'animaux » augmentera peu à peu. Notez ce fait intéressant : l'enfant ne sera même pas conscient de ce qui se passe, mais il dira de plus en plus de noms d'animaux. Pourquoi ? Parce qu'à chaque fois vous l'encouragez de votre attention et de cette épithète louangeuse.

Pour vous amuser, vous pouvez essayer avec les adultes. La prochaine fois que vous discuterez avec une autre personne ou dans un groupe, décidez d'encourager un certain sujet. Celui-ci importe peu : les enfants, les vêtements, la politique, le jardinage... Choisissez-en un, et chaque fois que le sujet revient dans la conversation, appuyez-le en manifestant une attention accrue. Dites : « c'est intéressant » ou « je ne m'en étais jamais rendu compte » ou « dites-m'en davantage ». Si votre interlocuteur aborde un autre thème, gardez le silence. Vous verrez que vous obtiendrez les mêmes résultats avec des adultes qu'avec des enfants de huit ans.

En fait, nous encourageons presque toujours chez les autres certains comportements.

Songez aux enfants du monde entier, élevés dans des cultures différentes, avec des langues différentes. A six mois environ, un enfant commence à gazouiller. Et ces gazouillements se ressemblent beaucoup que l'enfant soit anglais, russe, chinois, arabe ou swahili. Mais quand ces enfants auront deux ans, certains parle-

---

1. Le terme technique est « renforcement ».

ront anglais, d'autres russe, d'autres japonais, d'autres swahili, d'autres arabe, etc. Comment est-ce possible ? Aucun enfant ne naît avec des gènes qui lui permettent lorsqu'il grandit de parler un langage particulier. Les enfants du monde entier apprennent à parler leurs langues distinctives grâce à des principes d'apprentissage psychologiques bien établis.

Tout d'abord, les enfants imitent les sons qu'ils entendent autour d'eux, qu'ils soient anglais, russes, chinois, etc. De surcroît, les parents de ces enfants encouragent certains sons émis par le bébé selon qu'ils sont anglais, russes, chinois ou arabes. Ainsi, un bébé couché dans son berceau, qui gazouille, tout heureux, prononcera tôt ou tard un son comme ma... ma... ma... ma... car c'est un des sons les plus faciles à maîtriser pour ses jeunes cordes vocales. Que se passe-t-il d'ordinaire quand il émet ces gazouillements : ma... ma... ma... ma... ? Si sa mère l'entend, il est probable qu'elle sautera de joie, cajolera le bébé et s'écriera : « Il a dit Mama ! Il me connaît. Mon bébé me connaît ! » En d'autres termes, par son attention et son amour, elle encourage vivement la combinaison particulière des sons qui signifient pour elle « Maman ».

Et suivant ce principe bien connu de l'encouragement, le bébé prononcera de plus en plus souvent cette combinaison particulière.

Les encouragements des parents jouent un rôle déterminant pour influencer le comportement des bébés et des enfants. Il faut que vous sachiez quel type de comportement vous êtes en train de favoriser.

Bien que de prime abord cette théorie ait pu vous paraître au début quelque peu tirée par les cheveux, vous pouvez maintenant comprendre l'importance de ces expériences de « renforcement » sur des animaux.

Examinons neuf leçons importantes que la science nous a enseignées, à la suite d'années de recherches sur la technique du renforcement :

1. L'animal doit être en condition d'apprendre.

Les spécialistes n'essaient pas de dresser un animal quand il est fatigué, malade, ou qu'il tente de quelque manière que ce soit d'éviter d'apprendre. L'animal doit être prêt à entendre ce que son dresseur veut lui dire.

Dans une expérience passionnante, un psychologue a enregistré des signaux sur des cerveaux de chats. Ces signaux indiquaient qu'un son avait été transmis le long du nerf auditif et avait atteint le cerveau. A chaque fois qu'un petit déclic survenait près de l'oreille du chat, l'appareil enregistreur situé au niveau du cerveau montrait un changement spécifique. Puis, l'opérateur plaçait devant le chat un bocal de verre contenant des souris vivantes. Il faisait à nouveau entendre le déclic. Cette fois l'appareil enregistreur ne montrait aucun changement dans le cerveau. Le chat n'entendait plus ce qui avait été parfaitement audible précédemment. Le bruit n'atteignait plus les centres cérébraux supérieurs.

Nous essayons trop souvent d'enseigner quelque chose à un enfant quand il n'est pas en condition d'apprendre. Pensez, par exemple, aux « sermons » que nous faisons lorsque l'enfant est en larmes, après avoir mal agi, ou pendant une discussion familiale.

Le petit Jean vient de lancer un cube à la tête de sa sœur et on lui a donné une fessée. Tandis que Jean hurle comme un perdu, sa mère choisit ce moment pour lui faire la leçon. « Que penserais-tu si ta sœur t'avait frappé avec ce cube ? Tu ne peux donc pas respecter les sentiments des autres ? »

Empruntons ce principe aux psychologues du renforcement de la motivation : n'essayons pas d'enseigner quelque chose à un enfant fatigué ou contrarié et qui de toute façon refuse de se mettre en situation d'apprendre, car c'est pure folie.

2. *L'animal doit pouvoir accomplir ce que vous lui enseignez.*

Les dresseurs sont des gens réalistes. Ils savent qu'ils peuvent apprendre à un dauphin à sauter à travers un cerceau. Mais ils savent également qu'ils ne peuvent lui enseigner à taper à la machine. Ils n'essaient donc pas.

C'est élémentaire, direz-vous. Mais songez donc à tout ce que les parents tentent d'apprendre à leurs enfants et qui leur est aussi impossible que taper à la machine l'est à un dauphin. Par exemple, être propre dès l'âge de neuf mois. Se tenir tranquille au restaurant à deux ans. Etre poli et avoir de bonnes manières à quatre ans. Obéir à deux ans comme si on en avait cinq. La liste est interminable.

Bien des parents attendent de leurs enfants qu'ils apprennent des choses qui dépassent leurs capacités et ignorent tout de la nature de l'enfant suivant son âge et le stade de son développement. Nous avons tendance à attendre de lui beaucoup plus que ce dont il est effectivement capable. C'est pour cela que les parents réussissent généralement mieux avec un second ou un troisième. Ils ont alors appris ce qu'ils pouvaient raisonnablement attendre de lui.

3. *Les dresseurs évitent les punitions, sauf en dernier ressort, pour empêcher leur « élève » de se tuer ou de se blesser gravement.*

Il faut que nous soyons réalistes. Si votre petit garçon de deux ans s'est précipité à plusieurs reprises dans la rue, vous n'avez pas d'autre solution que de le punir. Administrez-lui une tape sur les fesses afin qu'il apprenne à ne plus se conduire aussi dangereusement. Vous devez lui imposer votre jugement jusqu'à ce qu'il soit assez réfléchi lui-même pour diriger la situation. Mais nous pouvons dans l'ensemble enseigner ce que nous voulons à nos enfants sans avoir recours aux punitions.

Pourquoi les éviter ? Parce que leur seul vrai effet est de supprimer temporairement une réaction. Le comportement sanctionné n'est pas pour autant affaibli en permanence ; lorsque l'effet répressif s'atténuera — comme cela se produira inévitablement — le comportement redeviendra ce qu'il était.

Ainsi un psychologue a dressé un rat blanc à appuyer sur un levier dans sa cage pour avoir à manger. Le levier est relié à un fil électrique de telle sorte qu'à chaque fois que le rat appuie, il ressent une légère décharge. Le rat se retire sous cet effet et cesse d'appuyer sur le levier. Mais il reviendra probablement appuyer quand il aura faim. Ce comportement a été supprimé temporairement mais pas définitivement. Si la punition n'est pas répétée, le rat recommencera à appuyer sur le levier comme si rien ne s'était passé.

D'autres raisons doivent nous inciter à ne punir un enfant que le plus rarement possible. Que vous éduquiez un animal ou un enfant, à chaque fois que vous le punissez vous lui apprenez à vous détester et à vous craindre. Nous ne devons apprendre à l'enfant ni la haine ni la crainte sauf en cas de nécessité absolue pour le protéger contre lui-même. Chaque fois qu'un maître punit un débutant, il devient un « stimulus d'aversion » tout comme une décharge électrique. Le débutant essaiera d'éviter à l'avenir à la fois le maître et ce qu'il enseigne.

J'ai soigné un jour un physicien qui avait choisi cette carrière et obtenu son diplôme tardivement. D'une manière inattendue, il avait évité les cours de sciences quand il était à l'université. Ce ne fut que des années plus tard, quand je le soignai, qu'il comprit la raison de son attitude. Son premier contact avec les sciences remontait à une classe où il avait eu un professeur dont il gardait encore un souvenir très vif ainsi que des petites expériences qu'il avait faites avec des cloches de verre et du courant électrique. Il se souvenait particulièrement de son professeur et de son visage mince, sinistre, aux lèvres pincées, et de ses manières mesquines et moqueuses avec les enfants. Cette maîtresse les humiliait et tournait en ridicule ceux qui ne réussissaient pas bien. Elle symbolisait les « sciences » pour mon patient. Il avait appris à les fuir pendant des années tant cette femme demeurait pour lui un « stimulus d'aversion ».

4. *Au lieu de le punir, lorsque vous souhaitez qu'un enfant cesse d'agir contrairement à vos désirs, usez des « techniques d'extinction ».*

Lorsqu'un psychologue veut qu'un animal ne fasse plus une chose, il cesse purement et simplement d'encourager cette action. S'il récompense d'une poignée de grains un rat blanc qui appuie sur un levier, et s'il veut que l'animal s'arrête, il cessera simplement de lui donner ces graines. Tôt ou tard, n'étant plus encouragé, l'animal ne pressera plus le levier. Il en est de même avec un enfant.

Prenons l'exemple d'un enfant de quatre ans qui a découvert l'effet électrique produit par ses parents lorsqu'il utilise des mots grossiers. Il rentre chez lui pour la première fois, riche de cette découverte. Est-il encouragé à les redire ? Bien sûr. En fait, sa mère agit comme si elle avait reçu la tâche de l'encourager afin qu'il continue à utiliser son répertoire. (Et, bien au contraire, c'est la dernière chose qu'elle souhaite.) En manifestant une telle contrariété lorsqu'il prononce des mots grossiers, elle encourage effectivement son enfant. L'attention qu'elle y porte est un vrai « renforcement ».

Comment peut-elle le faire cesser ? Simplement en ignorant ces gros mots et en restant calme. Tôt ou tard, lorsque l'enfant verra qu'il n'irrite plus sa mère, il s'arrêtera.

5. *Le maître doit disposer d'un « renforcement » pour le débutant.*

Pour les animaux, c'est la nourriture. Pour les enfants ce sont votre amour et votre attention. Pour que votre amour et votre attention jouent ce rôle, il faut que vous soyez amusante et agréable. Vous devrez consacrer un certain temps à vous amuser avec votre enfant afin que rechercher votre amour et votre affection soit sa récompense. Posez-vous la question suivante : « Combien de temps est-ce que je passe avec mon enfant en amusement gratuit, sans que je lui demande quoi que ce soit ? » Si la réponse est « très peu », peut-être ne l'encouragez-vous pas assez à désirer votre amour et votre attention.

Ainsi, un garçon de dix-sept ans que je soignais discutait des sentiments qu'il éprouvait pour son père et me dit : « Pendant les quinze premières années de ma vie, je n'ai pratiquement vu mon père que le dimanche. Il était tellement pris par son travail, qu'il n'avait pas de temps pour moi. Maintenant que j'ai tous ces problèmes, il joue le grand jeu pour être mon copain et se rattraper. Il veut que je surmonte ces difficultés et que je cesse de lui causer tous ces ennuis à l'école. Mais j'ai envie de lui dire : Oublie tout cela, mon vieux ! Où étais-tu toutes ces dernières années ? »

6. *Encouragez votre enfant dans ce que vous voulez lui voir faire et par contre ne prêtez pas attention à ce qu'il fait et qui vous déplaît.*

Par exemple, un de mes patients qui n'avait pas compris ce principe, avait un jour inconsciemment découragé sa sœur d'écrire des poèmes. Il était à l'université quand elle était encore au lycée. Elle lui envoya un poème qu'elle avait écrit et lui demanda ce qu'il en pensait. Il ignorait tout de la « psychologie du renforcement », aussi prit-il le poème ligne après ligne, notant exactement ce qu'il aimait et ce qu'il n'aimait pas, disant par exemple : « voici un bon passage », ou « ceci est bien gauche », « j'aime ton style dans ce vers », « c'est un cliché très mauvais ». Le résultat de cet effort critique plein de sérieux fut qu'elle n'écrivit plus jamais d'autre poème. Pourquoi ? Parce qu'elle avait été découragée dans sa première tentative, par toutes les critiques négatives qu'il avait faites.

Comment aurait-il dû réagir selon les techniques du renforcement ? Il aurait dû lui dire tout ce qui lui plaisait dans ce premier poème. Cela aurait été parfaitement honnête. Il y avait en effet beaucoup de bonnes choses. Il aurait dû passer sous silence ce qu'il n'aimait pas et ne faire aucun commentaire sur tout ce qu'elle aurait dû améliorer. S'il l'avait fait, l'idée « d'écrire des poèmes » aurait été encouragée par son intérêt et ses compliments et elle aurait persévéré.

En lisant cela, vous pensez peut-être que presque aucun de vos professeurs ne vous a traité de cette façon. Ils ne valorisaient pas ce qui était bon mais faisaient toujours ressortir les fautes. Ce n'est que trop vrai, malheureusement.

Il est dramatique de constater que les dresseurs d'animaux sont de bien meilleurs pédagogues que les enseignants de notre pays. C'est une des raisons pour lesquelles beaucoup de parents ont tant de mal à apprendre à leurs enfants comment atteindre le but souhaité.

Nous-mêmes n'avons pas été élevés avec ces techniques du

« renforcement », nous n'avons donc pas de modèle à imiter quand nous voulons agir ainsi avec nos enfants.

7. *Encouragez tout progrès. N'attendez pas que votre enfant réussisse pour l'encourager.*

Un enfant de neuf ans, avec qui je pratiquais une psychothérapie, avait un problème à l'école : il persistait à frapper les autres enfants. Il avait un niveau E (= très mauvais) pour la sociabilité.

Quand il vint me voir la première fois, il se battait avec d'autres enfants environ dix fois par mois. Après trois mois de traitement, cela n'arrivait plus que deux ou trois fois. Puis, quand le bulletin trimestriel arriva, ses rapports avec ses camarades furent encore notés E. La maîtresse expliqua à sa mère qu'elle avait encore dû lui donner un E, car il battait encore ses camarades dans la cour.

C'était une façon particulièrement maladroite de réagir. Sa maîtresse lui disait : « Olivier, je ne peux te récompenser d'une bonne note avant que tu n'atteignes le but final, c'est-à-dire que tu ne frappes plus un seul enfant dans la cour. » Elle ignorait qu'elle ne faisait rien pour récompenser cette amélioration lente.

Le garçon fut, bien sûr, furieux et abandonna. Il avait fait un effort sincère, avec mon aide, pour ne plus frapper ses camarades. « A quoi bon, Docteur ? J'ai seulement frappé trois camarades ce mois-ci, et j'ai toujours la même sale note. » Et, psychologiquement, il avait raison. Il n'avait reçu aucun encouragement de son institutrice alors qu'il faisait un effort méritoire.

Que votre enfant apprenne à lire, à faire de la bicyclette, à jouer d'un instrument, à améliorer ses manières ou à cesser de frapper les autres, quel que soit le but à atteindre, encouragez-le à chaque pas. Intéressez-vous au moindre effort positif de sa part.

Nous pouvons toujours découvrir une raison de complimenter nos enfants, en cherchant bien. Un petit garçon d'école maternelle était une sainte terreur pour son institutrice et pour ses camarades ; nous eûmes beaucoup de mal à trouver quelque chose qui puisse lui valoir des compliments et l'encourager ainsi à adopter une attitude plus positive.

Nous trouvâmes enfin. Pendant la sieste, un jour, nous vîmes qu'il se reposait tranquillement (probablement fatigué d'avoir donné tant de mal à ses parents la veille au soir). Sa maîtresse saisit l'occasion de ce comportement inattendu et lui dit : « Jean, tu es le plus sage du groupe aujourd'hui ! » Quand sa mère vint le chercher ce jour-là, il lui dit fièrement : « Ma maîtresse dit que c'est moi qui ait été le plus sage pendant la sieste ! » Et le jour suivant, il fit aussi la sieste tranquillement.

Lorsque nos enfants sont sages et qu'ils se tiennent correctement, nous y faisons peu attention, la plupart du temps. Ils ne nous gênent pas, donc nous les ignorons. Nous ne faisons rien pour encourager leur bonne conduite ! Mais lorsqu'un enfant se fait remarquer, il attire notre attention immédiatement ! En d'autres termes, nous encourageons aussitôt le comportement que nous ne désirons pas. Le remède consiste à prendre le temps d'encourager le comportement souhaité au lieu d'ignorer nos enfants quand ils se conduisent bien. C'est particulièrement important si vous avez un garçon turbulent, difficile, qui vous tient tête. Quand il joue tranquillement, allez vers lui, caressez-lui les cheveux ou embrassez-le et dites-lui quelque chose du genre : « C'est bon par moments, n'est-ce pas, de jouer tranquillement. »

8. *Dans les premiers temps, il est important d'encourager toute réaction positive. Une fois que les progrès sont en bonne voie, on peut espacer les encouragements.*

Vous n'avez pas besoin d'encourager chaque bon mouvement. Il serait difficile pour une mère d'en trouver le temps. Si elle espace les encouragements, elle aidera cependant son enfant à s'orienter vers le comportement souhaité.

9. *Arrangez-vous pour que le débutant éventuel réussisse dans les premières étapes de l'activité qu'on lui enseigne.*

Commencez par des tâches faciles et passez ensuite à de plus difficiles. L'autre soir, je jouais aux dames avec mon fils de dix ans, quand mon fils de quatre ans manifesta l'intention de jouer lui aussi. Je lui promis, bien sûr, que je jouerais ensuite avec lui. Avez-vous jamais essayé de jouer aux dames avec un enfant de quatre ans ? Jouer selon les règles représenterait un effort démesuré pour un enfant de cet âge, car cela exigerait beaucoup trop de son niveau de maturité. Il voulait pourtant « jouer aux dames avec papa ».

Quelle fut ma solution ? Comment faire pour qu'il « gagne » en jouant avec moi ? C'était aisé. J'adaptai les règles à son niveau de quatre ans. Nous avons « joué » en déplaçant simplement les pions tout à fait par hasard. Il déplaçait un pion et moi un autre. Je l'aidais à sauter par-dessus mes pions ; très vite le jeu fut terminé : il avait « gagné ». Il annonça sur un ton triomphant à sa mère : « J'ai battu papa aux dames, Maman ! » Je l'avais aidé à réussir dans les premières étapes pour apprendre à aimer ce jeu.

Si je pouvais être magicien et faire appliquer ces neuf principes, les parents auraient moins une impression d'échec. Il serait plus facile d'élever des enfants plus heureux et plus confiants en eux.

LA DISCIPLINE PAR AUTORÉGULATION

Nous avons exposé des méthodes de discipline ou d'entraînement fondées sur le renforcement ou l'entraînement qui ont été établies à l'aide d'expériences faites sur divers animaux. Nous en venons maintenant à des méthodes d'entraînement qui sont spécifiques aux enfants et ne peuvent être pratiquées sur des chiens, des dauphins ou des perroquets. Ces méthodes ont comme caractéristique commune le renforcement du concept de soi chez l'enfant. Un chien ou un dauphin n'ont pas de concept de soi, tandis que votre enfant, lui, en a un.

C'est l'image mentale qu'il a de lui-même. Il réussira en classe comme dans la vie active s'il possède un concept de soi fort et positif. Souvenons-nous que notre but final, quand nous apprenons la discipline à un enfant, est de l'aider à devenir un individu qui se contrôle lui-même, et que plus son concept de soi sera puissant, plus il sera capable d'autodiscipline.

En tant que parents, que pouvez-vous faire pour l'aider à fortifier son concept de soi et à le faire progresser vers le but que nous visons ? Vous pouvez utiliser les méthodes suivantes :

● *S'appuyer sur l'univers journalier de l'enfant et le contrôler permet de ne pas avoir recours à d'autres méthodes de discipline.*

Supposons que vous visitiez une maternelle ou un jardin d'enfants et que vous trouviez la classe dépouillée, sans aucun équipement éducatif et récréatif. Pas de cubes, de camions, de voitures, de chariots, de pastels, de peinture, de papier, de pâte à modeler. Rien pour que les enfants puissent jouer. Même chose dans la cour : rien pour grimper, glisser, pas de gros cubes creux, par de tricycles ni de chariots. Si une institutrice essayait vraiment de faire travailler des tout-petits dans un décor aussi nu et aussi peu propice à l'éveil, elle aurait sur les bras de sérieux problèmes de discipline.

Jetez donc un coup d'œil chez vous. Votre maison est-elle de celles où il y a peu de matériel récréatif pour un jeune enfant, et est-elle encombrée d'objets « de grandes personnes » auxquels il ne faut pas toucher ? Si c'est le cas, vous avez toutes les chances de rencontrer de nombreux et inutiles problèmes de discipline. Mais si au contraire votre maison, et éventuellement votre jardin, offrent un univers de choses intéressantes et stimulantes, vous éviterez ces problèmes en contrôlant l'univers journalier de l'enfant.

Pensez aux longs trajets en voiture. Je connais des parents pour qui de tels voyages sont des cauchemars, rien que parce qu'ils ne savent pas occuper les enfants au cours de ces voyages. Ils ne pensent pas à emporter des jeux, des « surprises » à donner quand l'animosité entre frères et sœurs atteint son paroxysme.

Ces gens-là ne prévoient pas dans leur parcours d'arrêts dans les bois où dans des endroits où les enfants peuvent sortir de la voiture et courir pendant un moment. Alors les parents se demandent pourquoi leurs enfants se battent, pleurnichent et rendent le voyage épouvantable. Un peu de contrôle et d'organisation avant le voyage vous évitera d'user votre énergie à essayer de faire régner l'ordre par la discipline.

Ce sont ce contrôle et cette organisation de l'univers de l'enfant qui manquent le plus aux parents. Plus vous organiserez un environnement adéquat, moins vous aurez de problèmes.

● *Un contact personnalisé avec chaque enfant favorise le développement d'un bon concept de soi.*

En théorie, les parents savent que leurs enfants sont uniques mais dans la pratique, ils essaient souvent d'employer les mêmes méthodes de discipline pour tous leurs enfants comme s'ils étaient tous identiques. Or il est évident qu'ils ne le sont pas. Chacun provient d'une combinaison différente de gènes. Biologiquement, un de vos enfants peut être plus « dur », un autre, plus facile. Même au sein d'une même famille, chacun est véritablement élevé dans un univers différent, du fait de sa place ou de son « rang d'arrivée ». Le premier enfant grandit entouré uniquement d'adultes, jusqu'à la naissance du second ; il est celui qui enseigne à ses parents comment on élève un enfant (ce qui explique sans doute pourquoi les enfants qui viennent en psychothérapie sont en grande majorité des premiers-nés). Le second enfant en a toujours un autre devant lui, vers qui il peut regarder, un autre plus fort que lui et qui en sait plus, parce qu'il est plus âgé.

A la naissance du troisième, le deuxième devient l'enfant

intermédiaire. Il n'a pas les avantages d'être l'aîné, ni ceux du petit dernier. Il est un peu l'éternel oublié. C'est le troisième qui devient alors le bébé, et qui bénéficie des égards dus à son rang. Et ainsi de suite... Peu importe le nombre d'enfants dans une famille : chacun grandit bel et bien dans un milieu ambiant qui n'appartient qu'à lui.

La combinaison des gènes ajoutée à la position occupée dans la chronologie familiale signifie que chacun de vos enfants sera différent des autres. C'est pourquoi il vous faut des méthodes d'éducation différentes pour chacun. Un enfant tendu et inquiet ne pourra être traité comme un enfant détendu et enjoué. Malheureusement, la plupart des parents ne tiennent pas compte de cela. Ils recherchent des méthodes de discipline, absolues et universelles, qui puissent convenir à tous les enfants. Or, il est curieux de constater que les seules méthodes universelles qui « agissent » sur *tous* les enfants sont des méthodes négatives qui engendrent un concept de soi déficient chez tous les enfants, quelle que soit leur personnalité. Mais quand nous avons affaire aux méthodes positives qui favorisent le développement d'un bon concept de soi, elles doivent être personnalisées. Cela veut dire que nous devons prendre le temps d'étudier les caractéristiques individuelles et les tendances de chacun de nos enfants, qu'ils soient introvertis ou extravertis, fatalistes et peu inquiets ou bien sérieux et introvertis.

● *Donner à l'enfant la liberté d'explorer son milieu et d'assumer son autodiscipline dès que possible, à chaque étape de son développement, favorise l'édification d'un concept de soi positif.*

La première fois qu'il saisit une cuiller et vous montre qu'il veut manger tout seul, laissez-le essayer. Un peu plus ou un peu moins de « saleté » à cet âge, peu importe, puisqu'il est en train d'apprendre à se discipliner et à se contrôler lui-même.

Si vous continuez à le faire manger, vous allez ralentir le développement de son indépendance et de son autodiscipline. Il en est de même pour toutes les autres activités. Dès qu'il pourra s'habiller seul, faire couler son bain ou se laver les dents, laissez-le faire cela tout seul.

Ce qui exige, bien sûr, de la patience. Sans aucun doute, il est beaucoup plus rapide pour nous de faire manger ou de laver un jeune enfant que de le laisser faire seul. Mais c'est aussi infiniment moins bénéfique pour lui.

Les enfants et les adultes voient le fait de s'habiller avec des yeux différents. Pour nous une fermeture « Eclair » n'est qu'une fermeture qui rend le fait de s'habiller plus facile. Dans une fermeture, un enfant voit tout autre chose. Pour lui c'est une sorte de jouet.

> *Une fermeture pour une maman*
> *C'est quelque chose qui glisse facilement*
> *Pour moi, c'est un p'tit ch'min d'fer*
> *Qui parcourt tout l'univers.*

Une baignoire sert à nous laver, mais pour un enfant, c'est surtout là qu'on peut jouer dans l'eau. Ainsi nous devons nous armer de patience et lui donner le temps de faire les choses à sa façon.

Permettre à un enfant d'agir par lui-même exige de nous que nous soyons bien décidés à ce qu'il grandisse. Quand j'entends une mère appeler régulièrement « bébé » son enfant de plus de deux ans, je suis sûr qu'inconsciemment, elle ne veut pas que son enfant grandisse. Souvent, nous hésitons à laisser un enfant agir seul, parce qu'au fond de nous-mêmes nous ne souhaitons pas le voir changer. Et pourtant nous pouvons apporter beaucoup à nos enfants si nous respectons leur désir instinctif de liberté et si nous leur laissons la possibilité de se développer.

● *Traiter ses sentiments différemment de ses actes, favorise chez un enfant l'édification d'un concept de soi positif (voir chapitre 4).*

● *Se fier à la force toute-puissante d'une imitation inconsciente est un élément décisif dans la formation d'un concept de soi positif chez l'enfant.*

Les enfants sont des imitateurs extraordinaires. Et grâce à ce don, nous avons entre les mains un instrument éducatif efficace. Si nous pouvons offrir les modèles vivants d'une personnalité aux traits positifs, nos enfants apprendront par une imitation inconsciente.

Si nous comprenons ce concept, il nous sauvera de combats inutiles avec nos enfants. Si nous leur montrons les bonnes manières à table par notre propre exemple, ils nous imiteront quand ils seront assez grands. Pas à deux ans ni à quatre mais plus tard. Si nous persévérons dans nos tentatives et n'abandonnons pas aux premiers signes de difficulté, nos enfants imiteront notre obstination. Si nous voulons qu'ils respectent les droits des autres et leurs sentiments, nous devons commencer par respecter les leurs. Le bon exemple est la meilleure forme d'enseignement que nous puissions leur donner ; lorsque nous grondons un enfant pour qu'il respecte les sentiments d'autrui, nous lui montrons par là même que nous ne respectons pas les siens. Or, nos actes ont une portée éducative bien plus grande que nos paroles.

Un de mes malades, âgé de seize ans, avait vu son père, au cours d'accès de colère épouvantables, lancer des bouteilles à travers la maison, frapper sa mère et l'assommer. Finalement elle avait divorcé. Ce garçon répétait le même comportement vis-à-vis de sa mère et c'est ce qui me l'amena en psychothérapie. Quand il était furieux contre elle, il lui jetait des bouteilles au visage, lançait sa boisson par la fenêtre, par frustration. Les enfants font ce qu'ils voient faire !

Non seulement l'enfant imite inconsciemment le comportement de ses parents, mais il s'imprègne de l'atmosphère générale de sa maison : amicale et coopérante, hostile et opposante, ou préoccupée des convenances. L'atmosphère du foyer est la toile de fond de tout ce que nous essayons d'enseigner par la discipline. Aussi appartient-il aux parents de veiller à cette ambiance ainsi qu'aux modèles spécifiques qu'ils fournissent. Tous les jours nous apprenons à nos enfants quelque chose par le langage silencieux de notre propre comportement. Nous leur offrons des modèles qu'ils imitent inconsciemment.

● *Le soutien affectif de ses parents aide un enfant à vaincre son sentiment d'inadaptation et à bâtir un solide concept de soi.*

Tous les enfants se sentent inadaptés à cause de leur taille et de leur manque d'expérience dans leurs contacts avec le monde. Beaucoup d'adultes minimisent ces deux facteurs et les sentiments qui en résultent.

Les enfants sont petits, impuissants, et bien inférieurs à leurs parents et aux autres adultes pour affronter le monde qui les entoure. Si vous êtes incrédule, tentez cette expérience. Marchez sur les genoux pendant un certain temps. Voyez ce que vous ressentez devant ces géants du monde des adultes. Ce sentiment d'impuissance que vous éprouveriez correspond à ce que les enfants ressentent. C'est pourquoi ils ont besoin d'une aide affective et des encouragements de leurs parents afin d'apaiser ce sentiment d'inadaptation.

Comme je l'ai montré précédemment, on peut offrir essentiellement cette aide à un enfant par la technique du reflet des sentiments et lui montrer que nous comprenons vraiment ce qu'il ressent. C'est le seul geste vraiment rassurant que nous puissions accomplir. Le fait même qu'un adulte lui montre qu'il comprend très bien son angoisse, l'amène de façon assez surprenante à être rassuré.

Malheureusement, beaucoup d'adultes imaginent l'enfance

comme une époque insouciante. Nous avons donc tendance à minimiser l'importance de ce sentiment d'insécurité et de crainte. Nous avons tendance à considérer comme des problèmes de peu d'importance ce qui trouble nos enfants, comparés aux vrais problèmes auxquels nous nous heurtons dans la vie adulte. Un de mes petits malades de six ans résuma cela fort bien. Parlant d'un événement qui l'avait bouleversé et dont son père lui avait dit qu'il « n'y avait pas de quoi pleurer », il s'écria : « Pour lui c'était une petite chose mais pour moi c'en était une grande ! »

Quand un enfant est confronté à une tâche nouvelle qui entraîne un sentiment d'inadaptation, nous pouvons lui laisser entendre que nous le comprenons fort bien. Nous pouvons lui donner une aide affective en lui montrant que nous lui faisons confiance et que nous sommes son allié. L'important est de lui faire comprendre qu'il n'est pas seul. Chaque fois qu'il a besoin de vous, il doit pouvoir solliciter votre aide. Ce problème de disponibilité ne doit pas être pris à la légère par les parents. Un père ou une mère peuvent être physiquement présents dans une maison, mais l'enfant peut très bien sentir qu'ils ne sont pas vraiment là au sens « d'être disponibles s'il a besoin d'aide et de compréhension ».

Les parents peuvent offrir un appui affectif par des démonstrations tangibles de leur tendresse. Les enfants ne perdent jamais, en grandissant, ce besoin de marques d'amour. Une caresse, un baiser, un bras passé autour des épaules, être bordé dans son lit sont des manifestations silencieuses essentielles par lesquelles on peut exprimer à un enfant « qu'on est là » et qu'on est à ses côtés chaque fois qu'il a besoin de nous. Les parents négligent souvent ces mots magiques chargés d'un lourd contenu affectif : je t'aime. Ils se disent parfois : je lui montre mon amour par mes actions, pourquoi l'exprimerais-je par des mots ?

Si c'est votre opinion, laissez-moi vous poser une question : bien que l'attitude de votre mari vous assure de son amour, seriez-vous satisfaite de passer le reste de votre vie sans l'entendre dire qu'il vous aime ? Sûrement pas. Vos enfants partagent votre sentiment. Ils ont besoin de vous l'entendre dire.

Attention. Il ne faut jamais essayer de manifester physiquement votre affection à votre enfant ou de lui dire « je t'aime » quand vous ne le ressentez pas très profondément. Ne vous livrez pas aux effusions uniquement parce que vous pensez que ce serait bon pour lui. Si vous le faites, votre enfant percevra ce manque de sincérité. Il sentira que vos mots ou vos gestes affectueux ne correspondent à aucun élan véritable. Cela le déroutera et le troublera car il sentira qu'il reçoit de vous un message ambivalent. A l'aide de vos paroles et de vos gestes vous lui dites que vous l'aimez, mais vos sentiments profonds disent le contraire. Si, à un certain moment, vous ne ressentez aucune affection spéciale pour lui, il vaut mieux ne rien dire et ne rien faire que de jouer la comédie...

● *Si vous laissez votre enfant tirer lui-même la leçon des conséquences naturelles de ses actes, vous l'aiderez à forger un concept de soi solide.*

C'est un des outils les plus précieux que nous ayons à notre disposition. Malheureusement, peu de parents en usent. Examinons le processus de ces conséquences naturelles.

Un enfant ne mange pas ce qui est dans son assiette au petit déjeuner. Il lambine, s'amuse et fait tout, sauf manger. La maman ne se met pas en colère et ne menace pas de punir l'enfant. Elle enlève simplement la nourriture de la table à la fin du repas et laisse les conséquences naturelles agir. Peu de temps après, l'enfant voudra probablement un « en-cas ».

La mère peut lui rétorquer : « Je suis navrée que tu aies faim. Nous déjeunerons à midi. C'est bien ennuyeux que tu doives attendre si longtemps. » La faim qui tenaille l'enfant est la conséquence naturelle de son refus du petit déjeuner. Elle amènera un changement beaucoup plus rapide dans sa façon d'agir que n'importe quelle gronderie ou punition.

Un des problèmes que beaucoup de parents m'ont signalés depuis des années est celui des enfants qui « traînent » pour se préparer et partir à l'école. Des mamans m'ont dit souvent qu'elle épreuve c'est pour elles tous les matins. Elles se retrouvent chaque jour épuisées nerveusement, quand enfin l'enfant part pour l'école. C'est une longue épreuve, marquée à chaque instant par la résistance de l'enfant et les récriminations de la mère.

Je fais remarquer à ces mamans qu'il leur suffit de faire trois choses : décider la veille au soir avec l'enfant des vêtements qu'il portera et préparer ses affaires à l'avance. Le réveiller bien à l'heure. Enfin, lui préparer son petit déjeuner suffisamment à temps. Pour le reste, c'est à l'enfant de faire comme il veut. Il peut faire sa toilette et s'habiller. Il peut prendre son petit déjeuner, il peut rassembler ses affaires d'écolier et partir pour l'école.

Invariablement, quand j'expose ce plan à une maman, elle dit d'une voix découragée : « Je sais ce qui va se passer si j'essaie de faire comme cela !

— Soit. Et que va-t-il se passer ?

— Il va traîner tant qu'il pourra et manquer le car de

ramassage scolaire.

— Et alors ?

— Eh bien, s'il le manque, il faudra que je l'emmène en voiture à l'école.

— Pourquoi donc ?

— Si je ne l'emmène pas, il sera en retard à l'école.

— Et alors ? S'il y allait à pied ?

— Cela fait très long à pied et il sera fatigué.

— Et alors ?

— Cela serait ennuyeux pour lui d'arriver à l'école si tard.

— Et alors ?

Je continue de lui demander : « Et alors ? » et « Qu'arriverait-il ? ». Je désire ainsi lui montrer que si elle s'abstenait de protéger son enfant des conséquences naturelles de ses actes, celles-ci seraient les maîtres les plus efficaces.

Si les conséquences naturelles sont agréables, l'enfant persiste généralement dans sa façon d'agir. Si elles sont désagréables, l'enfant sentira la nécessité de changer de comportement, à moins que nous, les parents, ne nous interposions pour le protéger de ce qui doit logiquement advenir. Malheureusement c'est ce qui se passe le plus souvent. Quand les parents interviennent pour épargner à l'enfant de supporter les conséquences déplaisantes de ses actes, il ne peut profiter de la valeur éducative de son expérience. Il compte sur ses parents pour intervenir au bon moment. C'est néfaste pour son concept de soi et cela l'empêche d'apprendre à compter sur lui-même. Bien entendu, il faut faire preuve de bon sens en utilisant cette notion de conséquences naturelles. Si vous laissez un enfant très jeune faire l'expérience des conséquences entraînées par le fait de traverser une rue où passent beaucoup de voitures, cela peut se terminer de façon tragique. Il faut donc intervenir et l'empêcher de courir dans la rue. Mais quand les conséquences naturelles ne sont qu'un désagrément ou une gêne pour l'enfant, tenez-vous à l'écart et laissez les choses suivre leur cours logique.

Il serait magnifique de pouvoir nous appuyer entièrement sur les conséquences naturelles du comportement pour discipliner l'enfant. Malheureusement, elles ne suffisent pas toujours. Nous devons parfois en créer d'artificielles pour sanctionner sa conduite.

Nous disposons de trois méthodes principales :

1. *On peut priver l'enfant d'une chose à laquelle il tient.*

Supposons que votre enfant de cinq ans crayonne sur les murs de votre chambre. C'est « normal » pour un enfant de deux ans, mais c'est un acte d'hostilité à cinq ans. Malheureusement pour son apprentissage de la discipline, cet acte n'entraîne pas de conséquences fâcheuses pour lui. Il vous faut donc créer des conséquences artificielles et arbitraires qui imposeront à l'enfant des limites strictes et voudront vraiment dire pour lui : « C'est fini, plus de ça ! »

Si en découvrant le méfait, vous êtes très en colère, vous pouvez lui donner une fessée aussitôt. C'est un type de conséquence artificielle mais déplaisante pour l'enfant. Ou bien vous pouvez le priver de quelque chose d'agréable en disant par exemple : « Pierrot, tu es assez grand pour savoir qu'on n'écrit pas sur les murs. Alors tu seras privé de crayons de couleur pendant trois jours. Comme cela tu te rappelleras qu'on doit s'en servir sur du papier et pas sur les murs. »

2. *On peut isoler l'enfant en l'écartant de son groupe social ou en l'envoyant dans sa chambre.*

Supposons que votre « quatre ans » empêche un groupe d'enfants de jouer dans votre jardin ou chez vous. Vous pouvez lui dire : « Charles, je vois que tu n'es pas capable de jouer avec des camarades. Tu ne cesses pas de leur donner des coups et de faire du désordre. Va-t'en jouer tout seul dans ta chambre et tu viendras me dire quand tu pourras être plus gentil et te contrôler. »

Chaque fois que vous employez l'isolement comme punition, il est essentiel de laisser, si l'on peut dire, la porte ouverte. N'envoyez pas l'enfant dans sa chambre comme s'il devait y rester pour toujours. Votre but n'est pas de l'incarcérer indéfiniment, mais de provoquer un changement dans son comportement. Qu'il sache toujours que lorsque son attitude changera et qu'il se sentira capable de jouer gentiment avec ses camarades, il pourra revenir.

3. *On peut donner une fessée à un enfant.*

Je tiens à préciser clairement qu'il y a une « bonne » et une « mauvaise » façon d'administrer une fessée. J'appelle « *mauvais* » le fait de battre un enfant de façon cruelle et sadique, qui inspire à l'enfant la haine et le désir profond de se venger. C'est la correction administrée à l'aide d'une lanière ou d'une badine ou de toute autre « arme » d'adulte. Par « *mauvais* », j'entends aussi la gifle humiliante.

La « *bonne* » façon de « corriger » un enfant se passe d'accessoires. La main paternelle ou maternelle, frappant deux ou trois fois le derrière de l'enfant, suffit. La fessée bien administrée est une chose positive. Elle assainit l'atmosphère, et se révèle de beaucoup préférable aux sermons moralisateurs et culpabilisants.

Vous avez peut-être entendu répéter le vieux conseil : « Ne frappez jamais un enfant si vous êtes en colère ». Je pense que psychologiquement c'est un très mauvais conseil, et je propose, à l'opposé : « Ne frappez un enfant que si vous êtes en colère ». Un enfant comprend très bien que vous le frappiez quand vous êtes en colère. Il sait que vous êtes furieux contre lui et il sait aussi pourquoi. Ce qu'un enfant ne comprend pas, c'est, s'il désobéit à sa mère à dix heures du matin, qu'elle lui dise : « Très bien mon garçon, ton père réglera cela ce soir en rentrant ! » Et quand le père rentre à la maison, on le charge d'administrer une fessée qui, pense-t-on, « donnera une bonne leçon à l'enfant ». Or c'est ce genre de correction donnée de sang-froid qu'un enfant ne peut ni comprendre ni pardonner.

Ce que je recommande est la fessée du type « Pan ! Aïe ! ». Votre « pan » suivi immédiatement du « aïe » de votre enfant. Ne le fessez que quand vous êtes furieux contre lui et que vous avez envie de régler la question sur-le-champ. De nos jours, trop de mamans semblent avoir peur de fesser leurs enfants. Elles parlent et crient beaucoup, elles essaient de négocier avec l'enfant. C'est une faute énorme parce que cela ruine leur autorité en tant que parent.

Ce qu'il faut faire, c'est dire à l'enfant une fois ou peut-être deux fois ce que vous voulez qu'il fasse ou cesse de faire. Alors, s'il refuse d'obéir et que vous êtes irritée, corrigez-le aussitôt.

Après la fessée, vous vous sentirez peut-être contrariée et coupable parce que vous avez perdu votre sang-froid.

Courage, Madame, tout n'est pas perdu !

Vous pourrez toujours dire à l'enfant, en trouvant les mots appropriés : « Tu vois, maman a fait une bêtise. Je me suis mise en colère et cela m'ennuie beaucoup. » Et repartez du bon pied sans vous empêtrer dans la culpabilité, la frustration et la contrariété.

Attendez de vous remettre de l'incident. Cela peut demander cinq minutes ou cinq heures. Mais si vous voyez que vous avez eu tort, il est important que votre enfant le sache. Surtout, ne lui faites pas croire que vous l'avez corrigé uniquement pour son bien. Car c'est tellement faux qu'il s'en rendra bien compte.

Le but principal de la fessée, quoi qu'en disent beaucoup de parents, est de soulager les parents. Et nous en avons tous besoin de temps en temps quand nos enfants nous « tapent sur les nerfs ».

Si nous étions des parents modèles, nous serions tous tellement maîtres de nous que nous n'aurions jamais à donner de fessées sauf dans des situations exceptionnelles (par exemple lorsqu'un enfant se sauve dans la rue). Or, nous ne sommes pas parfaits à cent pour cent. Nous ne sommes pas capables de rester toujours calmes et sereins en imposant notre discipline. Tout serait merveilleux si nous le pouvions. Mais la nature ne semble pas en avoir décidé ainsi. Nous sommes excédés quand nos enfants font des bêtises, nous perdons notre sang-froid et nous les frappons. Mais il n'y a pas là de quoi se sentir coupable ! Nous sommes soulagés et eux aussi, l'atmosphère est purifiée. Les parents comme les enfants peuvent repartir du bon pied. Vous avez extirpé de vos relations la colère et les mauvais sentiments, et tout « marche à nouveau » entre vous et votre enfant. Vous pouvez alors assumer normalement l'autorité maternelle ou paternelle.

Certains de nos lecteurs pourront trouver gênante cette idée que la fessée serve surtout à soulager les parents. Peut-être vivez-vous encore dans l'illusion que le but de la fessée est uniquement d'exercer sur l'enfant une influence bénéfique. Si c'est votre cas, je vous renvoie à un des dessins humoristiques que je préfère et qui montre un père en train de battre son gamin en lui disant : « Ça t'apprendra à battre les gens ! » (Certes !)

Néanmoins, nous autres parents sommes des êtres humains, c'est pourquoi je dis : « soulagez-vous en donnant une fessée » si c'est nécessaire. Mais j'espère que si vous suivez les conseils donnés dans ce chapitre, vous en serez beaucoup moins souvent réduits à le faire.

Si vous êtes tout à fait honnête vis-à-vis de vous-même, vous admettrez que parfois vous vous emportez un peu vite, et vous vous rendrez compte ensuite que vous n'auriez pas dû vous montrer si violente. Il se trouve que vous étiez ce jour-là en colère contre votre voisin ou votre mari, ou simplement moins bien disposée pour une raison quelconque et que vous avez passé vos nerfs sur votre enfant.

Que faire dans ce cas ? Bien sûr, vous pouvez toujours jouer le personnage infaillible et vertueux et dire que votre enfant méritait ce qu'il a reçu. Ou bien vous pouvez aussi avoir le courage de lui dire par exemple : « Tu sais, Jean, maman s'est mise en colère et t'a grondé très fort. Mais je m'aperçois maintenant que tu n'avais pas fait grand-chose de mal. J'étais déjà très irritée aujourd'hui mais ça n'était pas à cause de toi. Alors il faut m'excuser. »

Votre enfant sentira monter en lui une chaude sollicitude pour vous, en vous voyant admettre que vous êtes humaine et pas infaillible. Et le résultat sera merveilleux pour son concept de soi et le vôtre !

Faisons le point. J'ai dit que les conséquences naturelles de la mauvaise conduite d'un enfant peuvent être renforcées par des conséquences artificielles. Mais même si ces conséquences du comportement de l'enfant sont artificielles plutôt que naturelles, leur usage demeure soumis à certains principes de base.

1. *Les conséquences artificielles doivent être suffisamment logiques.*

Le même comportement doit entraîner les mêmes conséquences. Si vous confisquez un jour les marqueurs parce que l'enfant a barbouillé les murs et que vous lui adressez un sourire indulgent le lendemain pour avoir fait exactement la même chose, il lui sera difficile d'apprendre à cesser d'écrire sur les murs.

2. *Les conséquences artificielles doivent être immédiates.*

Plus une conséquence survient vite après l'action qui l'a causée, plus elle sera profitable à l'enfant. Quand les résultats désagréables surviennent après un long délai, il est difficile pour l'enfant d'établir un rapport entre les deux faits.

Par exemple, si votre enfant a fait une bêtise dans la matinée, que les conséquences de cette bêtise soient immédiates, ne remettez pas la punition jusqu'à l'arrivée de papa, le soir. Dites : « Très bien, Philippe, tu ne pourras pas regarder la télévision pendant toute la journée, à partir de maintenant. »

3. *Si vous privez un enfant d'une chose qui lui plaît, le temps de privation doit être raisonnable.*

Priver un enfant de télévision pendant un mois est insensé. Dans ce cas la punition perd tout son sens. Plus rien ne le pousse à améliorer sa conduite. Alors que le priver de télévision pendant quelques jours est une punition intelligente qui l'incite à améliorer sa conduite.

4. *Ne punissez jamais un enfant en le privant de quelque chose d'essentiel pour lui.*

J'ai connu des parents qui ont puni leur enfant en le privant de la fête prévue pour son anniversaire ou bien d'une visite projetée depuis très longtemps à un parc d'attraction. De telles privations ne changent pas grand-chose au comportement de l'enfant. Elles risquent plutôt de provoquer son hostilité ou son désir de vengeance. Selon les paroles mêmes d'un enfant, la privation d'une fête d'anniversaire constitue « une punition cruelle et anormale ». C'est tout à fait vrai.

5. Les conséquences artificielles désagréables doivent être autant que possible en rapport avec le mauvais comportement qui les a causées.

Si un enfant a crayonné sur les murs, la punition *en rapport* avec son méfait sera la privation de ses crayons ou de ses marqueurs. Alors il admettra la logique et la justice de la punition.

Tout serait pour le mieux si nous pouvions prendre toutes « les techniques de renforcement » que j'ai signalées au chapitre précédent et considérer les conséquences naturelles d'un méfait ou d'une « bêtise » comme seules méthodes pour apprendre la discipline aux enfants. Malheureusement tout ne marche pas aussi facilement. De temps en temps la plupart d'entre nous doivent avoir recours, quand leur enfant se conduit mal, à ces conséquences artificielles qu'on nomme punitions.

6. Donnez à votre enfant un modèle positif de ce qu'il doit faire.

Si vous suiviez pendant toute la journée des mères avec leurs enfants, vous découvririez que nombre d'entre elles passent en réalité beaucoup de leur temps à dire à leurs enfants ce qu'il ne faut pas faire. Si ce que je dis là vous paraît surprenant, étudions l'exemple suivant. Je connais un montreur de marionnettes nommé Preston Hibbard qui donne des représentations de Guignol. Il connaît très bien la psychologie des enfants, qui de ce fait adorent ses spectacles. A un moment de la représentation, Guignol est à cheval, et le montreur de marionnettes dit aux enfants : « Attention, ne dites pas « hop là » parce que chaque fois que le cheval entend « hop là », il rue et fait tomber Guignol. Vous avez bien compris, ne dites surtout pas « hop là » au cheval ! » Et à peine a-t-il fini de leur expliquer ce qu'il ne faut pas dire, que les enfants s'écrient joyeusement : « Hop là. » Beaucoup de mamans ne semble pas comprendre l'effet produit lorsqu'on dit à un enfant de ne pas dire : « hop là ! ». Elles sont étonnées et malheureuses quand leur enfant commence à leur crier ce qui psychologiquement correspond à « hop là ! ».

Quand nous nous adressons à l'enfant pour diriger son action, disons-lui ce qu'il *faut* faire et abstenons-nous de lui dire ce qu'il ne faut *pas* faire.

Au lieu de dire : « Cesse de lancer du sable », vous pouvez dire : « Le sable est fait pour jouer, pas pour lancer ». Au lieu de dire : « Ne frappe pas Bernard avec ce cube ! » vous pouvez dire : « Les cubes sont faits pour construire, pas pour frapper les gens ».

7. *Faites preuve de bon sens dans les situations dangereuses.*

Par situations dangereuses, j'entends pour un enfant jusqu'à six ans, par exemple, traverser la rue sans regarder, jouer avec le feu, l'eau bouillante, les couteaux ou les poisons. En adaptant intelligemment à l'enfant l'entourage journalier on éliminera certains de ces risques. Si votre jardin est bien fermé, aucune chance qu'il aille dans la rue. Si tous les produits toxiques sont hors de sa portée, vous n'aurez plus à vous soucier du danger d'empoisonnement.

Mais cette adaptation contrôlée du milieu à l'enfant ne suffit pas pour garantir de toutes les éventualités dangereuses. Pour aider l'enfant à se tirer des situations périlleuses, il importe de lui enseigner une crainte raisonnable et saine du danger, sans lui inspirer pour autant des frayeurs excessives. Laissez-le découvrir par lui-même les conséquences néfastes de ses actes dans des situations qui ne soient pas dangereuses. Il se trouvera plus disposé à faire attention et à vous écouter avec confiance quand vous lui signalerez une menace, que si vous l'avez protégé excessivement et empêché de découvrir les conséquences naturelles de ses actes.

Au sujet du feu, par exemple, je pense qu'il est sage d'apprendre à un enfant à frotter des allumettes et à reconnaître l'importance du feu dès qu'il en sera capable. Laissez-le apprendre à se servir d'allumettes pour allumer un feu dans la cheminée ou dans le poêle. C'est à coup sûr bien préférable que l'interdiction absolue de toucher aux allumettes, ce qui rendrait le feu et ses accessoires tabous à ses yeux. Un enfant peut vouloir jouer avec uniquement parce que c'est défendu.

En suivant ces sept principes positifs, vous accomplirez des merveilles pour fortifier chez votre enfant le concept de soi et l'aider à s'imposer une discipline à lui-même.

Avant de vous décrire les méthodes d'éducation à éviter, je tiens à préciser nettement que tous les parents que je connais, y compris moi-même, les ont utilisées au moins en partie à un certain moment et que nous les utiliserons sans doute encore (demain peut-être ?), avant que nos enfants soient grands et responsables. Quelquefois par ignorance, quelquefois parce que nous ne sommes pas des êtres parfaits. Je désire cependant passer en revue ces méthodes afin qu'en tout cas aucun de mes lecteurs ne puisse y avoir recours par ignorance. Voici donc les douze commandements des parents :

1. *Ton enfant point n'humilieras.*

S'il nous arrive de dire : « Ça, c'est malin ! » ou bien : « Comment peux-tu être aussi idiot ! » ou bien : « Tu n'es donc bon à rien ! », chaque fois, nous portons atteinte au concept de soi de notre enfant.

2. *De menaces point n'useras.*

Les menaces affaiblissent le concept de soi. Nous disons : « Si tu recommences encore une fois, gare à toi ! » ou bien : « Si tu bats encore ton frère, maman te donnera une fessée dont tu te souviendras longtemps ». Chaque fois que nous menaçons un enfant, nous lui apprenons à être « mal dans sa peau » et nous lui apprenons à nous craindre et à nous détester.

Les menaces ont sur l'enfant un mauvais effet psychologique. Ce qui ne veut pas dire que fixer des limites précises soit mauvais. Les mamans se méprennent souvent sur cette notion de menace et pensent qu'il ne faut jamais dire « non » à un enfant.

Bien au contraire. Quand un enfant passe les bornes et que vous devez imposer une limite, même si c'est au moyen d'une fessée, faites-le. Mais ne dites pas d'avance à votre enfant ce que vous lui ferez s'il n'est pas sage. Les menaces engagent l'avenir, alors que les enfants vivent dans le présent. C'est pourquoi les menaces sont sans effet s'il s'agit d'améliorer la conduite future d'un enfant.

3. *Ton enfant point ne corrompras.*

Le cas le plus invraisemblable de « corruption » d'enfant que je connaisse personnellement est celui d'un père qui promit à son fils de quinze ans de lui payer une Porsche à sa sortie du lycée s'il se maintenait à 13 sur 20 de moyenne. Quel peut être l'effet d'une telle promesse ? Elle déplace les motivations profondes de l'enfant de l'intérieur vers l'extérieur. Au lieu que l'enfant veuille apprendre pour sa satisfaction personnelle et pour l'enrichissement du concept de soi que lui procurent de nouvelles connaissances, il n'apprend plus désormais que pour obtenir une récompense purement extérieure.

Si vous vous trouvez dans un magasin ou un supermarché où les mères sont venues faire des courses avec leurs jeunes enfants, vous entendrez les unes offrir, et les autres accepter les promesses de récompense les plus variées, qui ne sont que de vrais « pots de vin ». L'enfant fait enrager sa mère en prenant des paquets et des boîtes et en mettant du désordre dans les rayons. De guerre lasse, elle lui promet : « Si tu es sage et ne touches à rien, je t'achèterai un jouet. » Si la mère veut lui apprendre à faire chanter les autres, à commencer par elle-même, cette promesse constitue la bonne méthode. Mais ce ne sera d'aucun profit pour l'édification d'un bon concept de soi chez l'enfant, ni pour en faire un individu autodiscipliné qui respecte les droits d'autrui.

4. *Les bonnes résolutions point n'extorqueras.*

Regardons ensemble la scène suivante. Le petit Bernard a fait quelque chose de mal. Maman s'emporte et lui dit : « Promets-moi que tu ne recommenceras jamais ! » Bernard, malin, promet. Une demi-heure après il a déjà récidivé. Maman est vivement contrariée et, contenant à peine sa fureur, accuse : « Bernard, pourtant tu m'avais promis ! », sans savoir que les promesses n'ont aucun sens pour les enfants. La promesse, comme sa sœur la menace, engage le futur. Mais les jeunes enfants vivent dans le présent. S'il s'agit d'un enfant très sensible, cette promesse qu'on lui arrache lui apprendra seulement à se sentir coupable s'il ne la tient pas. Ou bien, s'il n'est pas très sensible, elle lui apprendra à être cynique et à remplacer un vrai changement dans son attitude par de vaines paroles.

5. *Ton enfant point trop ne protégeras.*

Une attitude trop protectrice sape son concept de soi. Quand une mère se montre trop protectrice, elle lui apprend ceci : « *Tu ne peux pas faire* grand-chose par toi-même. Il faut que je sois sans cesse à ton côté pour prendre soin de toi. » La plupart des parents semblent faire bien trop peu confiance à l'enfant. Votre devise devrait être : ne jamais faire pour un enfant ce qu'il peut faire lui-même.

6. *A un enfant point trop ne parleras.*

De trop longs discours signifient, pour un enfant : « Tu n'es pas capable de bien comprendre, alors il vaut mieux que tu écoutes ce que j'ai à te dire. » Les deux remarques suivantes faites par des jeunes illustrent bien leur réaction en face des adultes qui parlent trop. Un gamin de cinq ans demanda un jour à son père : « Papa, pourquoi est-ce que tu me donnes toujours une si longue réponse quand je te pose une toute petite question ? »

Un autre enfant du même âge fut surpris en train de menacer un camarade à la maternelle en lui disant : « Je vais te battre, je vais te couper en morceaux ! Je vais *t'expliquer* ! »

7. *Obéissance aveugle et immédiate point n'exigeras.*

Supposons que votre mari vous dise : « Chérie, abandonne ce que tu es en train de faire et apporte-moi une tasse de café, tout de suite ! » Je crois que vous auriez plutôt envie de lui lancer la tasse au visage. Eh bien, votre enfant éprouve le même sentiment quand vous lui demandez de cesser immédiatement ce qui l'absorbe pour faire ce que vous lui demandez.

Donnons au moins à nos enfants le temps de réagir. Vous pouvez dire : « Pierre, dans dix minutes à peu près il faudra que tu viennes à table. » Accordons-leur même le loisir de maugréer un peu avant de nous obéir : « Alors Maman il faut que je m'arrête de jouer tout de suite ? » L'obéissance immédiate peut correspondre au concept de soi chez un pantin ou un citoyen d'un pays totalitaire, mais ne saurait figurer dans notre répertoire pédagogique si nous voulons former des individus libres et autodisciplinés.

8. *Ton enfant point ne dorloteras ni indulgent trop ne seras.*

Dorloter un enfant et céder à toutes ses demandes constitue ce que beaucoup de parents appellent : « gâter ». Au fond, céder trop facilement à un enfant signifie que les parents ont peur de lui dire « non », d'être fermes dans les limites qu'ils lui fixent, ce qui lui donne le sentiment que toutes les règles sont élastiques et qu'il suffit de pousser un peu pour qu'elles fléchissent. Cela peut marcher à l'intérieur de la cellule familiale, mais prépare à l'enfant un réveil pénible au contact du monde. Trop accorder à un enfant équivaut à étouffer ses chances de devenir en grandissant adroit, indépendant et autodiscipliné.

9. *Vis-à-vis des règles et lois, cohérent tu te montreras.*

Si lundi la maman, très détendue, laisse tout passer mais réprime sévèrement les mêmes fautes mardi, l'effet produit sur l'enfant est à peu près le même que si, pour l'automobiliste, les feux rouges voulaient dire un jour : « passez » et l'autre jour : « stop ». Un enfant a besoin d'une certaine uniformité et d'un minimum de certitude dans ce qu'on attend de lui.

10. *Des règles inadaptées à l'âge d'un enfant point ne fixeras.*

Si vous attendez d'un enfant de deux ans qu'il obéisse comme s'il en avait cinq, vous ne réussirez qu'à provoquer son malaise et sa haine contre vous. C'est lui demander une maturité de conduite dont il n'est pas capable, ce qui a un effet néfaste sur le développement de son concept de soi.

11. *De méthodes moralisantes et culpabilisantes point n'useras.*

De telles méthodes forment un mauvais concept de soi. Une méthode de discipline qui inspire un sentiment de culpabilité est celle qui transmet à votre enfant des messages du genre : « C'est très mal, ce que tu as fait. Tu n'es pas gentil. Comment as-tu pu faire cela à ta petite maman après tout ce qu'elle fait pour toi ? »

La prochaine fois que vous serez tentée de faire de la morale à un enfant de moins de six ans, pourquoi ne pas lui faire à la place un petit discours en espagnol ou en allemand ou même bredouiller quelque chose d'inintelligible ? Cela lui fera le même effet qu'un sermon moralisateur en français. Mais en tout cas, cela ne lui inspirera aucun sentiment de faute.

Chaque jour des dizaines de milliers de reproches sont prononcés par des parents contre de malheureux enfants. Si des magnétophones dissimulés un peu partout enregistraient exactement ce feu nourri de reproches, les mères seraient étonnées d'entendre ensuite ce qu'elles disent chaque jour à leurs enfants. Les bandes enregistrées restitueraient les petits sermons moralisateurs, les cris, les gronderies, les remarques humiliantes et les injures.

Un phénomène intéressant se manifeste chez l'enfant soumis à ce tir de barrage verbal. Ses oreilles se ferment. Il a recours à la seule défense dont il dispose contre ce flot de paroles. Comme il ne peut naturellement « couper le son » complètement, il enregistre tout de même, et fort bien, les brèches ouvertes dans son concept de soi.

La réprobation verbale influe très peu sur le comportement de l'enfant. Tout ce qu'elle peut faire, c'est de saper son concept de soi.

12. *Si tu n'as pas l'intention de les faire appliquer, point d'ordres ne donneras.*

Voici une scène classique : une maman dit à son enfant : « Ne grimpe pas sur la chaise. » L'enfant continue à grimper. « Richard, je t'ai dit de ne pas grimper sur la chaise. » L'enfant, sans faire attention à sa mère, continue de grimper. « Richard, tu m'entends ? Je t'ai dit à l'instant de ne pas grimper sur cette chaise ! » L'enfant ne fait toujours pas attention à ce que dit la maman qui n'essaie plus maintenant d'empêcher Richard de grimper. Elle ne fait ainsi que lui apprendre à ne pas tenir compte de ses ordres et de ses commandements. Pour éviter ce genre d'enseignement négatif, ne demandez rien, n'ordonnez rien que vous ne soyez décidé à faire exécuter.

Nous nous sommes avancés très loin dans ce chapitre sur la discipline et je voudrais très vite passer en revue ce que j'ai essayé de dire à ce sujet.

Vous voulez que votre enfant devienne un adulte capable d'assumer son rôle entièrement seul, un être qui en un mot soit responsable et autoddiscipliné. Mais pour cela, de l'âge préscolaire jusque loin dans l'adolescence, votre enfant a besoin de la discipline imposée par les parents pour le guider jusqu'à l'auto-discipline.

J'ai défini la discipline essentiellement comme un enseignement donné par les parents et un apprentissage de la part des enfants. La discipline étant ainsi un processus d'enseignement, elle est soumise aux principes psychologiques qui gouvernent l'apprentissage chez les animaux comme chez les humains.

Certains de ces principes psychologiques s'appliquent également aux animaux et à l'homme. Il est donc judicieux que nous, parents, sachions lesquels ils sont et les utilisions intelligemment. Faute de quoi nous essuierons à la longue plus d'échecs, en essayant d'éduquer nos enfants, que les dresseurs d'animaux n'en subissent en essayant d'apprendre des tours à un dauphin.

Mais il existe d'autres principes psychologiques d'apprentissage qui s'appliquent spécifiquement aux êtres humains et les parents ont un intérêt particulier à les connaître. Autrement ils se retrouveront en train d'utiliser des méthodes qui sont condamnées à l'échec et n'amèneront que déception chez leurs enfants comme chez eux-mêmes.

Si nous utilisons des méthodes d'enseignement dont l'expérience scientifique a montré l'efficacité, alors nous sommes en mesure d'apprendre à nos enfants *depuis l'âge préscolaire jusqu'à l'adolescence* à se discipliner eux-mêmes sans qu'il soit nécessaire de leur imposer cette discipline de l'extérieur.

Et quel sera le résultat si nous apprenons à utiliser les méthodes valables et efficaces et à éviter les mauvaises ? Obtiendrons-nous alors un « enfant modèle » ? J'espère que non. En tant que psychologue, je ne suis pas tellement attiré par « l'enfant modèle ». Un « enfant modèle » n'est ni heureux ni autodiscipliné. C'est un enfant qui nous montre une façade. Par intimidation on l'a amené à un certain conformisme extérieur, mais un malaise affectif et émotionnel considérable subsiste en lui. Si nous obtenons un enfant d'âge préscolaire (de six ans) calme et respectueux à tout moment, qui ne se révolte jamais ni ne nous échappe jamais, heureux d'accomplir sans récriminer tout ce que les adultes lui demandent de faire, à qui rien ni personne n'inspire aucun sentiment négatif, qui ne manifeste aucun intérêt pour les choses du sexe, ne ment jamais, ne bat jamais son frère ni sa sœur ni ses camarades, qui est vertueux, altruiste, a des principes moraux, qui est consciencieux, propre, respecte le bien d'autrui, alors nous n'avons pas vraiment affaire à un enfant. Nous avons devant nous un être qu'on a amené par intimidation à être un adulte en réduction qui parade sous les traits d'un enfant.

Lorsque nous apprenons la discipline à nos enfants et les guidons vers notre but final d'autorégulation, n'oublions jamais qu'ils sont encore des enfants. Un des dessins humoristiques que je préfère représente une mère qui marche dans la rue, tirant par la main un petit garçon et lui disant : « Cela suffit, Jimmy — tu te conduis comme un enfant ! » Bien sûr, il se conduit comme un enfant ! Et c'est bien son droit !

Nos méthodes de discipline doivent permettre à la qualité dynamique de l'enfance de se canaliser pour s'épanouir dans les normes sociales couramment reconnues. Mais ces méthodes ne doivent jamais éliminer cette qualité vitale et dynamique qui fait agir les enfants comme ils doivent le faire.

VOTRE ENFANT ET LA VIOLENCE

Après les tragiques événements survenus ces dernières années, les parents se préoccupent davantage de la violence. On a pu assister à des assassinats, des émeutes, des manifestations de masse sur toute la Terre. La télévision en montrant ces événements au grand public a mis l'accent sur ces instincts de violence de nos contemporains. Pourtant aucun de nous ne souhaite que nos enfants soient plus tard des individus violents. Comment empêcher cela ?

Trop de gens aujourd'hui parlent de violence d'une manière vague et trop générale. Ainsi un livre paru récemment traite le sujet sur 356 pages sans que l'auteur en donne une définition précise. Pour moi, *la violence*, c'est le sentiment de colère ou d'hostilité sous sa forme la plus intense et la plus destructrice et je la définirais en ces termes : « Colère exprimée par des actes véhéments qui ont pour but de blesser physiquement ou de détruire quelqu'un ».

Il faut établir la distinction entre les *actes de violence* et les *sentiments de violence* qui sont deux choses très différentes. Vous remarquerez que la définition de la violence se rapporte à des *actions* hostiles. Nous souhaitons que nos enfants puissent contrôler de tels actes pendant leur enfance et plus tard dans leur vie.

Deux enfants jouent dans une école maternelle. L'un d'eux veut jouer avec un camion, l'autre enfant refuse de le lui donner. Le premier enfant saisit un cube et en frappe rageusement l'autre à la tête. C'est là une action violente : nous ne souhaitons pas que nos enfants agissent ainsi.

La semaine dernière, dans le quartier de Los Angeles où j'habite, une violente dispute éclata au milieu de la nuit entre un juge et sa femme. Au plus fort de la discussion, le juge frappa sa femme de plusieurs coups de couteau. Ordinairement un juge n'est pas le genre de personne qu'on associe à l'idée de violence, mais, dans ce cas précis, il s'agissait évidemment *d'un acte de violence.* Nous ne souhaitons pas que nos enfants soient à ce point incapables de contrôler leurs impulsions quand ils seront grands.

Quant à nous, pour la plupart, quand nous pensons violence, nous pensons couteau ou pistolet. Mais il existe un autre type de violence que nous négligeons souvent d'évoquer. L'an dernier, dans une petite ville de banlieue près de chez moi, le maire s'est suicidé. Il s'agit là autant d'un acte de violence que dans le cas du juge qui poignarda sa femme. Un acte de violence contre soi-même est aussi une *action* violente.

Les *sentiments violents*, d'autre part, sont différents car nous ne pouvons les contrôler. J'ai tenté tout au long de ce livre de montrer qu'ils surgissent spontanément dans notre esprit : joie et bonheur, dépression et tristesse, amour, colère et hostilité. A cet égard les sentiments violents ne sont pas différents des autres.

Si nous sommes tout à fait honnêtes avec nous-mêmes, nous admettrons que, de temps en temps, nous ressentons cette agressivité. De temps en temps, mari et femme éprouvent l'un contre l'autre une violente colère. Lorsqu'un enfant fait quelque chose qui nous rend furieux, nous éprouvons de la colère. Toute femme qui affirme ne jamais avoir éprouvé un tel sentiment envers son enfant, se berce d'illusions. Sans aucun doute j'ai éprouvé quelquefois envers mes enfants des sentiments violents. C'est une réaction normale. (Bien entendu, si vous constatez que vous êtes presque tout le temps habitée par de tels sentiments à l'égard de vos enfants, consultez un psychologue qui vous aidera à rétablir votre affectivité et vos rapports familiaux.)

Vos enfants réagissent de la même façon. Et c'est normal. Un enfant en pleine colère, hurlant de rage, est sans aucun doute habité par la violence.

Il est très important que nous fassions cette distinction entre *actions* violentes et *sentiments* violents. Nous ne pouvons contrôler nos sentiments ni ceux de nos enfants alors que nous ne pouvons apprendre à contrôler nos actions et nous empêcher d'en commettre de violentes.

Il en est de même pour les relations entre les individus et les groupes sociaux. La violence est un bien mauvais moyen de résoudre les conflits entre les gens, qu'ils soient mari et femme, étudiant et administration d'une université, ou Blancs et Noirs. La violence qui s'est répandue ces dernières années sur le monde nous a quelque peu dégrisés. Nous ne voulons pas qu'elle dure plus longtemps.

Nous voulons au contraire que les différends et les conflits soient résolus sans qu'on ait recours à la loi de la jungle... C'est pourquoi nous devons faire tout ce qui est en notre pouvoir pour aider nos enfants et nous-mêmes à contrôler nos actions violentes.

Nous ne voulons pas seulement vaincre l'aspect négatif de ces actions chez nos enfants. Nous voulons aussi leur apprendre les valeurs positives d'amour, de coopération, d'intérêt sincère dans le bonheur des autres, et de compassion pour ceux qui souffrent. Nous voulons qu'ils apprennent à se servir de la raison et de la négociation pour résoudre les conflits humains.

Comment agir dans ce sens ? Que faire pour empêcher nos enfants d'avoir recours aux actions violentes pour résoudre leurs conflits avec autrui ? Aucune étude scientifique n'indique que les êtres humains sont violents de naissance. Les gens *apprennent* la violence. Bien entendu, ceux qui la leur enseignent n'en sont nullement conscients. Il est triste de constater que les enfants et les adultes violents apprennent cette violence de leurs parents. Naturellement aucun d'entre eux ne se met délibérément et consciemment à l'enseigner. Mais le résultat est le même.

L'enfant apprend par imitation et identification. L'enfant fait ce qu'il voit ! L'exemple le plus frappant qu'il m'ait été donné de voir personnellement fut celui, cité au chapitre 9, de l'adolescent qui lançait des bouteilles à la tête de sa mère. Ayant vu son père le faire, il ne faisait que l'imiter. Rejeton violent d'un vieux tronc violent. Dans la plupart des cas c'est le père plutôt que la mère qui donne l'exemple.

Je conçois qu'une mère qui s'est mise en colère il y a peu de temps se dise en me lisant « Mon Dieu ! je suis peut-être une personne violente ! et j'ai peut-être de ce fait un effet terrible sur mon enfant ! » Si de tels scrupules vous viennent à l'esprit, ne vous inquiétez pas. Se mettre en colère ou lancer un objet de temps en temps ne suffit pas pour faire de vous un individu dangereux !

Un incident survenu à une de mes amies me vient à l'esprit. C'était un de ces jours où tout va mal : le chauffe-bain ne marchait pas, les enfants étaient insupportables, etc.

Son mari et elle recevaient ce soir-là et elle préparait un saumon en croûte pour dîner. Au moment où son mari rentrait de son travail, la croûte du pâté se mit à brûler, c'était l'ultime coup du sort. Elle sortit le plat du four et le lança contre le mur qui en fut tout éclaboussé. Son mari entra dans la cuisine tandis qu'elle réparait les dégâts. La réaction de celui-ci lorsqu'elle lui raconta son aventure fut la suivante : « Eh bien, ma chérie, est-ce là la réaction d'un être doué de raison devant une situation particulièrement frustrante ? » Je lui demandai ce qu'elle avait ressenti à ces paroles. Elle me répondit : « S'il était resté du pâté de saumon, je le lui aurais lancé à la tête avec plaisir ! »

Je connais très bien cette femme. Ce n'est pas une personne violente. Mais elle l'était ce jour-là. Et alors ? Ce ne fut ni particulièrement agréable ni facile de nettoyer la cuisine et de gratter les murs. Mais il n'y eut personne de blessé et ce ne fut pas bien grave. Il ne faut donc pas confondre une colère occasionnelle et une nature véritablement violente.

Une autre façon d'apprendre à un enfant à être violent est de tolérer sa violence en ne posant pas des limites assez fermes à ses actes d'hostilité.

Par exemple, lorsque l'enfant en frappe d'autres, il arrive que les parents ne soient pas assez fermes. La mère crie alors souvent à l'enfant : « Arrête ! », mais elle ne va pas jusqu'au bout en arrêtant l'enfant effectivement. L'enfant sait parfaitement que sa mère n'a pas l'intention de persévérer dans son interdiction et par conséquent il continuera à frapper. Finalement, la mère insiste et l'empêche de se battre. Mais entre-temps, elle l'a encouragé dans son attitude combative.

J'ai même eu l'exemple de parents qui se laissaient frapper par leurs enfants. S'ils interdisaient quelque chose, l'enfant se mettait en colère, les frappait ou leur donnait des coups de pied. La mère disait alors : « Tu es très vilain, Claude » mais elle ne l'empêchait pas concrètement de la battre. En de pareils cas, les parents utilisent souvent une prétendue « psychologie de l'enfant » pour excuser leur peur de dire non à l'enfant et de lui opposer des limites fermes. Ils prétendent souvent ne pas vouloir « l'inhiber ».

Et pourtant, les enfants ont besoin d'être « inhibés » dans certaines de leurs actions ! Par exemple, quand il s'agit de frapper des camarades ou leurs parents. Ils ont besoin qu'on les empêche d'être cruels avec les animaux ou d'être destructeurs. Il faut les empêcher aussi de voler de l'argent dans le porte-monnaie de leur mère ou de prendre des objets dans les magasins. Les parents commettent une faute grave s'ils n'apprennent pas à leurs enfants à être inhibés devant de telles actions. Ce que nous devons souhaiter de toutes nos forces c'est que leurs sentiments ne soient pas inhibés. C'est cela le bon sens et la bonne psychologie.

Si des parents ne posent pas des limites fermes à la manifestation physique de l'hostilité, l'enfant ne peut intérioriser ces limites et apprendre à contrôler ces impulsions. Ne vous trompez pas à ce sujet.

Il *est vital* pour un enfant de pouvoir intérioriser des limites définies contre la violence physique. Il craint très fort que ses impulsions échappent à son contrôle et le submergent. Quand l'adolescent qui jetait des bouteilles à la tête de sa mère vint me trouver pour que je le soigne, il voulait désespérément que je l'aide à contrôler ses mouvements hostiles. Il en avait peur : « Cela me hante quand je deviens furieux et que je lance des objets sur ma mère. Et si j'en arrivais un jour à la tuer ? Cela me fait affreusement peur quand j'y pense. » En d'autres termes, il ne pouvait contrôler ses réactions de violence et il suppliait quelqu'un d'autre de l'aider. Puisque sa mère, dans sa passivité, en était incapable, c'était vers moi qu'il se tournait. Si jamais un garçon avait eu besoin de limites fermes, c'était bien lui !

Quand je parle de *limites fermes,* cela n'implique pas nécessairement que les parents doivent donner une fessée à l'enfant. Frapper un enfant hostile ressemble d'une façon suspecte à la violence à laquelle on répond par la violence. (Rappelez-vous ce dessin humoristique où le père frappe son fils en criant : « Ça t'apprendra à frapper les gens ! ») Il vaut mieux toutefois donner une fessée à un enfant hostile qui a donné des coups ou s'est montré destructeur que de se cacher la tête sous l'oreiller, à la façon de l'autruche, et ignorer complètement un comportement antisocial. Mais il est de meilleurs moyens pour dominer la situation.

Imaginons que votre jeune enfant donne des coups ou détruise. Si vous pouvez vous contrôler et rester calme, prenez alors votre enfant dans vos bras, tenez-le fermement et immobilisez-le. En même temps, regardez-le bien dans les yeux et dites-lui avec sérénité : « Tu ne dois pas faire cela ! Je ne peux pas te laisser frapper ton frère (ou ton camarade). Tu peux lui dire que tu es furieux, mais tu ne dois pas le frapper ! »

Quand il s'agit de fixer des limites fermes aux manifestations de violence, on constate de grandes différences d'un enfant à l'autre. D'une manière générale, les filles ont moins tendance que les garçons à se livrer à de telles actions. Mais certains garçons sont plus faciles à éduquer que d'autres qui, volontaires et butés, auront besoin de plusieurs mois pour apprendre à contrôler leurs impulsions.

Parfois les parents approuvent inconsciemment les actes hostiles et antisociaux de leurs enfants. C'est le cas de celui qui tient tête à ses parents, frappe d'autres enfants, s'empare des objets qui ne lui appartiennent pas et se sauve si ses parents essaient de le discipliner. Les parents s'en réjouissent intérieurement et l'y encouragent inconsciemment.

Le père ou la mère disent de lui d'un ton admiratif « C'est un terrible ! Bien sûr, il exagère quelquefois et ne nous écoute pas, mais il faut reconnaître qu'il a du caractère. »

Ce genre de comportement de la part des parents est d'ordinaire le signe qu'eux-mêmes ont eu pendant leur enfance des velléités de rébellion et d'attitudes antisociales, tout en se montrant bien gentils. Adultes, ils encouragent inconsciemment leur enfant à extérioriser les actes hostiles et antisociaux qu'ils n'ont pas osé accomplir quand ils étaient petits. L'encouragement des parents renforce le comportement des enfants. L'enseignement qu'on peut en tirer est clair : si vous ne voulez pas que votre enfant se livre en grandissant à des actions hostiles et violentes, imposez des limites fermes à ses impulsions et aidez-le à accepter personnellement ces limites.

Assez curieusement, la troisième façon de former un enfant à devenir un adulte hostile et violent résulte d'une éducation très différente des deux précédentes. Cette fois, il s'agit de parents qui limitent sévèrement les actions hostiles ou violentes, ce qui est une bonne chose. Mais malheureusement ces parents font aussi tout ce qu'ils peuvent pour empêcher toute expression de *sentiments* violents ou hostiles. Ce qui est une grave erreur. Les enfants ne peuvent s'empêcher d'avoir de temps en temps de tels sentiments. Mais la mère en question ne permet absolument pas à son enfant de les extérioriser. Elle prétend qu'en interdisant strictement que l'enfant exprime des sentiments hostiles, elle lui apprendra à ne pas les éprouver. Or nous savons que c'est impossible, qu'on le veuille ou non. Tout ce que la mère réussit à faire ainsi, c'est d'apprendre à l'enfant à réprimer ses sentiments et à les refouler dans son subconscient.

Dans les cas semblables, la mère apprend à l'enfant à devenir un « enfant modèle ». Extérieurement l'enfant est doux, gentil et poli. Mais au fond de lui-même, bouillonnent les sentiments de violence et d'hostilité. Il est comme une chaudière sans soupape de sécurité. Ces sentiments longtemps contenus aboutissent finalement à une explosion.

Il y a quelques années, un jeune étudiant qui poursuivait ses études en vue de devenir pasteur, tua à coups de pistolet son père et sa mère. Les voisins furent scandalisés et stupéfaits. Il avait la réputation dans la paroisse d'être l'adolescent « idéal », tranquille, obéissant et respectueux. Les voisins et les prêtres ne connaissaient de lui que la façade. Ils ne pouvaient voir les sentiments de colère et d'hostilité qui bouillonnaient sous la surface.

Accordez à votre enfant un moyen inoffensif d'exprimer ses sentiments de colère. Laissez-le les formuler et les dire, ou bien remplacez l'objet de sa colère par quelque substitut acceptable : « Je sais que tu es furieux contre ton frère et que tu as envie de le gifler. Je ne peux te le permettre, mais tu peux à la place frapper sur ton punching-ball. »

Après ce petit voyage au pays des « il ne faut pas », vous

commencez sans doute à avoir une idée assez précise de ce qu'il *faudrait* faire pour éviter que vos enfants ne deviennent des adultes violents.

● Ne soyez pas violents vous-mêmes, ou votre enfant vous imitera.

● Faites la distinction entre *actions* violentes et *sentiments* violents.

● Fixez des limites aux *actes* de votre enfant.

● Donnez-lui la possibilité d'exprimer ses *sentiments* hostiles et violents.

● Encouragez-le à exprimer ces sentiments par des paroles. Utilisez la technique du reflet décrite au chapitre 4 pour l'aider à contrôler ces sentiments.

Abordons maintenant deux questions qui intéressent directement les parents : les armes dangereuses et la violence simulée.

Tout d'abord, les armes dangereuses. Disons très nettement qu'il n'est pas bon d'avoir chez soi des armes. Elles ne peuvent que causer des accidents tragiques et constituent une incitation permanente à la violence. Il est triste et inquiétant de constater que les Etats-Unis paraissent lancés dans une course nationale aux armements et de voir que beaucoup de nos concitoyens peuvent acheter pratiquement tous les types d'armes. D'après une statistique récente, le nombre d'Américains adultes qui achètent des armes à feu s'accroît à un rythme inquiétant. La plupart de ces armes à feu sont en principe destinées à la défense des individus. Le raisonnement de la personne qui achète l'arme à feu est à peu près le suivant : « Le fait d'avoir une arme à la maison me protégera, moi et ma famille, si quelqu'un essayait de nous faire du mal. » C'est un raisonnement stupide, fondé surtout sur une peur irraisonnée. C'est le genre de raisonnement que le père tenait dans le roman *Johnny get your gun* en expliquant à son fils :

> Il se rappelait cette soirée où il était assis à côté de son père qui était fort avisé. Il lui avait montré le pistolet pour la première fois et il lui avait dit : « Un pistolet c'est quelque chose de bien, parce qu'un jour tu peux avoir besoin de te défendre, toi et ta mère. Peut-être qu'un jour ils t'attaqueront à deux ou trois. Tu n'auras aucune chance de t'en tirer. Alors tu domineras la situation grâce à ton arme. Quand ils la verront, ils s'arrêteront net. Avec ton pistolet sur toi, personne ne te fera d'ennuis. »

Au lieu de protéger contre les intrus, la présence d'un pistolet dans la maison, et particulièrement d'un pistolet chargé, n'est qu'une invitation à la tragédie et au meurtre. La présence d'une arme pouvant donner la mort est une invitation à l'action violente en cas de dispute entre parents désunis, ou une possibilité de mort tragique quand des enfants jouent avec une arme supposée « non chargée ».

Il est déplorable que n'importe qui puisse si facilement se procurer des armes. Des parents donneraient-ils des revolvers chargés à un groupe d'enfants de deux ans jouant dans leur jardin ? Certes non ! Et pourtant la société qui est la nôtre permet à des gens qui n'ont pas plus de raison qu'à deux ans, de se procurer un pistolet. La législation américaine actuelle autorise les assassins, les tireurs isolés pendant les manifestations, les criminels, les jeunes délinquants, les époux séparés et les malades mentaux à acheter des armes à feu. C'est à proprement parler une situation démente qui rend presque impossible d'élever des enfants dans une atmosphère non soumise à la violence.

L'histoire de la détention d'armes à feu par des particuliers dans notre pays commence avec l'article 4 de la Déclaration des Droits qui affirme : « Le droit des gens de posséder et porter des armes ne sera plus mis en cause. » En 1776, il était essentiel que tout le monde ait le droit d'avoir des armes pour le bien et la sécurité de cette jeune nation qui, à cette époque, comptait tout au plus trois millions d'habitants. Mais la liberté totale de posséder des armes à feu avec une population de plus de deux cent millions d'hommes et dans notre société industrielle complexe, est insensée et positivement dangereuse.

En 1967, par exemple, plus de 5 600 Américains sont morts par balle. Comparez à ce chiffre ceux des autres pays : Grande-Bretagne : 30, France : 20, Belgique : 12. La Grande-Bretagne, la France et la Belgique de même que le Japon, la Norvège, la Suède et le Canada ont une législation beaucoup plus stricte que la nôtre concernant le port et la détention des armes à feu. Mon conseil est le suivant : à moins que le père de famille ne soit chasseur et possède de ce fait un fusil de chasse, il vaut mieux ne pas avoir d'armes chez soi, et jamais d'armes chargées.

Sans aucun doute beaucoup de mères sont très inquiètes à cause de l'explosion de violence qui se manifeste dans notre société et, en conséquence, elles ont tendance à interdire toute manifestation simulée de violence chez leurs enfants. Elles leur interdisent de jouer avec des pistolets d'enfants, des soldats de plastique, de voir à la télévision ou au cinéma des films où la violence est représentée. Certains parents vont même jusqu'à interdire les dessins animés où la « violence » intervient : par exemple des animaux qui se donnent des coups sur la tête ou se tirent des coups de fusil. Récemment, dans une école maternelle, deux cents familles assistaient à un spectacle de Guignol, et la directrice fut stupéfaite de recevoir, après la représentation, deux coups de téléphone de mères se plaignant que leurs enfants avaient pu voir de la « violence » pendant tout le spectacle !

La peur de la violence dans les jeux s'est trouvée encouragée par une série d'articles parus récemment dans les magazines féminins, critiquant les armes-jouets et la violence à la télévision, y compris les dessins animés. Ces articles n'ont pas été écrits par des psychologues et des psychiatres qu'on pourrait solliciter de se prononcer sur la question, mais par des journalistes exprimant le point de vue des non-spécialistes.

Et je pense qu'ils ont inutilement alarmé nombre de mamans. Cette grande frayeur de la violence dans les jeux et les spectacles est hors de propos. Ces parents n'agissent pas vraiment pour protéger leurs enfants de la violence. Ils ne font que maintenir leurs enfants dans un état d'isolement et de protection excessive.

D'où vient cette tendance à trop protéger l'enfant ? La mère a peur de sa propre irascibilité. Elle craint de ne pas pouvoir la contrôler et de se laisser aller elle-même à des actes violents. Tout cela est inconscient mais la moindre représentation de la violence à la télévision ou au cinéma déclenche sa peur de voir exploser sa propre colère, de frapper son mari et ses enfants. Cette crainte est si forte qu'elle projette ses sentiments sur son enfant et imagine que l'enfant les éprouve. C'est pour cette raison que certaines personnes craignent de laisser voir à leurs enfants des scènes violentes à la télévision ou au cinéma, ou de les voir jouer avec des petits soldats en plastique.

C'est une erreur. L'enfant a besoin d'exutoires fictifs. Si les parents ne les lui accordent pas, il les créera lui-même. Si maman interdit les pistolets, l'enfant en fabriquera avec un morceau de bois, un bâton, ou même avec son doigt tendu : « Pan ! t'es mort ! » Depuis des siècles les enfants aiment jouer avec des petits soldats. Si des parents qui les protègent trop leur interdisent d'en acheter, ils en fabriqueront.

Par coïncidence, je suis en train d'écrire ces lignes un samedi matin chez moi dans le living-room et mon fils de quatre ans joue sur le tapis avec des soldats en plastique qu'on vient de lui acheter au magasin de jouets.

Il a décidé que les soldats bleus sont les « méchants » et les verts les « gentils » et les fait allégrement s'affronter. Ce n'est pas un enfant violent. Ce ne sera pas un homme violent. Nous avons veillé à cela. C'est un petit garçon paisible, normalement agressif.

Il importe de faire la distinction entre un enfant violent et un enfant agressif, choses que les parents confondent souvent. *Le contraire de violent est paisible. Le contraire d'agressif est passif.*

Il ne faut pas que nos enfants soient des hommes violents. Mais il faut apprendre aux garçons une certaine agressivité, car il n'est pas souhaitable qu'un homme adulte soit passif. C'est un handicap dans son rôle d'homme. Une mère qui protège son garçon de manière maladive contre toutes les formes simulées de violence ne lui rend pas service. Si elle lui interdit les soldats, les pistolets, les dessins animés, la télé et les films « violents », elle travaille à faire de lui une « petite fille » passive. Elle ne l'aide pas à acquérir la force et l'agressivité normale dont il a besoin dans ses contacts avec les garçons de son âge.

J'ai vu à mes consultations beaucoup de garçons passifs. Ils avaient besoin d'une psychothérapie parce que les autres garçons les brimaient et qu'ils ne savaient pas se défendre tout seuls. Il est paradoxal de constater que, dans leur désir excessif de les protéger de la violence, les parents en ont fait sans le vouloir des sujets passifs et incapables d'assumer leur masculinité. Quand ils constatent les résultats désastreux de leur éducation, ils amènent leur enfant pour une psychothérapie et me disent : « Je vous en prie, Monsieur le psychologue, guérissez mon enfant de ce que je lui ai appris ! »

Mais ne vous méprenez pas sur le sens de mes paroles. N'allez pas tomber dans l'excès inverse et permettre à votre garçon d'acheter n'importe quelle sorte d'arme-jouet. S'il vient d'entendre le flash publicitaire à la télévision pour « fusil pour « commando de la mort » en plastique avec garnitures chromées, mitraillette pour guérilla avec balles éclaboussant du sang artificiel quand on tire sur l'arbre de Noël ! » ne vous croyez pas obligé de lui acheter ce jouet monstrueux.

Je n'achèterais à un enfant aucun fusil ou pistolet lançant vraiment des projectiles quels qu'ils soient. Une balle de plastique peut crever l'œil d'un autre enfant. Je n'achèterais pas non plus un pistolet ou un jouet évoquant la cruauté, ce que je jugerais provoquant ou de mauvais goût. Je n'achèterais pas à mon fils un « crucifix à monter soi-même » comprenant une croix en plastique sur laquelle l'enfant peut clouer le Christ. La publicité pour ce « jouet » dans un catalogue spécialisé, ajoute ce commentaire ahurissant : « Le premier modèle de crucifix prêt à monter. » « Jouet passionnant, esthétique, authentique. » « Ce crucifix facile à monter est un cadeau raffiné particulièrement apprécié dans tout foyer chrétien ! » Une maman doit faire preuve de bon sens et de goût quand elle achète pour son enfant pistolets, fusils ou petits soldats.

Si on se limite pour un garçon à le laisser jouer avec des soldats et des armes-jouets et regarder à la télévision des dessins animés « violents » et des westerns où l'on dégaine souvent les pistolets, cela ne suffira pas non plus pour former un garçon sans problèmes et adapté à son rôle d'homme. Il faudra en outre que ses parents respectent ses manifestations instinctives de petit garçon exubérant, turbulent et dynamique. Quand une maman sait dire : « C'est bien un garçon ! » et en être fière, elle reconnaît, de ce fait, la qualité dynamique masculine de son fils. Si on soutient son indépendance, son impétuosité, son aptitude à se défendre contre les autres, il deviendra un adulte normalement et sainement agressif mais pas un homme violent.

Ne confondons pas hostilité et violence avec agressivité. Vos garçons doivent devenir en grandissant des hommes agressifs et dynamiques. Mais nous voulons qu'ils soient des citoyens paisibles qui useront de raison et de moyens pacifiques pour résoudre leurs conflits plutôt que d'avoir recours à la violence.

Beaucoup de pères pensent bien, au · fond d'eux-mêmes, que leur femme est allée trop loin en interdisant à leurs enfants de jouer avec des armes-jouets ou des soldats. Mais ils ne disent rien. C'est bien dommage, parce qu'une femme souhaite que son mari soit un être fort et sûr, équilibré, sur qui elle puisse s'appuyer. Trop protéger les petits garçons des manifestations de violence simulée n'aide pas à former ce genre d'homme fort et solide.

Les adultes s'accordent des exutoires inoffensifs à leurs sentiments d'hostilité et de violence : le sport · et le spectacle, par exemple. Ils regardent les matches de football et de hockey sur glace, hurlant : « Tuez l'arbitre ! », lisent des romans noirs et voient le spectacle de la violence au cinéma et à la télévision.

Les enfants ont besoin de ces exutoires artificiels autant que les adultes. Laissez votre enfant jouer avec des petits soldats et des pistolets s'il en a envie. Cela ne lui fera pas de mal. Si vous lui défendez tout soldat et tout pistolet, vous créerez dans son esprit une zone taboue. Ces jeux prendront alors un attrait fascinant et il s'y livrera hors de votre présence.

Abordons maintenant le problème de la violence dans les moyens d'information. Supposons que vous suiviez généralement les conseils d'éducation donnés par ce livre. Vous faites donc ce qu'il faut pour satisfaire les besoins psychologiques essentiels de votre enfant.

Il a donc peu de raison de se sentir frustré et par conséquent de nourrir au fond de lui-même des sentiments d'hostilité et de violence. Vous lui apportez à la maison un environnement intéressant et stimulant, de telle sorte qu'il ait toutes possibilités de jouer à l'intérieur et au-dehors, de lire, de se livrer à des activités artistiques et de faire une foule de choses intéressantes et instructives en plus de la télévision. Il ne reste pas « collé devant le poste » pendant quatre ou cinq heures par jour. Vous limitez raisonnablement le temps qu'il y passe chaque jour. Vous le récompensez ou l'encouragez s'il ne regarde que les bonnes émissions enfantines. Si vous agissez de la sorte, ne vous inquiétez pas s'il voit des émissions où l'on décrit la violence.

Une opinion erronée qu'il faut dénoncer ici (et qu'on trouve étalée dans les journaux qui traitent des enfants et de la violence à la télévision) est que les enfants apprennent la violence en la voyant représentée à la télévision. Il n'y a aucune preuve scientifique à l'appui de cela. Les enfants deviennent violents quand leurs parents la leur apprennent en agissant comme je l'ai signalé dans ce chapitre.

- Quand leurs parents ne savent pas satisfaire leurs besoins psychologiques et leur inspirent rage et violence intérieures.
- Quand ils imitent des parents violents.
- Quand les parents les encouragent à commettre des actions violentes et ne se montrent pas très fermes s'ils frappent d'autres enfants ou détruisent les objets.
- Quand on ne les laisse pas se libérer de leurs sentiments de violence.

Si vous évitez ces erreurs, vous n'aurez pas grand-chose à craindre du petit écran.

Les parents réagissent parfois comme si la violence à la télévision était une nouveauté, et que les enfants n'avaient jamais dans l'histoire de l'humanité pu voir le spectacle de la violence. C'est une erreur évidente. La Bible est pleine de crimes, de même que l'œuvre de Shakespeare, que les contes de fées dans lesquels les ogres et les monstres existaient des siècles avant qu'on ne les voie dans les programmes pour enfants à la télévision.

Il existe souvent un très grand « écart de génération » entre un adulte qui est très impressionné par la violence et un enfant qui ne l'est pas. Les enfants sont souvent friands d'histoires terrifiantes parce que c'est pour eux une façon de dominer leurs sentiments intimes d'hostilité et de violence. Telle histoire que les critiques condamnent à cause de sa violence plaira aux enfants parce qu'elles correspond à leurs besoins profonds et les aide à se libérer de leur univers subconscient de violence et d'hostilité.

Votre enfant lui-même sait très bien faire la différence entre la violence représentée sur un écran de télévision ou de cinéma, et la violence effective quand il frappe un autre enfant, se montre cruel avec un animal, ou commet des déprédations.

J'avais un jour en psychothérapie un garçon de quatre ans qui se mit en colère contre moi. Avant que j'aie pu l'en empêcher, il me frappa du poing et dit : « Je te déteste, idiot ! » Je lui dis fermement : « Tom, tu peux me dire que tu es fou de rage, me traiter d'idiot, et de tous les noms que tu voudras, mais je ne te laisserai pas me battre. » Un peu plus tard, pendant la même séance, il se mit à jouer à la guerre avec des petits soldats dans le bac à sable, faisant bombarder et écraser l'ennemi par ses troupes. Si je ne lui avais pas imposé de limites sévères quand il m'avait frappé, je l'aurais encouragé à commettre des actions violentes. En lui permettant d'extérioriser par le jeu ses *senti-ments* de violence, je lui apportais un soulagement, sans l'encourager à être violent.

Je lui donnais une chance d'en finir avec ses sentiments violents, afin qu'ensuite des sentiments chaleureux et positifs puissent se développer. Vous pourrez mettre en pratique les mêmes principes avec votre enfant. Imposez des limites strictes, mais laissez-lui un exutoire qui soit conforme à nos habitudes sociales.

Je suis d'accord par ailleurs pour qu'on réduise le taux général de violence et de sadisme à la télévision et au cinéma. Mais l'excès de sadisme et de violence n'est pas la seule chose critiquable à la télévision. Les programmes n'ont aucune valeur éducative, ne se renouvellent jamais et encouragent l'appât du gain et la vénalité. (« Cet heureux candidat gagne un réfrigérateur, une magnifique Buick et une semaine de vacances tous frais payés aux Bahamas ! ») Quand on pense aux immenses possibilités culturelles et éducatives qu'offre la télévision tant pour les enfants que pour les adultes, et qu'on voit le peu de parti qu'on en tire, c'est à vous faire frissonner. Etant donné ce qu'est la télévision de nos jours, nous devons faire preuve de bon sens et de discernement quand nos enfants la regardent.

Il ne faut pas céder à la tentation de faire de la télévision la cause de toute la violence que nous constatons de nos jours. N'oublions pas que la violence dans le monde se trouve même dans des régions où l'on n'a seulement jamais vu un poste de télévision ! Trop d'articles dans les magazines ont inutilement alarmé les mères et leur ont inspiré des tentatives exagérées et ridicules pour protéger leurs enfants de tout ce qui ressemble même de très loin à de la violence à la télévision.

J'ai attendu jusqu'à maintenant pour révéler la mesure antiviolence la plus efficace qui soit : elle se nomme *l'amour*.

N'oublions jamais que les adultes hostiles et violents sont des personnes qui ont été privées de véritable affection pendant leur enfance. Les adultes qui tuent et blessent sont des gens malades et complexés, remplis de haine parce qu'ils ont été privés d'amour.

La meilleure vaccination contre le virus de la violence que nous puissions donner à nos enfants est notre amour et notre affection de parents. Au lieu de passer le plus clair de notre temps à essayer d'empêcher ce virus qui nous environne d'infecter nos enfants, nous devrions le consacrer à établir avec eux des relations saines, des relations d'amour. Il ne suffit pas d'éviter de leur apprendre le sadisme : il nous faut aussi leur apprendre les valeurs positives d'affection, de chaleur, de compassion, et le désir sincère d'aider les autres et de les estimer. Nous devons renforcer et encourager l'idéalisme de leur jeunesse, leur montrer les horreurs et les drames de la guerre, enrôler nos enfants et nos adolescents dans ce que le psychologue William James appelait « le contrepoids moral de la guerre », c'est-à-dire un assaut vigoureux contre les problèmes permanents de l'humanité : la pauvreté, la pollution de l'environnement, la haine raciale et la guerre. Nous devons leur apprendre à aimer autrui comme eux-mêmes.

Le terrain sur lequel un amour sincère de l'humanité peut se développer chez nos enfants est notre amour paternel et maternel. Si nous pratiquons avec amour le métier de parents, nous accomplirons ce qui est le plus important pour faire de nos enfants des adultes sûrs d'eux et pacifiques au lieu d'en faire des individus hostiles et violents.

11

L'ÉCOLE COMMENCE À LA MAISON

(Première partie)

Le concept de Q.I. (quotient intellectuel) est encore mystérieux pour beaucoup de parents. Ils lisent des articles sur des expériences et des méthodes destinées à accroître le Q.I. d'un enfant et se demandent à quoi cela correspond. Si, au lieu de Q.I., nous parlions « d'aptitude de base à l'étude » le sujet serait sans doute plus clair.

Donnons un exemple concret : l'an dernier, j'ai suivi pendant six semaines, au Club alpin, un cours sur l'alpinisme et l'art de transporter son matériel à dos. Après ce cours, mon Q.I. de camping en montagne s'est trouvé considérablement accru. Ce qui est une façon bien étrange de s'exprimer.

Au contraire, si vous dites qu'à la suite de ce cours mes aptitudes fondamentales à assimiler le camping en montagne se sont trouvées augmentées, cela paraît plus compréhensible. On saura que j'ai acquis des notions de base telles que lire une carte, se servir d'une boussole, grimper et construire un abri dans la neige.

Les tests d'intelligence, ou de Q.I., indiquent en effet si un enfant réussira ou non en classe pour la raison suivante : les tests d'intelligence donnent une vision d'ensemble des aptitudes de base que l'enfant a acquises. Plus le répertoire de ces aptitudes est grand, plus le Q.I. est élevé, et plus sont grandes les chances de succès. L'enfant qui entre en maternelle ou en première année d'école primaire avec un bon répertoire d'aptitudes à l'étude apprendra plus facilement que celui dont le répertoire est restreint et réagira plus positivement à ce que dit la maîtresse. Ainsi, celui qui dispose d'un plus grand répertoire d'aptitudes de base à l'étude et par conséquent d'un Q.I. plus élevé, est le plus susceptible de réussir dans les activités scolaires ainsi que dans la vie.

Souvenons-nous que ces aptitudes peuvent s'apprendre. C'est pourquoi le but de ce chapitre est d'expliquer comment vous pouvez les enseigner à votre enfant d'âge préscolaire, afin qu'il ait le meilleur départ possible dans la vie.

Depuis longtemps déjà, médecins et psychologues travaillant sur des enfants savent que les cinq premières années sont les plus importantes pour leur développement affectif, puisque ces années façonnent les structures de leur personnalité d'adulte. Mais les expériences montrant que ces mêmes cinq premières années sont aussi les plus importantes pour le développement intellectuel, sont beaucoup plus récentes.

Parce qu'il est possible de faire sur les animaux des expériences beaucoup plus poussées que sur les humains, il existe maintenant une masse de résultats scientifiques qui démontrent les effets de la stimulation reçue pendant la première période de la vie sur le comportement adulte d'animaux aussi divers que les chiens, les chats, les singes, les canards et les oiseaux. De nombreuses expériences ont montré que lorsqu'on fournit aux animaux des stimulations pendant le premier âge, ils se développent plus rapidement et deviennent plus intelligents que ceux qui ont été moins soumis à ces stimulations.

Des travaux menés à l'université de Californie, à Berkeley, par une équipe de deux psychologues, un biochimiste et un anatomiste, ont montré que : *un milieu « enrichi » pendant les premières semaines de la vie chez les rats blancs peut non seulement « faire » des animaux adultes capables de mieux résoudre les problèmes à leur niveau, mais peut effectivement modifier les caractères anatomiques et chimiques du cerveau de ces rats.* Le Dr David Krech, professeur de psychologie, nous décrit ainsi l'une des expériences courantes faites par son équipe de chercheurs :

> « A l'âge du sevrage, on sépare douze paires de rats jumeaux. On en place douze dans un milieu actif et propre à les éveiller, tandis que chaque frère jumeau est placé dans un milieu aussi peu stimulant que possible. Les douze rats élevés en milieu privilégié vivent ensemble dans une vaste cage grillagée dans un laboratoire bien éclairé, bruyant et occupé par beaucoup de monde. La cage est équipée d'échelles, de roues, et autres jouets « éducatifs » pour rats. Pendant trente minutes tous les jours on les fait sortir et on les laisse explorer un territoire nouveau. A mesure que les rats vieillissent, on leur donne de nouvelles tâches à accomplir, qu'on récompense en

donnant des morceaux de sucre. On continue ce programme d'entraînement éducatif pendant quatre-vingts jours.

Pendant que ces animaux connaissent ce milieu de choix, chacun des rats condamnés à la « pauvreté intellectuelle » vit isolé, dans une petite cage située dans une pièce tranquille et peu éclairée. Son gardien ne le sort presque jamais, ne lui fait jamais explorer de nouveaux endroits, ni surmonter des difficultés, ni jouer avec d'autres rats. Tous les rats des deux groupes reçoivent par ailleurs la même nourriture normalisée en quantité illimitée pendant toute la durée de l'expérience. »

Des tests effectués ensuite ont montré que ceux qui avaient reçu très tôt des stimulations intellectuelles étaient plus intelligents et pouvaient surmonter plus facilement les difficultés que leurs jumeaux non soumis à ces stimulations. On étudia ensuite la cervelle de ces rats. Cette expérience répétée des douzaines de fois dans les mêmes conditions montra que, pendant son séjour en milieu éducatif « enrichi », le cerveau du rat augmentait de volume et de poids par rapport à celui de son frère. Le cortex cérébral présentait un nombre accru de cellules de certains types et comportait plus de connections intercellulaires que le cerveau des rats non stimulés. D'importantes transformations chimiques se produisent aussi. On trouva une plus grande quantité de deux importants enzymes dans le cerveau des rats « stimulés ». Le Dr Krech commente ainsi cette expérience : « Nous avons démontré que ces changements structuraux et chimiques sont le signe d'un cerveau en bonne santé. Nous avons créé des animaux supérieurs, plus habiles à résoudre les problèmes. »

Des expériences faites à l'échelon humain confirment le fait que la stimulation ou le manque de stimulation pendant les premières années de la vie a un effet important sur le comportement et l'intelligence. Le Dr Benjamin Bloom, professeur de psychologie à l'université de Chicago, a analysé une masse de résultats expérimentaux qui montrent que les enfants forment 50 pour cent de leur intelligence avant l'âge de quatre ans. Cela explique le fait que les enfants moins avantagés, de parents très humbles, ont effectivement un retard considérable dans leurs aptitudes intellectuelles en entrant en fin de maternelle ou en première année d'école primaire, si on les compare aux enfants des classes moyennes.

Et les enfants « pauvres » ne rattrapent jamais ce retard parce qu'ils ont manqué de stimulation pendant les premières années de leur vie. C'est pourquoi un nouveau programme scolaire tente de donner à ces enfants assez de stimulation intellectuelle pendant les premières années afin qu'ils ne soient pas victimes d'un retard irrécupérable pendant leur carrière scolaire.

Que signifient toutes ces expériences pour votre enfant ? Que plus vous saurez lui donner de stimulation intellectuelle pendant les premières années de sa vie, *sans faire pression sur lui ni le forcer*, plus il deviendra vif et intelligent, et plus son Q.I. à l'âge adulte sera élevé.

Comment apprendre à votre enfant à penser

La première technique d'apprentissage et la plus nécessaire que nous puissions enseigner à un enfant est *comment penser*.

Qu'est-ce que penser ? Feu John Dewey, célèbre professeur de pédagogie, suggérait que : « L'acte de penser commence par une difficulté sentie et reconnue. » Dewey insistait sur le fait que : « *Nous ne pensons que si nous sommes confrontés à quelque difficulté ou à quelque problème.* »

Laissez-moi vous citer un bel exemple de ce qu'est la pensée au niveau de l'enfant de quatre ans :

> Un groupe d'enfants de quatre ans jouaient à aménager une maison dans un grand carton d'emballage. Ils avaient construit un certain nombre de meubles rudimentaires avec leurs cubes, mais comme l'espace à l'intérieur de la boîte était limité, ils devaient manœuvrer avec précaution pour ne pas démolir les meubles déjà construits. Ce qui se révéla impossible pour Patrick, qui était maladroit et trop nerveux. Après une douzaine d'accidents, le « père » de famille annonça, comme s'il venait de faire une découverte passionnante : « Il nous faut un chien. Toi, Patrick, tu feras le chien ! Tu resteras dehors et tu aboieras chaque fois que quelqu'un s'approchera. Vas-y, aboie très fort ! »

Cet exemple montre qu'il y a trois démarches dans le processus de la pensée. La première est une difficulté dans votre vie. Dans le cas des enfants, par exemple, le problème était ce Patrick maladroit qui bousculait les objets dans la cabane. La seconde démarche de la pensée consiste à former une hypothèse ou une idée qui résoudra le problème. Le « père » de famille découvre l'idée : « Patrick, tu feras le chien ! » (Sous-entendu :

comme cela tu resteras hors de la maison, mon vieux, et tu cesseras de tout renverser !) La troisième étape est la solution du problème, quand Patrick accepte le rôle du chien. Bien que cet exemple illustre la pensée chez les enfants, les trois étapes fondamentales sont les mêmes pour toute pensée, la plus primitive comme la plus subtile.

Il y a aussi deux modes fondamentaux de pensée, ce que le Dr Jérome Bruner, professeur de psychologie à l'université d'Harvard, appelle « la pensée de la main droite » et « la pensée de la main gauche ». Par « pensée de la main droite », il entend la pensée logique, analytique, rationnelle, la pensée consciente et qui procède avec soin, pas à pas, jusqu'à une conclusion logique. C'est le genre de pensée qu'on cultive et qu'on apprécie dans les écoles et les collèges, et qu'on essaie d'enseigner aux enfants. Mais il existe un autre type de pensée, souvent négligé dans les écoles : c'est la « pensée de la main gauche » qui est intuitive, toute en détours inattendus ; elle implique que celui qui pense rejoint en lui-même l'inconscient plutôt que le conscient. C'est ce type de pensée qui permet les grandes découvertes scientifiques ou les innovations radicales dans le domaine des affaires ou de la politique. C'est pourquoi il est nécessaire que nous inculquions à nos enfants ces deux modes de pensée.

LA PENSÉE DE LA MAIN DROITE

Que faire pour apprendre à votre enfant d'âge préscolaire la « pensée de la main droite » ? Nous pouvons lui en fournir les matériaux bruts dont les plus importants sont les expériences sensorielles.

On peut classer les parents en deux groupes, suivant la façon dont ils encouragent leurs enfants à se fonder sur les expériences sensorielles.

Il y a tout d'abord les parents « Non, non » qui découragent activement l'exploration du monde au moyen de la vue, de l'ouïe, du toucher et de l'odorat : « Va-t'en de là, ne touche pas, c'est sale. » Nous trouvons ensuite les parents indifférents qui prennent une attitude essentiellement passive et neutre à l'égard de l'exploration sensorielle faite par leur enfant. En troisième lieu, nous trouvons les parents qui encouragent activement leur enfant à découvrir le monde aussi complètement que possible par les sens.

J'espère que vous êtes du troisième groupe. Encouragez votre enfant à toucher les objets, à prendre conscience des textures différentes. Aidez-le à écouter tous les sons qui l'environnent et à les connaître. Aidez-le à vraiment *voir* — à voir la beauté des choses les plus courantes : la peinture qu'il s'écaille sur le mur d'un garage, le dessin complexe des craquelures dans l'asphalte, l'aspect de l'eau quand vous lavez la voiture. Essayez surtout d'aider votre enfant à être en éveil, comme le disait Victor Lowenfeld, professeur d'esthétique et de culture artistique à la Pennsylvania State University.

« Vous pouvez l'encourager à se servir sans cesse de ses yeux, de ses oreilles et de ses mains. Vous pouvez le rendre conscient de la beauté d'une rangée de tulipes dans un jardin, de la différence entre les longues feuilles pendantes d'un saule pleureur et la symétrie en vert et argent d'une feuille d'érable. »

Encouragez-le à toucher l'écorce rugueuse et nervurée d'un vieux chêne et celle, lisse et marbrée, du sycomore. Faites-lui toucher et sentir la texture de la laine, du velours et de la rayonne de vos vêtements et des siens. Faites-lui connaître la fourrure d'un chat. Une remarque aussi simple que : « Jean, tu sens dans le vent l'odeur des feuilles qui brûlent ? » peut lui donner l'occasion d'une expérience sensorielle très riche, expérience qu'il pourrait ne pas faire sans votre intervention. Même les bruits du vent dans les arbres, le chant du rouge-gorge au petit matin, le murmure d'un ruisseau sur les cailloux peuvent être pour un jeune enfant le tremplin d'une sensibilité sur le point de s'épanouir et qui enrichira sa vie entière.

L'âge préscolaire est le bon moment pour faire prendre conscience des choses à un enfant. *Prendre vraiment conscience du monde sensible constitue pour lui les bases essentielles de sa pensée.* Outre les expériences sensorielles variées, nous devons fournir aux enfants toutes sortes de matériaux qu'ils puissent utiliser comme stimulants de leur pensée entre trois et six ans. Qu'ils aient donc du papier à volonté, des pastels, des crayons feutre et des peintures. Des ciseaux à bouts arrondis, des piles de vieux magazines, du carton de formes et dimensions variées, un tableau noir avec des craies blanches et de couleur, une boîte pleine de toutes sortes de morceaux de bois, de tissu et de papier pour faire des collages, de la colle, des cubes de bois de différentes grosseurs, des panoplies et costumes pour se déguiser, un électrophone ou un magnétophone, des disques à bon marché qu'ils pourront utiliser eux-mêmes de bons disques que vous leur ferez entendre, des jeux de construction, de la pâte à modeler ou de l'argile, des livres. Que votre enfant dispose aussi d'un tableau métallique avec les lettres de l'alphabet et des numéros magnétiques. Sans les matériaux que je viens d'énumérer, votre enfant risquerait d'être handicapé dans son travail intellectuel comme un étudiant qui travaillerait sans livres.

Pensez à installer aussi un tableau d'affichage où vous pourrez épingler ses « œuvres artistiques ». Avoir un endroit où il puisse exposer ce qu'il a fait lui donne la fierté de son travail et le récompense de ses efforts. Autre aspect important du premier développement intellectuel : donner à l'enfant l'occasion de faire le plus possible d'expériences personnelles et de « première main ».

Beaucoup de gens ne sont que de piètres penseurs parce qu'ils ont eu peu d'expériences directes. Ils ont l'esprit encombré des pensées des autres, et vide d'opinions personnelles. Si vous pensez que j'exagère, posez cette question autour de vous, posez-vous la vous-même : passez-vous, ne serait-ce qu'une demi-heure par jour, à réfléchir tranquillement et à écouter la voix intérieure qui s'élève en vous ? Ou bien, est-ce que toute votre journée se trouve accaparée par des voix extérieures, que ces voix soient celles des autres ou une émission de télévision, ou des mots sur une page imprimée ?

Dans sa remarquable « autobiographie », Lincoln Steffens, le célèbre journaliste, propose une méthode pour devenir un critique d'art original et judicieux. Ce qu'il propose va en fait très loin : il vous suggère de visiter un musée et de choisir les trois œuvres d'art que vous préférez dans tout le musée. Retournez chaque semaine dans le même musée et choisissez à nouveau les trois œuvres que vous préférez. Faites de même pendant six mois. Au bout des six mois vous ne choisirez certainement pas les trois mêmes œuvres qu'au début de l'expérience. En effet, vous vous serez soumis entre-temps à un cours de critique d'art. En vous forçant à choisir ces trois œuvres d'art vous avez enrichi et fait évoluer votre goût. Au bout des six mois vous seriez capable de sélectionner les trois mêmes œuvres qu'un critique authentique.

L'intérêt de cette méthode tient au fait que vous auriez choisi ces trois œuvres grâce à votre appréciation personnelle, et non parce que quelqu'un d'autre vous aurait dit que c'étaient les plus belles.

Cette suggestion de M. Steffens est un modèle de ce que nous pouvons faire avec nos enfants. Donnons-leur d'innombrables occasions d'expérimenter eux-mêmes les choses, plutôt que par l'intermédiaire des yeux, des pensées et des sentiments d'autres personnes.

Que votre enfant n'ait pas seulement une expérience de première main, mais qu'elle soit encore aussi élargie que possible. La pensée est fonction de l'étendue de l'expérience, et ne peut s'étendre au-delà. C'est pourquoi il faut vous assurer que son champ d'expérience est aussi étendu que possible.

Un des meilleurs moyens d'élargir le champ des expériences directes de votre enfant est de le faire participer à ce qu'on nomme dans certaines écoles « étude du milieu ». Chaque ville, grande ou petite, possède nombre d'endroits passionnants qui peuvent étendre le champ d'expérience à l'âge préscolaire. Mes enfants furent enthousiasmés quand ils visitèrent des endroits tels que caserne de pompiers, poste de police, laiterie, fonderie, bibliothèque, aéroport, imprimerie d'un journal, cordonnerie, boulangerie, usine de soudure, atelier de carrosserie, banque, fabrique de pâtés.

L'endroit qui les passionna le plus fut la fonderie. Quand ils virent comment cette masse de fer portée au rouge était façonnée et refroidie, ils comprirent beaucoup mieux comment on fabrique les objets en fer et cela les incita vivement à savoir comment les autres objets étaient fabriqués.

Vous découvrirez sans doute qu'il est très amusant pour un adulte de participer à ces visites avec un enfant. En temps ordinaire, les adultes n'ont pas l'occasion de pratiquer ces expériences. Nous n'osons pas aller demander aux pompiers : « Pouvez-vous nous montrer votre voiture-pompe ? » Mais votre enfant sera comme votre ticket d'entrée pour toutes sortes d'aventures à une demi-heure de voiture de chez vous. J'ai pu constater que les gens les plus revêches aiment guider un enfant à travers leur usine ou leur atelier. Après la visite, vous pouvez encourager votre enfant à faire des dessins et à décrire ses impressions. Peut-être même à composer un « petit livre ».

Quand vous pensez aux moyens d'enrichir la connaissance de votre enfant, ne négligez pas ce qui est évident, n'allez pas chercher trop loin. Les musées sont une mine d'information et d'expérience. N'y faites cependant que de courtes visites avec un enfant d'âge préscolaire, car son attention ne peut se maintenir très longtemps. Les voyages, bien entendu, peuvent élargir énormément son champ d'activité, en particulier si vous avez la chance de pouvoir aller à l'étranger. Et les livres, disques, cassettes et bandes magnétiques, films et programmes de télévision vous seront d'une aide précieuse pour élargir les horizons de l'enfant. Rappelons-nous les paroles du psychologue Piaget : « Plus notre enfant voit et entend de choses, plus il veut voir et entendre. »

Il est important de laisser la pensée abstraite de l'enfant se développer à partir d'expériences concrètes. Les jeunes enfants ne sont guère capables de pensée abstraite indépendante de données concrètes, mais ils en sont parfaitement capables quand elle procède de matériaux concrets qu'ils peuvent voir, toucher et manipuler.

Cette conscience de l'importance à donner à « l'éducation tactile » fut une des idées géniales de Maria Montessori et est à l'origine de la faveur du « mouvement Montessori » aux Etats-Unis ces dernières années.

Montessori dit qu'elle offrait aux enfants « des abstractions matérialisées ». Par là, elle voulait dire qu'elle leur proposait des idées abstraites sous une forme concrète, que l'enfant puisse manipuler au cours d'une activité quelconque : elle conçut ainsi toute une série de jeux éducatifs qui permettent à l'enfant, par simple manipulation, d'apprendre les mathématiques, la physique, la lecture, l'écriture, etc.

D'autres spécialistes de l'éducation des enfants ont suivi la voie ouverte par Montessori. On peut se procurer dans le commerce des jouets éducatifs bien conçus qui peuvent faire aborder à votre enfant la pensée abstraite par l'usage des matériaux concrets à manipuler. (*Voir* Appendice A.)

Un Belge, Georges Cuisenaire, qui fut l'un des disciples de Montessori, inventa un ensemble d'objets permettant aux jeunes enfants d'apprendre l'arithmétique et les mathématiques : les réglettes de Cuisenaire. Il s'agit d'une série de bûchettes de bois de différentes longueurs et de couleurs variées. C'est ce qu'on a trouvé de mieux jusqu'à maintenant pour enseigner l'arithmétique et les mathématiques aux enfants. L'enfant peut apprendre à additionner, soustraire, multiplier et diviser. Il peut apprendre à vérifier son propre travail pour voir si c'est correct. En utilisant ces réglettes, il peut même commencer à aborder l'algèbre. La Compagnie Cuisenaire d'Amérique vend un matériel spécial pour les parents, avec un jeu complet de réglettes et des instructions progressives pour que les parents puissent apprendre à leurs enfants à s'en servir. (*Voir* Appendice A.)

Les jouets éducatifs de ce genre sont fondés sur le principe qui consiste à laisser l'enfant découvrir lui-même les objets. Ce qu'il découvre par lui-même s'implante dans son esprit avec beaucoup plus de force que ce qu'on lui explique.

Prenons un exemple : vous laissez votre enfant s'entraîner à peindre avec des couleurs différentes. Vous pourriez lui dire comment il peut mélanger le jaune et le bleu pour obtenir du vert. Mais si vous le lui dites, cela le prive du frisson de la découverte personnelle. Pourquoi ne pas agir de façon différente. Donnez-lui donc de la peinture jaune et de la peinture bleue, et dites-lui : « Pourquoi n'essaies-tu pas de les mélanger pour voir ce qui se produit ? » Il essaiera et son visage s'illuminera : « Regarde ! Ça fait du vert ! »

Il est difficile pour des parents d'employer la découverte personnelle comme méthode pédagogique tant nous sommes habitués à « dire » ce qu'il faut faire. Je me rappelle qu'à trois ans un de mes enfants me demanda : « Papa, si je plante un bâton dans la terre est-ce que ça fera un arbre ? » Ma première réaction aurait été de répondre : « Bien sûr que non ! » Mais au lieu de cela, je pensai à employer la méthode de la découverte personnelle. Je lui dis : « Faisons une expérience : plantons un bâton dans la terre et voyons si cela pousse ! » Ce que nous fîmes. Et quelques jours plus tard, il commenta ainsi l'expérience : « Je ne crois pas que ça poussera. » Nous plantâmes alors des graines, et il apprit par l'observation directe ce qui pousse quand on le met en terre et ce qui ne pousse pas.

Aidez votre enfant à acquérir des concepts clés qui l'aideront à organiser son monde et à lui trouver un sens. Les enfants sont assaillis par toutes les informations que leur apporte l'entourage. Ils sont constamment en train d'essayer de rendre cohérentes toutes ces indications fragmentaires pour donner une signification au monde qui les entoure.

Ils essaient de découvrir des relations de cause à effet et de classifier les renseignements que leur fournissent leurs sens.

Par « concept clé », je veux dire l'idée qui aide un enfant à assimiler un certain nombre de phénomènes différents et à organiser le milieu qui l'entoure. Parmi les concepts clés qu'un enfant d'âge préscolaire peut comprendre on peut mentionner ceux-ci :

« La pesanteur est une force invisible qui attire les objets vers le sol. »

« Tous les animaux disposent d'un certain moyen de défense contre leurs ennemis. »

« Quand deux objets sont frottés l'un contre l'autre, une friction chauffe les objets. »

Une fois qu'un enfant comprend vraiment l'un de ces concepts clés, il peut comprendre tout un ensemble de phénomènes ambiants.

Vous pouvez expliquer les concepts clés à un enfant en lui lisant un livre qui expose ces notions en les mettant à sa portée.

On peut aussi lui expliquer ces concepts en commentant des faits de la vie de tous les jours. La pesanteur peut s'expliquer facilement en montrant que, quand on lâche un objet, il tombe au lieu de s'élever dans les airs. On peut expliquer que dans l'espace il n'y a pas de pesanteur, si bien que les gens y flotteraient à moins de se trouver sur une planète vers la surface de laquelle la pesanteur les attirerait.

Apprenez à participer aux jeux éducatifs de votre enfant. Tous les enfants aiment jouer à des jeux. Beaucoup de jouets éducatifs sont des jeux, mais avec les enfants d'âge préscolaire, il n'est pas besoin d'aller en acheter, vous pouvez les créer vous-mêmes.

Il existe beaucoup de jeux simples et cependant éducatifs. Pour un quatre ans, pensons par exemple au « jeu des rimes ». Vous choisissez un mot et l'enfant trouve un autre mot qui rime. Puis c'est lui qui choisit un mot et vous trouvez la rime. Soyez libéral dans le sens à donner à la « rime ». Il s'agit d'un jeu très simple et qui lui plaira beaucoup.

Un autre bon jeu est celui du : « Comme cela serait drôle si... » Dites-lui : « J'ai un nouveau jeu à te proposer ; cela s'appelle : " Comme cela serait drôle si... ". Voici comment jouer : je commence : Comme cela serait drôle si les gens marchaient sur la tête au lieu de marcher sur les mains. Maintenant, à toi ! » Toutes sortes de concepts intéressants peuvent ainsi s'exprimer : comme cela serait drôle si les voitures fonctionnaient à l'eau et non à l'essence, etc. En jouant à ces jeux vous aidez votre enfant à acquérir une pensée originale. Vous l'encouragez à créer de nouvelles idées, et vous l'aidez à développer son imagination.

Une variante de ce jeu : « Que se passerait-il si... ? » Que se passerait-il si les voitures marchaient à l'eau et non à l'essence ? On économiserait de l'argent parce que l'eau est moins chère que l'essence. L'air serait beaucoup moins pollué. On s'arrêterait à une pompe à eau et non à une pompe à essence, etc.

Il est important dans tous ces jeux d'accepter toutes les idées qui lui viennent à l'esprit. Ne dites pas : « Non, c'est impossible », ou « Ça n'est pas vrai ». Cela le découragerait d'avoir des idées et enlèverait tout attrait au jeu. Ne vous inquiétez pas, il apprendra à être plus précis dans ses idées en grandissant. Contentez-vous à ce stade de l'encourager à faire naître les idées, sans vous soucier de leur précision scientifique.

Autre jeu intéressant : « Le jeu de l'affirmation. » Une affirmation est une phrase qui déclare quelque chose. On peut commencer le jeu par une affirmation du genre : « Cette voiture est peinte en blanc. »

Posez alors des questions sur l'affirmation : « Cette voiture est-elle verte ?

— Non.

— Cette voiture est-elle blanche ?

— Oui. »

En voici une un peu plus compliquée : « Tous les chiens ont quatre pattes. Les singes ont deux pattes. Un singe est-il un chien ?

— Non.

— Comment le sais-tu ?

— Parce qu'il n'a pas quatre pattes. »

Votre but est de montrer à l'enfant qu'on peut poser un nombre infini de questions auxquelles on peut répondre par oui ou non à partir de n'importe quelle affirmation. Ce jeu, au niveau d'un enfant d'âge préscolaire, est une base solide de pensée logique.

Avec de l'imagination, trouvez vous-mêmes vos jeux. Essayez et vous verrez que la liste des activités qui peuvent être transformées en jeu de cette sorte est pratiquement sans fin. Voyez, par exemple, quels jeux vous pourriez inventer rien qu'en emmenant votre enfant faire les courses avec vous.

LA PENSÉE DE LA MAIN GAUCHE

Tournons-nous maintenant vers la « pensée de la main gauche ». Il s'agit cette fois d'aider votre enfant à développer le côté intuitif et imaginatif de l'esprit aussi bien que le côté rationnel, logique et conscient. Comment faire ?

Tout d'abord, encourager son esprit créatif.

Il est dommage que de nos jours cette expression soit employée à tort et à travers. Tout fabricant de jouets parle de favoriser l'esprit inventif ou créatif à propos de n'importe quel jeu plus ou moins intéressant. Il nous faut donc revenir au sens original du mot.

Quand votre enfant crée quelque chose, cela veut dire qu'à partir de matériaux non structurés, il crée une structure qu'il conçoit dans son esprit. Par exemple, voyez la différence qui existe entre colorier un album tout prêt et dessiner sur un papier blanc. Quand votre enfant colorie un album, la structure est déjà toute prête dans le livre. Votre enfant ne crée rien. La seule chose qu'il puisse en tirer est d'apprendre à rester à l'intérieur du trait. Il n'y a là aucune « créativité ». Mais quand votre enfant dessine avec des pastels sur une feuille de papier, il crée sa structure personnelle, issue de son esprit, à partir de matériaux non structurés : les pastels et le papier.

C'est pourquoi il est tellement important d'avoir à sa disposition des matériaux *non structurés* : par exemple des pastels et marqueurs, de la peinture, de l'argile, de la pâte à modeler, du papier, des collages, des cubes, des « Lego », du sable, de la terre, etc. Aucun de ces matériaux n'a de structure en lui-même. C'est l'esprit de votre enfant qui crée la structure.

Donnons ici un avertissement aux parents. Ils comprennent mal parfois qu'on insiste ainsi pour favoriser la « créativité » de l'enfant, et pensent : « Après tout, cela n'a pas grande importance, je ne crois pas que mon enfant veuille devenir artiste. » Il ne s'agit pas du tout de cela. Vous n'essayez pas d'apprendre à votre enfant à devenir un artiste mais à acquérir un esprit créatif. Vous lui donnez la possibilité de fortifier sa confiance en soi en voyant qu'il peut imposer ordre et structure à des matériaux informes. Vous accroissez sa sensibilité, sa conscience des réalités, son originalité et ses facultés d'adaptation. Ces qualités de l'esprit « créatif » lui seront nécessaires dans n'importe quelle activité humaine.

J'ai déjà signalé l'importance pour la santé mentale de l'enfant de le laisser exprimer librement ses sentiments. C'est aussi très important pour qu'il atteigne le développement maximal de son intelligence. Vous pouvez aider votre enfant à accéder plus facilement à son subconscient en l'encourageant à exprimer ce qu'il ressent. Il faut lui apprendre qu'il n'y a rien de *vrai* ou de *faux*, de *bien* ou de *mal* quand il s'agit des sentiments ou des pensées. Le *vrai* et le *faux*, le *bien* et le *mal* se limitent aux actes, au comportement extérieur et ne concernent pas les sentiments et les pensées profondes. Un des meilleurs moyens d'interdire toute originalité à quelqu'un est de lui enseigner, quand il est encore enfant, que certaines idées et certains sentiments sont mauvais ou bons. Et pourtant plus un adulte est capable d'idées originales, nouvelles et révolutionnaires, plus grande sera sa réussite professionnelle.

David Ogilvy, l'un des publicistes les plus inventifs et les plus doués, le dit bien :

La création exige plus que de la raison. L'essentiel d'une pensée neuve, originale ne peut s'exprimer par des mots. Il sourd d'une expérience tâtonnante, qu'anime de brusques intuitions, surgies de l'inconscient. La plupart des hommes d'affaires sont incapables de pensée originale, parce qu'ils sont incapables de se libérer de la tyrannie de la raison. Leur imagination est bloquée.

... Je me suis inventé des techniques pour garder un contact téléphonique avec mon inconscient, pour le cas où ce « magasin » où tout repose en vrac aurait quelque chose à me communiquer. J'écoute beaucoup de musique... je prends de longs bains chauds. Je jardine... Je fais de longues promenades dans la campagne. Je m'accorde de fréquents loisirs afin de mettre mon cerveau en jachère — ni golf, ni cocktails, ni tennis, ni bridge, rien qui exige une concentration mentale : uniquement ma bicyclette. Et parce que de la sorte je reste disponible, je reçois un flux constant de signaux télégraphiques, venant de mon inconscient ; et ce sont ces signaux qui constituent la matière première de mes créations publicitaires.

La façon d'aider votre enfant à devenir ce type d'homme à l'esprit créateur, c'est de *l'encourager* à exprimer ses *sentiments*.

C'est à travers eux qu'un enfant ou un adulte accède à son inconscient d'où lui arrivent les élans créateurs et les grandes idées. Un adulte sec, pédant et ennuyeux n'a aucun rapport avec son inconscient parce qu'il a fermé la porte à la vie des sentiments.

Il nous faut ouvrir les portes de la vie affective pendant que nos enfants sont jeunes, et les tenir ouvertes.

Il est indispensable d'alimenter l'imagination de votre enfant. Notre époque a tendance à s'orienter uniquement vers les faits et à délaisser la fantaisie. On trouve beaucoup de bons livres pour enfants traitant de la réalité des choses, alors que les très bons livres d'imagination sont rares. Pourtant il faut cultiver l'imagination capricieuse, non pas l'éliminer. Un enfant qui a grandi sans que ses parents lui lisent des livres tels que *Alice au pays des merveilles* ou *Le Petit Prince* a été privé d'une grande richesse de fantaisie et d'imagination enfantine.

Nous pouvons aussi avoir recours à des activités qui n'empruntent pas au langage telles que musique, danse, arts plastiques. Ces activités donnent à l'enfant l'occasion d'exprimer ses sentiments et de développer son imagination et sa fantaisie.

Nous pouvons aussi lui raconter des histoires et l'encourager à en raconter. Il y a une grande différence entre l'histoire que vous lisez à un enfant et celle que vous lui *racontez*. Quand vous êtes vous-même le conteur, vous l'aidez à croire qu'il peut aussi inventer une histoire.

Les enfants se délectent particulièrement des histoires où vous leur racontez vos propres expériences enfantines, particulièrement « quand vous aviez leur âge » ou à peu près. Prenez la liberté de broder un peu sur la vérité et de bâtir une histoire qui soit plus intéressante. (J'avais moi-même une série d'histoires d'une petite fille appelée Summer Woomer Bow Bow, qui faisait un énorme gâteau au chocolat, si gros qu'il dépassait le toit de la maison.)

Quand vous racontez, faites varier votre rythme. Parlez très vite à certains moments et parfois lentement sur un ton théâtral. Changez aussi le volume de votre voix : forte, puis murmurée. Chaque fois que c'est possible, utilisez les sons et les effets sonores, car les enfants d'âge préscolaire les aiment : « L'abeille s'envola : Z Z Z Z... » ou bien : « Le bon vieux train s'en allait : tchu tchu tchu tchu ! »

Un bon moyen pour encourager l'enfant à raconter lui-même : servez-vous d'une image comme point de départ. Trouvez une image intéressante dans un magazine, et montrez-lui comment faire en lui racontant une courte histoire à partir de cette image. Montrez-lui alors une autre image et laissez-le s'essayer à son tour.

Autre méthode : racontez le début et laissez l'enfant inventer la fin. Quand il y a plusieurs enfants dans la famille, ils peuvent tous continuer l'histoire à tour de rôle en disant chacun une phrase.

Bien sûr, vous pouvez vous dire : « Je ne saurais pas. Je ne sais pas raconter ! » Si c'est votre cas, je peux vous faire une révélation encourageante : même si vous êtes le conteur le plus maladroit et le moins doué du monde, votre bambin vous trouvera formidable ! Jamais vous n'aurez de meilleur public. Soyez donc confiant et essayez.

Enfin, pour développer chez l'enfant une imagination vive, l'aptitude des parents à considérer la vie comme un jeu est importante. A cet égard, les attitudes sont très variables. Certains sont plus guindés et dignes, certains plus joueurs et plus « pitres ». *Restez vous-mêmes.* N'essayez pas d'être autre chose, mais plus vous pourrez faire le clown, plus vous donnerez libre cours à son imagination. Un de mes amis découpait les gâteaux d'anniversaire de ses enfants non pas en parts régulières comme tout le monde, mais en forme de cercles, en carrés, en rectangles, en losanges : « Je trouve que c'est plus intéressant comme cela », disait-il.

Il faut aussi aider l'enfant à avoir des « imagos ». Par « imago », j'entends une image mentale inconsciente. J'ai fait passer autrefois des tests d'intelligence pour adultes dans lesquels la section arithmétique était introduite par ces mots : « Voyons maintenant votre force en arithmétique. » Et chaque fois que je disais cela, une personne au moins s'écriait : « Je sais bien que je vais rater ce test, j'ai toujours été mauvaise en arithmétique. » En d'autres termes, l'image mentale inconsciente de l'arithmétique qu'elle se faisait était négative, parce que ses premiers contacts avec l'arithmétique, pendant son enfance, avaient été négatifs. Il faut donc aider votre enfant à avoir des images positives des différentes matières qu'on enseigne à l'école.

Comment faire pour y parvenir ? Veillez à ce que son premier contact avec un sujet ait lieu dans une atmosphère d'amusement et de plaisir.

Prenons l'exemple de la chimie qui se prête admirablement aux « expériences » préscolaires. Faire fondre du sel ou du sucre dans l'eau peut devenir une « expérience de chimie ». De même que faire de la pâtisserie simple. N'hésitez pas à employer le mot « chimie » devant l'enfant et suggérez-lui de faire quelques expériences. Le « laboratoire » peut être l'évier de la cuisine. Et quand votre enfant commencera d'étudier la chimie à l'école primaire ou au lycée, il en aura depuis longtemps une image positive. On peut faire la même chose avec la physique, les langues étrangères, les mathématiques et la plupart des matières d'enseignement qu'on voudra présenter à un enfant d'âge préscolaire dans un contexte de plaisir et de jeux.

12

L'ÉCOLE COMMENCE À LA MAISON

(Deuxième partie)

Comment stimuler le développement du langage chez votre enfant ?

Le langage de l'enfant est à considérer sur deux plans : le langage oral et le langage écrit. Il existe plusieurs façons de les stimuler l'un et l'autre.

La première consiste à lui lire des histoires et des livres.

Vous pouvez commencer à l'emmener à la bibliothèque et l'aider à choisir des livres dès l'âge de trois ans. Présentez-le à la bibliothécaire et tâchez qu'elle devienne son amie.

Il est surprenant de constater combien peu de parents fréquentant une bibliothèque connaissent la bibliothécaire des enfants. (S'il n'y a qu'une bibliothécaire, elle saura aussi vous guider pour le choix des livres d'enfants.)

Une bibliothécaire peut apporter une aide considérable pour apprendre à un enfant à découvrir toutes les richesses d'une bibliothèque et l'aider à s'y sentir chez lui.

Prenez l'habitude d'aller régulièrement à la bibliothèque pour emprunter des livres. (Tenez compte du fait que les jeunes enfants ont du mal à comprendre qu'il faut aussi rendre les livres ; soyez compréhensifs et patients : un enfant fait mal la différence entre acheter un livre et l'emprunter pour deux semaines.)

Mais ne vous limitez pas à la bibliothèque. Commencez par lui acheter ses propres livres. Le mieux est pour cela d'aller passer de temps en temps une heure dans une librairie pour voir ce que propose le rayon des enfants.

Beaucoup de parents ne sont pas conscients de l'importance du choix des livres et en prennent, un peu au hasard, quelques-uns à deux ou trois francs dans un supermarché. Je pense que c'est une erreur. Le choix a une importance primordiale.

Faire la lecture à un jeune enfant nécessite toute une technique. Premièrement, tenez-le sur vos genoux ou asseyez-vous tout près de lui. Ainsi ce moment de lecture sera bien plus qu'un échange intellectuel, mais deviendra l'instant d'une communication chaleureuse et douce entre vous. Avant de lire, indiquez à votre enfant l'auteur, le titre, l'éditeur et l'année de publication. Si le livre est illustré et que le nom de l'artiste est indiqué, dites-le-lui aussi.

En agissant ainsi, vous encouragez chez lui l'idée qu'on doit s'intéresser à celui qui a écrit le livre, à ceux qui l'ont illustré, publié et à l'époque où tout cela s'est fait. Cette habitude lui sera très utile à l'école, quand ces détails prendront une importance littéraire et historique.

Arrangez-vous pour que votre enfant puisse voir les images quand vous lisez. Montrez-lui les détails marquants de ces images : « Vois-tu la souris dans le coin ? Que fait-elle à ton avis ? » Encouragez-le à remarquer les détails des illustrations. Vous rendrez plus aiguë sa puissance d'observation, tout en rendant la lecture beaucoup plus active pour lui que s'il vous écoutait passivement.

Ne lisez pas d'une voix monotone. Faites du théâtre. Elevez et baissez la voix pour mettre en valeur votre texte.

Faites la lecture pour un seul enfant à la fois. Il est très difficile d'essayer de lire en même temps pour plusieurs enfants d'âges différents. Je ne le recommande pas.

Faut-il lire souvent ? Autant que vous en aurez envie. Essayez toutefois de lire au moins une histoire entière ou un petit livre en entier chaque soir.

Il existe beaucoup de collections pour enfants qui commencent à lire, tels que les Petits Livres d'or ou les histoires de Babar. Je les appelle livres à double usage, car on peut, tout d'abord, les lire à l'enfant avant qu'il ne fréquente l'école. Ensuite, en dernière année de maternelle ou en cours préparatoire, quand il apprendra à lire, ce seront les premiers qu'il voudra lire seul. Ils l'aideront d'ailleurs beaucoup dans la mesure où il les aura entendu souvent raconter et connaîtra le texte par cœur.

Ces livres seront comme de vieux amis bien plus faciles à aborder que des histoires nouvelles et inconnues.

En plus de choisir et d'acheter des livres, pensez à abonner l'enfant à un journal. Les enfants ne reçoivent presque pas de courrier à leur nom : une lettre ou un colis personnel est toujours une immense joie pour eux. Choisissez dans les publications pour la jeunesse un magazine adapté à leur âge. Votre enfant prendra ainsi l'habitude de lire des magazines, de même que des livres, et cela dès l'âge préscolaire.

Doit-on les inscrire à un club de lecture pour enfants ? J'y suis plutôt opposé. Cette opinion peut vous surprendre mais je pense que vous êtes capable personnellement d'un meilleur choix qu'un club de lecture. J'ai déjà dit que les parents devaient utiliser à fond leur bon sens. C'est encore une occasion de le faire. Après tout, c'est vous qui connaissez le mieux votre enfant, ses goûts et ses préférences. C'est vous qui ferez le meilleur choix des livres adaptés à ses goûts et à ses besoins. Si vous habitez loin d'une librairie, demandez aux éditeurs qu'ils vous envoient régulièrement leur catalogue. Certains libraires vous fourniront aussi une sélection sur catalogue.

La seconde chose à faire pour stimuler le langage de l'enfant est de lui apprendre à écrire.

Commencez par exemple vers trois ans et demi. Procurez-vous un alphabet qui donne les majuscules d'imprimerie et les minuscules, un crayon feutre plus facile à manier qu'un crayon ou un pastel. Commencez avec les majuscules d'imprimerie parce qu'elles sont plus faciles à tracer pour un enfant qui commence à écrire. Tôt ou tard l'enfant devra apprendre aussi les minuscules, mais il vaut mieux commencer par le plus facile pour lui donner confiance en lui.

Certaines personnes (des maîtresses de maternelle ou de cours préparatoire) vous diront qu'il y a une « façon » d'apprendre aux enfants à faire les lettres. N'en tenez pas compte. Il n'y a pas de « façon » précise. Quelle que soit la façon dont votre enfant peut former la lettre, c'est celle qui lui convient le mieux. Après tout, il pourra toujours changer de « façon » d'écrire ensuite.

Rien de vous oblige à commencer par la lettre A pour aller jusqu'à Z. Commencez par les lettres qui sont les plus faciles à tracer, abordez ensuite les plus difficiles. Voici un ordre possible pour apprendre à écrire les majuscules d'imprimerie : I - L - X - T - H - F - E - A - M - V - N - P - U - C - W - O - Q - D - Y - Z - B - K - J - R - S - G. Là encore rien d'impératif dans l'ordre que je propose. Tout simplement on commence par les lettres les plus faciles à tracer et on aborde progressivement les plus difficiles. Sachez bien qu'il s'applique aux « enfants en général », et que votre enfant n'est pas « les enfants en général ». Il existe donc sans doute un ordre différent, allant du plus simple au plus complexe *pour lui seulement !*

Un enfant mettra un certain temps à apprendre à écrire ces lettres, dont certaines, je l'ai dit, lui paraîtront plus difficiles. Mais soyez patiente. Montrez-lui comment les traits forment une lettre, et donnez-lui tout le temps qu'il faudra pour apprendre. Peut-être un an seulement pour les majuscules d'imprimerie si vous commencez quand l'enfant a trois ans et demi. Tout dépend de lui, mais rien ne presse. Votre enfant a toute la vie devant lui, ne le bousculez donc pas !

Quand votre enfant a appris à faire les lettres qui forment son nom (vous pouvez changer l'ordre suggéré ci-dessus afin de les apprendre tout de suite), montrez-lui comment écrire son nom. C'est un grand moment dans la vie de l'enfant d'âge préscolaire que d'apprendre à écrire son nom ! Il voudra sans doute écrire celui de quelques personnes, peut-être maman ou papa, ou celui d'un bon camarade.

Il peut aussi vous demander avant toute autre chose de lui montrer comment écrire son nom, et insister vivement. Si c'est ce qui l'intéresse, pourquoi pas ? C'est une règle fondamentale en pédagogie. Chaque fois qu'un enfant manifeste l'envie d'apprendre quelque chose, laissez de côté ce que vous aviez prévu. Apprenez-lui *tout de suite* ce qu'il veut apprendre.

À part quelques exceptions, les lettres minuscules sont plus difficiles. N'essayez pas de les faire écrire avant que l'enfant connaisse bien les majuscules, à moins bien sûr qu'il (et non vous) désire spécialement en apprendre quelques-unes. Quand vous les aborderez, commencez par lui montrer qu'il en connaît déjà *neuf*, celles qui sont exactement semblables aux majuscules mais seulement plus petites : c - i - o - s - u - v - w - x et z (seule chose à remarquer, le point sur le i).

Il lui faudra peut-être encore un an pour savoir écrire les minuscules. Et c'est normal. Vous avez tout le temps, rien ne presse. Même ainsi, sans se presser, il saura écrire les majuscules et les minuscules en entrant au cours préparatoire.

Il existe du matériel éducatif qui peut aider votre enfant dans cet apprentissage. Différentes marques proposent des séries de lettres majuscules. et minuscules en bois ou en plastique. Il existe aussi des lettres magnétiques en plastique chez la plupart des marchands de jouets, qui s'appliquent sur un tableau de métal vendu avec les lettres, ou à toute autre surface métallique. La porte du réfrigérateur, par exemple, constitue un tableau amusant où on peut laisser des « mots » avec lesquels l'enfant se familiarisera. On peut aussi confectionner des lettres avec du papier de verre de grosseur moyenne. Découpées, elles sont collées sur un carton rectangulaire et permettent à l'enfant de suivre leur tracé avec ses doigts.

Avec ces lettres en relief faites de bois, plastique, ou papier de verre, vous pouvez proposer comme jeu de reconnaître une lettre au toucher, les yeux bandés. Pour ce jeu, commencez avec les majuscules, et abordez ensuite les minuscules. Mais ne mélangez pas les deux, car l'enfant serait dérouté.

La troisième chose qu'on peut faire pour stimuler le développement du langage consiste à lui apprendre à faire lui-même ses livres.

Faire des livres est une des activités les plus passionnantes que vous puissiez enseigner à votre enfant. Choisissez le moment où vous êtes tous les deux bien disposés et dites-lui : « Nous allons faire un livre. Maman va te montrer comment on fait. Cela va être ton livre à toi ! » Il vous faudra pour cela des matériaux, vieux magazines, surtout ceux où l'on trouve de nombreuses illustrations, comme « Paris Match », « Jours de France », des ciseaux, du papier, des agrafes ou de la ficelle fine (pour relier les pages), du carton pour les couvertures, des feutres, et des pastels ou crayons de couleur.

On peut faire deux sortes de livres : ceux que l'enfant vous dicte et que vous écrivez, puis, quand il maîtrise l'écriture, ceux qu'il écrit lui-même. Commencez naturellement par ceux qu'il vous dicte. Comme pour tous ces jeux éducatifs, le bon âge pour un début se situe vers trois ans, trois ans étant généralement un âge d'équilibre, plus coopérant que la première adolescence entre deux et trois ans.

Quel sera le sujet du livre ? Laissez l'enfant décider. Cela dépend de ses centres d'intérêts. Peut-être voudra-t-il écrire un livre sur les chiens ou les camions, ou les poupées, ou encore les dinosaures, une visite chez sa grand-mère, ou sur sa tortue !... Peu importe ! C'est en cela justement qu'il sera merveilleux. Ne vous tracassez pas pour choisir le sujet du livre puisqu'il sera le sien, bien à lui. Dites seulement : « Pour faire un livre, on raconte, et on écrit ce qu'on a dit. Tu vas raconter et j'écrirai. On commence le livre. »

Voici un exemple authentique : un livre dicté par un garçon de trois ans à sa mère qui lui avait demandé « sur quoi » il voulait le faire. « Sur Batman. »

— D'accord, très bien. Qu'est-ce que tu veux dire sur Batman ?

— Qu'il est gentil.

— Très bien. Ça fera la première page du livre. »

Alors la mère écrivit lentement et soigneusement, en grosses lettres sur la première page : « Batman est gentil. » Elle n'avait justement pas sous la main d'image représentant Batman, mais elle laissa de la place en blanc pour que le petit garçon puisse ensuite dessiner Batman ou coller des images le représentant. Puis elle demanda : « Et maintenant, qu'est-ce que tu veux dire sur Batman ?

— Il aide la police à attraper les bandits. »

Elle écrivit cette phrase sur la page suivante et continua ainsi une phrase par page. Elle écrivit tout ce qu'il disait, sans se soucier de savoir s'il aurait pu choisir un sujet plus intéressant ou s'exprimer dans un meilleur style. Elle écrivit tout ce qu'il disait parce que c'était son livre à lui, pas à elle.

« Et après, qu'est-ce que tu veux dire sur Batman ?

— Son meilleur ami est Robin. »

Ce qui fut marqué aussitôt sur la page suivante, et ainsi de suite, l'enfant dictant, la mère écrivant.

C'est aussi simple que cela ! Tant que l'enfant est intéressé par son sujet et dicte, écrivez ce qu'il dit. Quand son intérêt commence à faiblir, cela signifie qu'il faut terminer le livre.

Trouvez une conclusion rapide et marquez le point final. Utilisez majuscules et minuscules exactement comme dans un vrai livre, même s'il ne sait pas encore lire. Un livre rédigé uniquement avec des majuscules ne ressemblerait pas assez à un vrai livre.

Aussitôt le livre terminé, vous pouvez le lui lire à haute voix. En fait il vous demandera certainement de le relire deux ou trois fois, car il aura pour lui une très grande valeur parce que c'est lui qui l'a fait. C'est vraiment *son livre à lui.*

Le titre de ce premier livre doit comporter le nom de l'enfant. Ecrivez sur la couverture de carton : « Le livre de Michel. » Puis demandez, empruntez, volez s'il le faut, un appareil polaroïd. Photographiez l'enfant et collez la photo sur la couverture. Il est préférable d'utiliser un appareil polaroïd car il vous permettra de prendre la photo au moment où le livre sera terminé, ce qui est beaucoup plus formidable ! Si vous ne disposez pas d'un polaroïd, utilisez une photo que vous trouverez chez vous. D'une façon ou d'une autre, mettez sa photo sur la couverture. Cela donnera à ce premier livre le caractère exceptionnel qu'il mérite. Les livres suivants pourront porter des titres rappelant le sujet traité, comme « Ma tortue », « Visite chez ma grand-mère » ou « Les dinosaures », mais veillez à ce que le titre du premier livre porte son nom. Faites bien figurer, après chaque nouveau titre : « Par Michel Dupont », puisque c'est votre enfant qui est l'auteur.

Aucune autre activité ne peut contribuer davantage à assurer la confiance de l'enfant dans le domaine du langage parlé et écrit, que cette façon de lui laisser écrire ses propres livres.

Au début il vous les dictera. Plus tard quand il aura appris à écrire correctement, il pourra écrire son livre lui-même et vous n'aurez qu'à lui indiquer l'orthographe des mots.

Quand il en sera à ce stade, il ne vous faudra pas formuler de critiques à propos de lettres inversées ou de la façon dont il coupe les mots en fin de ligne. Si vous lui faites remarquer toutes ses erreurs, vous le découragerez dans sa carrière d'écrivain. A ce niveau votre rôle doit se limiter à accepter et à le complimenter pour ce qu'il est capable de faire.

Il est important que le sujet et la structure des phrases soient les siens et non les vôtres. Ainsi, à quatre ans, mon fils savait écrire tout l'alphabet et il voulut écrire sa première phrase. Que pensez-vous que ce fut ? « Voir Claude et Pierre » ou « Voir courir Dick ». Pas du tout. Sa première phrase concernait sa sœur aînée et ce fut : « Anne est méchante » !

Lorsque le sujet et la forme viennent véritablement de l'enfant, il a une motivation très forte qui le pousse à vouloir écrire ce livre. Vous êtes sûre que cela l'intéresse et lui plaît. Il se peut qu'il vous dicte un livre puis qu'il en écrive un lui-même ; il sera vivement encouragé à continuer de développer son langage oral et écrit, car il voudra écrire de plus en plus de livres.

Si vous avez une machine Xérox ou à polycopier à votre disposition dans une bibliothèque proche ou à votre bureau, vous pouvez ajouter quelque chose d'unique à la fabrication de ce livre. Votre enfant sera fasciné de voir qu'il peut en obtenir des copies. Il aura des exemplaires qu'il pourra donner à ses amis, envoyer à ses grands-parents ou emporter à l'école maternelle. Les compliments qu'il recevra l'encourageront à continuer cette carrière préscolaire d'écrivain. Rien n'est plus agréable à un auteur, qu'il ait trois ans ou quatre ans, que les compliments de ses lecteurs.

Ce que vous pouvez faire aussi pour stimuler le développement du langage chez votre enfant c'est d'éveiller sa curiosité pour les mots et leur sens.

Cela devrait faire partie de votre vie quotidienne avec lui. En allant au supermarché vous pouvez lui montrer les paquets de corn flakes, de biscuits ou de glaces. En voiture, toutes les fois que vous voyez un panneau, vous pouvez attirer son attention sur les mots : stop, interdit de stationner, à vendre, jouets, glaces, restaurant, etc. Quand vous regardez la TV avec lui, attirez son attention sur les mots qui apparaissent sur l'écran (cela vous rendra la publicité supportable). Si vous éveillez son intérêt tout naturellement et tout simplement dans votre vie quotidienne, il commencera très vite à vous demander ce que les mots veulent dire. Vous saurez alors que vous avez réussi à éveiller sa curiosité pour les mots. Cela sera un des éléments de l'intérêt qui le portera à vouloir apprendre à lire.

Apprenez à lire à votre enfant

La cinquième chose à faire est d'offrir à votre enfant la possibilité d'apprendre à lire.

Lire est la seule « science », la seule technique dont votre enfant aura constamment besoin tout au long de sa carrière scolaire. Quoi qu'il étudie, il faudra qu'il sache lire. La qualité et la rapidité de sa lecture seront un facteur déterminant dans toutes ses études.

Vous savez sans doute que cette question de la lecture entraîne beaucoup de controverses. Doit-on attendre qu'un enfant ait six ans et qu'il soit à l'école primaire pour lui apprendre à lire, doit-on au contraire commencer plus tôt, voici un des points qui séparent les pédagogues. La mère doit-elle d'autre part apprendre à lire à l'enfant avant l'âge scolaire, ou doit-on considérer que seul l'instituteur est compétent ? Les travaux du Dr Dolores Durkin nous éclairent sur ces deux points.

Le Dr Durkin étudia le cas d'enfants qui avaient appris à lire avant d'entrer à l'école. Elle cherchait à savoir comment ces enfants avaient pu apprendre à lire avant de bénéficier d'une véritable instruction. Elle étudia 5 103 élèves de cours préparatoire dans les écoles publiques d'Oakland en Californie. Parmi eux, quarante-neuf enfants avaient déjà appris à lire à la maison avant l'école primaire.

Elle suivit les enfants tout au long des classes primaires, en testant la qualité de leur lecture à chaque classe. Ce groupe d'enfants ayant su lire avant les autres demeura en tête pendant toute la scolarité primaire. (Les résultats de ces tests scientifiques tendraient à réfuter les histoires de bonnes femmes prétendant que les enfants n'ont aucun intérêt à apprendre à lire très tôt puisque ceux qui apprennent plus tard les rattrapent de toute façon.) Les travaux de Dr Durkin prouvent que les enfants qui apprennent à lire plus tard ne rattrapent pas ceux qui ont su lire plus tôt, au moins au niveau de la classe de septième (les tests n'ayant pas été poursuivis ensuite).

Qu'en était-il de ces lecteurs précoces ? Le Dr Durkin put constater qu'ils n'étaient pas nécessairement différents des autres enfants quant à leur intelligence ou leur personnalité. *La diffé-rence ne se trouvait pas chez les enfants, mais chez les parents, et particulièrement chez les mères.* Les mères avaient su leur apporter à la maison une meilleure stimulation ambiante. C'est pourquoi ils avaient appris à lire de bonne heure. Pour prendre un exemple précis, chacune de ces quarante-neuf mères avait installé chez elle un tableau noir pour que son enfant puisse y dessiner et y écrire avant d'entrer à l'école.

Dans une seconde enquête menée à New York, le Dr Durkin sépara les enfants en deux groupes, l'un expérimental et l'autre, de contrôle. Le groupe expérimental se composait de trente

enfants qui avaient appris à lire avant d'entrer à l'école primaire.
Elle les compara à un groupe de contrôle de trente enfants qui
ne savaient pas lire en entrant à l'école.

On fit en sorte que les deux groupes soient composés d'enfants de même intelligence, en s'appuyant sur les tests Stanford
Binet. Ainsi se trouvait éliminée la possibilité que les enfants du
groupe de lecteurs précoces aient su lire plus tôt parce qu'ils
étaient plus doués.

Cette fois encore, elle compara la qualité de leurs exercices de
lecture, et les enfants qui avaient su lire plus tôt se montrèrent
nettement supérieurs. De plus, ils gardèrent cette avance pendant
les trois premières années d'école primaire, durée prévue de
l'expérience.

On avait donc affaire à deux groupes d'enfants de même
intelligence. Et le Dr Durkin se posa la question : pourquoi un
groupe d'enfants apprend-il à lire avant l'école et pas l'autre ?

Cela tient-il à la personnalité des enfants ? Non. Le docteur
Durkin put obtenir des maîtres des renseignements précis sur la
personnalité de ces enfants et dut constater qu'elle était sensible-
ment la même pour ceux des deux groupes. En fait, le Dr
Durkin ne put trouver *aucune* différence réelle entre eux. Quelle
était alors la différence entre les deux groupes ? Pourquoi l'un
d'eux avait-il su lire avant l'autre ? C'est là que le Dr Durkin put
formuler cette conclusion décisive : *la différence ne se trouvait
nullement chez les enfants, la différence était chez les mères de
ces enfants.* Les mères des enfants qui avaient appris à lire tôt
avaient su leur apporter à la maison une stimulation ambiante
plus importante que pour les lecteurs plus tardifs.

Qu'avaient donc fait ces mères de plus que les autres ?

Elles avaient fait la lecture à leur enfant avant qu'il aille à
l'école.

Elles avaient disposé dans leur maison des matériaux qui
avaient stimulé son intérêt pour la lecture. Elles avaient mis à la
disposition de l'enfant du papier, des crayons et des feutres, pour
qu'il puisse griffonner, dessiner et écrire. Elles lui avaient fourni
des livres, en les achetant et en les empruntant à la bibliothèque.
Elles avaient toutes installé un tableau noir à la maison.

Elles avaient stimulé la curiosité de leur enfant à connaître le
sens des mots, en allant au marché, en regardant ensemble la
télévision ou à d'autres occasions de la vie de tous les jours.

Elles avaient expliqué à leur enfant le sens des mots et lui
avaient appris à écrire.

Ces mères ne s'étaient pas seulement montrées différentes des
autres par leur action, mais aussi par leur attitude et leurs
principes.

Elles croyaient que les parents doivent enseigner aux enfants d'âge préscolaire des techniques telles que la lecture.

Elles refusaient de croire que seul un maître expérimenté doive apprendre à lire à un enfant.

En d'autres termes : les mères des enfants qui n'avaient pas appris à lire de bonne heure croyaient que seuls des maîtres ou des maîtresses d'école doivent enseigner la lecture. Les mères des lecteurs précoces croyaient souhaitable qu'une mère apprenne à lire à son enfant à la maison avant qu'il ne fréquente l'école.

Toutes les constatations que j'ai citées s'appuyaient sur des chiffres et des différences exprimées en pourcentage entre les deux groupes de mères. Ces différences furent jugées significatives sur le plan statistique.

Mais il y avait une autre constatation importante que les chiffres ne pouvaient traduire si facilement, mais qui apparut au Dr Durkin comme une différence fondamentale entre les deux groupes de mères. Les mères des enfants qui n'avaient pas appris à lire tôt se disaient uniformément « très occupées ». Ce mot surgissait à tout moment quand elles parlaient d'elles-mêmes et de leur vie. Elles disaient qu'elles étaient trop occupées pour se consacrer à leur enfant en particulier. Les mères des lecteurs précoces n'employaient pas ces mots pour parler d'elles-mêmes. Toutefois, quand le Dr Durkin compara ces deux groupes de mères, elle constata que les mères des enfants qui n'avaient pas appris à lire chez eux ne faisaient en fait rien de plus et n'assumaient pas plus de responsabilités que les mères des lecteurs précoces.

Ces dernières par contre semblaient s'amuser beaucoup des activités qu'elles avaient avec leurs enfants. L'une d'elle s'exprima ainsi : « Quel plaisir que cet enfant ! » Par exemple, la mère d'un enfant qui ne savait pas lire le considérait comme une gêne quand elle l'emmenait au supermarché où son action se limitait à acheter l'épicerie. L'enfant la gênait et l'empêchait de faire ses achats rationnellement et rapidement. La mère d'un jeune lecteur, chargée exactement des mêmes responsabilités — acheter l'épicerie pour la famille — faisait automatiquement de cette tâche une véritable aventure pour son enfant. Elle lui disait : « Voyons ce qu'il y a d'écrit sur les boîtes de « céréales » : sur celle-là : Capitaine Crunch, et sur cette autre : Corn flakes. »

Les travaux de Dr Durkin ont montré que l'on peut apprendre à lire très tôt aux enfants chez soi. Elle a montré que les lecteurs précoces prennent la tête de leur classe et s'y maintiennent en ce qui concerne la lecture jusqu'au point où elle a cessé de les suivre (jusqu'en septième). Elle a démontré que les lecteurs précoces ne sont pas des enfants particulièrement doués. Ni leur personnalité, ni leur intelligence, ni rien d'autre ne peut les distinguer de ceux qui lisent plus tardivement. Il se trouve seulement que les *lecteurs précoces ont une maman différente des autres.*

Les résultats de ces travaux font découvrir des perspectives passionnantes pour les mamans d'enfants d'âge préscolaire. Ils signifient que si vous voulez que votre enfant soit bon élève, vous le pouvez. Ils signifient que si vous lui assurez une ambiance stimulante à l'âge préscolaire, il est fort probable qu'il sera bon élève. Vous aurez remarqué, j'en suis sûr, que les mères de ces lecteurs précoces ont fait exactement ce que j'ai suggéré de faire à la maison pour votre enfant pendant les années qui précèdent son entrée à l'école.

La lecture et l'enfant d'âge préscolaire

On a tendance de nos jours à restreindre l'enseignement de la lecture au cadre trop strict de six ans pour l'âge et de la onzième (cours préparatoire). Pourtant des expériences nombreuses ont montré que certains enfants ont la maturité suffisante pour apprendre à lire à l'âge de quatre ans, certains à cinq ans, certains à six ans et d'autres enfin pas avant sept ou huit ans.

Etant donné qu'il est possible d'apprendre aux enfants à lire avant le cours préparatoire, la question qui se pose est la suivante : doit-on le faire ?

Depuis 1967, nous avons commencé l'enseignement de la lecture en dernière année de maternelle dans notre école de La Primera, en utilisant toujours le même matériel d'enseignement programmé mis au point par le Dr W.A. Sullivan de Palo Alto. La philosophie de notre enseignement à l'école maternelle de La Primera est qu'il ne faut pas pousser ni forcer les enfants. Nous croyons en ce que nous appelons l'éducation à la carte. Comme dans un self-service, l'enfant est libre de choisir ou de laisser tout menu éducatif qui lui est offert. L'enseignement phonétique, les exercices de développement du langage et la lecture ne sont que des « plats » offerts parmi d'autres.

Treize enfants suivirent la classe de douzième (dernière année de maternelle) à La Primera en 1967. Tous sauf un apprirent à lire avant la fin de l'année. Il n'était pas impératif qu'un enfant le fasse cette année-là.

Quinze enfants suivirent cette même classe en 1968, et tous savaient lire à la fin de l'année sauf deux. Par « savaient lire », j'entends qu'ils pouvaient au moins accomplir des exercices de lecture du premier degré. Certains pouvaient faire ceux du troisième degré.

L'an dernier nous avons formé une classe expérimentale de lecture pour les quatre ans. Nous avions spécifié à tous les parents que cette classe était véritablement une « expérience ». Il y avait quatorze élèves. Deux d'entre eux apprirent à lire, l'un atteignant le premier degré, l'autre, très doué, le cinquième degré. Le minimum atteint par les douze autres consistait à pouvoir faire quelques exercices d'approche de la lecture et à posséder une initiation phonétique.

Cette année, mon plus jeune fils, Dusty, est dans cette classe expérimentale. Sincèrement nous ne savons pas s'il saura lire à la fin de l'année ou pas, mais nous savons qu'il adore cette classe et déteste manquer l'école s'il est malade. Je sais aussi qu'il m'a dit l'autre jour au restaurant : « Papa, saucisse commence pas un S. »

Je crois que le fait d'offrir d'apprendre à lire à des enfants de quatre et cinq ans présente des avantages certains, à la fois sur le plan intellectuel et affectif.

D'abord, quand un enfant apprend à lire à cet âge-là, cela donne une formidable impulsion à son indépendance, sa confiance en soi et son sens de l'autodiscipline. Il peut lire toutes sortes de signaux, de directives et de messages de notre culture.

Une illustration plaisante nous en fut donnée par mon fils Randy quand il eut appris à lire en fin de maternelle, il y a maintenant six ans. Nous étions en train de faire des courses quand il ressentit un besoin naturel pressant. C'est alors qu'il déclara fièrement en montrant la pancarte au-dessus de la porte : « C'est écrit " Messieurs " et je peux y aller tout seul ! »

Deuxièmement, la lecture ouvre à un enfant de nombreuses « portes » intellectuelles, lui donne le libre accès à grand nombre de connaissances et de plaisirs qui lui étaient interdits auparavant.

Troisièmement, si vous soumettez un enfant à l'apprentissage de la lecture à quatre ans, puis à cinq ans, avant son entrée en onzième à six ans, vous le libérez en fait d'une contrainte ! Comment ? Eh bien, personne n'exige d'un enfant de quatre ans qu'il apprenne à lire ni d'un enfant de cinq ans, mais dans notre système de culture, quand un enfant atteint l'âge magique de six ans, notre société entend et exige qu'il apprenne à lire cette année-là. S'il n'y parvient pas, il a conscience de l'échec. N'est-ce pas cela, la contrainte ? S'il est néfaste de faire pression sur un enfant à quatre ou à cinq ans, comment serait-ce tout à coup bénéfique à six ans ?

Quatrièmement, les enfants de quatre et cinq ans trouvent les exercices phonétiques amusants. Ils aiment répéter, jouer avec les sons de la langue. Rappelez-vous ce que j'ai dit au chapitre 6 sur la fascination exercée par le langage, les mots et les sons sur les enfants de quatre ans. A cet âge on prend plaisir aux exercices oraux et à la répétition. Mais les mêmes matériaux phonétiques qu'ils accueillent avec enthousiasme à quatre ans peuvent leur sembler fastidieux à six ans.

Le concept de « maturité pour la lecture », qui était très utile il y a vingt-cinq ans, a pris de nos jours une signification absolue et exagérée, et empêche souvent de voir la réalité clairement. Les propos du Dr James Hymes, qui fait pourtant autorité en matière d'enseignement préscolaire, illustrent bien ce fait. Le Dr Hymes a écrit beaucoup d'excellents livres et articles sur l'éducation pendant les premières années et je recommande vivement ses livres. J'ai pu l'approcher, c'est un homme de grande valeur. Pourtant, je ne peux être d'accord avec lui quand il dit :

> « Nous portons en nous un emploi du temps. Notre rythme personnel de croissance... On n'a pas pu empêcher l'enfant de ramper... pas à un mois mais quand il a eu l'âge de ramper. On n'a pas pu l'empêcher de grimper des escaliers... pas à six mois mais quand il a eu l'âge de grimper. On n'a pas pu l'empêcher de parler, non pas à dix mois mais quand il a eu l'âge de babiller. Il en est de même pour la lecture. »

Cette citation typique de l'opinion de bien des gens en matière d'enseignement pendant les jeunes années suppose que d'être prêt à ramper, à marcher, à parler ou à lire provenaient de la même sorte d'aptitude mystérieuse chez l'enfant. Ce point de vue laisse délibérément de côté l'influence du milieu sur le développement de l'aptitude à assimiler ces diverses techniques.

La vérité scientifique est qu'on peut retarder la reptation d'un enfant. Rappelez-vous les expériences du Dr Dennis dans les orphelinats de Téhéran que j'ai citées au chapitre 2 sur le premier âge. L'orphelinat sinistre et abrutissant retardait la reptation et la marche de ces enfants. Si nous n'offrons pas à un enfant la possibilité d'apprendre une technique nouvelle, comme faire de la peinture au doigt, ou faire du tricycle, ou lire, cela ne manquera pas pour le moins de retarder chez lui l'acquisition de cette nouvelle technique.

Mais n'allons pas dire que la raison pour laquelle il n'assimile pas cette technique est qu'il n'a pas encore développé son « aptitude naturelle » à cette technique. Admettons ensemble que peut-être il n'a pas appris cette technique parce que nous n'avons pas essayé de la lui enseigner !

En matière d'éducation précoce, beaucoup de gens disent : « Rien ne presse ! Pourquoi apprendre à lire à un enfant de quatre ou cinq ans alors qu'il n'y est pas « prêt » ? Pourquoi le priver de son enfance ? » Je voudrais faire remarquer que cet argument est une arme à deux tranchants : supposons que quelqu'un dise (mais personne n'a encore osé le faire) : « Pourquoi apprendre à lire à un enfant de six ans ? Rien ne presse ! Peut-être n'est-il pas encore « prêt ». Nous allons donc lui faire faire autre chose au cours préparatoire, mais nous n'allons pas lui apprendre à lire. » Est-ce que vous accepteriez cela ? Pas moi, et je pense que bien des gens ne l'accepteraient pas non plus. Mais l'argument à double tranchant, celui de l'enfant « prêt à apprendre », est le même à six ou sept ans qu'à cinq : « Rien ne presse ! » Je déduis de diverses données scientifiques qu'apprendre à lire à un enfant de quatre ou cinq ans présente des avantages non seulement sur le plan intellectuel, mais encore sur le plan affectif. Apprendre à lire est un encouragement puissant pour le concept de soi de l'enfant. Cela renforce ses sentiments de satisfaction et de confiance. Cette technique nouvellement acquise lui permet de lire des livres, des affiches, de comprendre les explications et les modes d'emploi, et d'appréhender le monde comme il n'avait encore jamais pu le faire.

C'est pourquoi je dis aux adeptes du « Rien ne presse ! » : révisez vos suppositions préalables. Nous considérons les uns et les autres les mêmes faits, mais nos conclusions sont différentes. Les uns arrivent à la conclusion qu'il est inopportun d'apprendre à lire à un enfant d'âge préscolaire même s'il est scientifiquement prouvé qu'on peut le faire.

Le groupe auquel j'appartiens parvient à la conclusion que dans l'ensemble il est bon d'apprendre à lire à un enfant d'âge préscolaire, à la fois sur le plan intellectuel et affectif. Les deux groupes parviennent à des conclusions différentes à partir des mêmes faits, parce qu'ils partent de présuppositions différentes.

Je suis sûr de moi en disant que je crois bon d'offrir aux enfants la possibilité d'apprendre à lire dès la maternelle. Cependant, je dois reconnaître que j'exprime des réserves lorsqu'il s'agit des *parents* qui assurent cet enseignement.

Il est néfaste de faire pression sur un enfant pour quoi que ce soit, même pour peindre au doigt ! Et je sais trop bien que beaucoup de parents, aujourd'hui, poussent leurs enfants afin qu'ils soient « en avance ». Ils commencent à exercer cette contrainte dès l'âge préscolaire. C'est un phénomène que je connais bien parce que j'ai traité en psychothérapie des enfants qui avaient été poussés et contraints par leurs parents. Le résultat est que ces enfants ont en classe de mauvais résultats, comme s'ils voulaient inconsciemment punir leurs parents de les avoir forcés trop tôt à apprendre. Ce genre de contrainte peut véritablement produire un contre-effet et entraîner des résultats désastreux.

Il y a quelques années, un jour où j'étais en train de fouiller dans le rayon des livres d'enfant chez un libraire de mon quartier, une jeune maman entra et demanda au vendeur « le livre pour apprendre à lire aux bébés ». Le vendeur ne connaissait pas l'ouvrage et j'entendis la mère qui disait : « Il paraît qu'on peut commencer à le faire dès l'âge de dix mois et ma fille a déjà un an ! »

Je frémis en entendant cette mère impatiente de « gaver » de lecture son bébé d'un an ! Il est ridicule d'essayer d'apprendre à lire à un enfant de cet âge.

Je connaissais le titre du livre mais je me gardai bien de le lui communiquer.

Quand une mère tente de contraindre son enfant à lire ou à n'importe quelle autre forme d'activité intellectuelle, elle finit par lui faire plus de mal que de bien. Ce phénomène est illustré de façon très amusante dans un livre récent intitulé : *Histoire de ma vie* de Sheila Greenwald :

> « Dès ma naissance mes parents ont veillé à ce que je sois gagnant sur tous les tableaux.
>
> A deux ans on m'emmena à New Haven. On me mit dans une petite pièce pour m'apprendre à taper à la machine. Si on n'apprend pas cela à deux ans, on perd son temps. Quand un enfant de deux ans qui ne sait pas taper à la machine rencontre un camarade qui sait, il se sent perdu, dépassé, et à partir de ce moment se retrouve perdant sur tous les tableaux.
>
> A deux ans et demi on m'envoya à l'école pour jouer avec du matériel éducatif. J'excellais à râper des carottes. Je ne gaspillais pas mon temps en activités frivoles et vaines. J'appris à reconnaître les textures et les couleurs.
>
> A trois ans ma mère m'apprit à lire. Quand on ne sait pas lire à cet âge on perd son temps. Les enfants qui sont dans ce cas prennent du retard en classe et sont perdants.
>
> Mes parents n'ont jamais négligé l'aspect social de mon développement. J'ai été mis sans cesse en contact avec d'autres enfants.
>
> Après l'école j'allais dans un groupe récréatif. On ne sau ait commencer assez tôt les relations indispen-

sables avec les enfants du même âge. Si ces contacts avec ses contemporains ne sont pas assez précoces, l'enfant ne peut s'entendre avec les autres en commençant l'école. Il prend du retard, il est perdant.

J'ai commencé à étudier la rythmique à trois ans et demi. Je tapais des tambourins en sautillant comme un cabri, ce qui me paraissait peu sérieux mais cela m'apportait quelque chose et je serai gagnant en ce qui concerne le rythme.

Maintenant que j'ai quatre ans, je suis sûr de moi. Quand j'entrerai à l'automne au jardin d'enfants que j'aurai choisi, je me sentirai décidé et prêt à faire face à toutes les situations. Je serai en passe de devenir celui qui réussit et qui gagne !

Quand je serai grand, je voudrais être éboueur. »

Cette satire humoristique ne l'est pas autant qu'on pourrait croire quand on pense à tous les enfants des Etats-Unis que leurs parents anxieux soumettent aux contraintes d'un enseignement prématuré afin d'en faire des phénomènes. J'espère que vous résisterez à la tentation de forcer le vôtre quand vous lui apporterez une stimulation intellectuelle. Vous pourriez peut-être parvenir à apprendre à lire très tôt à un enfant par la contrainte, mais au risque de faire naître en lui des problèmes affectifs qui le conduiront ensuite chez le psychologue. Dans le doute, laissez l'enfant tranquille.

Stimulation et éveil aux mathématiques

En plus du langage, les mathématiques constituent un domaine vital pour lequel votre enfant a besoin d'être stimulé avant l'école.

Malheureusement, quand on aborde ce sujet, on rencontre souvent une très grande anxiété de la part des parents. La plupart sont à l'aise pour apprendre à leurs enfants à écrire, à prononcer les lettres de l'alphabet, etc. C'est pour eux un domaine familier.

Mais en ce qui concerne les mathématiques, beaucoup de parents se sentent désemparés, à moins d'être ingénieurs ou hommes de science. Et particulièrement depuis l'introduction des mathématiques modernes. Les parents ont entendu parler de « théorie des ensembles », de « base 2 » et d'arithmétique « modulaire » et d'autres choses entièrement nouvelles pour eux. Dès l'école primaire leurs enfants apprennent l'arithmétique par des méthodes très différentes de celles que les parents connaissent. Le résultat immédiat est que les parents se sentent fort mal à l'aise à propos des mathématiques en général.

Mais rassurez-vous. La méthode que je vais vous suggérer pour initier votre enfant aux mathématiques suppose que vous ne connaissiez rien à la question. Je vous propose d'utiliser pour ce faire un matériel spécial destiné aux parents. Il s'agit des réglettes Cuisenaire qu'on peut trouver à l'O.C.D.L. (65, rue Claude-Bernard, Paris-5ᵉ) et dans certaines maisons spécialisées (Maison Calozet, 40, rue des Chartreux, 1000 Bruxelles).

On peut utiliser ce matériel avec un enfant de trois ans. Vous pourrez voir à quel point c'est un outil merveilleux et passionnant, et vous regretterez certainement de ne pas avoir pu apprendre les mathématiques et l'arithmétique de cette façon quand vous étiez jeune.

Comment apprendre à compter à votre enfant

Vous pouvez par ailleurs apprendre à votre enfant à compter. Ce qui n'est certes pas si simple qu'on pourrait croire.

Beaucoup de parents s'illusionnent en pensant qu'ils ont appris à compter à leurs enfants : ils disent : « Richard, montre à ton oncle Joseph comme tu sais bien compter jusqu'à 20 ! » L'enfant récitera sans se faire prier les nombres de 1 à 20, et Tonton Joseph sera impressionné à juste titre. Mais si l'oncle plaçait 20 boutons devant Richard en disant : « Richard, voyons si tu peux compter ces boutons de 1 à 20 », les parents se rendraient vite compte de l'énorme différence qui existe entre apprendre vraiment à compter à un enfant et lui apprendre simplement à dire les nombres de 1 à 20 !

Savoir compter est une démarche tellement importante en arithmétique et en mathématique que cela vaut la peine de l'enseigner à votre enfant. Comme pour écrire les lettres, vous pouvez commencer quand il a à peu près trois ans. Les idées et la méthode que je vous exposerai sont tirées de l'excellent livre de Thérèse Engelman : *Comment donner à votre enfant une intelligence supérieure*[1] à qui j'exprime ici mes remerciements pour m'avoir autorisé gracieusement à les citer.

Il vous faut quelques objets tels que boutons ou cubes. Prenons par exemple des boutons.

Disposez trois boutons (pas plus) devant votre enfant, assez

1. S. et T. Engelmann, *Comment donner à votre enfant une intelligence supérieure*. Ed. Gérard, coll. MS nᵒ 150.

espacés les uns des autres, afin qu'ils soient bien visibles et que l'enfant ne soit pas dérouté. Expliquez à votre enfant les règles de ce nouveau jeu, que vous pouvez appeler : « Le jeu d'apprendre à compter. » (Rappelez-vous qu'il est toujours bon de présenter un enseignement sous forme de jeu.)

Dites à votre enfant : « Il faut toucher chaque bouton avec le doigt, mais on ne peut le toucher qu'une seule fois. Quand ton doigt touche un bouton il faut lui donner un numéro.

« O.K., on commence. Il faut trouver combien il y a de boutons. Je mets mon doigt sur le premier bouton et je dis : « un ». Après, je passe au bouton suivant et je dis : « deux », puis au suivant et je dis : « trois ». Cela fait trois boutons. On voit trois boutons, on touche trois boutons.

« Recommençons. Mais d'abord changeons-les de place et mélangeons-les. Si je les bouge, c'est pour que tu ne croies pas que le bouton rouge s'appelle toujours « un » et le bouton vert toujours « trois ». Le premier bouton qu'on touche s'appelle toujours « *un* » quelles que soient sa couleur et sa taille, et « deux » est toujours le nom du second, quelles que soient sa couleur et sa taille. »

Un détail : veillez à toujours compter les boutons de gauche à droite parce que c'est dans ce sens-là qu'on lit et qu'on compte en français.

Faites-le jouer plusieurs fois à ce jeu. Puis laissez l'enfant compter lui-même, en l'aidant un peu. Prenez son doigt et placez-le sur le bouton en comptant « un ». Faites-lui dire « un » à haute voix.

Après avoir joué ensemble plusieurs fois, laissez-le essayer seul. S'il ne réussit pas, aidez-le encore une fois, jusqu'à ce qu'il domine le processus de la numérotation. Félicitez-le, mais n'exercez aucune contrainte sur lui. Jouez à ce jeu pendant cinq minutes à peu près, pas plus, même s'il apprend très vite.

Essayez de jouer avec lui tous les jours. Quand l'enfant est très à l'aise avec trois boutons, ajoutez-en petit à petit, jusqu'à dix.

Profitez de toutes les occasions qui se présentent pour jouer à compter d'autres objets mais assurez-vous toujours que les objets que vous comptez, clés, oranges ou pommes, sont tous bien présents en même temps sous ses yeux. Autrement le jeu serait trop difficile. Par exemple, compter les feux rouges ou les camions qui passent sur la route quand vous êtes en voiture est trop difficile, car tous les objets ne sont pas présents en même temps. Comptez plutôt des objets du genre oranges ou pommes, ou boîtes et paquets achetés au marché.

Après trois ou quatre mois de ce jeu, ajoutez-y une nouvelle règle : faites prendre à l'enfant chaque objet pendant qu'il compte, faites-les-lui remettre en tas. S'il y arrive, tous les objets auront perdu leur position initiale pour être dans la pile. Montrez-lui d'abord comment faire puis laissez-le essayer tout seul.

Quand cela est au point, introduisez une nouvelle manœuvre : placez dix boutons sur le sol. Pour lui montrer comment s'arrêter de compter à cinq, ramassez vous-même un, deux, trois, quatre, cinq boutons, en les comptant à haute voix.

Dites alors : « O.K., maintenant c'est à ton tour, compte jusqu'à cinq et arrête-toi. » S'il réussit, félicitez-le, sinon montrez-lui encore une fois et faites-lui recommencer. Il se peut que votre enfant soit troublé par ce nouvel aspect du jeu, mais soyez doux et patient et peu à peu il s'y mettra.

Compter de six à dix est plus difficile. Ne vous inquiétez pas, cela viendra avec de l'entraînement et de la patience de votre part. En manipulant des objets concrets qu'on peut compter, votre enfant apprendra les principes de base de la numération. Si vous commencez à la lui apprendre à trois ans, il aura probablement maîtrisé ces mécanismes de base à l'âge de quatre ans.

Remarquez que les deux jeux mathématiques que je viens de citer (les réglettes de Cuisenaire et le jeu de la numération) ont pour principe la manipulation d'objets concrets. Une des raisons pour lesquelles tant d'adultes et d'enfants ont des difficultés en arithmétique et en maths est qu'au début on a voulu leur faire manipuler sur le papier des nombres et des symboles abstraits. Il leur manque d'avoir commencé par des manipulations concrètes.

Notez la différence chez les enfants entre l'apprentissage du langage et celui des mathématiques. En général les enfants ont beaucoup moins de difficultés à apprendre le langage, et cela pour deux raisons.

D'abord, le langage implique la pensée véhiculée par les mots, alors que les mathématiques impliquent la pensée véhiculée par les nombres et les formes. Et les enfants peuvent beaucoup plus s'entraîner à penser avec des mots qu'avec des nombres et des formes. Si nous donnions à nos enfants seulement un peu plus de temps et la possibilité de penser avec des nombres et des formes, nos enfants seraient beaucoup plus forts en mathématiques qu'ils ne le sont. Notre culture les soumet à un véritable « bombardement » verbal par la télévision, la radio, les journaux, les magazines et les livres. On les « bombarde » de beaucoup moins de nombres et de formes.

Deuxièmement, nous nous figurons que nos enfants peuvent apprendre l'arithmétique et les mathématiques sans qu'on leur donne d'expérience valable de manipulation concrète. Or, c'est à partir de cette manipulation d'objets qu'ils peuvent apprendre les principes abstraits de l'arithmétique et des mathématiques. Les enfants qui ont joué avec les réglettes de Cuisenaire et compté les boutons plusieurs années avant l'école primaire sont beaucoup mieux préparés à apprendre l'arithmétique et les mathématiques que ceux qui n'ont pas bénéficié de cette expérience de manipulation concrète.

L'apprentissage des chiffres et des nombres

C'est maintenant que vous pouvez montrer à votre enfant comment écrire en chiffre les nombres qu'il sait compter. Je suggère de le faire quand l'enfant a quatre ans ou un peu moins.

Ecrivez les nombres de 0 à 10 sur un grand morceau de carton et suspendez-le dans sa chambre. Vous pouvez aussi écrire les nombres sur son tableau, ou au pastel sur un grand morceau de papier. Aidez-le à reconnaître les chiffres puis à les écrire lui-même. (Remarquons au passage qu'il n'est pas nécessaire que vous fassiez la différence entre un nombre et un chiffre. Votre enfant apprendra à faire cette distinction en commençant les mathématiques modernes à l'école primaire. Je ne l'ai pas faite dans ce livre, parce qu'il n'est pas vraiment nécessaire que des parents l'expliquent à des enfants d'âge préscolaire. Pour un jeune enfant, c'est une notion difficile à saisir mais qu'il comprendra beaucoup plus facilement à l'école primaire. Même si vous savez que vous devriez en fait dire « le chiffre 3 » ou « le chiffre 6 » au lieu du nombre 3 et du nombre 6, n'essayez pas de l'expliquer avant l'âge scolaire. Attendez que l'enfant découvre ce concept abstrait un peu plus tard.)

Nommez chaque symbole : « Ce chiffre s'appelle un. »

Il sera particulièrement utile à l'enfant qui apprend les chiffres et les nombres d'avoir à sa disposition du matériel concret, tel qu'un jeu de chiffres en bois ou en plastique. Plusieurs marques en offrent dans le commerce. L'enfant peut s'en servir pour tracer les contours avec un crayon ou sentir leur forme avec ses doigts. Vous pouvez aussi procéder comme pour les lettres et découper des chiffres dans du papier de verre. Collez-les ensuite chacun sur un carton et faites-en tâter la forme par l'enfant avec ses doigts.

Aidez votre enfant à apprendre à écrire les chiffres sur du papier avec un crayon feutre ou un pastel ou sur le tableau avec de la craie. Faites-lui remarquer les caractères distinctifs de chaque chiffre :

0 ressemble à la lettre O.

1 ressemble à un l minuscule.

2 est arrondi au sommet et plat à la base.

3 est formé de deux C retournés, l'un sur l'autre.
4 ressemble à la lettre l avec un amusant petit bras sur le côté
5 est plat en haut et arrondi en bas.
6 est une grande ligne courbe, avec un O dans le bas.
7 est plat en haut avec un trait penché qui part du haut.
8 est fait de deux O l'un sur l'autre.
9 ressemble à O en haut, avec une grande ligne courbe en dessous.
10 est 1 avec un 0 à côté.

La plupart de ces symboles paraîtront plus difficiles à apprendre à votre enfant que bien des lettres de l'alphabet. La configuration des chiffres est plus compliquée. Faites preuve de patience alors que votre enfant fait des efforts pour maîtriser ces nouveaux signes, et en particulier quand il fait l'erreur si fréquente chez les enfants de confondre 6 et 9.

Durant l'apprentissage des chiffres, vous pouvez pratiquer avec l'enfant des jeux où il devra les repérer et les identifier. Utilisez le carton où vous avez écrit tous les chiffres. Désignez-les au hasard et dites : « Quel est ce chiffre ? » S'il trouve, dites : « C'est bien. » S'il se trompe, dites : « C'est un sept » et passez à un autre.

Variez le jeu en lui demandant de les repérer : « Trouve-moi un quatre. Bien ! Maintenant trouve-moi un huit. »

L'étape finale dans l'apprentissage des chiffres consiste à séparer le symbole de son contexte habituel. Au lieu de présenter une feuille ne comportant que des chiffres alignés, limitez-vous au tableau et à la craie, ou à une feuille blanche avec un pastel. Dites : « Je vais écrire un nombre. Regarde si tu peux le reconnaître. » S'il réussit, dites : « Bien ! » S'il se trompe, dites : « Non, c'est un quatre. Essayons un autre chiffre ! » Il est très important que votre enfant saisisse bien que zéro est un nombre. Beaucoup de parents ne sont pas assez nets sur ce point, et pensent que zéro correspond à « rien » ou à « personne », ce qui est faux. Ce fait peut être mis en évidence si l'on pense par exemple à la différence entre les nombres 43 et 403. Dans 43 il n'y a *rien* entre le 4 et le 3. Dans 403 il y a *un zéro* entre le 4 et le 3. On a donc maintenant quatre centaines et trois unités, ce qui est très différent, bien sûr, de 43.

De petites comptines peuvent aussi aider l'enfant à comprendre que zéro est un nombre.

Ainsi :

> *Cinq gros dinosaures*
> *qui voulaient se battre.*
> *L'un d'eux s'en alla*
> *il en resta quatre.*

> *Quatre gros dinosaures*
> *se trouvaient à l'étroit.*
> *L'un d'eux s'en alla*
> *il en resta trois.*

> *Trois gros dinosaures*
> *se trouvaient hideux.*
> *L'un d'eux s'en alla*
> *il en resta deux.*

> *Deux gros dinosaures*
> *se trouvaient malins.*
> *L'un d'eux s'en alla*
> *il en resta un.*

> *Un gros dinosaure*
> *craignant d'être un héros*
> *s'en alla, alors*
> *il en resta zéro !*

Vous pouvez aussi poser à votre enfant des questions humoristiques qui lui feront comprendre que zéro est un nombre. Demandez-lui par exemple : « Pierrot, combien de tigres as-tu dans ta poche ? » ou : « Combien y a-t-il de crocodiles assis dans le salon ? »

Un des meilleurs moyens pour enseigner les concepts des nombres consiste à jouer à des jeux de dés, jeu de l'oie, jeu des petits chevaux, etc., dans lesquels on fait avancer des pions ou des personnages sur un parcours. On est surpris avec des jeux de voir que l'enfant reconnaît très vite « 6 » et sait faire avancer son cheval ou son pion sans compter les cases intermédiaires.

On peut confectionner soi-même un jeu de dés avec un parcours, genre jeu de l'oie. Achetez deux dés, prenez un grand carton d'à peu près 100×60 centimètres. Convenez avec votre enfant du jeu que vous désirez faire. Supposons qu'il aime les voitures de courses. Avec un marqueur, vous tracez un circuit de course divisé en cases, l'une d'elles marquée « ligne de départ » et une autre « arrivée ». A des intervalles irréguliers marquez « revenez trois cases en arrière », « avancez de quatre cases » ou « allez jusqu'à l'arrivée ». Achetez quelques petites autos qui remplaceront les « pions ». Le jeu est prêt. Votre enfant adorera ce jeu parce que vous l'aurez fait ensemble, et il fera de l'arithmétique du même coup.

La roulette et le loto sont deux autres jeux par lesquels un enfant peut assimiler sans peine les concepts mathématiques fondamentaux. Quand vous jouez au loto, appelez les chiffres de cette façon : « Vingt-trois : deux et trois. »

Tous ces jeux permettront à votre enfant d'entrer à l'école primaire avec une bonne expérience pratique en arithmétique, ce qui devrait l'aider beaucoup pour aborder les mathématiques.

Dans ce chapitre, j'ai essayé de proposer un certain nombre d'activités que vous pouvez entreprendre avec un enfant d'âge préscolaire pour favoriser au maximum le développement de son intelligence et pour l'exposer à un milieu stimulant sur le plan intellectuel sans qu'il se sente poussé ni contraint. Voyons maintenant le problème des techniques d'enseignement.

Pédagogie à l'intention des parents

Comment savoir, quand on est parent, si l'on a vraiment une attitude contraignante envers son enfant ? Fiez-vous à cette règle : quand un enfant laisse voir que son intérêt pour un jeu ou une activité quelconque faiblit, cessez immédiatement, sinon vous exercez sur lui une contrainte.

Les enfants d'âge préscolaire ne peuvent pas fixer leur attention très longtemps. C'est pourquoi beaucoup des jeux d'intelligence que j'ai proposés dans ce chapitre ne doivent pas se prolonger au-delà de cinq minutes. Votre notion du temps est complètement différente de la sienne. Limitez le temps du jeu pour que l'enfant continue à l'apprécier. Bien sûr, s'il est manifeste qu'un jeu l'amuse particulièrement et s'il demande à continuer, on peut prolonger le jeu pendant quelques minutes. On peut se fier à son bon sens pour arrêter quand il le faut. Mais j'insiste sur ce point : il vaut mieux risquer d'arrêter le jeu trop tôt que de le faire traîner en longueur avec un enfant réticent qui ne peut plus fixer son attention.

Les punitions sont à proscrire absolument quand on veut enseigner quelque chose aux enfants. Ne grondez jamais, ne punissez jamais votre enfant parce qu'il se trompe ou ne comprend pas ce que vous êtes en train de lui expliquer.

Si vous proposez un travail ou un concept à un enfant et qu'il n'a pas l'air de comprendre, ne vous inquiétez pas. Considérez qu'il doit se passer quelque chose. Ou bien il est trop jeune pour assimiler ce concept cette fois-là, ou bien vous lui avez fait aborder les choses sous une forme qu'il ne comprend pas. Ne vous obtinez pas, changez d'activité.

Surtout rappelez-vous qu'apprendre doit être un plaisir. Ne donnez pas à votre enfant l'impression que tout ce que vous faites ensemble doit être éducatif et profitable intellectuellement parlant. Si l'une des activités que j'ai proposées se révèle ennuyeuse n'y pensez plus. Il ne serait d'aucun profit, ni pour vous ni pour votre enfant, de persister à contrecœur, en vous disant : « J'ai horreur de cela mais il faut le faire parce que cela lui donnera un meilleur quotient intellectuel. » Tout ce que vous faites avec votre enfant doit vous plaire à tous les deux. Comme le dit le poète John Masefield : « Ce sont les jours heureux qui vous apportent la sagesse. »

COMMENT CHOISIR LES JOUETS,
LIVRES ET DISQUES DE VOTRE ENFANT

Les parents s'intéressent beaucoup à ce qu'on enseigne à leurs enfants. Il me paraît étonnant que ceux-là mêmes qui discutent âprement des programmes scolaires semblent se désintéresser des « programmes » fournis à la maison. Ce manque d'intérêt se manifeste dans leur façon de choisir au petit bonheur les jouets, livres et disques. Quand on y pense, on s'aperçoit que le « programme » à la maison est aussi important que celui de l'école. Avant que votre enfant n'entre à l'école, ce programme donné à la maison est le seul qu'il suive.

Les psychologues et les éducateurs sont parvenus dans leurs recherches à cette conclusion fondamentale que votre enfant est sans cesse en train d'apprendre quelque chose, et pas seulement pendant le temps passé à l'école. Leur deuxième conclusion est que le moyen privilégié par lequel les enfants apprennent pendant l'âge préscolaire est le jeu. Il est donc très important de choisir avec soin les jouets, livres et disques dont nous agrémentons leurs jeux. Les livres, les jouets et les disques sont les livres de classe des années préscolaires.

Puisque l'enfant ne cesse d'apprendre, ce qu'il apprendra à la maison par le jeu dépend du matériel que vous mettez à sa disposition, de votre aptitude à jouer avec lui et à lui apprendre à jouer seul. Ce dernier point va sans doute choquer bien des parents : ainsi les parents comme les enfants doivent *apprendre* à jouer ! On croit en général que les enfants savent jouer. Ce que les psychologues mettent en doute. Un enfant de trois ans ne sait pas d'instinct faire avec des cubes des constructions complexes et intéressantes, ni construire des villes et des cités en jouant avec un autre enfant. Il doit l'apprendre.

Il lui est sans doute beaucoup plus facile d'apprendre à jouer seul ou avec d'autres enfants que pour des parents d'apprendre à jouer avec le jeune enfant en question. Le père ou la mère doivent pour cela quitter leur sphère d'adulte et se mettre au niveau de l'enfant, ce qui, pour beaucoup de parents, n'est pas chose facile. Nous devons apprendre à jouer avec un enfant, à trouver des jeux spontanés, à raconter des histoires et à lui lire des livres. Toutes ces activités exigent un art et une technique à acquérir.

Mais il y a peu d'activités plus plaisantes que d'apprendre l'art du jeu. C'est presque toujours un enseignement à double sens : quand nous jouons avec un enfant, nous apprenons autant que lui. Pour beaucoup de parents, c'est une occasion merveilleuse de retrouver ce qui leur a manqué pendant leur enfance.

Une des premières choses qu'un père ou une mère doivent apprendre est à acheter des jouets. Aux Etats-Unis les parents dépensent chaque année plus de deux milliards de dollars en jouets. Malheureusement la plus grande partie de cette somme est gaspillée. Pourquoi ?

Tout d'abord, les jouets sont souvent mal conçus, par des gens qui connaissent très mal les enfants, la psychologie ou l'enseignement.

Deuxièmement, les gens qui conçoivent des jouets vraiment éducatifs sont handicapés par les contraintes commerciales des grandes entreprises. Un de mes amis, qui crée des jouets éducatifs, dit qu'il attrape tous les ans des migraines quand il va à Chicago au salon où sa maison expose ses créations. Le spécialiste des ventes ne sait que répéter : « Ce jouet est trop cher, il faut diminuer le prix de deux dollars », ce qui équivaut souvent à en supprimer le caractère éducatif (ce dont le spécialiste des ventes ne se soucie guère).

En troisième lieu, il est très difficile pour les petits fabricants de jouets qui ont des idées intéressantes de soutenir la concurrence avec les géants du marché qui disposent de puissants moyens publicitaires.

Quatrièmement, même en face de bons jouets, la mère ne connaît pas assez le développement de l'enfant pour donner celui qui convient exactement à l'enfant et à son âge. Ainsi, je connais un père qui offrit à son fils de trois ans une grosse boîte de Meccano. Le Meccano est un excellent jouet, mais on ne devrait pas l'offrir à un enfant de moins de sept ou huit ans. Un enfant de trois ans n'a pas la précision musculaire suffisante pour se servir d'un Meccano.

L'enfant, après avoir essayé sans grand succès d'assembler les pièces, se découragea et abandonna. Au Noël suivant, quand son père lui offrit un « Bilo Fix », jeu de construction en bois convenant parfaitement pour quatre ans, l'enfant ne voulut pas s'en servir. Il était marqué par sa déconvenue avec le Meccano et refusait tout jouet du même genre.

Qu'est-ce qu'un bon jouet ?

Tout d'abord, il doit être inoffensif, sans bords coupants ni peinture toxique. Il est solide et ne risque pas en se cassant de faire des morceaux coupants et dangereux. Il ne comporte pas de petites pièces avec lesquelles un enfant risquerait de s'étouffer.

Deuxième point : un bon jouet doit pouvoir durer longtemps. Un jouet dure plus ou moins longtemps suivant l'âge et la personnalité de l'enfant qui l'utilise. Mais en général, les jouets en fer-blanc et en plastique sont ceux qui durent le moins : en bois et en métal solide ceux qui durent le plus. Il faut cependant savoir choisir entre les différents bois. Je pense ici à certains jouets d'importation en bois, coûteux, qui s'écaillent et se brisent à la deuxième ou troisième séance de jeux. Il faut bien sûr préférer les bois durs. Demandez à visiter une école maternelle bien équipée : vous y apprendrez à reconnaître les jouets qui durent. C'est là qu'ils sont vraiment soumis aux plus rudes traitements et doivent pourtant résister plusieurs années.

Troisièmement, si 90 pour cent du jeu viennent de l'enfant et 10 pour cent du jouet, c'est un bon jouet. Si 90 pour cent du jeu viennent du jouet et 10 pour cent de l'enfant, ce n'est pas un bon jouet.

Faites la différence entre un jouet presse-bouton téléguidé et un jeu de cubes en bois. On donne à un petit garçon un chien qui fonctionne avec des piles. Il marche sur le plancher et remue la queue quand on presse le bouton : 90 pour cent du jeu se trouvent dans le jouet. Tout ce que le petit garçon peut en faire c'est d'appuyer sur le bouton. (Si ce n'est mettre le jouet à part et le détruire, ce qui coïncide généralement avec l'étape suivante.)

Avec un jeu de cubes en bois, la situation est tout à fait différente : 90 pour cent du jeu viennent alors de l'enfant. Il ne s'agit pas d'un jouet destiné à un seul usage. Les possibilités qu'un enfant peut tirer d'un jeu de cubes sont presque illimitées.

Le troisième critère qui détermine un bon jouet est d'un tout autre ordre, et il est important que les parents s'en rendent compte. Plus l'enfant doit agir en face du jouet et moins celui-ci travaille pour lui, plus l'enfant développe sa confiance en soi et sa créativité et plus il apprendra avec ce jouet. Moins l'enfant travaille et plus le jouet le fait pour lui, moins l'enfant cultive ses qualités et moins il apprend de ce jouet.

Quand vous aurez saisi ce principe, vous comprendrez pourquoi une boîte en carton assez grande pour qu'un enfant puisse y ramper est un jouet tellement parfait. La boîte est plus abstraite que spécifique, elle peut être une infinité de choses : un bateau, un igloo, un sous-marin, un avion, un robot, elle stimule et enrichit le pouvoir d'invention de l'enfant. Il peut l'utiliser de façon originale selon son imagination. Il peut y découper des trous à des endroits appropriés. Il peut la colorier au crayon ou la peindre. Il est peu de jouets qui aient une telle valeur en tant que jeu qu'une grande boîte en carton, et cependant, combien de parents pensent à aller au supermarché ou dans un magasin de meubles pour en rapporter une à la maison, et sans qu'il leur en coûte un centime ?

Quatrièmement, un bon jouet doit être amusant. Un jouet peut être éducatif, s'il n'est pas amusant, ce n'est pas un bon jouet. Il nous faut faire la distinction entre l'amusement immédiat et celui à long terme.

Il ne fait pas de doute qu'un jouet téléguidé où il suffit de presser un bouton apporte des joies immédiates à un jeune enfant. Il poussera le bouton et regardera avec ravissement la voiture ou l'animal tourner autour de la pièce ou faire son numéro quand on le déclenche.

Quelques heures de ce jeu cependant, et l'amusement aura cessé, l'attrait qu'avait ce jouet a disparu. Un jeu de cubes de bois peut au contraire amuser l'enfant jour après jour ; il a une action à long terme.

Cinquièmement, le jouet doit s'adapter à l'âge et au développement de l'enfant. C'est là que les parents doivent savoir ce qui convient à un enfant en général en fonction de son âge et du niveau de développement qui y correspond. Ce genre de renseignement se trouve dans *Le jeune enfant dans la civilisation d'aujourd'hui* de Gesell, et le livre complet des jeux d'enfants de Goldenson et Marthey. Mais une mère a besoin de savoir davantage : il faut qu'elle connaisse son propre enfant, ce qu'il aime et ce qu'il n'aime pas. Chaque mère doit se demander : « Est-ce que cela convient à son âge et à son développement ? Est-ce que cela convient à une fille ou à un garçon ? Est-ce que cela fait partie du genre de jeux qui l'intéressent ? Est-ce que cela convient à sa taille ? Pourra-t-il le tenir lui-même ou faudra-t-il qu'on l'aide ? »

Quand vous choisissez des jouets, rappelez-vous que, plus l'enfant est petit, plus le jouet devrait être gros pour s'adapter à un développement qui manque de sûreté. Par comparaison avec des enfants plus âgés, les jeunes enfants ont besoin de plus gros cubes, de plus gros crayons, de gros pinceaux, d'écrous et de vis massifs. (*Voir* Appendice A.)

Les parents reculent parfois devant certains bons jouets qu'ils trouvent trop coûteux. Il faut énoncer clairement ce qu'on entend par jouet coûteux. Si vous achetez un camion en plastique de 5 FF à votre enfant, cela peut paraître bon marché à première vue. Mais si vingt minutes après l'enfant a réussi à le casser et qu'il ne peut plus jouer avec, cela coupe court à sa carrière de jouet bon marché.

Si une mère additionnait le prix de tous les jouets en plastique peu coûteux et fragiles qu'elle achète au supermarché, elle serait surprise du montant total. Pour la même somme, elle pourrait acheter un certain nombre de jouets «chers» mais solides, bien faits et propres à développer la puissance créatrice de l'enfant. Six jouets en plastique à 5 francs qui durent une semaine valent le même prix qu'un jouet en métal ou en bois qui peut durer des années.

Supposons par exemple que vous ayez 300 FF et seulement cela à dépenser pour votre enfant pendant une période de 3 ans. Je vous conseillerais alors d'acheter deux jouets : le portique et ses agrès et la pyramide à grimper à 150 FF chacun. Un jouet de 150 FF n'est pas un jouet bon marché. Mais si vous considérez toute la valeur de ces deux jouets qui dureront plusieurs années, alors ces jouets sont bon marché.

A peu près 40 pour cent des jouets achetés par les parents le sont à Noël. Si nous sommes honnêtes vis-à-vis de nous-mêmes. nous savons que nous avons tendance à acheter trop de jouets pour cette occasion. Cela est vrai non seulement dans les familles aisées mais aussi pour tout l'éventail des salaires. Achetez les jouets que vous avez l'habitude d'acheter à vos enfants pour Noël. Je ne vous priverai pas ni vous, ni moi, ni personne du plaisir de le faire. Mais ne donnez pas tous ces jouets à votre enfant pour Noël. Gardez-en la moitié et donnez-les-lui en plusieurs fois, dans les deux ou trois mois qui suivent Noël. (Souvent il aura encore beaucoup de jouets si vous tenez compte de ce qu'il recevra de ses grands-parents et autres membres de la famille.) Il accordera beaucoup plus de valeur à ces jouets s'ils apparaissent l'un après l'autre que s'ils s'ajoutent à la surabondance de ceux qui se trouvent au pied de l'arbre de Noël.

N'oubliez pas que le « jouet » le plus important de la vie de votre enfant, le « jouet » avec lequel il aime s'amuser plus qu'avec aucun autre, qui l'influencera plus puissamment que le reste, c'est ce jouet unique de chair et d'os que vous êtes ! Jouer avec vous a mille fois plus de valeur que de jouer avec n'importe quoi d'autre !

Des centaines de jouets merveilleux et brillants ne sont rien en comparaison des moments que vous passerez à jouer avec lui et qui le satisfont tellement sur le plan affectif.

Comme je l'ai dit au chapitre 5, le second jouet essentiel dans la vie de votre enfant se trouve dans votre living-room. Il se branche, comporte un écran et peut recevoir les programmes de plusieurs chaînes ; on l'appelle poste de télévision.

Comme je l'ai déjà mentionné, je suis conscient de la pauvreté et de la médiocrité de beaucoup de programmes télévisés et je souhaite que la violence à la télévision soit réduite le plus possible. Cependant, malgré l'irritation qu'on éprouve devant les défauts de la télévision, il est important de ne pas mépriser les valeurs positives qu'un enfant peut récolter en la regardant. Elle est par exemple excellente pour améliorer le vocabulaire de l'enfant et stimuler le développement du langage. Des travaux de recherche ont démontré que le vocabulaire des enfants des classes de maternelle s'est beaucoup enrichi depuis l'introduction de la télévision dans les foyers américains. Il y a des aspects positifs qu'il ne faut pas sous-estimer. Et si même ces émissions médiocres parviennent à stimuler le vocabulaire chez un jeune enfant et le développement du langage, quels résultats obtiendrait-on avec de bons spectacles !

Même avec tous ses inconvénients, la télévision reste un merveilleux jouet éducatif et c'est une erreur que d'adopter une attitude complètement passive à son égard comme le font beaucoup de parents. Prenez le temps de regarder certaines émissions avec votre enfant et vous saurez quels programmes sont les meilleurs.

Votre présence sera une récompense ou un encouragement. Ce que vous faites d'une façon subtile, c'est que vous lui apprenez à savoir choisir.

N'allons pas jusqu'à lui donner l'impression que c'est un crime d'Etat de regarder une émission que vous considérez comme mauvaise. Avec un encouragement judicieux vous pouvez l'orienter dans certaines directions. La télévision a un trop grand pouvoir éducatif pour adopter l'attitude du laisser-faire à son égard. Et quand une bonne émission se présente, écrivez une lettre de compliment à son auteur. Vous aiderez ainsi à maintenir de bons spectacles télévisés pour enfants.

Choix de livres pour enfants

Parlons maintenant du choix des livres pour enfants. Certains d'entre vous pensent peut-être : « Est-ce si important ? Il suffit d'acheter quelques livres à son enfant, qu'il aimera, qu'on lui lira et voilà tout. Quelle différence apporte le choix entre tel et tel genre de livres ? »

Une étude faite par le Dr Georges Gallup montre cette différence. Le Dr Gallup a étudié chez les adultes aux Etats-Unis quelles étaient leurs habitudes de lecture et d'achat de livres, et il est arrivé à cette conclusion que les adultes américains n'aiment pas particulièrement lire ou acheter des livres.

Il a étudié des groupes représentant trois catégories différentes de gens : ceux qui étaient diplômés d'études secondaires, ceux qui avaient suivi des cours en faculté mais n'étaient pas diplômés et ceux qui avaient des diplômes universitaires. Il s'aperçut que 50 pour cent du groupe des diplômés d'études secondaires n'avaient pas lu un seul livre l'année précédente ; 46 pour cent de ceux qui avaient suivi des études supérieures sans obtenir de diplôme avaient lu un livre. Un tiers approximativement des diplômés universitaires n'avaient pas lu de livre. Le Dr Gallup constate : « Ces chiffres ne rassurent guère ceux qui défendent le système actuel d'éducation en Amérique. »

Bien plus, quand on compare les habitudes de lecture des Américains à celles des Anglais, des Allemands, des Hollandais, des Suisses, des Français et des Scandinaves, les Etats-Unis sont en fin de liste.

Dans un autre travail d'échantillonnage aux Etats-Unis, le Dr Gallup s'aperçut que près des deux tiers des adultes avaient reconnu ne pas avoir lu un seul livre durant toute l'année précédente (à l'exclusion de la Bible et de manuels). Bien plus, un adulte sur six seulement pouvait citer un livre récemment publié qu'il souhaitait lire tout particulièrement.

Les habitudes d'achat des livres des Américains démontrent également qu'on leur a mal appris à aimer la lecture et les livres. Au premier abord, il semblerait que l'Amérique est un pays de lecteurs avides, si on considère simplement le nombre impressionnant de livres reliés et brochés vendus en Amérique. Cependant, quand on examine les chiffres de plus près, on s'aperçoit qu'en réalité un cinquième des adultes « consomme » plus de 80 pour cent des livres achetés et lus aux Etats-Unis. Ce que ces chiffres révèlent, c'est qu'un très petit nombre d'adultes aux Etats-Unis aiment la lecture. Si on veut que cette situation se modifie, comme le dit le Dr Gallup « pour beaucoup de gens, l'amour des livres doit être soigneusement entretenu ».

C'est dans les cinq premières années de la vie qu'on doit établir les fondements essentiels de l'amour des livres et de la lecture, créer l'habitude de lire et d'acheter des livres.

D'après les chiffres du Dr Gallup, il est clair qu'en fait le système d'enseignement américain échoue lamentablement pour un grand nombre d'écoliers. Vous ne pouvez donc faire confiance à l'école pour accomplir cette œuvre. Si vous voulez que votre enfant lise et qu'il continue plus tard, il faudra que vous, parents, vous lui fassiez prendre cette habitude et que vous veilliez à ce qu'elle persiste. Et pour prendre cette habitude, les années cruciales sont les cinq premières années, avant que votre enfant n'entre à l'école.

Enseigner l'amour de la lecture à votre enfant procède des mêmes éléments d'enseignement de base dont nous avons parlé dans les précédents chapitres. Votre enfant aimera lire et acheter des livres si vous l'encouragez et le récompensez quand il le fait.

De tout cela découle un principe essentiel : ne vous inquiétez pas du contenu des lectures de votre enfant du moment qu'il lit. Quel que soit le texte imprimé que votre enfant désire et aime lire, que ce soit un livre, un magazine, un journal, des bandes dessinées, tout cela est bon pour lui. C'est particulièrement vrai pour les enfants de plus de six ans. Les parents pensent parfois : « Oh ! il ne lit que des sottises, des bandes illustrées ou des inepties, je veux qu'il lise de la bonne littérature. » Ne vous inquiétez pas, les « inepties » dont il se nourrit doivent satisfaire quelque besoin psychologique du moment, et c'est très bien comme cela. Tant qu'il continue à lire, son goût s'affine peu à peu. Bien sûr, le prétendu problème de la littérature sans valeur ne surgit pas dans les années préscolaires, car votre enfant «lit » alors ce que vous avez choisi de lui lire (ou s'il sait lire avant l'âge de six ans, ce que vous avez choisi pour lui). Et votre choix dans ces années-là sera capital dans l'amour qu'il manifestera plus tard pour la lecture.

Comment choisir ? Equilibrez les ouvrages d'imagination et les histoires vraies. Il a besoin d'un régime de lectures équilibré comme pour sa nourriture. S'il lit uniquement des histoires réelles, son imagination créatrice ne se développera pas assez. Si, au contraire, il se limite aux histoires imaginaires et fantaisistes, il négligera la lecture comme moyen de comprendre la réalité dans laquelle il vit.

Il faut que l'enfant sache faire avec équilibre les emprunts des livres à la bibliothèque et les achats pour sa bibliothèque personnelle qui augmente.

De nombreux parents commettent la faute de limiter tous les ouvrages que lit leur enfant aux livres de bibliothèque parce qu'ainsi ils économisent de l'argent. Ces mêmes parents lui achèteront pourtant des jouets à Noël. Si une mère agit ainsi, qu'elle en soit consciente ou non, c'est comme si elle enseignait à l'enfant : « Les jouets sont plus importants que les livres puisqu'on t'achète des jouets que tu peux garder, mais jamais de livres. » Et un enfant, particulièrement d'âge préscolaire, a besoin d'avoir des livres qu'il sent bien à lui.

Il est difficile pour un enfant de grandir dans le respect des livres s'il n'en a jamais eus à lui, s'il n'a jamais connu le plaisir de monter sa bibliothèque personnelle en y ajoutant des livres un par un au fil des années. De même qu'il a des jouets préférés

auxquels il revient sans cesse pour jouer, il lui faudrait de même
avoir des livres qu'il relira d'innombrables fois. Quand un enfant
est malade et doit rester à la maison, c'est alors qu'il aime jouer
avec ses vieux jouets préférés. C'est à un tel moment qu'il doit
pouvoir aussi relire ses vieilles histoires favorites. Il importe peu
de savoir quels sont vos moyens financiers, une partie de l'argent
que vous consacrez à votre enfant devrait aller aux livres.

Si vous avez appris à votre enfant à découvrir toutes les joies
de la lecture, il ouvrira sans cesse ses livres. Même si vous
pouvez seulement lui acheter cinq livres brochés par an et que
vous continuiez cette habitude jusqu'à ce qu'il termine ses études
secondaires il aurait alors quatre-vingt-cinq livres en sa possession. Et ce serait beaucoup plus que bien des jeunes bacheliers
n'en possèdent.

Par suite de la révolution électronique apportée par la télévision, l'amour des livres et de la lecture est plus difficile à faire
naître chez les enfants de nos jours.

Lorsque j'étais enfant il n'y avait rien de comparable à la
télévision. Et j'adorais lire. Mais si j'avais le choix entre lire un
livre et aller au cinéma, il n'y avait pas de discussion. Le film
l'emportait toujours. Le cinéma est maintenant à domicile,
instantanément disponible, c'est la télévision. Les parents doivent donc consacrer encore plus de temps et d'efforts à la
lecture qu'ils ne le faisaient à l'époque où il n'y avait pas de
« petit écran ».

Un des meilleurs moyens pour que votre enfant aime les
livres et tout ce qui s'y rapporte est de faire en sorte que la
bibliothèque et la librairie du quartier soient des endroits qu'il
associe à la notion de plaisir. Il faudrait qu'il considère la
bibliothécaire et le libraire comme des amis. Le contact personnel compte beaucoup chez les enfants d'âge préscolaire. Tant
mieux pour vous si ces personnes connaissent votre enfant et
s'intéressent à lui.

De nos jours beaucoup de parents sont vraiment perplexes
devant le nombre de livres d'enfant parmi lesquels il leur faut
choisir. Avant d'acheter un livre, ou avant que vous empruntiez un
livre pour lui à la bibliothèque, examinez-le d'abord. *Le critère
probablement le plus décisif dans le choix des livres est que la
mère aime elle-même le lire.* Si le livre vous « parle » il parlera
aussi à votre enfant. Si vous ne l'appréciez pas, l'enfant risque de
ne pas l'aimer quand vous le lui lirez. De ce fait, il ne peut
exister de liste infaillible de livres pour enfants car non seulement l'enfant mais la mère sont uniques dans leurs goûts.

Les parents sont parfois horrifiés par le prix des livres. Ils
pensent que c'est une somme considérable pour un ouvrage que

l'enfant lira une seule fois. C'est en cela que les parents se trompent.

Un jeune enfant peut prendre son livre bien-aimé de comptines dans son lit, regarder des images et vous demander de le lire pendant des mois. Un livre qu'il aime vraiment est comme un long, long voyage.

Cela me mène à un autre sujet lié aux livres et à leur prix. Peut-être aussi à cause d'une sorte de respect pour le texte imprimé, mais bien souvent, nous avons tendance à attendre que l'enfant ait des précautions d'adulte pour les livres que nous lui offrons. Nous attendons de lui qu'il ne le marque pas, qu'il ne le salisse pas et qu'il ne le déchire pas. Pourquoi ? Quand nous achetons un jouet, nous sommes parfaitement préparés à ce qu'il soit traité durement. En fait, plus un jouet est aimé, plus il subira de *mésaventures*. Pourquoi ne pas apprendre à réagir de la même façon vis-à-vis des livres ? C'est ce qu'il faudrait faire. Si nous répétons sans cesse à notre enfant de ne pas les tacher, nous décourageons chez lui l'habitude d'être à l'aise avec eux.

Le nombre sans cesse croissant de livres brochés de bonne qualité pour enfants vous aidera à limiter la dépense.

Il faut fournir des rayonnages à l'enfant pour sa bibliothèque. Les plus faciles à construire sont ceux qui reposent sur le sol, faits de blocs de ciment ou de briques, avec des planches posées sur les briques en guise de rayonnage et qui facilitent la disposition des planches suivant la taille des livres. Un tel assemblage est particulièrement commode pour les enfants d'âge préscolaire car leurs livres sont souvent de grande taille et ne peuvent s'adapter à une bibliothèque conventionnelle. De cette façon on peut aussi déplacer les rayonnages si c'est nécessaire.

Les livres peuvent avoir une influence énorme sur un enfant. Lorsque vous lui en lisez un, ce qui entre par une oreille ne sort pas par l'autre, mais reste enseveli dans sa mémoire. Une étude du Dr Georges Gallup démontre que les enfants auxquels on a lu des histoires quand ils étaient tout petits ont des résultats scolaires meilleurs que les autres.

Le Dr Gallup dans une étude portant sur 1 045 cas a pu constater que dans un cours élémentaire, on avait lu régulièrement des histoires à 79 pour cent des bons élèves contre 49 pour cent des élèves médiocres.

L'enfance est brève. Vous ne pouvez lire Babar à un enfant de dix ans. Il a dépassé ce stade. Si vous ne le lui avez pas lu dans ses jeunes années, l'occasion n'en reviendra plus jamais. C'est pourquoi un choix judicieux sera déterminant pour son éducation et son développement.

Choix des disques pour enfants

Nous arrivons maintenant à un domaine où beaucoup de parents se montrent hésitants : celui des disques. Les parents achètent beaucoup moins de disques que de jouets et de livres, car ils se sentent en général sur un terrain moins sûr.

Avant de parler du choix des disques, parlons de tourne-disque. Rappelez-vous, je vous ai conseillé d'acheter à votre enfant un simple « mange-disque » et des disques bon marché. Ne vous souciez pas trop de la qualité de l'enregistrement. Vous ne pouvez pas avoir une très bonne qualité pour 4 ou 5 FF. Le but est que votre enfant puisse faire marcher ces disques lui-même, quand il le désire. Il ne doit pas avoir besoin de votre aide. Ne vous inquiétez donc pas s'il le raye ou s'il le tient mal.

Il faudrait cependant que vous ayez des disques de longue durée que vous mettrez sur l'électrophone familial. Empêchez votre enfant de s'en servir. Ce sont les disques que vous faites marcher pour lui et il vous faudra les choisir soigneusement.

La triste réalité est que la plupart des parents achètent des disques que j'appellerai des « disques bêtifiants ». Ces disques sont *dessinés* et les pochettes sont faites pour attirer les parents, non les enfants, car les fabricants de disques savent trop bien que ce sont les parents qui les achètent. Ils n'ont pas grand effet sur les enfants. Ils sont généralement trop rapides, banals, avec un orchestre d'accompagnement ou un chœur trop fort. Si vous butinez au rayon des disques pour enfants d'un magasin d'importance moyenne, vous verrez qu'il en existe malheureusement beaucoup. Quels critères doivent donc vous guider pour acheter des disques ? D'abord la musique devrait être simple, plutôt qu'élaborée ou compliquée. Deuxièmement, il ne faut pas que l'orchestration et les chœurs dominent. Troisièmement, l'air et le rythme doivent être entraînants et plaire aux enfants. En écoutant les disques avec votre enfant, analysez-les en fonction de ces trois critères. Ils vous paraîtront encore plus évidents quand vous les entendrez.

Quelles sont les différentes catégories de disques ? Tout d'abord, les chants folkloriques ou populaires. Une bonne chanson répondra aux impératifs précités.

Deuxièmement, des musiques d'autres pays. Ne vous limitez pas aux disques du rayon pour enfants. Les premières années sont un âge idéal pour faire connaître à votre enfant la musique d'autres civilisations, avant que son oreille ne se soit faite à notre musique et qu'il ne puisse plus apprécier que celle-ci. Faites-lui écouter des tam-tams polynésiens, africains, des gongs balinais, des koto japonais, des bouzoukai grecs, des maracas mexicains, des marimbas guatémaltèques et ainsi de suite. Votre enfant aimera probablement toute musique pourvu qu'elle soit fortement cadencée et rythmée.

Troisièmement, des disques de musique variée. Je réserve cette dénomination aux disques qu'on ne peut aisément classer dans les autres catégories. Par exemple, « Le monde est petit » de Walt Disney est un disque excellent avec un air entraînant, qui fait découvrir la géographie, en musique.

Quatrièmement, les disques d'activités, ceux qui réclament une activité musculaire spécifique, ou inspirent des gestes à l'enfant. Par exemple les disques de rondes.

Cinquièmement, les disques de stimulation intellectuelle qui sont l'équivalent des livres documentaires. Cette catégorie devrait comprendre des disques de science et d'étude de la nature, d'histoire, de calcul et de mathématiques, etc.

Sixièmement, des livres-disques. Ce sont des livres d'histoire, dont le texte est fidèlement raconté sur le disque. On peut s'en servir pour intéresser l'enfant au livre ou le lui faire entendre après qu'on le lui ait lu. Il peut ainsi enregistrer le sens et *le message* du livre sous une forme différente.

Si vous avez la chance d'habiter assez près d'une boutique avec un stock de bons jouets pour enfants, vous pourrez trouver tous ces disques. Sinon, faites-vous envoyer un catalogue.

Voilà. Vous avez acheté plusieurs bons disques pour enfants. Qu'allez-vous en faire ? C'est là que beaucoup de mères commettent une erreur. Elles font entendre le disque à l'enfant « à froid ». Elles disent : « Voici un joli disque que Maman vient d'acheter pour toi, écoutons-le. » L'enfant écoute et ne manifeste aucun intérêt. Quelques expériences du même genre et la mère conclura (à tort) que la petite Virginie n'aime pas les disques pour enfants et qu'il est inutile de lui en acheter d'autres.

Cette mère ne comprend pas qu'il faut préparer les enfants à comprendre un disque et à l'aimer.

Plutôt que de faire des considérations abstraites, je vais prendre quelques exemples précis et vous indiquer comment on peut préparer un enfant à écouter un disque, à le comprendre et à l'aimer. Tout d'abord, ne songez pas à faire entendre un grand 33 tours tout entier. Choisissez un disque plus court, ou une seule chanson sur un disque.

Si nous disposons par exemple du livre-disque « Peter Pan » (Le petit Ménestrel, disques Ades), voici comment on peut faire pour préparer l'enfant à écouter.

Ecoutez le disque au préalable. Ne proposez jamais un disque sans l'avoir déjà entendu. Alors seulement vous pouvez dire : « Nous allons écouter un disque qui raconte une aventure de

Peter Pan. Peter Pan est un petit garçon qui connaît bien les fées. Avec son amie la fée Clochette, il vole partout. Il va souvent au pays de Nulle Part, où vivent tous ses amis. Mais Peter Pan a un vieil ennemi, le capitaine Crochet, un méchant pirate. Tu sais ce que c'est qu'un pirate ? Autrefois les pirates étaient des bandits qui prenaient les bateaux et gardaient les passagers comme prisonniers. Crochet veut se venger de Peter Pan qui lui a déjà échappé. »

Faites en sorte que votre enfant ait envie de savoir si Crochet va retrouver Peter Pan au pays de Nulle Part et dites : « Ecoutons le disque pour savoir ce qui va se passer ! »

Faites entendre le disque.

Puis posez ensuite quelques questions : « Comment Peter Pan se déplace-t-il ? Pourquoi est-ce que Crochet a capturé la Princesse indienne Lily la Tigresse ? (Pour savoir où se cache Peter Pan). Pourquoi est-ce que le pirate s'appelle le capitaine Crochet ? (Il a un crochet à la place d'une main.) Qui est-ce qui gagne à la fin ? » Etc.

L'enfant voudra peut-être alors réentendre le disque ; faites-le réécouter pour retrouver certains détails.

Avec une chanson (et une seule à la fois) procédez de même, en essayant de situer l'histoire et les personnages avant de faire entendre le disque. Ecoutez ensemble, puis posez quelques questions de façon à fixer chez l'enfant l'intérêt qu'il aura éprouvé. On peut aussi aborder un disque tel que « Pierre et le Loup », de Serge Prokofiev, en disant que souvent la musique nous raconte une histoire. Si vous disposez du disque où Gérard Philipe raconte l'histoire, votre travail est fait. Mais vous pouvez tout de même dire à votre enfant comment les instruments d'un orchestre peuvent représenter les personnages et parler avec leur langage propre. Racontez le début de l'histoire, en disant par exemple : « Pierre est un petit garçon qui vit à la campagne, très loin, près d'une grande forêt. Il y a beaucoup d'animaux. Le Canard, le Chat, les Oiseaux. Il y a aussi le Loup dans la grande forêt. Pierre n'a pas peur. Il se promène dans la prairie mais son grand-père l'aperçoit et le fait rentrer. » Votre enfant vous demandera sans doute s'il y a du danger, si le loup approche. Faites-lui alors entendre le disque. Et vous n'oublierez pas d'en parler ensuite, tant que l'enfant voudra.

En plus de l'histoire charmante qu'il raconte et de l'excellente initiation musicale qu'il représente, ce disque vous fournit un bon exemple de ce que vous pouvez faire et dire pour motiver l'attention d'un enfant.

Ces exemples devraient vous indiquer comment faire écouter un disque à un enfant en trois étapes : 1° préparez votre enfant à écouter le disque ; 2° écoutez le disque avec lui ; 3° parlez ensuite du disque avec lui. Si vous procédez de cette façon, vous transformez cette expérience passive en expérience active. Vous avez éveillé sa curiosité avant de mettre le disque, il a donc hâte de l'écouter. Ainsi, écouter des disques peut devenir une expérience agréable et éducative.

Mais les disques ne sont pas seulement des moyens d'apprendre. Ils peuvent aussi vous aider à résoudre un problème de discipline. Faire passer un disque peut devenir un élément actif pour pratiquer le contrôle d'ambiance, propice à une bonne discipline, dont j'ai parlé au chapitre 9.

Si par exemple votre enfant a faim, et que le repas n'est pas prêt, vous prévoyez sans doute que l'enfant va faire la comédie pour que vous lui donniez quelque chose à manger pendant cette demi-heure qui vous sépare du dîner. Que faire ? Faites-lui écouter un disque !

N'oubliez pas de lui faire un rapide commentaire, une mise en condition : tu te rappelles ce disque que nous avons entendu la semaine dernière où Peter Pan se battait contre le capitaine Crochet ? Nous allons le repasser, et après tu pourras les dessiner. En l'intéressant de cette façon, on gagne du temps jusqu'au repas, et on résout d'avance un problème de discipline qui allait immanquablement se poser.

Un disque peut calmer un enfant surexcité : au cours d'un jeu avec d'autres enfants, quand vous voyez que le jeu devient débridé et que les participants s'excitent. Dans ce cas utilisez un disque qui raconte une histoire, plus indiquée que de la musique pour ramener le calme. Là encore, intéressez l'enfant au moyen d'un court commentaire qui l'incitera à écouter, et faites-lui passer le disque. Vous pouvez l'utiliser pour raconter une histoire à votre place quand vous êtes trop occupée pour faire vous-même la lecture.

Si l'enfant possède le livre d'accompagnement, il pourra regarder les images tout en écoutant. C'est pourquoi c'est une bonne idée de conserver les livres qui correspondent aux disques à proximité de l'électrophone afin qu'on puisse les prendre facilement.

En d'autres termes, les disques sont non seulement du matériel de grande valeur éducative, mais ils peuvent aussi être d'un grand secours pour aider une maman astucieuse à résoudre le problème des « moments difficiles » qui risquent de se poser avec un enfant : juste avant le repas, par exemple, ou juste avant le coucher ou lorsque vous êtes forcée de garder un enfant à la maison en cas de mauvais temps ou de maladie, autant de circonstances où les disques sont les bienvenus.

Si vous disposez d'un magnétophone, vous pouvez enregistrer vous-même sur des bandes ou des cassettes les histoires préférées de vos enfants. Lisez simplement l'histoire à haute voix. Ou si vous avez un enfant plus âgé, peut-être voudra-t-il enregistrer des histoires sur une bande magnétique.

A dix ans, un de nos garçons a enregistré de cette façon des textes faciles. Cela lui plaisait beaucoup, de même que de se réentendre et cela améliorera grandement sa lecture à voix haute. Et son frère de quatre ans adorait écouter les livres spécialement enregistrés par son grand frère.

Pour résumer ce chapitre, je dirai que votre enfant est très profondément influencé par ce qu'il apprend à l'école. Mais avant l'école, il est encore plus fortement marqué par « l'enseignement » que vous lui donnez à la maison. Les jouets, les livres et les disques sont la matière même de cet enseignement à domicile. Prenez le temps et la peine de les choisir avec soin.

14

TREIZE CONSEILS À LA DOUZAINE

Depuis le début de notre conversation sur les jeunes enfants, nous avons abordé des sujets d'une impressionnante variété. Nous avons parlé de tout, depuis les colères jusqu'à l'apprentissage de la lecture, et même d'une recette pour fabriquer de la pâte à modeler.

Si nous étions en train de prendre le café en discutant de tous ces sujets, une véritable conversation pourrait avoir lieu de vous à moi, de moi à vous. Nous partagerions nos expériences de parents. Vous me parleriez de votre enfant, je pourrais vous poser des questions. Je vous parlerais de l'art du métier de parent, vous pourriez m'interrompre de temps en temps, en disant : « Je ne comprends pas pourquoi vous avez dit cela. » Ou bien : « Je ne suis pas d'accord sur tel point. » Ou bien encore : « Ce que vous dites là me met très mal à l'aise. » Ou : « Quand vous avez parlé de l'âge des premiers pas, vous n'avez rien dit de tel ou tel problème. Que feriez-vous en pareil cas ? »

Un livre, malheureusement, est une communication à sens unique. J'ai tenté de me mettre à votre place et d'imaginer quelles questions vous voudriez me poser sur les différents points abordés, afin d'essayer d'y répondre. Mais je n'ai peut-être pas répondu à certains problèmes que pose votre enfant. Si vous avez envie de poser des questions auxquelles je n'ai pas répondu suffisamment dans ce livre, vous pouvez m'écrire chez mon éditeur. J'apporterai des compléments de réponse dans mon prochain livre : « Questions posées par les parents ».

Nous avons traité maints sujets variés dans les treize chapitres de cette longue conversation sur les cinq premières années de la vie de votre enfant. Et peut-être que maintenant, comme le dit le proverbe, les arbres vous empêchent de voir la forêt. Pour rendre les choses plus claires, je vais résumer à votre intention les idées principales de ce livre, ce qu'il faut retenir de plus important quand on élève des enfants. Voici donc un petit guide en douze points qui, pour plus de sûreté, en font treize :

1. Elever un enfant est une entreprise de relations humaines, et les relations humaines ne peuvent se réduire à des règles. N'appliquez donc aucune règle de façon rigide, même pas celles que j'indique ici. Les règles ne sont que des lignes de conduite. Vous et votre enfant êtes des individus uniques en leur genre. Vous avez entre vous un lien particulier, différent de tout ce qui peut exister entre deux individus sur toute la terre. Ne commettez pas l'erreur de vouloir faire coïncider ce lien particulier avec un schéma général.

2. Les six premières années sont. les plus importantes pour former des attitudes et des habitudes qui dureront toute la vie. Les relations qui s'établissent avec votre enfant jusqu'à ce qu'il entre à l'école détermineront vos rapports avec lui pour la vie. Par exemple, pour empêcher un adolescent de devenir, par défi, un jeune délinquant, prenez le temps d'assurer entre vous de puissants liens d'affection et de respect mutuel avant l'âge scolaire.

3. Vous aurez beau apprendre tout ce que la science vous enseigne sur les enfants, si vous n'avez pas le sens de ce qu'est l'enfance, vous ne serez pas un bon guide pour votre enfant. Comme pour une chanson, vous connaîtrez les *paroles* et pas la *musique*. Pour acquérir le sens de ce qu'est l'enfance, renouez avec l'enfant qui est en vous. C'est le meilleur guide que vous puissiez trouver.

4. Chacun de vos enfants est une combinaison unique de gènes qui n'a jamais existé auparavant sur terre et ne se retrouvera plus jamais. De plus, il grandit dans un entourage psychologique unique à cause de sa place par rapport à vos autres enfants. Cette originalité génétique ajoutée à un environnement psychologique particulier signifie au sens strict du terme que votre enfant est un exemplaire unique, comme ses empreintes digitales. Il doit donc être traité comme tel. N'essayez pas de le faire entrer dans le moule préconçu de ce qu'il devrait être. La chose la plus importante que vous puissiez faire pour votre enfant est de vous maintenir à distance et de laisser se manifester cette personnalité unique, prête à s'affirmer, et qu'il sent se former en lui.

5. Pour se réaliser pleinement, votre enfant a besoin de grandir au sein d'une famille stable, gouvernée par les adultes. Votre enfant a besoin d'un chef énergique, il a besoin de parents forts et pleins d'amour pour le guider, non pas pour le contraindre et le tyranniser.

6. Quand vous guidez la conduite de votre enfant il est important que vous fassiez la distinction entre les *sentiments* intimes et les *actes* qui se manifestent au grand jour. On doit normalement attendre d'un enfant qu'il apprenne à contrôler ses actions extérieures, suivant son âge et son stade de développement.

On ne doit pas normalement attendre d'un enfant qu'il contrôle ses sentiments, car les pensées comme les sentiments parviendront spontanément à l'esprit.

7. Fixez aux actions de votre enfant des limites et des règles sensées pour qu'il les contrôle. Puis faites appliquer ces limites et ces règles d'une manière logique et cohérente. Il n'existe aucun système magique de règles qui soit bon pour toutes les familles et tous les enfants. Tout dépend de ce principe : quelles règles considérez-vous comme importantes, et quelles règles jugez-vous bon de faire respecter ?

8. En tant que parents, vous assumez la responsabilité d'apprendre à votre enfant à contrôler ses actions, mais il est aussi très important que vous lui laissiez la liberté d'exprimer ses sentiments. En le faisant, vous ne diminuerez en rien le respect qu'il a pour vous. Bien au contraire, vous le fortifierez. Car il saura que vous êtes assez sûr de vous en tant que parent pour lui accorder le droit démocratique de s'exprimer en tant que jeune membre de la famille. Il s'agit là, en famille, des mêmes droits démocratiques que ceux du libre citoyen que vous êtes.

9. La meilleure manière de conserver avec votre enfant des rapports solides et fructueux est de lui montrer que vous le comprenez vraiment. Ce que vous pouvez faire d'une façon très convaincante, non pas en lui disant distraitement : « Je comprends ce que tu ressens », mais en formulant clairement ce qu'il ressent et en lui réfléchissant ses sentiments. Ce sera une façon active d'essayer de vous mettre à sa place et de voir le monde comme il le voit.

10. En entraînant votre enfant à l'autodiscipline, encouragez ses élans positifs vers des buts valables. Un comportement qui se trouve encouragé a tendance à se reproduire. Encouragez votre enfant lorsqu'il affirme indépendance, esprit créateur et affection. Ne l'encouragez pas quand il se montre timide, pleurnicheur, réticent, violent et destructeur. Ainsi vous pourrez l'aider puissamment à devenir une personne raisonnable et autodisciplinée.

11. L'école commence chez soi. Le « programme » des activités à la maison est largement aussi important que celui des écoles que votre enfant fréquentera. Il a besoin de nombreux jouets, livres, disques judicieusement choisis, car ce sont les livres de classe de l'enseignement à la maison.

12. Il faut stimuler le développement intellectuel. La stimulation intellectuelle que vous lui donnez, particulièrement pendant les cinq premières années de sa vie, est d'une importance capitale pour le développement optimal de son intelligence. Stimuler chez votre enfant le développement du langage, lui apprendre à s'intéresser aux mots, à aimer les livres, lui apprendre à écrire, à jouer à des jeux qui favorisent la pensée logique et l'esprit mathématique. Voilà en quoi consiste le bel héritage intellectuel que vous pouvez lui transmettre quand il a six ans.

13. Les parents ont aussi des droits ! Elever un enfant n'est pas tâche facile. Cela exige une maturité qui fait parfois défaut à beaucoup de parents. Nous manquons tous, de temps en temps, à l'idéal que nous nous sommes fixé. Si nous donnons à nos enfants le droit de n'être pas parfaits, donnons-nous aussi ce droit. Si nous accordons à nos enfants le droit d'exprimer leurs sentiments, il faut nous accorder aussi ce droit. Une maman qui est sans cesse consciente de se sacrifier pour son enfant ne lui fait pas de bien. Alors pour être de bons parents essayons d'abord d'être naturels et sincères.

La meilleure façon d'être naturels est de comprendre l'enfant qui est en nous. Notre âme d'enfant ne meurt pas lorsque nous atteignons l'âge de vingt et un ans. Nos sentiments d'enfants demeurent cachés derrière notre façade d'adultes. Nous portons tous en nous-mêmes l'enfant que nous avons été autrefois. Et s'il n'en était pas ainsi, nous serions absolument incapables de comprendre les enfants et d'entrer en contact avec eux.

Complètement emprisonnés dans notre monde d'adultes, nous ne pourrions voir le monde comme ils le voient.

Certains parents sont pratiquement incapables de comprendre les enfants tant ils ont perdu le contact avec l'enfant qui subsiste en eux. Les souvenirs de leur enfance et leur adolescence sont totalement refoulés. C'est comme s'ils n'avaient jamais été enfants ni adolescents, comme s'ils étaient nés à vingt et un ans. Et c'est tragique pour des parents. Le seul moyen de saisir vraiment la psychologie de l'enfance est de garder ou de rétablir le contact avec l'enfant qui demeure en nous.

Ray Bradbury a très bien décrit ce sens de l'enfance dans son livre *Dandelion Wine*. Douglas Spaulding, douze ans, essaie de

persuader M. Sanderson, propriétaire d'un magasin de chaussures, de lui vendre des chaussures de tennis 5 francs de moins
que le prix marqué. En échange, Douglas propose de travailler
pour M. Sanderson quand il aura ces chaussures. Et, pour mieux
le convaincre, il demande à M. Sanderson d'essayer lui-même ce
genre de chaussures « pour sentir ce que cela fait ». Non sans
réticences, M. Sanderson accepte et met les chaussures, qui
paraissent « étranges avec le pantalon foncé de son costume ».
C'est maintenant Douglas qui parle :

> « Je vous en prie, monsieur Sanderson ! Balancez-
> vous un peu en avant et en arrière, appuyez vos
> pieds comme pour sauter, pendant que je vous
> parle ! Voilà : je vous donne mon argent, vous me
> donnez les chaussures, je vous dois 5 francs. Mais,
> monsieur Sanderson, dès que je les aurai mises,
> savez-vous ce qui se passera ?
>
> « Et crac ! Je livre vos colis, je vais les chercher,
> je vous apporte du café, je vous brûle vos vieux
> cartons, je cours à la poste porter vos télégrammes,
> je bondis à la bibliothèque. A chaque instant je ferai
> le travail de douze personnes. Ces chaussures à vos
> pieds, monsieur Sanderson ! Vous sentez comme elles
> vont m'entraîner ? Et cette semelle élastique à l'inté-
> rieur ! Vous sentez comme on a envie de sauter ? Et
> comme elles s'accrochent au sol, sans défaillance et
> vous donnent envie de courir ?
>
> « Impossible de rester sans bouger ! Vous sentez
> comme j'irai vite pour faire toutes ces choses et vous
> rendre service ? Vous n'avez plus qu'à rester
> tranquillement bien au frais dans votre magasin pen-
> dant que je courrai par toute la ville ! Pas moi, à
> vrai dire, mais les chaussures ! Ce sont elles qui courent
> comme des folles dans les rues, coupent les virages,
> reviennent ! Ça y est, les voilà parties ! »

M. Sanderson restait là, hébété sous ce flot de
paroles ! Et ce flot bientôt l'emporta ; il se mit à
enfoncer ses pieds dans les chaussures, à remuer les
orteils, à cambrer le pied, à plier les chevilles. Il se
balançait doucement, d'avant en arrière, rien que
pour lui, face au petit vent qui entrait par la porte
ouverte. Les chaussures de tennis pressaient
silencieusement le tapis, s'enfonçaient comme dans
une épaisse herbe sauvage... Il appuya dignement ses
talons dans... la terre molle et accueillante. Mille

émotions montèrent jusqu'à son visage, comme autant de lumières de couleur qu'on aurait allumées puis éteintes. Il avait la bouche légèrement ouverte. Lentement il se calma, s'arrêta après un dernier balancement : la voix de l'enfant se tut, et ils restèrent là tous deux, se regardant dans un silence terrible et vrai.

M. Sanderson avait perdu le sens de l'enfance. Il ne pouvait voir les chaussures de tennis qu'en adulte. Il avait perdu le sens de ce que des chaussures de tennis représentent pour un enfant de douze ans.

Et c'est Douglas qui aide M. Sanderson à retrouver le sentiment de sa propre enfance. Voilà ce que votre enfant peut faire pour vous. Toutes les connaissances scientifiques que nous apprenons sur l'enfance nous sont de peu d'utilité si nous n'avons pas le sens de l'enfance. Mais si nous pouvons, par l'imagination, nous mettre dans la peau de notre enfant et voir comment le monde lui apparaît, sentir le monde comme il le sent, alors tout ce qui nous échappe à propos des enfants et de leur éducation nous reviendra facilement et naturellement.

Pour y parvenir, il peut être utile de travailler sur le matériel que votre enfant utilise. Faites semblant d'avoir trois ou quatre ans. Faites-le seule, mais aussi avec votre enfant. Essayez de peindre au chevalet sans vouloir représenter quelque chose de précis, mais seulement pour expérimenter les couleurs comme on le ferait à trois ans. Essayez de colorier avec des crayons de couleur ou · des pastels. Là encore, sans « dessiner » rien de précis. Contentez-vous de gribouiller, de faire jouer les couleurs et les lignes. Modelez de l'argile ou de la pâte à modeler, et voyez ce que vous ressentez. Ecoutez un disque de musique exotique qui vous dépayse, et dansez en exprimant vos sentiments au son des tambourins polynésiens ou des marimbas guatémaltèques. Allez jusqu'au bac à sable, faites-en glisser entre vos mains, entre vos doigts, voyez comme c'est doux. Voyez si vous pouvez à nouveau sentir le sable sur vos mains comme lorsque vous étiez enfant. Faites vous-même des constructions dans le sable : châteaux, maisons, routes ou tunnels.

Une année, nous avons passé les vacances d'été à Cannon Beach, dans l'Oregon. Un de nos meilleurs souvenirs de ces vacances fut le concours de châteaux de sable, qui a lieu tous les ans à Cannon Beach, et auquel nous avons participé en famille. Nous avons passé des heures merveilleuses à construire notre château, chacun de nous contribuant au travail d'ensemble.

De temps en temps nous organisons dans notre école maternelle une journée « portes ouvertes » à l'intention des parents. A cette occasion, nous mettons à leur disposition tout le matériel dont se servent les enfants : papier, peinture, pastels, bois, colle, argile, tambourins et instruments de musique. Puis nous les laissons seuls. Pendant tout un après-midi ces parents redeviennent des enfants d'âge préscolaire. Ils adorent cela ! Ils sont bientôt attirés, absorbés par le matériel, même s'ils n'ont jamais rien fait de semblable auparavant. Comme nous l'a dit un père : « Je pense que je comprends ce qu'est une école maternelle, maintenant que j'ai eu l'occasion de faire ce que fait mon petit garçon. » Et vous partagerez certainement son opinion si vous vous accordez la possibilité d'expérimenter ce que votre enfant fait avant d'entrer à l'école primaire.

Le sens de l'enfance

C'est le fondement affectif nécessaire de toute connaissance scientifique sur la croissance et le développement de l'enfant. Sans lui, les adultes interprètent mal les faits scientifiques et ne savent pas les appliquer. Nous observons ces faits avec des yeux d'adultes, et c'est seulement en retrouvant le sens de l'enfance que tout devient cohérent. Car, au sens le plus strict du mot, votre compréhension affective de votre enfant est la véritable clé de cette aventure. L'aventure du métier de parent. Bonne chance !

LE MOT DE LA FIN

J'ai tenté d'exposer dans ce livre « la science » du métier de parent. J'espère que vous y trouverez aussi tout le bon sens qui doit aller de pair. Ne parler que de la science d'être parent, c'est sous-estimer *l'intelligence* d'une mère. Parler seulement du bon sens nécessaire aux parents, c'est surestimer *l'information* dont dispose une mère.

Je désire terminer par un mot qui nous entraîne au-delà de la science et du bon sens. Je veux terminer en parlant de sentiment, en parlant de l'amour.

L'amour d'une mère pour son enfant est plus important que toute la documentation scientifique. Et l'amour d'une mère pour son enfant est plus important que tout le bon sens qu'elle peut montrer en l'élevant.

Comme le dit Santayana dans un des sonnets que je préfère :

> La sagesse n'est pas seulement d'être sage
> Et de fermer les yeux sur ce qu'on voit en nous
> *La sagesse est de croire en ce que dit ton cœur.*

Alors, en fin de compte, vous qui êtes une maman, croyez en ce que dit votre cœur ! Vous pouvez certains jours hésiter en face d'un problème posé par votre enfant. La science et le bon sens peuvent vous dire une chose alors que votre cœur vous en dit une autre. Croyez en ce que dit votre cœur !

APPENDICE A

Jouets et matériel de jeu
appropriés aux différents âges et
stades de développement

I. *LA PREMIÈRE ENFANCE*

(Depuis la naissance jusqu'au ramper et aux premiers pas, soit en général jusqu'à la fin de la première année.)

C'est l'âge des jouets de stimulation sensorielle. La première année de la vie est une période d'apprentissage intensif, pendant laquelle le bébé effectue une exploration fondamentale des qualités sensibles de son univers. Il passe toutes ses heures de veille à voir, à entendre, à goûter, à sentir, à toucher tout ce qu'il peut atteindre. Pendant les années qui précèdent l'aptitude verbale à nommer les objets, il est occupé à créer dans son esprit le modèle intérieur de tous ces objets.

Il découvre par manipulation la dureté, la mollesse, et la forme de l'objet. Il le compare mentalement à d'autres objets, le mesure, l'assortit à d'autres, le met dans sa bouche ou le flaire. Il manipule sans cesse son environnement. Quels jouets lui faut-il pour favoriser cette première exploration sensorielle de son milieu ?

1. Mobiles à suspendre au-dessus du berceau, achetés tout faits ou confectionnés par la mère
2. Portique de berceau avec agrès (Kiddicraft)
3. Hochets
4. Jouets en caoutchouc
5. Tout ce que vous pouvez trouver à suspendre au-dessus du berceau ou du parc, qui soit attirant et coloré et ne présente aucun danger pour l'enfant
6. Animaux en peluche à caresser
7. Aquarium en plastique contenant des poissons vivants. A suspendre
8. Jouets à mordre
9. Petite balle en tissu mou
10. Couverture faite de plusieurs tissus de différentes textures cousus ensemble
11. Un petit choix d'objets familiers
12. De l'eau
13. Des jouets à faire flotter dans son bain, en plastique ou en caoutchouc
14. Eponge pour le bain
15. Boîtes à musique
16. Corbeille avec de vieilles lettres et enveloppes
17. Petit manège ou mobile à musique

II. L'ÂGE DES PREMIERS PAS

(Approximativement du moment où l'enfant commence à marcher jusqu'à la fin de la deuxième année.)

Le travail à accomplir pendant ce stade de développement est l'exploration active et motrice de son environnement. L'enfant peut maintenant circuler sur ses pieds et « touche à tout ». Cette exploration l'amènera à affirmer sa confiance en soi et son assurance, ou bien fera naître en lui le doute et lui apprendra à se défier de sa curiosité insatiable. Quel genre de jouets et de matériel de jeu pourront l'aider à affirmer sa confiance en soi ?

A   JEUX PERMETTANT DE DÉVELOPPER LES GRANDS MUSCLES (essentiellement matériel de plein air)

1   Pyramide à grimper (ou cage ou tonnelle à grimper : Armand Colin-Bourrelier)
2   Toboggan
3   Chariot à traîner (Baby roule, Armand Colin-Bourrelier)
4   Baby trotte, pédacyclo (à chevaucher et à faire avancer avec les pieds) : Armand Colin-Bourrelier
5   Cubes creux en carton
6   Cubes creux en bois
7   Panneaux de bois, petits mais robustes
8   Bac à sable et jouets pour le sable
9   Petites voitures et camions pour jouer dans le sable
10   Personnages et animaux en plastique dur pour le bac à sable
11   Sable et terre
12   Jouets pour jouer dans l'eau : bateaux en plastique, grosses cuillers, etc.
13   Vieille cafetière
14   Petite pelle très solide pour creuser dans la terre et jouer au sable
15   Gros camions et véhicules en bois ou en métal
16   Jouets à tirer
17   Cabane. Si possible confectionnée par les parents
18   Grand carton d'emballage où l'enfant puisse entrer
19   Animaux familiers : *un chien* plutôt qu'un chat (sauf en appartement)

B   MATÉRIEL DE JEU D'INTÉRIEUR

1   Rayonnages découverts (plutôt que coffres à jouets) pour ranger livres et jouets
2   Caissettes cubiques de 25 cm, pour construire et ranger les jouets
3   Cheval à bascule sur ressorts
4   Agrès d'intérieur
5   Boîtes en carton de toutes dimensions
6   Jouets à empiler
7   Jouets à marteler (banc à marteler Playskool - établi Playskool chez F. Nathan)
8   Perles géantes à enfiler (Bourrelier)
9   Animaux en peluche à caresser
10   Ballons
11   Puzzles très simples (Puzzles « Volumétrix », puzzles Nadot chez F. Nathan)
12   Animaux de caoutchouc, domestiques ou sauvages
13   Ballon de plage en caoutchouc
14   Petite balle en caoutchouc
15   Petites voitures et camions (Corgi Toys, Dinky Toys)
16   « Baby-cherche » formes carrées, formes rondes (F. Nathan)
17   Voitures et camions de bois de grandes dimensions (Baby-car Bourrelier)

18 Poupées
19 Dinettes
20 Panoplies et déguisements
21 Eau et jouets pour l'eau : savon en paillettes, objets flottants de toutes sortes
22 Gros cubes creux en bois
23 Autres jouets adaptés à cet âge chez F. Nathan et Armand Colin

C LIVRES

1 Livres aux feuillets cartonnés ou livres imprimés sur toile (l'enfant commencera sans doute son étude en les mettant dans sa bouche !)
2 Catalogues de vente par correspondance (Les Trois Suisses - Manufrance - La Redoute)
3 Catalogue de timbres Thiaude, Yvert et Tellier
4 Catalogues de jouets
5 Imagier du Père Castor (Flammarion)
6 Tous livres qui comportent de grandes images qui donnent le nom de l'objet ou de la personne représentée, pour permettre à l'enfant d'étiqueter ce qui l'entoure et stimuler le développement du langage
7 Des livres d'images très simples, tels que « Les aventures d'une petite bulle rouge » de I. Mari ; « Le petit bleu et le petit jaune » de Léo Lionni (Ecole des loisirs)

III. *LA PREMIÈRE ADOLESCENCE*

Le travail qui doit s'accomplir pendant cette étape est l'affirmation de *l'individualité* en face du conformisme social. Gravissant les échelons de la « maturité face aux jeux », votre enfant en est maintenant au stade du *jeu parallèle*. Les jouets et le matériel de jeu que vous lui avez procurés pendant l'étape précédente, celles des premiers pas, continuent de lui servir et ont même toujours autant de succès auprès de lui. Mais il est prêt à pratiquer des jeux d'un type nouveau. Par exemple, vous ne lui avez pas donné de pastels, ni de craie, ni de peinture car il aurait pu les manger. Il a atteint un nouveau degré de développement et peut maintenant les utiliser. Il est prêt aussi à utiliser tous les jouets éducatifs à construire qu'il ne pouvait manier jusque-là.

A JEUX POUR DÉVELOPPER LES GRANDS MUSCLES (les mêmes jouets et les mêmes jeux que pour l'âge des premiers pas continueront à enchanter votre enfant)

B JEUX D'INTÉRIEUR

1 Tableau noir (80 × 60), craies de couleur et craie blanche (c'est le matériel le plus simple et le plus utile que vous puissiez donner à votre enfant à ce stade de son développement. Il continuera de s'en servir pendant toutes ses années préscolaires et même à l'école primaire)
2 Petit bureau ou petite table pour qu'il puisse dessiner et peindre (cela aussi servira pendant de nombreuses années)
3 Petite chaise robuste
4 Panneau d'affichage (plaque de liège) pour épingler ses griffonnages, dessins et écrits
5 Chevalet pour peindre

C MATÉRIEL BRUT POUR JEUX DE CRÉATION

1 Papier : formes, tailles, textures différentes, papier de journal compris

2   Crayons
3   Crayons feutres
4   Peinture en tube ou en godets
5   Peinture en pot pour peindre au doigt
6   Play dough (argile)
7   Pâte à modeler
8   Chevalet pour peindre en plein air (à confectionner et à fixer sur une palissade ; utilisez des pots de yaourts comme récipients pour la peinture)
9   Cubes en bois ou en plastique souple (ne prenez pas un trop grand jeu de cubes car à cet âge l'enfant ne fera guère que les empiler et se familiariser avec eux. Ce n'est qu'au stade suivant qu'il aura besoin d'un jeu de cubes plus important puisqu'il sera prêt alors pour faire des constructions plus compliquées)
10   Différents types de jouets à assembler (Playskool - Ascobric - Cubasco - F. Nathan)
11   Série Early Play - Bilo Toy (Copin - Féraud)
12   Première boîte Lego Duplo (premier âge)

D   Jeux d'initiation aux sons et à la musique

1   Instruments à percussion : tambours, tambourins, casseroles, boîtes à cigares, cymbales, triangles, etc., achetés ou confectionnés soi-même
2   Sons particuliers : xylophone, accordéon, etc.
3   Mange-disque bon marché et magnétophone à cassette
4   Disques bon marché que l'enfant peut passer lui-même
5   Electrophone familial manœuvré par les parents
6   Disques de meilleure qualité que vous faites entendre à l'enfant

E   Jeux et équipements variés adaptés à cet âge

1   Miroir incassable en acier poli encadré de bois (encourage l'enfant à prendre conscience de son identité)
2   Camion benne (Playskool)
3   Camion Kiddicraft
4   Oscar et sa famille, 3 chiens à roulettes de tailles différentes (Bourrelier)
5   Charrette transformable (Bourrelier)
6   Baby-car (Bourrelier)
8   Wagonnets super-géants (Bourrelier)
    Ce sont là des jouets onéreux mais excellents pour cet âge. L'enfant peut vraiment s'asseoir dessus et les faire rouler. Il jouera beaucoup avec et ils dureront pendant toutes les années préscolaires
9   Baby-roule (Bourrelier)
10   Chariot de construction (Bourrelier)
11   Super camion (Fair play - Fisher Price)
    Ces jouets ne sont pas aussi chers que les précédents. Faits en bois solide, ils serviront pendant de nombreuses années
12   Lotos en images (F. Nathan)
13   Puzzles
14   Animaux en plastique dur : animaux de la ferme, animaux sauvages
15   Personnages en plastique dur : cosmonautes, cow-boys et indiens, soldats

IV. *L'ÂGE PRÉSCOLAIRE (de 3 à 5 ans)*

Pendant ces deux années votre enfant franchit un pas énorme dans son développement tant sur le plan intellectuel qu'affectif. Il a maintenant atteint vraiment le stade du jeu coopératif avec les autres enfants. Il réagit intensément à la stimulation intellectuelle. Plus votre maison fournira les jeux d'extérieur et d'intérieur qu'on trouve dans une école maternelle bien équipée, plus elle apportera à votre enfant une atmosphère enrichissante sur le plan affectif et intellectuel. Si vous pouvez visiter une école maternelle, faites-le en prêtant une attention particulière aux équipements de jeu d'intérieur et de plein air, pour voir comment vous pouvez faire la même chose chez vous. Vous pouvez confectionner vous-même une grande partie de l'équipement avec un peu d'ingéniosité.

A   JEUX POUR DÉVELOPPER LES GRANDS MUSCLES

1   Portique bas avec échelle et toboggan
2   Tricycles
3   Chariots
4   Echelles de corde ou filet à double position (Bourrelier)
5   Grands cubes creux
6   Planches
7   Balançoires bascules
8   Poutres d'équilibre — Banc suédois avec poutre d'équilibre
9   Tunnel

B   JEUX POUR DÉVELOPPER LES PETITS MUSCLES

1   Pastels, crayons, crayons feutres et papier
2   Ciseaux (pensez aux ciseaux spéciaux pour enfants gauchers)
3   Colle
4   Divers jeux d'assemblage (Playskool - Makoline - Constructor - Castel Club - Bâti moderne)
5   Marteaux, clous, scie, etc., de vrais outils que l'enfant peut manier sous votre surveillance
6   Bancs à marteler — Etablis

C   JEUX DE CONSTRUCTION

1   Caissettes et cubes creux en nombre suffisant pour que l'enfant construise seul ou collectivement des parcours et des rues
2   Village Playskool
3   Voitures et camions de bois pour jouer dans les villes de cubes créées pour les enfants
4   Petits personnages et animaux en plastique dur pour jouer avec les cubes ou dans le sable
5   Voitures et camions en métal, bulldozers, grues
6   Voitures et camions en métal de petite taille (Matchbox, Dinky Toys, Corgi Toys, Solido, Norev)
7   Trains sur rails (Bourrelier)
8   Chariots
9   Animaux en bois
10 Série d'animaux en caoutchouc flexible
11 Grues, poulies, etc.
12 Animaux de caoutchouc
13 Jeux de construction :
    a) Bilofix
    b) Systema
    c) Ascobric

  d) Modulo
  e) Batibois
  f) Demontex
  g) Bambouchi
  h) Construitout

D JEUX FAVORISANT L'EXPRESSION GESTUELLE ET L'IMAGINATION CRÉATIVE *(particulièrement pour les 4 et 5 ans)*

1 « Castelet » de marionnettes (Nathan) - (Essayer d'utiliser comme théâtre un côté d'une cabane de jeu que vous aurez faite)
2 Marionnettes à main
3 Marionnettes sur doigts
4 Famille de poupées flexibles
5 Panoplies
6 Trousse de docteur
7 Tableau de feutre et morceaux de feutrine
8 Petit magasin miniature (coûteux mais vous pouvez en faire un simple vous-même)

E COIN POUR JOUER À LA MAMAN ET À LA POUPÉE POUR LES FILLES

1 Cuisinière, évier, réfrigérateur, achetés et faits soi-même
2 Casseroles, dînettes, couverts, à la taille de l'enfant
3 Poupées et maison de poupée. (Evitez les merveilleuses poupées électroniques. Faites-les vous-mêmes. Elles seront probablement beaucoup plus belles que celles que vous pourriez acheter.)

F DESSIN ET TRAVAUX MANUELS

1 Play dough (F. Nathan)
2 Pâte à modeler
3 Gros pastels
4 Peinture
5 Gros pinceaux (évitez les pinceaux fins à cet âge)
6 Papiers de couleur à coller
7 Colle et objets à coller (ne jetez rien ; vous pouvez toujours le garder pour les collages)
8 Chutes de papier gommé pour les collages abstraits
9 Timbres à imprimer
10 Timbres de formes abstraites
11 Matériaux divers pour graver : citrons, oranges, patatogravure, clé, fil, feuilles
12 Gravures bon marché pour décorer la chambre de l'enfant et lui donner le sens du beau
13 Mobiles à suspendre
14 Matériel pour graver
15 Peinture au doigt (sans se salir !) - Grands magasins (Tactil - Color - Pebéo)

G JEUX ET JOUETS QUI STIMULENT LES CONNAISSANCES

1 Développement de la lecture et du langage
  a) lettres de l'alphabet et chiffres en bois
  b) lettres et chiffres magnétiques
  c) lettres et chiffres en papier de verre
  d) petite imprimerie
  e) timbres caoutchouc avec lettres et chiffres
  f) morceaux de carton sur lesquels vous écrivez les mots familiers

g) matériel pour que l'enfant confectionne son propre livre d'images découpées dans des magazines
h) puzzles de toutes sortes
i) horloge Kiddicraft
j) dominos (Copin-Féraud)
k) jeu d'assemblages (couleurs qui s'accordent, formes, etc.)
l) cubasco - lecture
m) cubasco calcul
n) baticubes alphabétiques (F. Nathan)

2   Mathématiques et nombres
a) réglettes (Cuisenaire (O.C.D.L.)
b) matériel « K.M.L. » (F. Nathan) - bâtonnets (Bourrelier)
c) mosaïques - éléments géométriques (Mosica Asco)
d) horloge en bois ou cubes pour apprendre à lire l'heure. Puzzle de l'horloge (Europlastic)
e) matcub Asco (matériel d'initiation à Ascobloc, l'étude des ensembles) - multimath (Gillié) - silhouettes géométriques

3   Sciences
a) aimants
b) la vie des fourmis (Djeco)
c) d'autres bons jeux scientifiques
d) disques scientifiques
e) livres scientifiques pour les petits
   1. Le Montreur d'Images (E. Flammarion)
   2. Albums roses Hachette - Un chêne m'a raconté, etc.
   3. Qui sont-ils ? Que font-ils ? (Ecole des loisirs)
   4. Série Petit Tom - Cadet Rama - Livres jeux (Casterman)

4   Langues étrangères
a) De l'image à la langue (F. Nathan) : jeu d'images mobiles. Disques d'accompagnement
b) Jingle Bells (Didier)

H   JOUETS MUSICAUX, POUR DANSER

1   Instruments rythmiques
2   Disques

I   VISITES À DES CENTRES D'INTÉRÊT DE LA LOCALITÉ

1   Pompiers
2   Poste de police
3   Journal
4   Laiterie
5   Banque
6   Boulangerie
7   Fonderie

J   « JOUETS » INVISIBLES QUE VOUS AVEZ DANS VOTRE TÊTE

1   Histoires que vous élaborez
2   Histoires imaginées par votre enfant
3   Histoires d'une famille d'oiseaux du voisinage
4   Est-ce que ce ne serait pas amusant de... ?
5   Que se passerait-il si... ?
6   Est-ce un liquide, un solide ou un gaz ?
7   Est-ce une personne, un endroit ou une chose ?
8   Vingt questions : animal, végétal ou minéral

APPENDICE B

Petit lexique des jouets bon marché
ou à confectionner soi-même

Nos enfants sont en permanence sollicités par la publicité pour nous faire sans cesse acheter plus de jouets. Ces campagnes publicitaires atteignent leur maximum dans les semaines qui précèdent Noël.

Or les parents oublient souvent que les jouets les meilleurs sont ceux qu'on peut confectionner soi-même à partir de matériaux récupérés, ou très bon marché. Ces jouets développeront beaucoup plus l'esprit inventif et l'imagination de l'enfant que les jouets presse-bouton beaucoup plus onéreux.

Parcourons donc ensemble ce petit lexique des jouets bon marché :

A

Art et matériel d'artiste. Habituellement, nous avons tendance à restreindre ce matériel aux peintures, pastels et crayons de couleur et papier. Pensons aussi à ce qu'on peut faire avec des boîtes à œufs, sacs en papier, allumettes brûlées, cure-dents, et mille autres objets de ce genre, que les enfants peuvent utiliser dans les collages par exemple.

B

Boîtes vides. Vous en trouverez chez vos fournisseurs une mine inépuisable. Elles peuvent servir à faire des maisons, à découper des personnages. Une grosse boîte peut devenir cabane, fort ou navire de corsaires. Donnez des boîtes à votre enfant sans lui suggérer rien de précis. Il saura leur trouver des destinations auxquelles vous n'auriez jamais songé.

C

Collage. Technique qui consiste à coller différents objets ou matériaux sur du papier, du carton, etc.

Cubes. Bien sûr on peut les acheter dans un magasin de jouets, mais pourquoi n'essayez-vous pas de les confectionner vous-même ? Des blocs de bois de toutes dimensions, bien poncés, vous permettront d'en fournir une grande quantité à votre enfant.

Cure-dents (voir A). Utilisés dans les collages ou pour former les lettres.

D

Dés (cf. chapitre 12). Très utiles pour apprendre à compter et pour utiliser avec des jeux de circuit (jeu de l'oie, etc.).

E

Emballages. (Cf. Boîtes vides.)

F

Feutrine. Aux multiples possibilités, pour les collages, pour habiller des personnages.
Cf. Appendice C l'ouvrage : *Nouveaux jeux et occupations pour les petits* (Nathan).

Feutres. Crayons feutres et marqueurs. Une des plus grandes découvertes du XXe siècle pour faciliter l'accès à l'écriture ou au dessin. Ils glissent facilement sur le papier, sont faciles à manier. Choisir de préférence ceux qui se lavent à l'eau.

G

Gommes. On peut les sculpter et en faire des timbres de caoutchouc.

Gommettes. Petites rondelles de couleur qui se collent sur du papier ou du carton.

H

Hochets.

I

Imagination. Voici un matériau absolument gratuit, mais d'une valeur infinie pour transformer en jouets une foule de choses. La porte du réfrigérateur devient ainsi tableau pour lettres magnétiques, une vieille cafetière devient un merveilleux jouet de manipulation, etc.

J

Jeux. Avec un grand morceau de carton, on peut confectionner un jeu de parcours absolument original. Divisez le parcours en cases. Écrivez de place en place : « Revenez de trois cases en arrière », ou bien : « Avancez jusqu'à la vieille maison hantée ». Avec quelques marqueurs et deux dés vous avez votre jeu ! Personnalisez-le en fonction des centres d'intérêt de la famille.

Autre jeu : Creusez des trous ronds dans une planche de contre-plaqué et inscrivez à côté de chaque trou sa valeur. Jouez à ce jeu de billard avec des billes de type courant.

L

Lecture - livres. Lorsqu'on est à court d'activités ou même d'idées, penser qu'un enfant sera presque toujours heureux qu'on lui fasse la lecture.

M

Marionnettes. Celles qu'on enfile comme un gant peuvent être faites de matériaux variés. N'importe quel tissu, avec les traits figurés par quelques points de gros fil.
Pour les autres, on peut découper des silhouettes dans du contre-plaqué, mais de simples petites cuillers en matière plastique qu'on donne avec les pots de glace peuvent faire de personnages. Dessiner le visage sur la partie arrondie. Songez aussi que quelques planches clouées ensemble peuvent faire un théâtre de marionnettes.

N

Nouilles (ou macaronis, etc.). Les pâtes alimentaires (crues) de toutes les tailles et de toutes les dimensions constituent un des plus précieux matériaux de collage. Les peindre lorsqu'elles sont collées sur le carton.

P

Planches. Aux ressources multiples.

Poupées. Qui a décrété que toutes les poupées devaient être d'onéreuses beautés électroniques qui parlent, marchent, dansent quand on presse un bouton ? Faites faire à votre petite fille ses propres poupées (en l'aidant un peu) avec du bois, du tissu, du carton, peints et décorés. Avec ces poupées, c'est l'enfant qui joue, et non la poupée.

Q

« Qu'est-ce qui ? ». Trouvez vous-même charades et devinettes. On peut y jouer partout, en voiture, en promenade, etc. Devinettes faciles pour les plus jeunes du genre : « Qu'est-ce qui est rouge et bon à manger ? » Augmenter la difficulté pour des enfants plus âgés.

R

Rebut. Vous savez déjà que, pour un enfant d'âge préscolaire, il n'y a pas d'objet à mettre au rebut. Lorsqu'un objet ne peut plus servir à rien, pensez à l'utiliser dans les collages.

S

Surprises. Nombreuses sont les circonstances où les petites surprises sont vivement appréciées.

T

Timbres. De caoutchouc. On peut les faire avec n'importe quel morceau de caoutchouc. Vieille chambre à air d'auto, etc. Découper des formes ou des lettres avec un couteau ou des ciseaux, puis les coller sur un bloc de bois facile à saisir. On peut alors imprimer les dessins obtenus sur du papier, en utilisant un tampon encreur. On peut aussi graver les dessins en évidant de grosses gommes.

U

Uniformes et déguisements.

V

Vieux vêtements (voir U).

X

Xylophone. On en trouve à bon marché dans les magasins de jouets. Pour faire un xylophone, prendre des réglettes de bois de différentes grandeurs posées sur du caoutchouc mousse, ou suspendre à un fil des tronçons de tubes.

Y

Yoyo. Jouet dont la vogue est périodique. Pour les plus de cinq ans.

Z

Zoo. Les enfants adorent jouer avec des figurines représentant des animaux, particulièrement si vous les faites vous-même en les découpant dans du carton ou du bois. Ayez soin de les coller sur un bon socle de bois pour qu'elles tiennent debout. Décorez-les avec des pastels ou des peintures. Vous les réussirez sans être un artiste. Même si leur forme est très schématique, votre enfant les aimera. Ces animaux seront son zoo bien à lui, fait par maman ou papa.

Les jeux ainsi confectionnés ont pour les enfants un attrait irremplaçable, en particulier si on les laisse participer à leur construction.

APPENDICE C

**Liste d'ouvrages pouvant aider les parents
à mieux élever leurs enfants**

Je suis d'accord pour dire avec Charlie Brown que lorsqu'on est parent
« aucune aide n'est superflue ». Cette liste de livres devrait vous fournir une
partie de cette aide. Certains s'adressent à tous les parents parce qu'ils
abordent des aspects universels de l'enfant. D'autres s'adressent plutôt aux
parents qui se trouvent dans des situations particulières.

I. Encyclopédies

● *Encyclopédie des parents modernes*. C.A.L.

● *Guide des Parents*. (Éditions des Deux Coqs d'Or, 10 vol.)
    Ouvrage compréhensible pour les non-spécialistes. Traitant des problèmes
qui préoccupent quotidiennement les parents : croissance, maturation sexuelle,
formation de la personnalité, problèmes scolaires, loisirs, intégration dans la
société. Met l'accent sur les problèmes spécifiques de la famille française.

II. Livres décrivant les stades de développement chez l'enfant

1. *Le jeune enfant dans la civilisation moderne*, A. GESELL, F. ILG et
L. AMES (Presses Universitaires de France).
    Ce livre décrit l'enfant de la naissance à l'âge de cinq ans. Les traits les
plus typiques et les aspects les plus marquants de chaque âge sont rassemblés
et résumés dans la description d'un comportement type et d'une journée
type. Le comportement type donne le portrait sommaire d'un enfant de cet
âge. La journée est divisée en sections telles que le sommeil, les repas,
l'activité personnelle, la sociabilité, le jeu, les distractions, etc.

2. *L'enfant de cinq à dix ans*, A. GESELL et F. L. ILG (P.U.F.).
    Traite du même sujet pour les enfants de cinq à dix ans.

3. *Comment soigner et éduquer son enfant*, B. SPOCK (Laffont et Marabout).
    Un livre irremplaçable en ce qui concerne la description complète de tous
les aspects médicaux et physiques de la première enfance. Toutefois, il n'est
pas recommandé de considérer le « Spock » comme un guide complet pour
élever les enfants, car il laisse de côté bien des aspects essentiels. Spock est
particulièrement muet à propos du développement intellectuel et de l'importance de la stimulation pendant les cinq premières années. Un examen
attentif de l'index des dernières éditions fait apparaître l'orientation médicale
du livre et l'absence de certains sujets de première importance. Par exemple,
l'index contient une référence à l'érythroblastose, trois références aux hernies,
quatre au savon hexachlorophène, mais il n'y a pas une seule référence à la

stimulation intellectuelle, au développement de la connaissance, ni à l'école maternelle.

4. *Le Dr Spock parle aux parents* (Marabout).

5. *Le Dr Spock parle aux mamans* (Marabout).

Ce livre commence là où le Dr Spock nous quitte à la fin de « Comment soigner et éduquer son enfant », et expose les différents aspects du comportement des enfants de l'enfance à l'adolescence. La matière de ce livre est tirée des articles que le Dr Spock a écrits dans « Ladies Home Journal ». Les conseils qu'il y donne sont bons, sensés, et rassurants pour les parents.

Le Dr Spock a enseigné aux parents une chose de grande valeur au sujet des jeunes enfants. Avant Spock, les parents avaient coutume de dire : « Il faut regarder les enfants sans jamais les écouter. » Le Dr Spock, avec quelques autres, a contribué à changer ce point de vue. Il nous a appris que les enfants sont des êtres humains et qu'ils ont le droit de se faire entendre. Il a hâté la fin de « l'ère autoritaire » et favorisé ce qu'on a appelé « l'ère de l'indulgence » ou « ère permissive ». Il nous a appris que les parents devaient se montrer et se faire entendre, et que les enfants en ont aussi le droit.

Mais ce que le Dr Spock n'a pas su mettre en évidence, c'est que *les enfants ne sont pas les parents*. Et à mon avis, en tant que spécialiste, c'est l'erreur fatale que l'on perçoit dans tous les ouvrages du Dr Spock. Pour ceux qui ont suivi ses traces, il n'a pas su marquer clairement qu'il est impossible *à la fois* aux enfants et aux parents de diriger une famille. A mon sens, en ne disant pas clairement que ce sont les parents, et non pas les enfants, qui doivent diriger la famille, le Dr Spock a commis la plus grave des erreurs. Malheureusement, « Le Dr Spock parle aux mamans » et « Le Dr Spock parle aux parents » contiennent cette erreur ainsi que tout ce qu'il a écrit.

6. *L'expérience de la naissance*, Dr LILLEY (Coll. Réponses, Laffont). (Vécue par la mère et par l'enfant.)

7. *J'attends un enfant*, Laurence PERNOUD (Livre de Poche).
Particulièrement pour les chapitres sur les soins à apporter aux nouveau nés.

8. *J'élève mon enfant*, Laurence PERNOUD (Pierre Horay, Garnier).

9. *Mon enfant sera bon élève*, Laurence PERNOUD (Pierre Horay).

10. *Guide pratique de mon enfant*, Dr GILLY (Laffont).
(De la conception à l'adolescence. Clair et documenté.)

11. *L'enfant, conception, enfance, adolescence* (Format de poche, Larousse).

12. *Comment connaître votre enfant*, R. VINCENT et MUCCHIELLI (Poche).

13. *Votre bébé est unique au monde*, T. BERRY BRAZELTON (Albin Michel).
Met en scène trois bébés dont on nous fait suivre l'évolution au cours de leur première année, en mettant l'accent sur les différences.

14. *Education stricte ou éducation libérale*, DONNOVAN (Coll. Réponses, Laffont).

15. *Psychologie et Education*, J. J. GUILLAUME (Nathan). Tome I, « L'enfant ».
Etude qui porte sur les fonctions essentielles et les conduites psychiques propres à l'enfant, aux grandes étapes de son évolution.

16. *Psychologie de l'enfant de la naissance à l'adolescence*, sous la direction de M. DEBESSE (A. Colin).

17. *Comment donner à son enfant une intelligence supérieure*, S. et Th. ENGELMANN (Marabout, coll. MS n° 150).

18. *L'enfant jusqu'à trois ans*, Dr Pierre BOUFFARD (Le Seuil).
   Manuel clair et simple.

19. *La beauté de vos enfants*, Ch. RIPAULT et S. LAMIAL (Ed. Solar).

20. *Trois étoiles pour bébés et juniors*, Ch. RIPAULT et S. LAMIAL (Ed. Solar).

21. *Pour donner à son enfant un bon départ dans la vie*, Dr PÉCHINARD et Ch. RIPAULT (Ed. Solar).

22. *Que faire en attendant le docteur*, Dr FOURNIER (Laffont).

23. Collection E 3 (Editions Casterman).
   L'écolier, sa santé, son éducation, Pierre DEBRAY, RITZEN.
   Pédiatrie à l'usage des parents, G. MAHEC.
   Votre enfant et l'école maternelle, P. LEQUEUX-GROMAIRE.
   L'activité créatrice chez l'enfant, R. SLOTON, C. CLÉRO.
   Les parents, l'école, J. VÉDRINE.

24. *L'image mentale chez l'enfant*, PIAGET et INHELDER (P.U.F.).

III. Relations parents-enfants

● *Les relations entre les parents et les enfants*, Dr HAIM et G. GINOTT (Marabout).

● *Le défi de l'enfant*, Dr DREIKURS (Coll. Réponses, Laffont).

● *Le père et son enfant*, F. DODSON (Coll. Réponses, Laffont et Marabout, coll. MS n° 320).

IV. Jeux et occupations

Guide Loisirs jeunes (Groupe Express).

● *Nouveaux jeux et occupations pour les petits*, J. HUBER (Nathan).

● *Le travail manuel pour les moins de sept ans. De la matière à l'objet*. CALMY (F. Nathan).

Série l'*Education Enfantine* (Coll. Comment faire ? Nathan).

V. Pour les parents d'enfants handicapés

● *Comment aider un enfant handicapé*, E. L. FRENCH et J. CLIFFORD SCOTT (Coll. Réponses, Laffont).

● *Les handicapés moteurs et leurs problèmes*, J. COURBEYRE (Coll. Réponses, Laffont).

VI. Education sexuelle

● *La merveilleuse histoire de la naissance racontée aux enfants*, Dr Lionel GENDRON (Production de Paris, N.O.E.).

● *La vérité sur les bébés*, Marie-Claude MONCHAUX (Magnard).
   Ce livre plaît à beaucoup par sa jolie présentation et sa délicatesse de sentiments. Il insiste sur la tendresse dans les rapports sexuels et dans les contacts parents-enfants.

● *Ainsi commence la vie*, J. POWER (Laffont).
   Explique vraiment tout aux enfants sans tricher et sans un mot qui puisse choquer.

● *Comment parler à votre enfant de la sexualité*, Dr Andrée DAUPHIN (Ed. Ecole des Parents, 4, rue Brunel, Paris).
   Ces 12 pages de lecture très facile contiennent pour les parents des conseils de bon sens qui sont le b.a.ba de la conduite à tenir en fait d'éducation sexuelle.

● *Dis-moi, maman,* Sten HENGELER, traduit du danois (Ed. Famille et Culture, 10, rue Vivienne, Paris).

● *L'éducation sexuelle chez l'enfant,* Dr BERGE (Ed. P.U.F.).
Courte brochure pour les parents, écrite avec la compétence pédagogique du Dr Berge nourrie de son point de vue de psychanalyste.

VII. Parents divorcés

● *Le Divorce,* Jean LIBMAN (Coll. Via, Casterman, Poche).
Chapitre sur les enfants de divorcés.

● *Les problèmes du divorce,* S. et J. CORNEC (Coll. Réponses, Laffont).

CITATIONS ET RÉFÉRENCES

1. Arnold GESELL et Frances ILG, *Le jeune enfant dans la civilisation moderne* (1943).
2. Eda J. LE SHAN, *How to Survive Parenthood* (Random House, 1965).
3. Arnold ARNOLD, *Your Child's Play* (Essandess Specials, Division of Simon and Schuster, Inc., 1968). (Titre original : *How to play with your child*, 1955.)
4. *Ibid.*
5. Edith EFRON, *Television as a teacher* (TV Guide, 25 octobre 1969).
6. *Ibid.*
7. *Ibid.*
8. Glenn DOMAN, *How to teach your Baby to Read* (Random House, 1963).
9. Joseph STONE et Joseph CHURCH, *Childhood and Adolescence* (Random House, 1968. Copyright C 1968 by Random House, Inc.).
10. C. Anderson ALDRICH et Mary M. ALDRICH, *Babies Are Human Beings* (Collier-MacMillan Company. Copyright C 1954 by The Macmillan Company, 1954).
11. Théodore LIDZ, *The Person, His Development Throughout the Life Cycle* (Basic, 1968).
12. GESELL et ILG, *Le jeune enfant dans la civilisation moderne.*
13. *Ibid.*
14. Selma FRAIBERG, *The Magic Years* (Scribners, 1959).
15. Ruth HARTLEY et Robert GOLDENSON, *The complete Book of Children's Play* (Thomas Crowell Co. 1957).
16. Stanley YOLLES, *How different are they?* New York Times Magazine, février 1969, p. 64. Copyright C by the New York Times Compagny. Reprinted by permission.
17. LIDZ, *The Person.*
18. Leland GLOVER, *How to give your Child a Good Start in Life* (Collier MacMillan Books, 1962). Reprinted with permission of the MacMillan Company, Copyright C 1954 by Leland E. Glover.
19. LIDZ, *The Person.*
20. GLOVER, *Give Your Child a Good Start.*
21. Dorothy BARUCH, *New Ways in Sex Education* (McGraw-Hill, 1959). Copyright C 1959 by Dorothy W. Baruch Used with permission of McGraw-Hill book Company.
22. STONE et CHURCH, *Childhood and Adolescence.*
23. John BALL, *Johny get your Gun* (Little, Brown and Co., 1969).
24. *Precision Hobby Kits*, Advertisements, *Toys and Novelties*, février 1959.
25. David KRECH, The Chemistry of Learning, *Saturday Review*, 20 janvier 1968, p. 50. Copyright C 1968 by Saturday Review, Inc.
26. *Ibid.*

27. Florence GOODENOUGH, *Developmental Psychology* (Appleton-Century-Crofts, Educational Division, Meredith Corporation, 1945).
28. Viktor LOWENFELD, *A Source Book for Creative Thinking* (Charles Scribners and Sons, 1962).
29. David OGILVY, *Confessions of an Advertising Man*. Copyright C, 1963 by David Ogilvy Trustee, Reprinted by permission of Atheneum Publishers.
30. James HYMES, *The Child Under Six*. Copyright C 1963, 1961 by James L. Hymes, Jr (Prentice-Hall).
31. Sheila GREENWALD, *My Life Story*. Copyright C 1966, by Harper's Magazine, Inc. Reprinted from the July 1966 issue of Harper's Magazine by permission of the author.
32. George GALLUP, *The Miracle Ahead* (Harper and Row, 1964). Copyright C 1964 by George Gallup.
33. *Ibid.*
34. *Ibid.*
35. George GALLUP, *Report on Education Research* (Capitol Publications, Inc, 26 novembre 1969, p. 5.).
36. Ray BRADBURY, *Dandelion Wine* (Doubleday Publications, 1957).

MAGAZINES POUR LES PARENTS

Je ne saurais clore cette liste d'ouvrages destinés aux parents en indiquant seulement des livres. J'indiquerai aussi un magazine que je recommande vivement. Il s'agit de la revue mensuelle *Parents*.

Comme dans tout magazine les articles ne sont pas tous d'égale valeur, mais tous sont intéressants et utiles.

Signalons aussi la revue *L'école des parents* (abonnements : 4, rue Brunel, Paris-17ᵉ).

Et pour terminer sur une note d'humour, je vous conseille de feuilleter le charmant petit livre de A. BERGE :

Petit lexique Parents-Enfants (L'école des parents) qui vous fera découvrir ce que les enfants pensent du monde des adultes.

INDEX

Ne cherchez pas l'index, il n'y en a pas. Mais pour être honnête avec le lecteur, je vais vous dire pourquoi.

Si ce livre comportait un index, certains parents s'en serviraient pour lire le livre « en commençant par la fin ». Si une mère a des problèmes avec les colères de son enfant, elle ira directement au chapitre « colères » pour trouver les conseils qu'elle cherche. Si l'enfant mouille son lit, elle lira d'abord le chapitre qui traite de cette question. C'est de cette façon que beaucoup de mères ont lu le livre du Dr Spock, et je ne veux pas que le mien subisse le même sort.

Si une mère lit de cette façon un livre sur les enfants, elle aura tendance à considérer chaque problème isolément. Mais un enfant ne pose pas une série de problèmes isolés : il est un tout. Chaque enfant est à considérer par rapport aux différents stades de son développement. Pour comprendre votre enfant, il vous faut envisager sa croissance comme un tout.

Vous ne pouvez pas comprendre un film si vous arrivez au milieu de la séance. Et de même vous ne pouvez comprendre la jalousie entre frères et sœurs, ni aucun autre problème, sans envisager l'ensemble du développement.

J'ai conçu ce livre comme un tout. Il contient une étude descriptive d'ensemble pour mieux comprendre et mieux élever les enfants. On ne peut comprendre un enfant si on ne comprend pas la portée des événements auxquels il a été affronté depuis sa naissance et à partir desquels il s'est formé une image de lui-même.

Je n'ai pas voulu mettre de barrière sur le chemin de mon lecteur : un index risquerait pour certains parents d'être cette barrière. Lisez donc ce livre en entier. Assimilez sa philosophie du métier de parent. N'essayez pas de le découper en petites sections ; n'en faites pas un livre de recettes pour résoudre vos problèmes particuliers.

Fitzhugh DODSON.

TABLE DES MATIÈRES

Sommaire 5
Remerciements 9
Préface 11

Note aux parents 15
    Etre parent est un apprentissage permanent 16
    Malentendus à propos de la psychologie de l'enfant ... 18
    L'importance des cinq premières années 21

1. Les mères et leurs sentiments 23
    Votre bébé est aussi unique en son genre que ses empreintes digitales 27
    Les différentes étapes du développement de votre enfant 29

2. La première enfance 31
    Allaitement naturel ou allaitement artificiel : un faux problème 32
    La brigade des couches 37
    Le besoin du contact physique 37
    Son premier contact humain 39
    Les besoins intellectuels 39
    Vue d'ensemble du premier âge 43
    Les quatre commandements du premier âge 54
    Conclusion sur la première enfance 61

3. Les premiers pas 63
    Comment supprimer les dangers de votre maison 65
    Les jouets sont nécessaires au développement du bébé ... 69

4. Première adolescence (Première partie) 85
    La discipline 92
    Il faut tenir compte de l'affectivité 96
    Technique du reflet des sentiments 97

Comment réagir aux grandes colères 103
Comment la conscience se développe 104

5. Première adolescence (Deuxième partie) 107
Comment répondre aux questions d'un enfant 109
Valeur éducative de la télévision 111
La jalousie chez les enfants 113
Comment apprendre à l'enfant à être propre 117
Ce que la mère pense de la propreté des enfants 126
Quels jeux donner à l'enfant en période de première
adolescence 127

6. L'âge préscolaire (Première partie) 139
L'enfant de trois ans 140
L'enfant de quatre ans 141
L'enfant de cinq ans 144
Les besoins biologiques 146
Le contrôle de ses mouvements impulsifs 147
La séparation de la mère 150
Le monde nouveau des autres enfants 152
Apprendre à exprimer ses sentiments 153
Identification à un sexe : masculin ou féminin 154

7. L'âge préscolaire (Deuxième partie) 163
Les « idylles familiales » 168
Sensibilité à la stimulation intellectuelle 174

8. Peut-on apprendre à un dauphin à écrire à la machine ? 181

9. La discipline par autorégulation 193

10. Votre enfant et la violence 213

11. L'école commence à la maison (Première partie) 227
Comment apprendre à votre enfant à penser 230

12. L'école commence à la maison (Deuxième partie) 243
Apprenez à lire à votre enfant 249
La lecture et l'enfant d'âge préscolaire 253
Stimulation et éveil aux mathématiques 258
Comment apprendre à compter à votre enfant 259
L'apprentissage des chiffres et des nombres 262
Pédagogie à l'intention des parents 265

**13. Comment choisir les jouets, livres et disques de votre
enfant** 267

Choix de livres pour enfants 272
Choix de disques pour enfants 277

14. Treize conseils à la douzaine 283
Le sens de l'enfance 289

Le mot de la fin 291

Appendice A 293
Appendice B 301
Appendice C 305
Citations et références 309
Magazines pour les parents 311
Index 313

Table des matières 314

Enfants - Education

A ce soir
Pr T. Brazelton 1547
Ados, comment les motiver
V. Acker, Ch. Inzirillo, B. Lefebvre . . . . HC
Ados, comment les motiver
V. Acker, Ch. Inzirillo, B. Lefebvre 3162
Aimer sans tout permettre
Dr F. Dodson 3101
Apprenti parleur (L')
M. Varraud et V. Alis 3151
A quoi pensent les bébés
A. et R. Barnet . . . . HC
Bébé, dis-moi qui tu es
Dr P. Grandsenne 3160
Bébé joue
A. Bacus . . . . HC
Bébé langages
S. Gerin . . . . HC
Bébé malin
A. Bacus . . . . HC
Bébé massages
P. Walker . . . . HC
Bébé pleure, que faire ?
A. Bacus 3119
Bébés nageurs
S. Gerin . . . . HC
Bon en maths
D. Kimpton 3166
Cent histoires du soir
S. Carquain 3175
Choisir le sexe de son enfant
Dr M. Hautier et R. Seif 3149

Comprendre les besoins de votre enfant
A. Solter 3167
Comprendre les rêves de vos enfants
P. Garfield 3150
10 000 prénoms du monde entier
Ph. Raguin 3139
Elever un garçon
S. Biddulph . . . . HC
Enfant unique
J. Pitkeathley et D. Emerson . . . . HC
Et s'il était surdoué
S. Gerin 3170
**Guérir les blessures affectives
de l'enfance**
M. de Verdillac 3152
Guide médical de votre enfant
Dr H. Keudel . . . . HC
**Intelligence émotionnelle et bonheur
d'apprendre**
B. Bellisa 3154
Interpréter les dessins d'enfants
J. Schack . . . . HC
Itinéraire d'un nouveau-né
Dr E. Antier 3163
Je réussis l'éducation de mes enfants
A. Schapiro - Niel 3164
Jumeaux mode d'emploi
P. Malmstrom et J. Poland . . . . HC
**Livre de bord de bébé de 1 jour
à 1 an (Le)**
C. Pinson . . . . HC
**Livre de bord de votre enfant de
1 jour à 3 ans (Le)**
A. Bacus . . . . HC

Livre de bord des prénoms (Le)
F. Le Bras . . . . HC
**1000 trucs superpratiques
pour élever Bébé**
A. Bacus. 3125
Mon bébé comprend tout
A. Solter. 3156
Oser dire non
A. Phillips . . . . HC
Parents efficaces
Dr T. Gordon 3102
Parents efficaces au quotidien
Dr T. Gordon 3138
Parents si vous saviez
Dr Th. Joly 3157
Père et son enfant (Le)
Dr F. Dodson 3100
Plus beaux prénoms originaux (Les)
Fl. Le Bras 3158
**Pourquoi je soigne mon enfant
par homéopathie**
Dr H. Leduc 3153
Prénoms bibliques et hébraïques
Fl. Le Bras - M. Hazou. 3159
Prénoms, un choix pour l'avenir (Les)
Cl. Mercier 3114
Psychologie de l'enfant (La)
Dr P. Morand de Jouffrey. 3131
Recettes pour Bébé
B. Vié - Marcadé et Dr H. Bouchet. 3127
Se faire obéir sans crier
B. Unell et J. Wyckroff 3169
Tous les enfants peuvent réussir
A. de la Garanderie - G. Cattan 3155

Tout se joue avant 6 ans
Dr F. Dodson 3115
Toutes les questions au pédiatre
Dr A. Galland 3173
Vivre avec un ado
S. Hayman . . . . HC
Votre bébé de 1 jour à 1 an
A. Bacus 3120
Votre enfant de 1 à 3 ans
A. Bacus 3121
Votre enfant de 3 à 6 ans
A. Bacus 3122

3115

IMPRIMÉ EN FRANCE PAR BRODARD ET TAUPIN
14821 - La Flèche (Sarthe), le 05-09-2002.

pour le compte des
Nouvelles Éditions Marabout
D.L. septembre 2002 - n° 27202
ISBN : 2-501-02671-3

Alexa

for
dummies®
A Wiley Brand

Alexa

by Paul McFedries

A Wiley Brand

Alexa For Dummies®

Published by: **John Wiley & Sons, Inc.,** 111 River Street, Hoboken, NJ 07030-5774, www.wiley.com

Copyright © 2019 by John Wiley & Sons, Inc., Hoboken, New Jersey

Published simultaneously in Canada

For general information on our other products and services, please contact our Customer Care Department within the U.S. at 877-762-2974, outside the U.S. at 317-572-3993, or fax 317-572-4002. For technical support, please visit www.wiley.com/techsupport.

Wiley publishes in a variety of print and electronic formats and by print-on-demand. Some material included with standard print versions of this book may not be included in e-books or in print-on-demand. If this book refers to media such as a CD or DVD that is not included in the version you purchased, you may download this material at http://booksupport.wiley.com. For more information about Wiley products, visit www.wiley.com.

Library of Congress Control Number: 2018963863

ISBN 978-1-119-56586-4 (pbk); ISBN 978-1-119-56581-9 (ebk); ISBN 978-1-119-56579-6 (ebk)

Manufactured in the United States of America

C10006316_112618

Contents at a Glance

Introduction 1

Part 1: Getting Started with Alexa 5
CHAPTER 1: Getting to Know Alexa 7
CHAPTER 2: Setting Up Alexa and Your Devices 21
CHAPTER 3: Learning Alexa Basics 43

Part 2: Having Fun with Alexa 57
CHAPTER 4: Playing Media 59
CHAPTER 5: Communicating with Alexa 83
CHAPTER 6: Using Alexa at Home 101

Part 3: Getting More out of Your Relationship with Alexa 131
CHAPTER 7: Asking Alexa Questions 133
CHAPTER 8: Adding Skills to Alexa 143
CHAPTER 9: Making Alexa Accessible 159

Part 4: Controlling Your Smart Home 173
CHAPTER 10: Setting Up Your Smart Home 175
CHAPTER 11: Uncovering Some Smarter Smart-Home Techniques 197

Part 5: The Part of Tens 219
CHAPTER 12: Ten (Times Ten) Ridiculously Fun Alexa Tricks 221
CHAPTER 13: Ten Things That Can Go Wrong with Alexa (And How to Fix Them) 229
CHAPTER 14: Ten Ways to Beef Up Alexa Security and Privacy 245

Index 263

Table of Contents

INTRODUCTION 1
- About This Book. 1
- Foolish Assumptions. 2
- Icons Used in This Book 2
- Beyond the Book 3
- Where to Go from Here 3

PART 1: GETTING STARTED WITH ALEXA 5

CHAPTER 1: Getting to Know Alexa 7
- What Is This Alexa That Everyone's Talking About (Or, Really, To)? 7
  - Meet your new assistant 8
  - Alexa's components 9
  - How Alexa works 11
- Where Do You Get Alexa?. 12
- Figuring Out Which Alexa Device You Need 12
  - Checking out Amazon's Echo devices. 13
  - Choosing an Alexa device. 16
- Learning What Alexa Can Do 17
  - Playing media. 17
  - Communicating 18
  - Shopping. 18
  - Getting help around the home 18
  - Getting news and information. 18
  - Answering your questions 18
  - Accessing skills. 19
  - Automating your home 19
  - Having fun 19

CHAPTER 2: Setting Up Alexa and Your Devices 21
- Installing the Alexa App 21
  - Signing in to your Amazon account 22
  - Taking a tour of the Alexa app. 25
  - Giving Alexa access to your device microphone. 26
- Alexa Feng Shui: Positioning Your Alexa Device 27
- Adding Your Alexa Device 27
  - Adding your Echo device 28
  - Adding a third-party Alexa device. 32
- Personalizing Your Alexa Device 33
  - Creating a voice profile. 33
  - Giving the device a fun name 34

Setting the device location. 34
Setting the device time zone 35
Changing the device language. 36
Changing the measurement units 36
Changing the background image if your device has a screen 37
Connecting External Speakers to Your Alexa Device 37
Connecting speakers or headphones using a cable. 38
Connecting speakers or headphones via Bluetooth 39
Disconnecting paired Bluetooth speakers or headphones. 40

CHAPTER 3: **Learning Alexa Basics**. 43
Getting to Know Your Echo 43
Taking a closeup look at the far-field microphone. 44
Pushing the Echo's buttons 45
Getting feedback from Alexa. 46
Operating the Echo touchscreen. 47
Getting to Know Alexa 48
Getting Alexa's attention 48
Keeping Alexa's attention. 49
Ending the conversation. 50
Enabling Brief mode 50
Some Useful Alexa Commands 51
Everyday-info commands. 51
Information requests 52
Audio commands. 52
Video commands. 53
Alarm and timer commands 53
Calendar, reminder, and list commands 54
Communication commands. 54
Shopping commands 55
Smart-home commands. 55

PART 2: HAVING FUN WITH ALEXA 57

CHAPTER 4: **Playing Media** 59
Listening to Music on Alexa 60
Playing music through Alexa 60
Linking to a music provider 60
Setting up a default music provider 61
Voice commands for controlling music .63
Accessing Alexa via the Amazon Music app. 68
Playing third-party music through Alexa 69
Adjusting music quality. 70

Listening to Other Audio Sources on Alexa. .71
    Tuning in to a radio station 71
    Listening to a podcast. 74
    Hearing an audiobook 75
    Having a Kindle book read out loud .77
Streaming Mobile Device Audio through Alexa 78
Watching Video on Alexa 79
    Watching a movie trailer. 80
    Locating and playing web videos 80
    Watching Amazon's Prime Video. 81
Taking Photos with Alexa 81

CHAPTER 5: **Communicating with Alexa** 83
Managing Your Alexa Contacts List. 84
    Giving Alexa access to your contacts 84
    Giving a contact a nickname 85
    Editing contacts 86
    Blocking a contact 86
    Managing your profile and settings .86
Exchanging Text Messages 87
    Sending a text using voice commands 87
    Sending a text using the Alexa app. .88
    Receiving a text message 88
Making Voice or Video Calls. 89
    Making voice calls with voice commands 90
    Making voice calls using the Alexa app 92
    Making video calls with voice commands 93
    Making video calls using the Alexa app 93
    Connecting Alexa to your landline with an Echo Connect. 94
    Answering an incoming Alexa-to-Alexa call 94
    Ending a call 95
Dropping In on Other Alexa Users 96
    Letting folks drop in on you. 96
    Dropping in on someone using voice commands 97
    Dropping in on someone using the Alexa app 98
    Configuring global Drop In settings for your Alexa device 98
Using Your Alexa Device as an Intercom .100

CHAPTER 6: **Using Alexa at Home** 101
A Quick Word about Household Profiles .101
Shopping with Alexa 102
    Enabling voice purchases. 102
    Getting product recommendations .103
    Placing an order. 103

Reordering an item. 104
Ordering multiple items. 104
Setting up a Voice Code for purchases. 104
Check your delivery status. 105
Getting delivery notifications. 106
Making a donation. 107
Creating Lists 107
Creating and managing lists 109
Adding and managing list items 111
Getting the Information You Need 112
Getting the weather forecast. 113
Checking traffic 113
Hearing the latest news with the Flash Briefing 114
Configuring Alexa's sports update 116
Letting Alexa Manage Your Calendar. 117
Linking your calendar to Alexa 118
Setting the default calendar. 119
Unlinking a calendar 119
Managing calendar events 119
Setting Alexa Alerts 121
Getting Alexa to remind you of something 121
Setting an alarm. 124
Running a timer 125
Customizing your alarm sounds 127
Putting Alexa in Do Not Disturb Mode. 128

PART 3: GETTING MORE OUT OF YOUR
RELATIONSHIP WITH ALEXA 131

CHAPTER 7: **Asking Alexa Questions** 133
Searching for Nearby Places 134
Asking for Financial Info 134
Getting Symptoms and Other Medical Facts. 135
Asking Alexa to Do the Math 135
Converting Units 136
Getting Science Answers 137
Quizzing Alexa about the Culture 138
Bugging Alexa about Books. 138
Asking Linguistic Questions 139
Asking Questions about Companies. 140
Asking about Dates and Times 140
For Everything Else: Querying Wikipedia 141

CHAPTER 8: **Adding Skills to Alexa** 143

Understanding What a Skill Is 143

Checking Out Amazon's Alexa Skills Department. 144

Enabling a Skill. 147

Enabling a skill with a voice command. 147

Enabling a skill using the Alexa app 148

Working with Skills 149

Invoking a skill 149

Viewing your enabled skills 150

Changing skill settings 151

Disabling a skill 152

Thirty Cool Alexa Skills to Try. 153

Building Your Own Skill. 155

CHAPTER 9: **Making Alexa Accessible** 159

Controlling Alexa If You Have a Speech Impairment 159

Making Alexa more speech accessible. 160

Installing a text-to-speech app 160

Using Tap to Alexa. 160

Texting without speech. 162

Checking Out Alexa's Features for the Hearing Impaired 163

Making Alexa more hearing accessible 163

Enabling Closed Captioning 165

Enabling Alexa Captioning 165

Enabling Alexa's Features for the Vision Impaired 166

Making Alexa more vision accessible 166

Navigating with VoiceView 168

Zooming in with Screen Magnifier 170

PART 4: CONTROLLING YOUR SMART HOME 173

CHAPTER 10: **Setting Up Your Smart Home**. 175

What's So Smart about a Smart Home?. 176

Working with smart-home devices 177

Understanding smart-home connections 178

How does Alexa fit in?. 179

Do you need a smart-home hub? 179

Setting Up Your Smart-Home Devices 180

Installing a Wi-Fi smart-home device 180

Understanding Wi-Fi Simple Setup 182

Discovering smart-home devices using an Alexa skill 182

Discovering Zigbee smart-home devices 184

Managing Smart-Home Devices 185
    Viewing your smart-home devices 185
    Renaming a smart-home device 187
    Changing the device type. 188
    Disabling or deleting a smart-home device. 189
Working with Smart-Home Devices 189
    Controlling a smart-home device 189
    Working with device scenes. 190
    Turning smart plugs on and off. 192
    Working with smart lights 192
    Controlling smart thermostats 193
    Keeping an eye on things with smart cameras. 194
    Other types of smart-home gear 195

CHAPTER 11: Uncovering Some Smarter Smart-Home Techniques. 197
Creating Device Groups 198
    Creating a smart-home group. 198
    Controlling a smart-home group. 200
    Managing a smart-home group. 201
Alexa in Stereo: Working with Speaker Sets 202
    Creating a speaker set 203
    Playing music through a speaker set 205
Streaming Music to Multiple Rooms. 207
    Setting up multi-room music. 208
    Playing multi-room music 209
    Fixing multi-room music sync problems 210
Automating Alexa with Routines. 211
    Understanding routine actions 212
    Creating a routine 212
    Running a routine 214
Working with IFTTT Applets 215
    Connecting your IFTTT and Amazon accounts 216
    Enabling an IFTTT applet 216
    Checking out some Alexa applets. 218

PART 5: THE PART OF TENS. 219
CHAPTER 12: Ten (Times Ten) Ridiculously Fun Alexa Tricks 221
Ten Ways to Ask Alexa to Tell a Joke. 222
Ten Alexa Wordplay Tricks. 222
Ten Ways to Get Alexa to Sing. 223
Ten Oddball Things to Ask Alexa to Do 224
Ten Funny Questions to Ask Alexa 224

Ten Ways to Get Alexa to Tell a Story..............................225
Ten Ways to Get Personal with Alexa..............................226
Ten Movie Easter Eggs 226
Ten TV Easter Eggs 227
Ten Music Easter Eggs 228

CHAPTER 13: **Ten Things That Can Go Wrong
with Alexa (And How to Fix Them)**..................229
Troubleshooting 101..230
    Restarting your Echo..230
    Updating your Echo..230
    Resetting your Echo 231
Alexa or Your Echo Device is Unresponsive 232
Your Echo Device Isn't Using the Latest Software..................233
You Can't Connect to Your Wi-Fi Network 234
You're Having Trouble Streaming Media 236
You're Having Trouble Connecting a Bluetooth Device...............237
    You don't see a Bluetooth device 237
    You can't pair with a Bluetooth device 238
You Ordered Something Accidentally................................238
Alexa Doesn't Understand Your Commands............................240
You're Having Trouble Making Calls 241
You Changed Your Wi-Fi Network Password...........................242
A Smart-Home Device Doesn't Work Properly 243

CHAPTER 14: **Ten Ways to Beef Up Alexa Security
and Privacy** 245
Make Sure Your Wi-Fi Network Is Locked Up Tight 246
Change Alexa's Wake Word 248
Stop Alexa from Listening (And Watching) 250
Trash Sensitive Alexa Recordings 250
Configure Alexa Not to Use Your Personal Data.....................252
Shut Down Alexa's Communications 254
    Turn communications off.......................................254
    Revoke access to your contacts...............................255
Secure Your Amazon Account 255
    Give your Amazon account a bulletproof password 256
    Turn on Amazon's Two-Step Verification........................257
Delete Your Saved Wi-Fi Passwords 258
Revoke a Skill's Permissions......................................260
Deregister Your Alexa Device 260

INDEX...263

Introduction

Okay, I know just what you're thinking: Why, oh, why would someone write a book about Alexa, Amazon's famous and wildly popular virtual assistant? After all, don't you just plug in an Echo or any of the umpteen other devices that come with Alexa built in; say, "Alexa"; and then ask a question or give a command? What else does a person need to know, for pity's sake? I'm surprised Alexa requires even *three* pages of explanation, so how can this book have hundreds?

First, wow, you ask a lot of questions. Second, well, you'd be surprised. Sure, Alexa's basics are readily understood. That's part of the beauty of Alexa and the devices that run it: The initial learning curve is pretty much a horizontal line.

Ah, but Alexa is *way* deeper and more powerful than those out-of-the-box basics would indicate. You've got a serious piece of software at your beck and call. (Well, your call, anyway; Alexa does not yet respond to becks.) I'm talking high-end artificial intelligence (AI), world-class voice recognition, and tons of third-party extensions. All that adds up to an amazingly sophisticated app that contains hidden depths just waiting for you to find them.

About This Book

Alexa For Dummies takes you on a complete tour of Alexa's capabilities, tools, settings, and skills. You'll even see that Alexa has a hidden whimsical side that it's just dying to show. In the end, you'll learn everything you need to know to get the most out of your Alexa investment. Best of all, you'll have a ton of fun as you go along.

This book boasts 14 chapters, but just because they appear sequentially, that doesn't mean you have to read them that way. Use the table of contents or index to find the information you need — and dip into and out of the book when you have a question about Alexa.

If your time is very limited (or you're just aching to get tonight's binge-watching started), you can also ignore anything marked by the Technical Stuff icon or the information in sidebars (the gray-shaded boxes). Yes, these tidbits are fascinating, but they aren't critical to the subject at hand, so you won't miss anything critical by skipping them.

Within this book, you may note that some web addresses break across two lines of text. If you're reading this book in print and want to visit one of these web pages, just key in the web address exactly as it's noted in the text, pretending as though the line break doesn't exist. If you're reading this as an e-book, you've got it easy — just click the web address to be taken directly to the web page.

Finally, throughout this book, when you see an italicized word inside square brackets, that's a placeholder. That is, you replace the italicized word with something else specific to your command. For example, the placeholder [*title*] means you replace *title* with the actual title of something (such as a song or an album).

Foolish Assumptions

This book is for people who are new (or relatively new) to using the Alexa voice-activated virtual assistant. Therefore, I do *not* assume that you're an Alexa expert, an Alexa maven, or an Alexa aficionado. However, I do assume the following:

>> You know how to plug in and connect devices.

>> You have a running Wi-Fi network with an Internet connection.

>> You know the password for your Wi-Fi network.

>> You have either an iOS or an Android mobile device (that is, a smartphone or tablet).

>> You know how to install and operate apps on your mobile device.

Icons Used in This Book

Like other books in the *For Dummies* series, this book uses icons, or little pictures in the margin, to flag things that don't quite fit into the flow of the chapter discussion. Here are the icons that I use:

REMEMBER

This icon marks text that contains some things that useful or important enough that you'd do well to store the text somewhere safe in your memory for later recall.

TECHNICAL STUFF

This icon marks text that contains some for-nerds-only technical details or explanations that you're free to skip.

TIP

This icon marks shortcuts or easier ways to do things, which I hope will make your life — or, at least, the Alexa portion of your life — more efficient.

WARNING

This icon marks text that contains a friendly but unusually insistent reminder to avoid doing something. You have been warned.

Beyond the Book

In addition to what you're reading right now, this product also comes with a free access-anywhere Cheat Sheet that includes ten must-do setup tasks, 50 of Alexa's most useful voice commands, and 50 of Alexa's most fun voice commands. To get this Cheat Sheet, go to `www.dummies.com` and type **Alexa For Dummies Cheat Sheet** in the Search box.

Where to Go from Here

If you've had Alexa for a while and you're familiar with the basics, you can probably get away with skipping the first three chapters and then diving in to any part of the book that tickles your curiosity bone. (Or, why not take advantage of your handy personal assistant? Just say, "Alexa, give me a number between 4 and 14.") That works because the chapters all present their Alexa know-how in readily digestible, bite-size tidbits, so feel free to graze your way through the book.

However, if you and Alexa haven't met yet — particularly if you're not sure what Alexa even *does* — this book has got you covered. To get your relationship with Alexa off to a fine start, I highly recommend reading the book's first three chapters to get some of the basics down cold. From there, you can branch out anywhere you like, safe in the knowledge that you've got some survival skills to fall back on!

1
Getting Started with Alexa

Find out what Alexa is, what Alexa can do, and what hardware you need to use Alexa.

Welcome Alexa into your home by learning where to put your Alexa device, getting your device on your network, and customizing Alexa.

Discover some crucial basics about your Echo device and Alexa itself, as well as some important Alexa commands.

» Seeing how Alexa works

» Taking a look at Amazon's Echo devices

» Figuring out which Alexa device is best for you

» Reviewing what you can do with Alexa

Chapter **1**

Getting to Know Alexa

It never hurts to "begin at the beginning," as the King said gravely in *Alice's Adventures in Wonderland.* (Whether, as the King also suggested, you "go on till you come to the end: then stop" is up to you.) In this chapter, the "beginning" consists of some useful, perhaps even interesting, background about Alexa, including an answer to what might be the most important question of all: Just what *is* Alexa, anyway? (Or should that be just *who* is Alexa?)

To get your Alexa education off to a solid start, this chapter takes you on an exploratory tour of the Alexa landscape. This is big-picture stuff where you learn not only what Alexa is, but also how you get Alexa and which Alexa-friendly device you need. After taking you through these *what, where,* and *how* fundamentals, you also investigate what is likely the *second* most important question: *Why* would people even need Alexa in their lives?

What Is This Alexa That Everyone's Talking About (Or, Really, To)?

Okay, let me get right to it: Amazon Alexa is a *voice service,* a cloud-based software program that acts as a voice-controlled virtual personal assistant. In a nutshell, you use your voice to ask Alexa a question or give Alexa a command, and it dutifully answers you (assuming an answer exists) or carries out your request (assuming your request is possible). The key here is that Alexa responds to *voice* commands.

In the movie *Star Trek IV: Voyage Home,* the crew of the Starship *Enterprise* travel back in time 300 years to 1986. In a memorable scene, Scotty, the ship's chief engineer, goes up to a mid-'80s-era PC and says, "Computer!" When the machine doesn't respond, he says, "Computer!" once again. He's then handed a mouse and, thinking it's a microphone, says, "Hello, computer!" Apparently, in the year 2286, interacting with a computer using anything but voice commands is unthinkable.

We're a long way from the voice-only future envisioned in *Star Trek* (not to mention countless other sci-fi stories; remember voice-controlled HAL in *2001: A Space Odyssey?*). However, as we sit here near the end of the second decade of the 21st century, you can feel the computer-interaction landscape starting to shift. After some 40 years of folks sitting in front of their PCs, typing away in near-total silence (with only the occasional wail of exasperation or groan of impatience to break the quiet), users are starting to find their voices.

True, operating systems such as Windows and macOS have had voice-control tools for many years, but they were obscure and unreliable, so they were used by only a handful of people. Voice control's bid for the mainstream didn't get serious until Apple purchased the Siri speech-recognition app in 2010 and released it with iOS 5 a year later. Suddenly, it became "cool" to interact with a computer (at least one in the shape of a smartphone) with voice commands.

Since then, numerous voice-control tools have been released, including Google's Assistant, Microsoft's Cortana, and various voice-command features found in modern cars. But it was the release of the full version of Amazon's Alexa in 2015 that really got the voice ball rolling. Amazon doesn't release sales figures, but most industry know-it-alls agree that tens of millions of Alexa devices have been sold.

Meet your new assistant

Why is Alexa so popular? There are lots of reasons, but the one that really matters is that Alexa is (or tries hard to be) a "personal assistant." Older voice-command tools were geared toward using a computer: running programs, pulling down menus, accessing settings, and so on. Alexa doesn't do any of that. Instead, it's focused on doing things for you in your real life, including (but by no means limited to) the following:

» Playing music, podcasts, or audiobooks

» Setting timers and alarms

>> Telling you the latest news, weather, or traffic

>> Creating to-do lists and shopping lists

>> Buying something from Amazon

>> Controlling home-automation devices such as lights and thermostats

>> Telling jokes

That last one may be a bit surprising, but perhaps the second-most important reason behind's Alexa's success is that it comes with whimsy as a feature. Alexa, as I hope to show in this book, is both useful *and* fun.

REMEMBER

Older and lesser voice-controlled systems recognize only a limited set of commands that have to be enunciated precisely, so using such systems feels stilted and slow. Alexa, by contrast, is an example of a new breed of voice-aware systems that use *conversational artificial intelligence.* That sounds pretty geeky, but it really means that Alexa isn't meant to be controlled so much as *interacted* with. With Alexa, you ask your questions and give your commands using natural language and your normal voice. Does it work perfectly every time? Nope, we're not in *Star Trek* territory just yet, but I think you'll be pleasantly surprised at just how well it *does* work.

Alexa's components

Throughout this book I talk about "Alexa" as though it's a single object, but Alexa is really a large collection of objects that, together, create the full, seamless Alexa experience. For the purposes of this book, Alexa consists of the following four components:

>> **Name recognition:** Although when you interact with Alexa it seems as though the device understands what you say, the only speech your Alexa device actually recognizes is the word *Alexa,* which Amazon calls the *wake word.* That is, it's the word that lets Alexa know it should wake up and start listening for an incoming command or question. (In case you're wondering: Yep, you can change the wake word to something else. I show you how to do that in Chapter 14.)

>> **Speech recording:** Your Alexa device has a built-in microphone that captures the questions, commands, requests, and other utterances that you direct to the device. There's a simple computer inside that records what you say and then sends the recording over the Internet to the Alexa Voice Service (discussed next). This part of Alexa is sometimes called the *voice user interface* (VUI).

>> **Alexa Voice Service (AVS):** Here's where the real Alexa magic happens. This part of Alexa resides in Amazon's cloud. AVS takes the recording that contains your voice command and uses some fancy-schmancy *speech recognition* to tease out the actual words you spoke. AVS then uses *natural-language processing* to analyze the meaning of your command, from which it produces a result.

>> **Speech synthesis:** This component takes the results provided by AVS and renders them as speech, which is stored in an audio file. That file is returned and played through the Alexa device's built-in or connected speakers.

TECHNICAL
STUFF

WHAT'S ALL THIS ABOUT A "CLOUD"?

I've mentioned the term *cloud* a couple of times now, so let me take a few minutes of your precious time to explain what I'm talking about. In many network diagrams, the designer is most interested in the devices that connect to the network, not the network itself. After all, the details of what happens inside the network to shunt signals from source to destination are often extremely complex and convoluted, so all that minutiae would serve only to detract from the network diagram's larger message of showing which devices can connect to the network, how they connect, and their network entry and exit points.

When the designer of a network flowchart wants to show the network but not any of its details, he or she almost always abstracts the network by displaying it as a cloud symbol. (It is, if you will, the "yadda yadda yadda" of network diagrams.) At first the cloud symbol represented the workings of a single network, but in recent years it has come to represent the Internet (the network of networks).

So far, so good. Earlier in this millennium, some folks had the bright idea that instead of storing files on local computers, you could store them on a server connected to the Internet, which meant that anyone with the right credentials could access the files from anywhere in the world. Eventually, folks started storing programs on Internet servers, too, and starting telling anyone who'd listen that these files and applications resided "in the cloud" (meaning on a server — or, more typically, a large collection of servers that reside in a special building called a *data center* — accessible via the Internet).

One such application is the Alexa Voice Service, which resides inside Amazon's cloud service called Amazon Web Services (AWS). So, that's why I say that Alexa is a "cloud-based voice service." That's also why, as I mention later in this chapter, you need an Internet connection to use Alexa: It requires that connection to access its cloud component.

How Alexa works

Given the various Alexa components that I outline in the preceding section, here's the general procedure that happens when you interact with Alexa to get something done:

1. **You say "Alexa."**

Your Alexa device wakes up, as indicated (in most cases) by the device's light ring turning blue (see Chapter 3 for more about the light ring). The device is now hanging on your every word.

2. **You state your business: a question, a command, or whatever.**

The Alexa devices records what you say. When you're done, the device uses your Internet-connected Wi-Fi network to send the recording to AVS in Amazon's cloud.

WARNING

It may seem like Alexa "lives" inside whatever device you have, but Alexa is very much an Internet-based service. That means if you don't have Internet access, you don't have Alexa access either.

3. **AVS uses its speech-recognition component to turn the recorded words into actual data that can be analyzed.**

4. **AVS uses its natural-language processing component to analyze the words in your command and then figure out exactly what you asked Alexa to do.**

AVS doesn't analyze every single word you say. Instead, it's mostly looking for the telltale *keywords* that indicate what you've asked Alexa to provide. For example, if you said "What's the weather forecast for tomorrow?," all AVS needs are the words *weather, forecast,* and *tomorrow* to deliver the correct info.

5. **If AVS can't fulfill your request directly, it passes the request along to a third-party service (such as AccuWeather or Wikipedia), and then gathers the response.**

6. **AVS returns the response via the Internet to your Alexa device.**

What AVS returns to your Alexa device depends on the result. If the result is just information for you, AVS converts the info to speech and stores the speech in an audio file that your Alexa device can play. If the result is a command (for example, to play a particular song), AVS passes that command back to the Alexa device.

7. **The Alexa device either uses its built-in or connected speaker to broadcast the result of your request or carries out your command.**

If your Alexa device has a screen, you also see the result on the screen.

Where Do You Get Alexa?

In most cases, Alexa is closely associated with hardware devices, and how close that association is depends on the device. There are three types of device to consider:

>> **Devices that have Alexa built in:** As you may expect, Amazon offers a huge range of products that have Alexa inside, including the Echo, Echo Dot, Echo Plus, Echo Spot, Echo Show, Fire tablet, and Fire TV. But there's also a massive ecosystem of third-party devices that are Alexa-enabled, including select Windows PCs, sound systems, TVs, tablets, appliances, GPS units, and even several cars.

>> **Devices that Alexa can control directly:** Many devices are Alexa-friendly, meaning that Alexa can connect to and control those devices directly using either a Bluetooth or Wi-Fi connection. For example, you can use Amazon's Echo Plus to connect to a smart-home device such as a thermostat, and then use Alexa on the Echo Plus to control the temperature. Similarly, you can use any Amazon Echo device to operate the AmazonBasics Microwave (yes, that's right: a microwave oven that you can control with your voice!).

>> **Devices that Alexa can control indirectly:** Although as I write this some 20,000 devices fit into the preceding two categories, that still leaves a huge number of Alexa-ignorant devices. However, in some cases you can still have limited control over even these devices. For example, you can connect any Amazon Echo device to an Amazon Smart Plug, which you can turn on and off using Alexa. So, when you plug a non-Alexa device (such as a lamp) into the Smart Plug, you can use Alexa to turn that device on and off.

Notice that, at the start of this section, I said, "in most cases." What are the exceptions? As I talk about in Chapter 2, Amazon offers the Alexa app, which is a program that you install on your smartphone or tablet. You can use the app to connect with and manage smart–home devices, but if you just want the standard Alexa experience — that is, using voice commands to ask questions and make requests — then you can do all that directly from the app; no external hardware (such as the devices I ramble on about in the next section) is required.

Figuring Out Which Alexa Device You Need

In the preceding section, I mention that, with the exception of using Alexa on your phone or tablet, you can't do the Alexa thing until you get a device that's Alexa-enabled. That sounds straightforward enough, but that illusion of simplicity is shattered when you see the sheer number of devices that are available. And I'm not even talking about all the third-party Alexa devices that are out there. Amazon alone offers no less than a half-dozen different Alexa-enabled devices just in its Echo brand of smart speakers. How are you supposed to know which one to get?

Checking out Amazon's Echo devices

To help you make the right Alexa decision, this section offers a quick look at what's available from Amazon's Echo brand.

Echo

Echo (shown in Figure 1-1) is your garden-variety Echo smart speaker that's designed for larger rooms because it comes with two speakers: a 2.5-inch woofer and a 0.6-inch tweeter. It's fairly big — 3.4 inches in diameter and 5.8 inches high — so you may need to clear a spot for it.

FIGURE 1-1:
Amazon's Echo
smart speaker.

Photograph courtesy of Amazon

Echo Dot

The Echo Dot (shown in Figure 1-2) is a smart speaker designed for smaller rooms because it comes with a single speaker and is quite a bit teensier overall than the Echo (about 3.9 inches in diameter and about 1.7 inches high). It's also half the price of the Echo, which is likely why it's Amazon's bestselling Alexa device.

FIGURE 1-2:
Amazon's Echo
Dot smart
speaker.

Photograph courtesy of Amazon

Echo Plus

The Echo Plus (shown in Figure 1-3) is a smart speaker just like the Echo, but it also includes a built-in home-automation hub, which enables you to connect and operate compatible smart-home devices (such as lights, thermostats, and security cameras) from a central location. The Echo Plus is the same size as the Echo, but its two speakers are slightly bigger — a 3-inch woofer and a 0.8-inch tweeter — for richer sound.

FIGURE 1-3:
Amazon's Echo
Plus smart
speaker.

Photograph courtesy of Amazon

Echo Spot

The Echo Spot (shown in Figure 1-4) is a smart speaker that's similar to the Echo Dot, except that it comes with a 2.5-inch screen that enables you to see the weather, news highlights, and song lyrics. The Echo Spot also has a built-in camera, so you can use it to make video calls to compatible devices. The Echo Spot comes with a single speaker and is 4.1 inches wide, 3.8 inches high, and 3.6 inches deep.

Photograph courtesy of Amazon

FIGURE 1-4:
Amazon's Echo Spot smart speaker.

Echo Show

The Echo Show (shown in Figure 1-5), like the Echo Spot, is a smart speaker that comes with a screen, but the Echo Show screen is big: just over 10 inches along the diagonal. That screen also supports high definition (HD) for great-looking video. The Echo Show also has a built-in 5-megapixel camera, so you can use it to make video calls to compatible devices. The Echo Show comes with two 2-inch speakers and is 9.7 inches wide, 6.9 inches high, and 4.2 inches deep.

Echo Auto

The Echo Auto (shown in Figure 1-6) is designed to hang out with you in your car. It connects to the Internet via your smartphone. The Echo Auto doesn't have a built-in speaker, but you can use it to connect to your car's speakers via Bluetooth or by plugging in an audio cable (assuming your car supports either of these options). The Echo Auto is 3.3 inches wide and 1.9 inches deep.

FIGURE 1-5:
Amazon's Echo
Show smart
speaker.

FIGURE 1-6:
Amazon's Echo
Auto device.

Choosing an Alexa device

Okay, so which one should you choose? That depends on your needs and budget, so here are some question to help you decide:

>> **Do you just want to ask questions and make requests?** If you have a smartphone or tablet that's Alexa-friendly (I talk about what that means in Chapter 2), then don't bother getting any Alexa device and just use the Alexa app instead.

>> **Are you on a tight budget?** Go for the Echo Dot, which is by far the cheapest of the Echo devices.

>> **Do you want decent sound without breaking the bank?** Go for the Echo, which comes with both a woofer and a tweeter and is priced midway between the Echo Dot and the Echo Plus.

>> **Do you want Alexa available in multiple rooms?** Most people who go this route have an Echo or Echo Plus in a main area (such as the kitchen or living room) and multiple Echo Dots: one in each room where you want to use Alexa.

>> **Do you want to use Alexa to control smart-home devices?** In this case you need the Echo Plus, which has a smart-home hub built in.

>> **Do you want to make video calls?** This requires an Echo with both a screen and a camera, so that means either the Echo Spot if you don't want to spend a ton of money, or the Echo Show if you want a nice, big screen.

Learning What Alexa Can Do

Some people think an Alexa-enabled device is nothing but a glorified clock-radio. And although it's true that you can use Alexa to tell the time and play a radio station, there's more — *way* more — that Alexa can do. Let me show you what I mean.

Playing media

You can connect your Alexa device to your favorite music service — such as Amazon Music or Spotify — which gives you voice access to millions of songs. You can ask Alexa to play a particular song, artist, playlist, or genre. If you have multiple smart speakers in your home, Alexa's multi-room music feature enables you to play the same music in each room that has a speaker. Alexa can also play radio stations, podcasts, and audiobooks; recite the text of a Kindle book; and, if your device has a screen, play shows from Amazon Video. See Chapter 4 to get the scoop on Alexa's media playback features and Chapter 11 to learn about multi-room music.

Communicating

One of Alexa's more surprising features is that you can use it to communicate with other people, even if they don't have an Alexa device. You can send text messages and place voice calls, but the real fun begins when you and the other person have Alexa devices with screens, because then you can make video calls to that person. If you have multiple Alexa devices at home, you can also use them as either a two-way intercom system or as a one-way intercom for making announcements. Some restrictions apply, so be sure to check out Chapter 5 to learn more.

Shopping

It wouldn't be an Amazon product if shopping weren't involved, so of course you can use Alexa to place orders through your Amazon account, check the latest Amazon deals, and track your shipments. I cover the shopping details in Chapter 6.

Getting help around the home

We're all busy, so who couldn't use an extra hand around the house now and then? Alexa has no hands, alas, but it can help big-time by making it easy to create a to-do list or shopping list; manage your Google, iCloud, or Office calendar; and set reminders for upcoming tasks. Alexa can also set an alarm and run a timer. It's mother's (not to mention a father's and kids') little helper and I talk about all these features and more in Chapter 6.

Getting news and information

Alexa is always up on the latest news, so all you have to do is ask. You can even customize the news you hear by configuring Alexa's Flash Briefing feature. Alexa can also tell you the current weather and the latest forecast, give you traffic updates, let you know the scores and schedules for your favorite sports teams, and tell you movie showtimes at nearby theaters. Alexa is a veritable fount of information, as I describe in more detail in Chapter 6.

Answering your questions

If there were such a thing as a Swiss Army Knife for information, Alexa would be it. I've already mentioned it's a news anchor, weather forecaster, and sportscaster, but Alexa can also be a calculator, speller, dictionary, encyclopedia, and search engine. Ask a question, and the odds are in your favor that Alexa can find the answer. I talk about Alexa's Q&A prowess in Chapter 7.

Accessing skills

Alexa comes with tons of built-in features, but Amazon has set up a system that lets third parties add new features to Alexa. These features are called *skills*, and there are thousands of them available in Amazon's Alexa Skills store. There are skills for ordering a pizza or an Uber, playing games or trivia, tracking your fitness or your investments, and so much more. You can even build your own skills without programming! I take you to skills school in Chapter 8.

Automating your home

Alexa is smart-home savvy, so it gives you voice control over many different home-automation products, including lights, thermostats, baby monitors, security cameras, and door locks. I tell you how to set up and manage your smart home in Chapters 10 and 11.

Having fun

Alexa may seem like it's all business with its easy access to news and weather, its to-do lists and reminders, and its massive catalog of life-hacking skills, but Alexa has a fun side, as well. Alexa can tell jokes, read limericks, sing songs, tell stories, and play games. Alexa even comes with a large trove of so-called *Easter eggs* that bring surprise and whimsy to your Alexa conversations. Loosen your tie or your let your hair down, and then head for Chapter 12 to learn more.

» **Connecting Alexa to your Wi-Fi network**

» **Customizing your Alexa device**

» **Connecting external speakers or headphones**

Chapter **2**

Setting Up Alexa and Your Devices

The basic premise of Alexa couldn't be simpler: You ask a question, Alexa provides the answer; you give a command, Alexa carries it out. However, this surface simplicity lies on top of a mind-bogglingly complex system that involves hardware, software, networking, artificial intelligence, and the cloud. (I cover the details of this system in Chapter 1.) Fortunately, that underlying complexity isn't something you have to deal with, but before you can use Alexa, you need to connect a few things together so that Alexa has access to all that good stuff beneath the surface.

In this chapter, you delve into the various chores — both the required tasks that you need to do and a few optional steps that you can do if you feel like it — that turn your Alexa device from a useless hunk of plastic into a useful member of the family.

Installing the Alexa App

Here are a few questions about Alexa that may or may not have occurred to you:

» Alexa requires an Internet connection, but how does Alexa know how to connect to your Wi-Fi network?

>> Alexa can tell you the local news, weather, and traffic, but how does Alexa know where you live?

>> Alexa can work with other devices such as lights and thermostats, but how does Alexa know when such devices are present?

>> Alexa can play music, but how does Alexa know whether you use Amazon Music or Spotify (or Pandora or whatever)?

>> You can't wait to use Alexa to buy stuff, but how does Alexa know about your Amazon account?

Excellent questions all around, and they all have the same answer: the Alexa app, which is a program that you download to your smartphone or tablet. With the Alexa app, you can connect your Alexa devices to your Wi-Fi network, provide Alexa with your location, connect to smart-home devices, let Alexa know which music service you use, provide the details of your Amazon account, and much more. You *use* Alexa by conversing with an Alexa-friendly device, but you *configure* Alexa using the app.

Okay, so what do you need to get the Alexa app? Either of the following:

>> **A smartphone or tablet that meets one of these qualifications:**

- An iPhone or iPad running iOS 9 or later

- An Android phone or tablet running Android 5 or later

- An Amazon Fire tablet running Fire OS 3 or later

If you have one of these devices, go to your device's app store, search for the Alexa app, and install it.

If you have one of Amazon's Fire tablets and that tablet is capable of running Alexa, the Alexa app will be installed automatically on the tablet.

REMEMBER

>> **A Windows or Mac web browser:** In this case, point your browser to https://alexa.amazon.com. This takes you to the Amazon Alexa portal page.

Either way, your first app task is to sign in to your Amazon account, as I describe next.

Signing in to your Amazon account

When you first open the Alexa app or surf to the Amazon Alexa portal page, you're prompted to sign in with your Amazon account credentials. Figure 2-1 shows the Sign In page for the Alexa app on an iPhone.

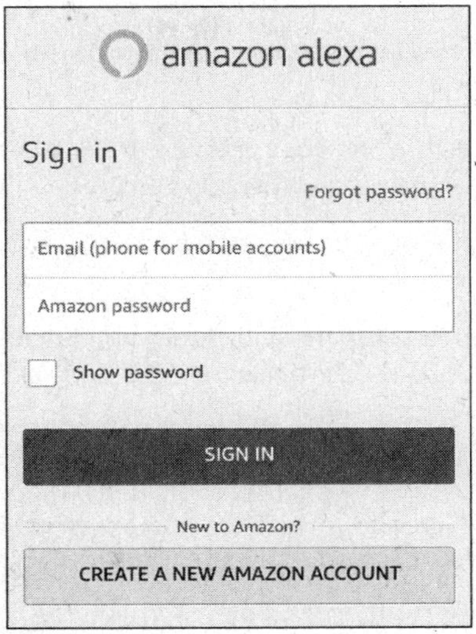

FIGURE 2-1:
The iPhone
version of the
Alexa app's Sign
In page.

Follow these steps to sign in:

1. **In the Email field, type your Amazon account's email address.**

   If you use an Amazon mobile phone account instead of a standard Amazon account, type your mobile phone number into the field instead of your email address.

   What if you don't have an Amazon account? No problem. Tap the Create a New Amazon Account button; use the Create Account screen to type your name, email address, and a password; and then tap Create Your Amazon Account.

2. **In the Amazon Password field, type your Amazon account's password.**

   By default, the Alexa app hides the password by displaying each character as a dot. If you want to make sure you entered the password correctly, select the Show Password check box.

3. **If you're using the Amazon Alexa portal page, you can bypass having to sign in on subsequent visits by selecting the Keep Me Signed In check box.**

4. **Tap the Sign In button.**

   The Alexa app confirms your Amazon credentials and then signs in to your account. The app then asks you to confirm your name or create a new name to use with Alexa.

   If you've enabled two-factor authentication on your Amazon account (as I describe in Chapter 14), the Alexa app will prompt you to enter a code to verify the sign-in. Type the code that was sent to you and then tap the Sign In button.

REMEMBER

5. **Tap I'm [*name*], where [*name*] is the name associated with your Amazon account.**

To use a different name, tap I'm Someone Else, use the First Name and Last Name fields to type the new name, and then tap Continue.

If the app shows a screen telling you about new features, say "Whatever, dude" and tap Done.

The app now prompts you for permission to display notifications on your device (for example, when you receive a text message or an alert such as a reminder).

6. **Tap Allow.**

The Alexa app finishes loading and you see the Home screen, which will be similar to the one shown in Figure 2-2.

Menu

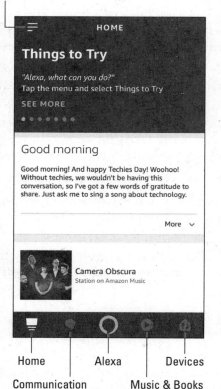

FIGURE 2-2:
The Alexa app's
Home screen.

Home   Alexa   Devices

Communication   Music & Books

Taking a tour of the Alexa app

In Figure 2-2, I point out a few landmarks of the Alexa app screen. Here's a summary:

>> **Menu:** Tap this icon to access the main app menu, shown in Figure 2-3. You use the commands on this menu to configure various Alexa features, such as music and reminders; add and manage Alexa skills; and change the Alexa app's settings. I cover all these commands in the appropriate sections of the book (for example, I cover the Music & Books command in Chapter 4 and the Settings command later in this chapter).

Music & Books

Lists

Reminders & Alarms

Contacts

Routines

Skills & Games

Things to Try

Help & Feedback

Settings

FIGURE 2-3:
Tap the Menu icon to see this menu of app commands.

>> **Home:** Tap this icon to display the Home screen, which offers the Things to Try section (suggestions for getting started with Alexa) and (eventually) a series of sections — known as *cards* — that present in reverse chronological order (that is, the newest at the top) your most recent interactions with Alexa: your questions and Alexa's answers, responses to your requests, recently played music and other media, and more.

>> **Communication:** Tap this icon to open the Communication screen. Here, you can set up and work with Alexa's communications features, including starting a new call, sending a text message, and dropping in on someone.

>> **Alexa:** Tap this icon to send questions and requests to Alexa via your smartphone or tablet microphone. See "Giving Alexa access to your device microphone," next.

>> **Music & Books:** Tap this icon to see what media — such as a song, podcast, or audiobook — you've played recently on your Alexa device. You can also browse your Audible and Kindle libraries.

>> **Devices:** Tap this icon to work with both your Alexa devices and Alexa's home-automation features. You can add, configure, and operate devices, manage smart-home skills, create smart-home groups, and more.

Giving Alexa access to your device microphone

One of the nice features of the Alexa app is that you can use it to send voice commands to Alexa via your smartphone or tablet microphone. That's the purpose of the Alexa button in the middle of the Alexa app toolbar at the bottom of the screen (refer to Figure 2-2). However, before you can send voice requests to Alexa, you need to give the Alexa app permission to use your device's microphone. Here's how it works:

1. In the Alexa app, tap the Alexa icon (refer to Figure 2-2).

You see some text telling you that you need to give the app permission to use the microphone.

2. Tap Allow.

Your device asks you to confirm.

3. Tap OK (iOS) or Allow (Android).

Your device gives the Alexa app permission to access the microphone and then displays some examples of things you can say to Alexa.

If you also see a prompt asking you to give the Alexa app permission to use your location, go ahead and tap Allow.

4. Tap Done.

You now hear a tone and see the regular Alexa screen, which is waiting for you to say something to Alexa. You'll want to skip that for now, so either tap the X to close the screen or wait a few seconds for the screen to close by itself.

Alexa Feng Shui: Positioning Your Alexa Device

Assuming you've liberated your Alexa device from its packaging, one big question remains: Where do you put it? That's a vexing question for two reasons:

>> Unlike a smartphone, tablet, or laptop, most Alexa devices aren't portable because they always need to be plugged in to a power outlet.

>> Unlike a desktop computer, which usually has an obvious location (that would be the top of your desk!), Alexa devices have no such go-to place.

So, again, where do you put it?

REMEMBER

It's true that, out of the box, Alexa devices require a power outlet, but there are third-party gadgets available that enable devices such as the Amazon Echo to run on batteries. For some examples, search Amazon for "battery base Echo."

Here are some things to consider:

>> You'll want the whole family to have easy access to the Alexa device, so choose a room where everyone hangs out. That might be the family room or the den, but I'm betting the kitchen is your best choice.

>> Make sure the Alexa device is within range of your Wi-Fi network.

>> Make sure the device is close enough that you can give your voice commands without having to yell. Depending on the ambient noise in your environment, this usually means being within 15 to 20 feet of the device.

>> For the best sound quality, keep the device at least 8 inches from any wall.

>> Alexa devices require full-time power, so make sure there's an outlet close enough to the device.

With your device positioned where you want it, go ahead and plug it in. After a brief warm-up, the device will let you know that it's ready to be set up using the Alexa app.

Adding Your Alexa Device

With the Alexa app installed and your Alexa device positioned where you want it, you're ready to add the device to the Alexa app so that you can customize and control the device through your smartphone. How you go about this depends on whether you're using an Amazon Echo or a third-party device that has Alexa built in.

Adding your Echo device

Setting up your Amazon Echo mostly means getting Alexa connected to your home's Wi-Fi network because Alexa absotively, posolutely requires access to the Internet to do its cloud-based thing. How you go about that depends on whether your Alexa device has a screen.

Adding your Echo device with a screen

If you have an Echo Spot or Echo Show, you can use the screen to connect your device to your Wi-Fi network, which adds the device to the Alexa app automatically. Here are the steps to follow:

1. **Select your Wi-Fi network.**

- If you're starting your Echo for the first time, the initial setup routine will eventually show you a list of available Wi-Fi networks. Tap the network you want to use.

- If your Echo is already started, either say, "Alexa, go to Settings," or swipe down from the top of the screen and then tap Settings. On the Settings screen, tap Network and then tap the network you want to use.

The Echo prompts you to enter the Wi-Fi network password.

2. **Use the on-screen keyboard to enter the network password.**

Below the password, notice that the Save Password to Amazon check box is selected. If you plan on setting up other Echo devices in the future, leave this check box selected to store your network password on Amazon's servers, which lets you skip entering the password for the other Echo devices you set up. You can always delete your saved passwords from Amazon, as I describe in Chapter 14.

3. **Tap the Next button.**

The Echo connects to your Wi-Fi network. In a few moments, the Echo appears in the Alexa app. To check, choose Devices ⇨ Echo & Alexa.

Adding a newer Echo device without a screen

If your Echo doesn't have a screen, you can use the Alexa app to add the device directly. How this works depends on which generation of device you're using. In this section, I cover the steps for a newer Echo device, meaning one of the following:

» Second-generation Echo Plus

» Third-generation Echo Dot

If you have either of these two devices (or even newer versions), follow these steps to add your Echo device to the Alexa app:

1. **In the Alexa app, choose Devices ⇨ Add(+) ⇨ Add Device.**

The Setup screen appears and you're prompted to choose the type of device you're setting up.

2. **Tap Amazon Echo.**

The Setup screen displays a list of Echo device types.

3. **Tap the type of Echo you want to configure.**

The app asks which version of the Echo device type you're setting up. For example, if you tapped Echo Dot, you choose whether you're setting up a third-generation Echo Dot, or a first- or second-generation Echo Dot.

4. **Tap the Echo version you're setting up.**

The Select Your Amazon Echo screen appears, as shown in Figure 2-4. The screen shows an Available Devices heading, but really what you're seeing is a list of temporary networks, one for each Echo device that's currently in setup mode. Each network will have a name along the lines of Echo Plus-123 or Echo-ABC.

WARNING

How do you know if your Echo device is in setup mode? The device's light ring (see Chapter 3) should be showing a spinning, orange arc and the device itself will say, "Hello, ready for setup." If you don't see the orange arc (or hear the "ready" message), press and hold the Echo device's Action button (the button with the dot; again, see Chapter 3) for five seconds.

5. **Tap your device in the Available Devices list.**

The app displays a list of available Wi-Fi networks.

If you've set up an Alexa device previously, you may see your network listed in the Previously Saved to Amazon section. In that case, you'll be able to connect your Echo device to your Wi-Fi without having to enter the password.

6. **Tap your Wi-Fi network.**

The app prompts you to enter the network password.

If you've set up an Amazon device on the same network previously, and you elected to save your Wi-Fi password with Amazon, the Alexa app connects your new device to your network right away. Thanks, Amazon! You can now merrily skip to Step 9.

FIGURE 2-4:
The Select Your
Amazon Echo
screen shows
your available
Alexa devices.

7. **Type the password.**

   Below the password, notice that the Save Password to Amazon check box is selected. If you plan on setting up other Echo devices in the future, leave this check box selected to store your network password on Amazon's servers, which lets you skip entering the password for the other Echo devices you set up. You can always delete your saved passwords from Amazon, as I describe in Chapter 14.

8. **Tap Connect.**

   The app connects your Alexa device to your Wi-Fi network.

9. **Tap Continue.**

   The app asks whether you want to connect an external speaker.

10. **Tap Use Echo Built-In Speaker.**

    I show you how to connect an external speaker a bit later in this chapter.

Adding an older Echo device without a screen

In this section, I cover the steps for adding an older Echo device, meaning one of the following:

- ⟩⟩ First- or second-generation Echo
- ⟩⟩ First-generation Echo Plus
- ⟩⟩ First- or second-generation Echo Dot

If you have one of these devices, follow these steps to add your Echo device to the Alexa app:

1. In the Alexa app, choose Devices ⇨ Add(+) ⇨ Add Device.

The Setup screen appears and you're prompted to choose the type of device you're setting up.

2. Tap Amazon Echo.

The Setup screen now displays a list of Echo device types.

3. Tap the type of Echo you want to configure.

If you're setting up an Echo, skip to Step 5. Otherwise, the app now asks which version of the Echo device type you're setting up. For example, if you tapped Echo Plus, you choose whether you're setting up a second-generation Echo Plus or a first-generation Echo Plus.

4. Tap the Echo version you're setting up.

5. Tap Continue until you see a screen prompting you to connect to the Echo device's Wi-Fi network.

6. Using the smartphone or tablet that has the Alexa app installed, change your Wi-Fi connection to the Wi-Fi network created by your Echo device.

This network will have a name along the lines of Amazon-123. When the connection has been made, you hear Alexa say, "Connected," and it prompts you to continue the setup using the Alexa app.

7. In the Alexa app, tap Continue.

The app displays a list of available Wi-Fi networks.

8. Tap the network you want to use.

If you've set up an Alexa device previously, you may see your network listed in the Previously Saved to Amazon section.

9. Tap your Wi-Fi network.

The app prompts you to enter the network password.

If you've set up an Amazon device on the same network previously, and you elected to save your Wi-Fi password with Amazon, the Alexa app connects your new device to your network right away, so skip to Step 12.

10. **Type the password.**

For easier Echo setups in the future, be sure to leave the Save Password to Amazon check box selected.

11. **Tap Connect.**

The app connects your Alexa device to your Wi-Fi network.

12. **Tap Continue.**

The app asks whether you want to connect an external speaker.

13. **Tap Use Echo Built-In Speaker.**

I show you how to connect an external speaker a bit later in this chapter.

Adding a third-party Alexa device

If you have a third-party device that has Alexa built-in — such as a Sonos One speaker or an ecobee smart thermostat or switch — here are the steps to follow to add that device to the Alexa app:

1. **Install and turn on the device.**

How you do this depends on the device, so see the little booklet that came with the device for the details.

2. **Install the manufacturer's app on your mobile device.**

3. **Use the manufacturer's app to set up the device.**

For a Wi-Fi device, the setup process will get the device connected to your Wi-Fi network. For a Bluetooth device, you'll get instructions for putting the device into pairing mode (see "Connecting speakers or headphones via Bluetooth"). You'll likely also have to create an account with the manufacturer, name the device, and give the manufacturer's app various permissions.

4. **When the setup procedure asks for permission to link the device to your Amazon account (see Figure 2-5), go ahead and allow it.**

The device's built-in Alexa won't work unless the device is linked to your Amazon account. Make sure you use the same Amazon account as the one you're using with the Alexa app.

5. **In the Alexa app, choose Devices ⇨ Add (+) ⇨ Add Device, tap the device category, tap the device brand (or tap Other if you don't see the brand), and then tap Discover Devices.**

MAC address

Add Amazon Alexa

Amazon Alexa is a free voice service that lets you use voice commands to play music, get the news and weather, and more.

Add to Sonos

FIGURE 2-5:
When setting up your third-party Alexa device, you need to link the device to your Amazon account.

TIP

Alternatively, if you have another Alexa device set up, you can say "Alexa, discover devices."

Alexa looks around for your device and then lets you know when it has been discovered.

Personalizing Your Alexa Device

With your Alexa device up and running and connected to Wi-Fi, let the fun begin! Feel free to skip ahead to Chapter 3 to learn all the Alexa basics you need. Otherwise, this section takes you through a few useful tasks for personalizing Alexa and your Alexa devices.

Creating a voice profile

If you're the only person who uses Alexa, you don't have to worry about whether Alexa recognizes you. However, if there are multiple people in your home sharing a single Alexa device, you'll want Alexa to differentiate between each voice for shopping, voice calling, text messaging, and so on. To get Alexa to recognize different voices, you need to set up a *voice profile* for each person.

Fortunately, setting up a voice profile isn't complex. Begin by muting any other Alexa devices within range. (On an Echo, for example, tap the Mute button, which is the button with a microphone icon that has a line through it; see Chapter 3.) Make sure there are no other loud ambient noises, get within a few feet of the device, and then say, "Alexa, learn my voice." Alexa greets you, asks your name, and then asks you to repeat a bunch of phrases such as "Alexa what are your deals?" and "Amazon, search for holiday music."

Now that your voice is recognized, other people get do the same. Each person needs to install the Alexa app, log in using the main Amazon account that your family uses for shared Alexa devices, and then do the "Alexa, learn my voice" thing.

Giving the device a fun name

When Alexa sets up a new device, it gives the device a name such as Paul's Echo Plus or Madge's Echo Dot. Boring! I suppose it doesn't matter all that much what name a device uses, but if, like me, you find these default names too dull to live with, you can replace the default name with something creative. Here are the steps:

1. **In the Alexa app, choose Devices ⇨ Echo & Alexa.**

    The Echo & Alexa screen appears and displays a list of available Alexa devices. Look at all those boring names!

2. **Tap the device you want to rename.**

    The Device Settings screen appears, which includes the device name at the top.

3. **Under the device name, tap Edit Name.**

    The Alexa app opens the name for editing and displays the on-screen keyboard.

4. **Delete the old name and type the name you prefer.**

5. **Tap Done.**

    The Alexa app updates the device with the new name.

Setting the device location

The physical address of your Alexa device is important because Alexa uses that location to provide you with weather, traffic, and a few other goodies that are specific to your locale. The Alexa app gets your address from your Amazon account and/or the location services on your mobile device, but you can specify a different address by following these steps:

1. **In the Alexa app, choose Devices ⇨ Echo & Alexa.**

   The Echo & Alexa screen shows up and displays a list of available Alexa devices.

2. **Tap the device you want to work with.**

   The Device Settings screen appears.

3. **Tap Location.**

   The Alexa app displays the Location screen, which shows the current country and address for the device.

4. **To specify a different country, tap Change to the right of the current country value, and then select the country from the list provided.**

5. **For the other location fields, tap inside each field to open it for editing, and then use the on-screen keyboard to modify the value.**

6. **When you're done, tap Save.**

   The Alexa app updates the device with the new location.

Setting the device time zone

Alexa is happy (if that's the right word) to tell you the time when asked or to set a reminder at a specified time, but that time is only meaningful if Alexa has the correct time zone for you. Here's how to change the time zone:

1. **In the Alexa app, choose Devices ⇨ Echo & Alexa.**

   The Echo & Alexa screen appears and displays a list of available Alexa devices.

2. **Tap the device you want to work with.**

   The Device Settings screen appears.

3. **Tap Time Zone.**

   The Alexa app displays the Time Zone screen.

4. **Specify your region by tapping Change, selecting the region from the list provided, and then tapping Done.**

   The Alexa app displays a list of time zones for the region you chose.

5. **Tap the time zone you want to use.**

   The Alexa app reminds you to check any existing alarms to make sure they're still set to the correct time after this time zone change.

6. **Tap OK.**

   The Alexa app updates the device with the new time zone.

Changing the device language

By default, your Alexa device uses the same language as you use with your associated Amazon account. If you prefer to use a different language (for example, you want Alexa to speak with a posh English accent), follow these steps to change the device language:

1. **In the Alexa app, choose Devices ⇨ Echo & Alexa.**

The Alexa Devices screen appears and displays a list of available Alexa devices.

2. **Tap the device you want to work with.**

The Device Settings screen appears.

3. **Tap Language.**

The Alexa app displays the Language screen, which displays a list of the available languages.

The Language setting only appears for Amazon Echo devices, so you won't see it if you're configuring a third-party Alexa device.

4. **Select the language you want to use.**

The Alexa app warns you that changing the language setting might prevent Alexa from understanding what you say.

5. **Tap OK.**

The Alexa app updates the device with the new language.

Changing the measurement units

When you ask Alexa for the current weather or the forecast, the temperature unit Alexa uses depends on your Amazon account settings. If that unit is wrong — for example, Alexa is using Fahrenheit when you're clearly a Celsius person — you can easily change that. The same goes for distance units, for which you can choose either miles or kilometers, depending on where you fall in the scale of metric-friendliness.

Follow these steps to update your Alexa device with the units you prefer:

1. **In the Alexa app, choose Devices ⇨ Echo & Alexa.**

The Echo & Alexa screen appears and displays a list of available Alexa devices.

2. **Tap the device you want to work with.**

The Device Settings screen appears.

3. **Tap Measurement Units.**

   The Alexa app displays the Measurement Units screen.

4. **Under Temperature, select either Fahrenheit or Celsius.**

5. **Under Distance, select either Miles or Kilometers.**

   The Alexa app updates the device with the new measurement units.

Changing the background image if your device has a screen

If you have an Echo Spot or Echo Show, you can change the image that appears as the device's Home screen background. Here's how:

1. **In the Alexa app, choose Devices ⇨ Echo & Alexa.**

   The Echo & Alexa screen appears and displays a list of available Alexa devices.

2. **Tap the device you want to work with.**

   The Device Settings screen appears.

3. **Tap Home Screen Background.**

   The Alexa app displays the Home Screen Background screen. If you're running the Alexa app on an iOS device, you see your device's photos; if you're on an Android device, you see a list of locations, such as your Google Drive, Downloads, and Photos.

4. **Select an album or location, and then select the image you want to use.**

   The Alexa app updates the device with the new background image.

REMEMBER

If you later change your mind and want to revert the Alexa device's Home screen to its default image, follow steps 1 and 2 to display the Alexa device's settings, and then tap the Remove link beside Home Screen Background.

Connecting External Speakers to Your Alexa Device

As I show in Chapter 4, using a voice command to order up a song, music genre, or playlist is one of the pleasures of using Alexa at home. However, depending on your Alexa device, that pleasure may be diminished somewhat if the music you ask for is played through a speaker that offers only so-so sound quality. If your Alexa device doesn't deliver decent sound, or if you just want the best audio experience (within your budget, anyway), then you'll want to connect external speakers to your Alexa device.

Similarly, if you'll be using your Alexa device to listen to anything — such as music, podcasts, or an audiobook — for an extended time and you don't want to disturb the people around you, you'll want to connect earbuds or headphones to your Alexa device.

Fortunately, most Alexa devices — and all Amazon Echo devices — can work with external speakers or headphones, either via a direct cable connection or via a wireless Bluetooth connection.

Connecting speakers or headphones using a cable

Most Alexa-enabled devices come with an Audio Output port (see Figure 2-6) that accepts a standard 35mm audio cable jack. On some devices (such as the Echo and the Echo Plus), that port is hidden by a plastic cover (labeled, perplexingly, with the words *AUX OUT*), which you need to move aside to access the port.

— Audio output

FIGURE 2-6:
The Audio Output port on an Echo Dot.

Photograph courtesy of Amazon

If you're connecting external speakers, be sure to position them at least 3 feet from the Alexa device, and then plug the speakers into a power outlet and turn them on. Connect the speakers' or headphones' audio cable to the Alexa device's Audio Output port, and you're good to go.

Connecting speakers or headphones via Bluetooth

Alexa is on speaking terms with a wireless technology called Bluetooth, which enables you to make wireless connections to other Bluetooth-friendly devices. In particular, Alexa can connect to Bluetooth speakers or headphones, which enables you to either upgrade or hide the sound output of your Alexa device.

In theory, connecting Bluetooth devices should be criminally easy: You bring them within 33 feet of each other (the maximum Bluetooth range), and they connect without further ado. In practice, however, there's usually at least a bit of further ado (and sometimes plenty of it). This usually takes one or both of the following forms:

>> **Making the devices discoverable:** Unlike Wi-Fi devices that broadcast their signals constantly, most Bluetooth devices broadcast their availability — that is, they make themselves *discoverable* — only when you tell them to. This makes sense in many cases because you usually only want to connect a Bluetooth component, such as a headset, with a single device. By controlling when the device is discoverable, you ensure that it works only with the device you want it to.

>> **Pairing Alexa and the device:** As a security precaution, many Bluetooth devices need to be *paired* with another device before the connection is established. This is why making a device discoverable is also known as putting the device into *pairing mode*.

To make things even less convenient, most Alexa devices (including all Echo devices) can only pair with one Bluetooth device at a time, so if you've previously paired your Alexa device with something else, you have to disconnect that other device before continuing.

If you're connecting external Bluetooth speakers, place them at least 3 feet from the Alexa device, and then plug the speakers into a power outlet and turn them on. Now follow these steps to pair your Alexa device with your Bluetooth speakers or headphones:

1. **Perform whatever action is required to make your Bluetooth speakers or headphones discoverable.**

Most Bluetooth speakers and headphones have a special button that you press and hold for a few seconds to make the device discoverable. See your device's user manual to learn how to make the device discoverable (or to put the device into pairing mode, which is the same thing).

2. In the Alexa app, choose Devices ⇨ Echo & Alexa.

The Echo & Alexa screen appears and displays a list of available Alexa devices.

3. Tap the device you want to pair with the speakers or headphones.

The Device Settings screen appears.

4. Tap Bluetooth Devices.

The Alexa app displays a list of devices that you've paired previously. This list will be empty when you're just starting out, but after you've paired a device, you can pair it again later by selecting it from this list.

TIP

If the Bluetooth device that you want to pair with again was the most recently paired device, you can say "Alexa, connect" and Alexa will automatically pair with that device (assuming the device is on and within range).

5. Tap Pair a New Device.

The Alexa app searches for nearby devices that are discoverable and then displays the name of each device it finds in the Available Devices list, as shown in Figure 2-7. Note that it may take anywhere from a few seconds to even a minute or two for your device name to appear.

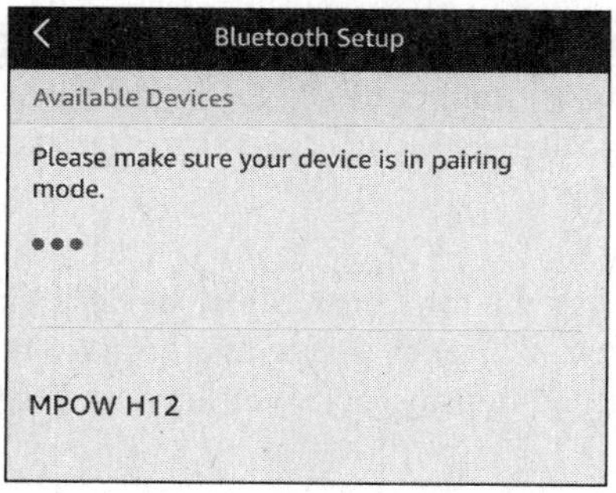

FIGURE 2-7:
The Available
Devices list shows
nearby Bluetooth
devices that are
in pairing mode.

> **Bluetooth Setup**
>
> Available Devices
>
> Please make sure your device is in pairing mode.
>
> • • •
>
> MPOW H12

6. Tap the device you want to pair.

The Alexa app pairs the speakers or headphones and your Alexa devices says "Connected."

Disconnecting paired Bluetooth speakers or headphones

If you're using a paired set of Bluetooth speakers or headphones with your Alexa device, you may decide later that you prefer to listen directly from the Alexa device's internal speaker or via external speakers connected with a cable. Or you may want to pair your Alexa device with some other Bluetooth device. Either way, you need to disconnect your Bluetooth speakers or headphones by following these steps:

1. **In the Alexa app, choose Menu ⇨ Alexa Devices.**

   The Alexa Devices screen appears and displays a list of available Alexa devices.

2. **Tap the device you want to pair with the speakers or headphones.**

   The device's Settings screen appears.

3. **Tap Bluetooth Devices.**

   The Alexa app displays a list of devices that you've paired previously.

4. **Tap the device that you want to disconnect, and then tap Disconnect.**

   The Alexa app disconnects the speakers or headphones. Alexa announces the disconnection over your Alexa device's internal speaker.

REMEMBER

If the Bluetooth Devices list contains devices that you no longer have or use, you should remove those devices to reduce clutter and make the list easier to navigate. Tap a device you want to get rid of, and then tap Forget Device.

of Echo devices

» **Getting started with Alexa**

» **Finding a long list of useful Alexa commands**

Chapter **3**

Learning Alexa Basics

A t this point in your relationship with Alexa, you should have the Alexa app installed on your smartphone or tablet, and the app should be connected to your Amazon account. If you're using an Alexa device, such as one of Amazon's Echo gadgets, that device should be powered up and connected to your Wi-Fi network. If you've checked all those items off your to-do list, then congratulations are in order: You're all set to start using Alexa!

In this chapter, you take the next step by learning some crucial basics not only for Alexa, but also for Amazon's Echo smart speakers. From there, I take you on a test drive of Alexa's most useful and most common voice commands. Clear your throat and get ready to use Alexa!

Getting to Know Your Echo

You can have a great Alexa experience using just the Alexa app, but most folks opt for an Alexa device, because that hands-free convenience is hard to resist. And when it comes to Alexa devices, although lots of them are available, Amazon's various Echo smart speakers (which I described briefly in Chapter 1) are by far the most popular way to invite Alexa into your home. So, before learning the basics of Alexa, it makes sense to first learn the basics of your Echo device.

Taking a closeup look at the far-field microphone

PCs have had either external or built-in microphones for a few decades, and of course smartphones and tablets have had internal microphones from day one. But the characteristic that all these microphones have in common is that they assume the speaker is relatively close — within a few inches or, at most, a foot or two. Move much farther away and those microphones get notoriously unreliable because they have trouble distinguishing your voice from the background noise in your environment.

That sort of second-rate microphone performance just won't do in devices — such as the Echo and its siblings — that not only rely on voice commands to get things done, but assume those commands could be coming from 10, 15, or even 20 feet away. To get accurate and clear voice recordings, your Echo relies on a technology called the *far-field microphone*, which is optimized to distinguish a voice from the ambient room noise even when that voice is far away. Your Echo's far-field microphone uses some fancy-schmancy technology to accomplish this difficult task:

>> **Microphone array:** The Echo's "microphone" is actually an array of seven individual microphones, with six microphones arranged around the perimeter just under the light ring (described in the "Getting feedback from Alexa" section, later in this chapter) and the seventh microphone in the center, as shown by the circles in Figure 3-1. Using an array of microphones in this way means you can talk to your Echo from any direction.

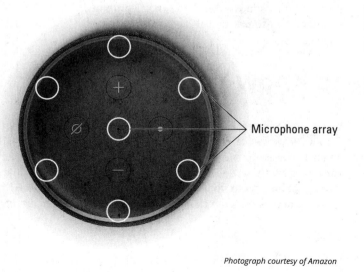

Microphone array

FIGURE 3-1:
Your Echo uses an array of seven microphones to hear what you're saying.

Photograph courtesy of Amazon

- **Noise reduction:** Detects unwanted audio signals — known in the audio trade as *noise* — and reduces or eliminates them.

- **Acoustic echo cancellation:** Detects sounds coming from a nearby loud-speaker (such sounds are known as *acoustic echo*) — even if that loudspeaker is the Echo device itself — and reduces or cancels them to ensure accurate voice recordings.

- **Beamforming:** Uses the microphone array to determine the direction your voice is coming from and then uses that directional information to home in on your voice.

- **Barge-in:** The microphone ignores whatever media the Alexa device is currently playing — such as a song or podcast — so that the microphone can more easily detect and recognize a simultaneous voice command (thus enabling that command to "barge in" on the playing media).

- **Speech recognition:** Detects the audio patterns associated with speech and focuses on those patterns instead of any surrounding noises.

Pushing the Echo's buttons

Your Echo is built to be a hands-free device, which is a welcome design choice when you have your hands covered in dough or batter and want to change the music or know the time. However, *hands-free* doesn't mean *hands-off* because your Echo's outer shell is festooned with anywhere from two to four buttons that you can use to control certain aspects of the device.

Figure 3-2 shows the top of an Echo and points out the four buttons.

Here's a summary of the available buttons:

- **Action:** Activates Alexa. That is, pressing the Action button is the same as saying Alexa's wake word.

- **Microphone Off:** Turns the Echo microphone off. When the microphone is off, this button glows red, as does the Echo light ring. Press this button again to turn the microphone back on. On the Echo Spot and Echo Show, this button also toggles the front camera off and on.

- **Volume Up:** Increases the volume (no surprise, there).

- **Volume Down:** You guessed it: decreases the volume.

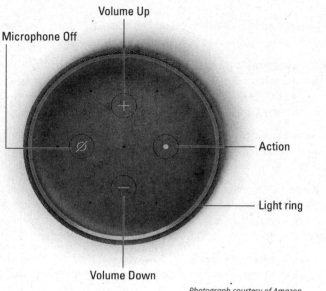

Volume Up

Microphone Off

Action

Light ring

Volume Down

FIGURE 3-2:
The buttons
that dot the top
of the Echo.

Photograph courtesy of Amazon

REMEMBER

Not every Echo device comes with all four buttons. The Echo Spot and Echo Show, for example, don't have the Action button. Also, some older versions of the Echo and Echo Plus don't have volume buttons. On those devices, you can turn the light ring to adjust the volume up (clockwise) or down (counterclockwise).

Getting feedback from Alexa

When you interact with Alexa, the program almost always offers some kind of response, which at least lets you know that Alexa is listening. There are four main response types:

>> **Voice:** You always get a voice-based answer when you ask Alexa a question, but some other Alexa interactions also elicit a voice response (such as a simple "Okay" when you ask Alexa to turn on the lights).

>> **Visual:** On devices that have a screen, you almost always see a visual response to a voice command, such as the time, if you asked Alexa what time it is, or the current volume level, if you asked Alexa to adjust the volume.

>> **Sound:** Some commands rate only a simple tone or similar sound as a response. On an Echo Spot or Echo Show, for example, asking Alexa to turn the volume up or down elicits a tone response (in addition to showing the new volume level on the screen).

>> **Light ring:** The Echo, Echo Plus, and Echo Dot come with a *light ring,* a circular light that runs around the top circumference of the device. (The Echo Spot also has a screen-based light ring.) This is a surprisingly complex feature that offers no less than a *dozen* different messages depending on the colors and their movements:

- **No lights:** Alexa is waiting for your next voice command. How can you tell the difference between this mode and the device being completely turned off? You can't!

- **All blue with a spinning cyan arc:** The Alexa device is starting.

- **All blue with a stationary cyan arc:** Alexa is processing a voice command; the cyan arc is pointing in the direction of the person doing the talking.

- **All blue alternating with all cyan:** Alexa has submitted your voice command for processing to the online Amazon Voice Service and is waiting for the response.

- **All red:** The device microphone is turned off.

- **Pulsing all yellow:** You have a message or a notification waiting for you.

- **Pulsing all green:** You've got an incoming call or a Drop In.

- **Spinning green:** You're on a call or Drop In.

- **Pulsing white arc:** You're adjusting the volume. The more white you see, the louder the volume.

- **Spinning orange arc:** The device is in setup mode.

- **Pulsing all purple:** There was an error trying to connect to your Wi-Fi network.

- **Flash of all purple:** Do Not Disturb mode is activated.

Operating the Echo touchscreen

If you have an Echo Spot or an Echo Show, you get a third way (besides issuing voice commands and pressing the top buttons) to interact with the device: letting your fingers do the walking on the device touchscreen.

You'll get comfy with this screen very quickly if you're already used to a smartphone or tablet touchscreen. If you're new to a touchscreen, the basic idea is that you use a finger to make things happen on the screen. There are two main moves to learn:

>> **Tap:** Use a finger to quickly press and release the screen where desired. This gesture is what you use to initiate just about any action on the device. The tap selects commands, toggles switches on and off, and much more.

>> **Swipe:** Drag a finger across the screen. For example, drag a finger from the top of the screen down to see the main menu, from which you can return to the Home screen (by tapping the house icon) or display the device settings (by tapping the gear icon). As another example, when you have the Home screen displayed, you can swipe right or left to see other content.

Getting to Know Alexa

Alexa is designed to be as simple as possible and to have a very shallow learning curve, especially at the start. That's good news for anyone just beginning with Alexa because it means you have to learn only a few basics. The next few sections walk you through what you need to know.

Getting Alexa's attention

It may seem as though, when it's not in use, Alexa is just sitting there listening to you talk to yourself, but that's not really the case. Instead, it's more accurate to imagine Alexa spending its off time in a light, dreamless slumber where it has no idea what's happening around it. Your job is to interrupt that slumber by gently tapping Alexa to rouse it and get its attention.

There are several ways to get Alexa's attention, but here are the most common:

>> **Say Alexa's wake word.** This is *Alexa,* by default, but you can change the wake word (see Chapter 14).

>> **Press the Action button (refer to Figure 3-2), if your Echo device has one.**

>> **In the Alexa app, tap the Alexa button.**

Keeping Alexa's attention

Most of the time, you interact with Alexa by issuing intermittent voice commands: You ask for the time now, the temperature a minute later, and whether Dustin Hoffman was in *Star Wars* a few minutes after that. However, every now and then you may want to issue a series of commands, one after the other. That's perfectly fine, but it gets a bit old having to say, "Alexa" at the start of each voice command.

Forget that. Instead, you can put Alexa into Follow-Up mode, which enables you to say the wake word once and then issue multiple commands without having to say the wake word again.

WARNING

Follow-Up mode is slick, but I should warn you that it doesn't always work. That is, Alexa won't switch into Follow-Up mode in these situations:

>> You've forced Alexa to stop responding by issuing a command to end the conversation, which I describe in the next section.

>> Your Alexa device is playing media (such as a song or audiobook).

>> Alexa can't be certain that you're speaking to it and not to someone else nearby.

Here are the steps to trudge through to enable Follow-Up mode:

1. **In the Alexa app, choose Devices ⇨ Echo & Alexa.**

   The Echo & Alexa screen appears with a list of your Alexa devices.

2. **Tap the device you want to work with.**

   The Device Settings screen appears.

3. **Tap Follow-Up mode.**

4. **Tap the Follow-Up Mode setting to On, as shown in Figure 3-3.**

   The Alexa app updates the device with the new setting.

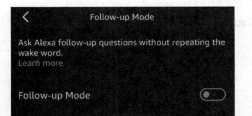

FIGURE 3-3:
Tap the Follow-Up Mode switch to On to enable Follow-Up mode.

WARNING

For some reason, you only see the Follow-Up Mode command if you live in the United States. If you live anywhere else, no Follow-Up mode for you.

Ending the conversation

Alexa, bless its digital, cloud-based heart, can be very helpful, but sometimes it's *too* helpful. That is, you can ask Alexa a question and still be listening to the answer a minute later! If you find that Alexa is going on and on about something, you can end the monologue (Amazon calls this "ending the conversation" — ha!) by interrupting Alexa with any of the following commands:

>> "Alexa, stop."

>> "Alexa, enough."

>> "Alexa, shush."

>> "Alexa, cancel."

>> "Alexa, thank you."

>> "Alexa, sleep."

Enabling Brief mode

Alexa's infamous long-windedness has long been a complaint of users, so Amazon finally did something about it: It created a feature called Brief mode. In Brief mode, Alexa gives shorter answers than usual, and in situations where it usually gives a quick "Okay" or similarly useless response, it now just plays a sound. If that sounds like bliss to you, follow these steps to turn on Brief mode:

1. In the Alexa App, tap Settings.

2. Tap Alexa Account.

3. Tap Alexa Voice Responses.

4. Tap the Brief Mode switch to On, as shown in Figure 3-4.

The app configures Alexa to use Brief mode.

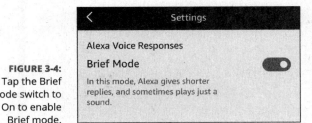

FIGURE 3-4:
Tap the Brief
Mode switch to
On to enable
Brief mode.

Some Useful Alexa Commands

The rest of the book is all about configuring and using Alexa for various situations, including playing music, sending messages, helping out at home, and controlling home-automation devices. I dive deep into each topic, but if you feel like wading in the shallow end for a bit longer, the rest of this chapter is just for you. Here, I take you through a few dozen of Alexa's most common and most useful voice commands. Think of what follows as Alexa 101.

Everyday-info commands

Alexa excels at everyday requests for information related to the weather, news, and traffic. Here are the basic commands (see Chapters 6 and 7 for many more):

>> "Alexa, what time is it?"

>> "Alexa, what time is it in [*city*]?"

>> "Alexa, what is today's date?"

>> "Alexa, when is [*holiday*] this year?"

>> "Alexa, what's the weather like?"

>> "Alexa, what's the temperature?"

>> "Alexa, will it rain today?"

>> "Alexa, what will the weather be like [*day*]?" (For example, "Alexa, what will the weather be like tomorrow?")

>> "Alexa, play my Flash Briefing."

>> "Alexa, what's in the news?"

>> "Alexa, how's the traffic?"

>> "Alexa, what was the score of yesterday's [*team*] game?"

>> "Alexa, when is the next [*team*] game?"

>> "Alexa, what movies are playing?"

>> "Alexa, find me a nearby [*cuisine*] restaurant." (For example, "Alexa, find me a nearby Mexican restaurant.")

Information requests

Give these commands a whirl to get general information from Alexa (see Chapter 7 to learn quite a few more):

>> "Alexa, what's the definition of [*word*]?"

>> "Alexa, how do you spell [*word*]?"

>> "Alexa, what are some synonyms for [*word*]?"

>> "Alexa, convert [*number*] [*units1*] to [*units2*]." (For example, "Alexa, convert 100 miles to kilometers."

>> "Alexa, what is [*number*] [*operator*] [*number*]?" (For example, "Alexa, what is 123 times 456?")

>> Alexa, what is [*number1*] percent of [*number2*]?" (For example, "Alexa, what is 15 percent of 78.53?")

>> "Alexa, what is the population of [*city or region*]?"

Audio commands

Here are the basic voice commands to try out for controlling music, podcasts, and other audio (see Chapter 4 for many more):

>> "Alexa, play [*song or album*]."

>> "Alexa, play [*music genre*]."

>> "Alexa, play [*playlist*]."

>> "Alexa, play the latest [*artist*]."

>> "Alexa, play Sunday morning music."

>> "Alexa, who sings this song?"

>> "Alexa, shuffle mode [*on or off*]."

>> "Alexa, pause."

>> "Alexa, next."

>> "Alexa, previous."

>> "Alexa, louder."

>> "Alexa, softer."

>> "Alexa, set volume to [*number from 1 through 10*]."

>> "Alexa, turn this off in [*number*] minutes."

>> "Alexa, play [*audiobook title*]."

>> "Alexa, read [*Kindle book title*]."

Video commands

Here are a few useful commands related to watching TV shows and movies (see Chapter 4 for more):

>> "Alexa, what is the IMDb rating for [*TV show or movie title*]?"

>> "Alexa, tell me about the movie [*movie title*]."

>> "Alexa, who stars in [*TV show or movie title*]?"

>> "Alexa, what is [*actor*]'s latest movie?"

>> "Alexa, how many Oscars has [*actor*] won?"

Alarm and timer commands

Here are the basic commands to use to set and work with alarms and timers (as I describe in Chapter 6):

>> "Alexa, set alarm for [*time*]."

>> "Alexa, wake me up every day at [*time*]."

>> "Alexa, wake me up at [*time*] to [*music or radio station*]."

>> "Alexa, snooze for [*number*] minutes."

>> "Alexa, set a timer for [*number*] minutes."

>> "Alexa, set a [*name*] timer for [*number*] minutes." (For example, "Alexa, set a bread timer for 40 minutes.")

>> "Alexa, how long is left on the timer?"

>> "Alexa, how long is left on the [*name*] timer?"

>> "Alexa, stop the timer."

Calendar, reminder, and list commands

Here are a few basic Alexa commands for controlling your calendar, creating reminders, and managing lists (see Chapter 6 for tons more):

>> "Alexa, what's on my calendar?"

>> "Alexa, what's on my calendar on [*date*]?"

>> "Alexa, add an event to my calendar."

>> "Alexa, create a new appointment."

>> "Alexa, add budget meeting to my calendar on [*day*] at [*time*]."

>> "Alexa, what am I doing tomorrow?"

>> "Alexa, how many days until [*date*]?"

>> "Alexa, how many days until [*holiday*]?"

>> "Alexa, what time does the sun rise on [*date*]?"

>> "Alexa, what time does the sun set on [*date*]?"

>> "Alexa, remind me to [*task*] in [*number*] minutes."

>> "Alexa, add [*task*] to my to-do list."

>> "Alexa, what's on my to-do list?"

Communication commands

Here are the basic commands for placing calls and sending text messages (I supply lots more in Chapter 5):

>> "Alexa, call [*name*]."

>> "Alexa, call [*phone number*]."

>> "Alexa, answer the call."

>> "Alexa, hang up."

» "Alexa, drop in on the [*room or location*]."

» "Alexa, play messages."

» "Alexa, message [*name*]."

» "Alexa, announce that [*message*]."

Shopping commands

Here are a few commands to place and track Amazon orders (see Chapter 6):

» "Alexa, add [*item*] to my shopping list."

» "Alexa, buy more [*item*]."

» "Alexa, order [*item*]."

» "Alexa, what's on my shopping list?"

» "Alexa, where's my stuff?"

» "Alexa, what are your deals?"

Smart-home commands

Here are some commands you can use to control various home-automation gadgets (see Chapters 10 and 11 for many more):

» "Alexa, [*device name*] on."

» "Alexa, [*device name*] off."

» "Alexa, dim [*device name*] to [*number*] percent."

» "Alexa, set [*device name*] to blue."

» "Alexa, show [*camera name*]."

» "Alexa, set [*device name*] temperature to [*number*] degrees."

» "Alexa, lock [*device name*]."

2
Having Fun with Alexa

IN THIS PART . . .

Make the most of Alexa's media skills by learning how to listen to music and podcasts, hear audiobooks, play radio stations, and watch videos.

Turn Alexa into a hands-free communications system by learning how to exchange texts, place voice and video calls, and talk directly with other Alexa users in your home.

Make your home life easier and more efficient by using Alexa for shopping, creating lists, getting the latest news and weather, managing your calendar, and setting reminders and alarms.

» **Listening to radio stations and podcasts**

» **Playing audiobooks and Kindle books**

» **Streaming mobile-device audio through your Alexa device**

» **Watching video on a screen-based Alexa device**

Chapter **4**

Playing Media

M ost Alexa-enabled devices are smart speakers. The "speaker" part of that moniker means the main job of those devices is to output sound. Sure, much of the time that "sound" is Alexa answering a question (as I talk about in Chapter 7), but more often than not, what Alexa users really want coming out of their speakers is media. What do I mean by "media"? Mostly music, but also podcasts, audiobooks, and even Kindle books, if you're into that. Where does the "smart" part of the smart speaker come into play (so to speak)? It means you can request a song, artist, album, playlist, or genre with just a voice command. And that's only the music side of things. Your favorite podcasts and other audio are also just a voice request away. And if you have an Alexa device with a screen, you can also request video content, such as TV shows and movies.

In this chapter, you explore Alexa's multifaceted multimedia prowess. You learn how to tell Alexa which music service you use, how to request and control music, how to tune into a radio station, how to order up a podcast or audiobook, how to watch videos, and much more.

Listening to Music on Alexa

If you're cooking, eating a meal with your family, or in the middle of a rousing game of Twister, and you get an urge to hear a particular song or artist, the last thing you want to do is interrupt what you're doing to wrestle with a music app or root around through your music collection to find what you want. Fortunately, with Alexa in the house, those days are long gone because now you can issue a voice command to order up whatever music you feel like hearing, all without moving an inch from where you are. Playing music is one of most popular Alexa skills, and the next few sections tell you all you need to know.

Playing music through Alexa

The first thing you have to decide is how you want to play your music through Alexa. You have two choices:

>> **Use a music service provider.** This is a third-party service that supplies you with music, sometimes for a fee. Examples include Amazon Music and Spotify. If this is the route you want to take, see "Linking to a music provider," next.

>> **Use your mobile device music.** If your music is stored on a smartphone or tablet, you can stream that music through your Alexa device using a Bluetooth connection. To give this a whirl, see "Streaming Mobile Device Audio through Alexa," later in this chapter.

Linking to a music provider

Alexa doesn't have access to music on its own. Instead, you need to connect Alexa to whatever music provider service you use. The services supported by Alexa depend on where you live, but common providers include Amazon Music, Spotify, and TuneIn.

REMEMBER

Some music providers require you to have a special type of account or subscription before they'll let you connect to Alexa. For example, you can only connect Spotify to Alexa if you have a Spotify Premium subscription.

Before Alexa can use a music provider, you need to give Alexa permission to access your account on that provider. This is called *linking* your account, and you need to link each music provider you want to access through Alexa. (The exception here is Amazon Music, which is automatically linked to Alexa when you log in to Amazon using the Alexa app.) Follow these steps to link a music provider to Alexa:

1. **In the Alexa app, choose Menu ⇨ Settings.**

    The Settings menu appears.

2. **Tap Music.**

    The Alexa app displays the Music Services screen, which looks similar to Figure 4-1. If the service you want to use requires permission to allow Alexa to access your account, you see a link to the right of the service. In Figure 4-1, for example, you see "Link account on Spotify.com" next to the Spotify service.

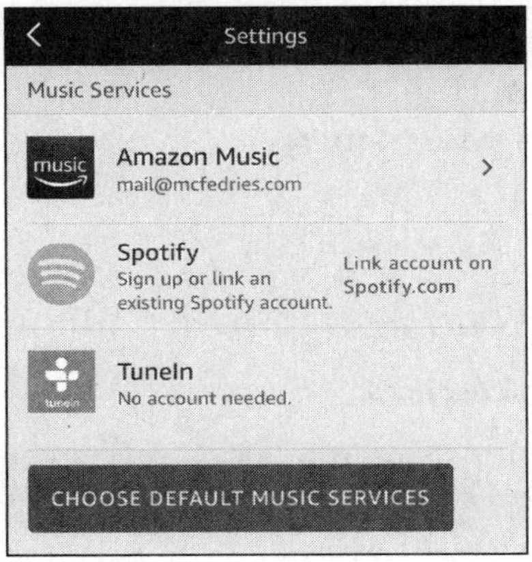

FIGURE 4-1: An example of the Alexa app's Music Services screen.

3. **Tap the link to the right of the service, and then follow the instructions that appear.**

    In most cases, you need to log in to your music service and then tap the link or button that authorizes Alexa to access your account.

4. **When the link is complete, tap Close (X) in the upper-right corner of the app.**

    The Alexa app displays a notification to let you know that you can use Settings to change the default music provider.

5. **If you want to change the default provider, tap the notification's Go to Settings link and then follow the instructions in the next section.**

Setting up a default music provider

When you connect the Alexa app to your Amazon account, you get automatic access to Amazon Music, which Alexa sets up as your default music provider. Here, "default" means that when you ask Alexa to play, for example, a song or an artist, Alexa retrieves that music from the default service.

Note, too, that just because you set up one music service as the default, it doesn't mean that you can't ever use some other service. For example, if you're using Amazon Music as the default provider, but you also have your Spotify account linked to Alexa, you can still play something from Spotify by including the service name as part of your voice command. For example:

"Alexa, play Camera Obscura from Spotify."

If you're cool with using Amazon Music as your default provider, there's nothing to see here, so feel free to move on to the next section. If, instead, you want to use a different provider as the default, you need to follow these steps to set up that provider as Alexa's default music service:

1. **In the Alexa app, choose Menu ⇨ Settings.**

    The Settings menu appears.

2. **Tap Music.**

    The Alexa app displays the Music Services screen.

3. **Tap Choose Default Music Services.**

    The Alexa app prompts you to choose a default music library and radio station service, as shown in Figure 4-2.

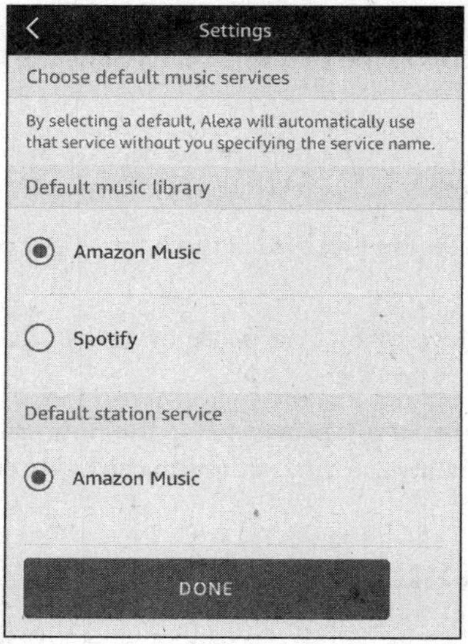

FIGURE 4-2: Use the Choose Default Music Services screen to set your music defaults.

4. **Select a music service under the Default Music Library section.**

5. **Select a music service under the Default Station Service section.**

6. **Tap Done.**

The Alexa app updates your music settings.

Voice commands for controlling music

Okay, now it's time to get down, get funky, or get wherever you end up when you listen to your favorite music. Alexa has an extremely long list of voice commands for playing and controlling music, and the next few sections take you through them all.

Some notes to bear in mind as you work through these commands:

>> **Not all these commands will work on all music services.** Almost all of them work as advertised on Amazon Music, but your results will vary if you try them with another provider (such as Spotify).

>> **Except where noted, all these commands work on the default music service.** To run a command on another service that you've linked to Alexa, follow the command with "on [*service*]," where *service* is the name of the music provider (for example, "on Spotify").

>> **You can replace the word *song* with *track* or *tune*.**

>> **You can replace the word *music* with *songs*.**

Playing music by song, album, or artist

Here are some commands to order up music by song title, album title, or artist name:

>> "Alexa, play the song [*title*]."

>> "Alexa, play the song [*title*] by [*artist*]."

>> "Alexa, play the album [*title*]."

>> "Alexa, play music by [*artist*]."

>> "Alexa, play popular songs by [*artist*]."

>> "Alexa, play the latest [*artist*] album."

>> "Alexa, play that song that goes [*lyrics*]." (For example, "Alexa, play that song that goes 'Who let the dogs out.'")

>> "Alexa, play the song I just bought."

Playing music by genre

To get Alexa to play songs from a particular music genre, use the following command:

"Alexa, play [*genre*] music."

For *genre*, there are dozens of possibilities, but here are the most popular:

Acoustic	Electronic	Metal
Alternative	Folk	New age
Blues	Gospel	Opera
Broadway	Hard rock	Pop
Children's	Hip hop	R&B
Christian	Holiday	Rap
Classic rock	Indie	Rock
Classical	International	Soundtracks
Country	Jazz	Vocal
Dance	Latin	World
Easy listening	Meditation	

Playing music by mood and/or activity

One of Amazon Music's most interesting features lets you request music to suit a mood (such as mellow or upbeat) and/or an activity (such as relaxing or running). Although no definitive list exists, Amazon claims that it supports more than 500 moods and activities. Here are some commands you can use:

>> "Alexa, play [*mood*] music."

>> "Alexa, play [*activity*] music."

>> "Alexa, play music for [*activity*]."

>> "Alexa, play [*mood*] [*activity*] music."

For the mood, you can try just about any mental state, including angry, chill, energetic, feeling good, happy, joyful, laid back, mellow, relaxed, romantic, sad, or upbeat.

For the activity, try describing just about anything you're currently doing, including cleaning, cooking, eating dinner, going to sleep, meditating, partying, reading, relaxing, running, studying, waking up, working, or working out.

REMEMBER

This feature generally works only on Amazon Music. Also, not every mood, activity, or mood/activity combo works. Alexa tries to match your request with an existing playlist that's been created by Amazon, and if no such playlist exists — for example, if you ask for "energetic going-to-sleep music" — then Alexa will tell you it can't find any music to satisfy your request.

Playing and controlling playlists

Alexa offers a few commands for creating, populating, and playing custom collections of songs, otherwise known as *playlists:*

» "Alexa, create a playlist named [*title*]."

» "Alexa, add this song to a new playlist named [*title*]."

» "Alexa, add this song to the playlist named [*title*]."

» "Alexa, play my playlist named [*title*]."

» "Alexa, shuffle my playlist named [*title*]."

Getting information about music

If you want to know information about a song, album, or artist, Alexa can help. Here are a few commands to try:

» "Alexa, who sings this song?"

» "Alexa, who sings the song [*title*]?"

» "Alexa, who is in the band [*artist*]?"

» "Alexa, what year did [*artist*] release [*song or album*]?"

Discovering new music

If you're in the mood for something new, here are a few commands you can use to listen to music that's new or outside of what you normally play:

» "Alexa, play new music."

» "Alexa, play new music by [*artist*]."

» "Alexa, play new [*genre*] music."

- » "Alexa, play the song of the day."
- » "Alexa, play [*artist*] station."
- » "Alexa, play some music."
- » "Alexa, play more songs like this."
- » "Alexa, play songs similar to this."
- » "Alexa, play songs similar to [*title*]."
- » "Alexa, play songs similar to [*artist*]."
- » "Alexa, play some other music I like."
- » "Alexa, play songs I haven't heard."
- » "Alexa, play [*artist*] songs I haven't heard."

Rating music

Alexa can make better recommendations if you tell it which songs you like and which ones you dislike. Here are some commands that'll help:

- » "Alexa, thumbs up."
- » "Alexa, I like this song."
- » "Alexa, thumbs down."
- » "Alexa, I don't like this song."

Playing popular music

If you want to hear the most popular songs, here are some commands that will get you there:

- » "Alexa, play the top songs."
- » "Alexa, play the top [*genre*] songs."
- » "Alexa, play the top songs from the [*decade*]."
- » "Alexa, play the top songs in [*country*]."

Controlling the volume

To get the music volume just right, here are some commands you can use:

» "Alexa, volume up."

» "Alexa, increase the volume."

» "Alexa, raise the volume."

» "Alexa, louder."

» "Alexa, volume down."

» "Alexa, decrease the volume."

» "Alexa, lower the volume."

» "Alexa, softer."

» "Alexa, set the volume to [*number from 1 through 10*]."

» "Alexa, volume [*number from 1 through 10*]."

» "Alexa, mute."

» "Alexa, unmute."

Controlling playback

While Alexa is playing music, you can use the following commands to control the playback:

» "Alexa, stop."

» "Alexa, pause."

» "Alexa, play."

» "Alexa, resume."

» "Alexa, next."

» "Alexa, previous."

» "Alexa, turn shuffle on."

» "Alexa, turn shuffle off."

» "Alexa, turn repeat on."

» "Alexa, turn repeat off."

» "Alexa, skip back [*number*] seconds."

» "Alexa, skip forward [*number*] seconds."

» "Alexa, restart song."

>> "Alexa, restart album."

>> "Alexa, restart playlist."

Accessing Alexa via the Amazon Music app

If you get your jams through Amazon Music, not only can you access your music via any Alexa device, but you can also access Alexa via the Amazon Music app, which is available for iOS and Android. This means you can use all the voice commands from the previous section to control the Amazon Music app. Here are the steps to follow to get started:

1. **Install and then start the Amazon Music app.**

   The app asks you to sign in to your Amazon account.

2. **Type your Amazon email address (or mobile phone number, if you have a mobile Amazon account), type your Amazon password, and then tap Sign In.**

3. **If you have two-step authentication turned on, enter the code you were sent and then tap Sign In.**

4. **Tap the Alexa icon in the bottom toolbar.**

   The first time you access Alexa, the app asks your permission to use your mobile device's microphone.

5. **Tap Allow Microphone Access.**

6. **Tap OK (iOS) or Allow (Android).**

   The Amazon Music app is now ready to accept voice commands. Either say, "Alexa," or tap the Alexa icon, and then say your command.

If you want, you can play Amazon Music content through your Alexa device. Here are the steps to follow:

1. **Tap the Menu icon (the three vertical dots) in the upper-right corner of the Amazon Music app.**

2. **Tap Connect to a Device.**

   The Amazon Music app displays a list of available devices, which includes any Alexa devices on your network, as shown in Figure 4-3.

FIGURE 4-3:
Use the Select a
Device to Play
Music screen to
play Amazon
Music through an
Alexa device.

3. **Tap the Alexa device you want to use for playback.**

Your Amazon Music content now plays through your Alexa device.

WARNING

The downside to playing your Amazon Music selections through an Alexa device is that you forgo the ability to use Alexa in the Amazon Music app. To get Alexa back on the job in the Amazon Music app, you must disconnect from the Alexa device. To do that, choose Menu ⇨ Connect to a Device, and then tap the Disconnect button next to your Alexa device.

Playing third-party music through Alexa

If you have a third-party music provider linked to Alexa, you normally ask Alexa to play music from that provider either by specifying the provider name in the voice command (for example, "Alexa, play the Chill playlist on Spotify") or by setting up that provider as the default, as I describe earlier (see "Setting up a default music provider").

However, there's a third method available: You can use the music provider's app to select your Alexa device as the playback device. For example, in the Spotify app, if you choose Settings ⇨ Devices ⇨ Devices Menu, you see the Connect to a Device screen, which offers a list of available devices that you can use for playback. This list will look similar to the one shown in Figure 4-4, which you can see contains a couple of Echo devices and a Sonos speaker. Tap the Alexa device you want to use and then any music you crank up in the app will play through your Alexa device.

FIGURE 4-4:
The Spotify app's
Connect to a
Device screen,
which in this
example contains
several devices
that can be used
for playback.

Adjusting music quality

Amazon Echo devices come with a feature sure to warm the cockles of audio-geeks' hearts everywhere: an equalizer. If you're not an audio aficionado, an *equalizer* is a device for adjusting the sound quality by controlling different sound components. Real-world equalizers bristle with obscure settings, but Echo devices mercifully support only three:

>> **Bass:** This component controls the lowest tones in the music.

>> **Treble:** This component controls the highest tones in the music.

>> **Midrange:** This component controls all tones in the music that lie between the bass and treble tones.

You can use Alexa to control each of these settings as follows:

>> "Alexa, increase the bass."

>> "Alexa, increase the midrange."

>> "Alexa, increase the treble."

>> "Alexa, decrease the bass."

>> "Alexa, decrease the midrange."

>> "Alexa, decrease the treble."

>> "Alexa, set the bass to maximum."

>> "Alexa, set the midrange to maximum."

>> "Alexa, set the treble to maximum."

>> "Alexa, set the bass to minimum."

>> "Alexa, set the midrange to minimum."

>> "Alexa, set the treble to minimum."

>> "Alexa, set the bass/midrange/treble to [*number from –6 through 6*]."

>> "Alexa, reset the equalizer."

TIP

If you happen to have the Alexa app open, you can also use it to make equalizer adjustments. Choose Devices ⇨ Echo & Alexa, tap the Echo device you want to adjust, and then choose Sounds ⇨ Equalizer. Use the Bass, Mid, and Treble sliders to adjust the settings as needed.

TIP

If you have an Echo Show or Echo Spot, you can mess up, er, sorry, I mean mess *around with* the sound quality by opening Settings and then choosing Sounds ⇨ Equalizer. Use the Bass, Mid, and Treble sliders to adjust the settings to taste.

Listening to Other Audio Sources on Alexa

One of the features that puts the "smart" in *smart speaker* is the device's capability of playing more than just music. You can also tune in to radio stations, listen to podcasts, hear audiobooks, and even have a Kindle book read to you. Now *that's* smart! The next few sections provide the details on these audio extras.

Tuning in to a radio station

Listening to individual songs, albums, artists, and playlists is great fun, but sometimes you may want someone else to do all the work. To that end, Amazon Music has a huge number of *stations* that play music from a particular genre or era. However, you may prefer to keep it old school and listen to an honest-to-goodness radio station with DJs, traffic reports, news breaks, and all the other bric-a-brac associated with live radio.

Easy money! Alexa comes with built-in support for TuneIn, which is a streaming service that offers access to live audio over the Internet. You can pay TuneIn a fee to access live sports and music events, but for our purposes you can also use TuneIn free to access hundreds of radio stations, from your local morning zoo to stations all over the world. You can get Alexa to play a radio station either by using a voice command or by using the Alexa app.

Ordering up a radio station with a voice command

To get Alexa to play a radio station hands-free, use either of the following voice commands:

>> "Alexa, play the station [*frequency*] on TuneIn."

>> "Alexa, play the station [*call letters*] on TuneIn."

>> "Alexa, play the station [*name*] on TuneIn."

Some notes:

>> For a local station, replace *frequency* with the station frequency, such as 96.3 or 102.1.

>> For all stations, replace *call letters* with the three- or four-letter designation that's unique to the station you want, such as WNED or CBC. If Alexa doesn't find the station, you might need to add AM or FM to that.

>> For all stations, replace *name* with the station's name or nickname, such as Minnesota Public Radio or The Wolf.

>> In most cases, you probably don't need to add the "on TuneIn" part. However, if you find that Alexa is playing an Amazon Music station instead of the radio station you want, you'll need to add "on TuneIn" to your request.

Selecting a radio station with the Alexa app

Using voice commands to dial up a radio station is fast and easy *provided* you know which station you want — that is, you need to know the station's frequency, call letters, or name. If you don't have that information, or if you just want to try a radio station that specializes in a particular genre or that's based in some other part of the world, are you out of luck?

Nope, not even close. The Alexa app comes to your rescue here by offering a simple interface to the TuneIn service that enables you to select the station you want. You have access to your local stations (based on your location), or you can select a station by genre (such as music or talk), by location, or by language.

REMEMBER

TuneIn isn't the only Alexa radio station game in town. There are lots of other third-party skills — both streaming services similar to TuneIn and skills created by individual radio stations — you can add to Alexa to take your radio listening up a notch or three. Turn to Chapter 8 to learn more.

Follow these steps to select a radio station using the Alexa app:

1. **In the Alexa app, choose Menu ➪ Music & Books.**

   The Music & Books screen appears.

2. **Tap Browse Music.**

3. **Under Music, tap TuneIn.**

   The Alexa app displays the TuneIn browse screen, as shown in Figure 4-5.

4. **At the top of the screen, tap the menu and then tap the Alexa device you want to use to listen to the radio station.**

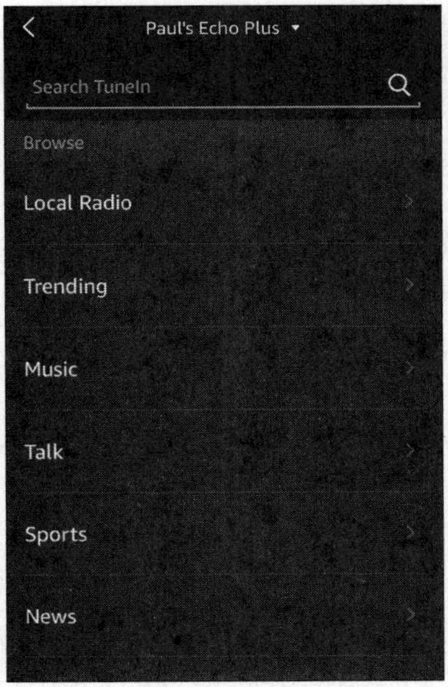

FIGURE 4-5:
The entrance to radio heaven: the TuneIn browse screen.

5. **Under the Browse heading, tap the category you want to browse, tap the subcategory, and so on until you get the station list you want.**

For example, to see a list of radio stations in New York (see Figure 4-6), you'd choose By Location ➪ North America ➪ United States ➪ New York ➪ New York City.

TIP

If you know something of the radio station you want — say, part of the name — an often faster way to locate the station is to use the search box that appears at the top of each TuneIn screen.

Now Playing

FIGURE 4-6:
It takes a few taps, but look: Here's a list of radio stations in New York.

6. **Tap the radio station you want to hear.**

Alexa plays the station through the device you chose in Step 3. Note that the Alexa app also displays the Now Playing strip near the bottom of the screen (refer to Figure 4-6).

Listening to a podcast

Straight out of the box, Alexa is podcast-friendly, but not what you'd call podcast-savvy. That's because Alexa uses TuneIn as its default source for podcasts, and while TuneIn offers a large collection of podcasts, the interaction feels like something of an afterthought. Why? Because you get only two ways to work with podcasts:

>> **Voice command:** Say, "Alexa, play the podcast [*name*]," where *name* is the podcast title. Alexa plays the most recent episode of the podcast.

>> **Alexa app:** Choose Menu ⇨ Settings ⇨ Music & Books ⇨ TuneIn ⇨ Podcasts. Tap a podcast category, tap the podcast you want, and then tap the episode you want to hear.

That's it. You can't choose an episode via voice command, nor can you subscribe to a podcast using either voice or the Alexa app.

TIP

If you're a podcast junkie, you'll likely be disappointed in Alexa's default podcast service. Fortunately, there's a fantastic Alexa skill called AnyPod that enables you to subscribe to podcasts, as well as play and control any episode. Turn to Chapter 8 to learn more.

Hearing an audiobook

Music nourishes the soul, but if it's food for thought you're craving, books are what you need to consume. Most book lovers prefer the tangible quality of a print book, but there are lots of situations where a hardcover or paperback isn't the right choice (for example, when you're cooking a meal, when you're exercising, or when you're standing up and holding on for dear life on a subway or train). Also, a print book isn't "shareable" in the sense that two (or more) people can't read the same copy at the same time.

If you crave a book, but a print book isn't right, the next best thing is an audiobook. Fortunately, Alexa's default audiobook service is Audible, a company owned and operated by Amazon. That means you can purchase Audible titles through Amazon, or you can sign in to Audible (www.audible.com) using your Amazon credentials and then make your purchase.

After you've purchased one or more audiobooks, they're added to your Audible library, and you can access that library via Alexa by using any of the following voice commands:

>> "Alexa, play [*title*] on Audible."

>> "Alexa, read [*title*]."

>> "Alexa, play the book [*title*]."

>> "Alexa, play the audiobook [*title*]."

If you have an Alexa device with a screen, you can use the following voice command to see a list of the books in your Audible library:

"Alexa, show me my audiobooks."

Swipe left or right to find the audiobook you want to hear; then tap the audiobook to begin the playback.

You can also use the following voice commands to control the playback:

>> "Alexa, pause."

>> "Alexa, resume" (if the book is now playing).

>> "Alexa, resume my book" (if some other media is now playing).

>> "Alexa, go back" (rewinds 30 seconds).

>> "Alexa, go forward" (fast-forwards 30 seconds).

>> "Alexa, restart" (restarts the current chapter).

>> "Alexa, next chapter."

>> "Alexa, previous chapter."

>> "Alexa, go to Chapter [*number*]."

You can also start up an audiobook using the Alexa app. Here are the steps to follow:

1. **In the Alexa app, choose Menu ⇨ Music & Books.**

   The Music & Books screen appears. In the Audible Library section, the Alexa app display a list of the audiobooks in your Audible library.

2. **Tap the audiobook you want to hear.**

   The Alexa app prompts you to select a playback device.

3. **Tap the Alexa device on which you want to hear the audiobook.**

   Alexa streams the audiobook through the device you chose in Step 3. The Alexa app displays the audiobook in the Now Playing area (refer to Figure 4-6).

TIP

You can use the Now Playing area to jump to another chapter. Tap the Now Playing area, tap the chapter list icon in the bottom-left corner of the screen, and then tap the chapter you want to hear.

Having a Kindle book read out loud

Not only is hearing an audiobook (as I describe in the previous section) educational or entertaining (or both), but there's also something soothing about having a good story read out loud to you. That pleasant experience is usually the case with audiobooks because they almost always hire professional voice actors as narrators. On those rare occasions when a nonprofessional (usually the author) does the reading, the results can range from not too bad to really, *really* bad.

Alas, the latter is the case when it comes to having Alexa read aloud the text of a Kindle book. There are no professional voice actors in sight; instead, you just get Alexa's synthesized voice reading the text. The result is a halting monotone, with the words sometimes garbled or difficult to understand. It's not pleasant in the least.

However, it's better than nothing if you don't have a choice so, assuming you've used your Amazon account to purchase or borrow a Kindle book or two, use any of following voice commands to get Alexa to read a Kindle book out loud:

>> "Alexa, play [*title*] on Kindle."

>> "Alexa, read [*title*]."

>> "Alexa, read the book [*title*]."

>> "Alexa, read the Kindle book [*title*]."

If you have an Alexa device with a screen, you can use the following voice command to see a list of the books in your Kindle library:

"Alexa, show me my Kindle books."

Swipe left or right to find the book you want read; then tap the ebook to begin the playback.

You can use the following voice commands to control the playback:

>> "Alexa, pause."

>> "Alexa, resume."

>> "Alexa, go back" (rewinds 30 seconds).

>> "Alexa, go forward" (fast-forwards 30 seconds).

>> "Alexa, next chapter."

>> "Alexa, previous chapter."

You can also crank up a Kindle book reading using the Alexa app. Here are the steps to follow:

1. **In the Alexa app, choose Menu ⇨ Music & Books.**

   The Music & Books screen appears. In the Kindle Library section, the Alexa app display a list of the books in your Kindle library.

2. **Tap the Kindle book you want to hear.**

   The Alexa app prompts you to select a playback device.

3. **Tap the Alexa device on which you want to hear the ebook.**

   Alexa streams the Kindle book through the device you chose in Step 3. The Alexa app displays the Kindle book in the Now Playing area.

TIP

You can use the Now Playing area to select a different chapter. Tap the Now Playing area, tap the chapter list icon in the bottom-left corner of the screen, and then tap the chapter you want to hear.

Streaming Mobile Device Audio through Alexa

If you have music, podcasts, or other audio content on your smartphone or tablet, you may want people nearby to also hear that content or you may want to play that content through some decent speakers. There are many ways to do this, but you may be surprised to learn that one way is to stream your mobile-device audio through your Alexa device.

Yep, that *is* pretty cool and it's all done via Bluetooth, as the following steps show:

1. **In the Alexa app, choose Devices ⇨ Echo & Alexa.**

   The Echo & Alexa screen appears and displays a list of available Alexa devices.

2. **Tap the Alexa device you want to use to stream your mobile-device audio.**

   The Device Settings screen appears.

3. **Tap Bluetooth Devices.**

4. **Tap Pair a New Device.**

   Your Alexa device is now in Pairing mode.

5. **On your mobile device, open the Bluetooth settings.**

   If you have an iOS device, choose Settings ⇨ Bluetooth, and then make sure the Bluetooth switch is On. If you have an Android device, choose Settings ⇨ Connections ⇨ Bluetooth, and then make sure the Bluetooth switch is On.

   After a short wait, you should see your Alexa device in the Available Devices list (with a name similar to Echo-123), as shown in Figure 4-7.

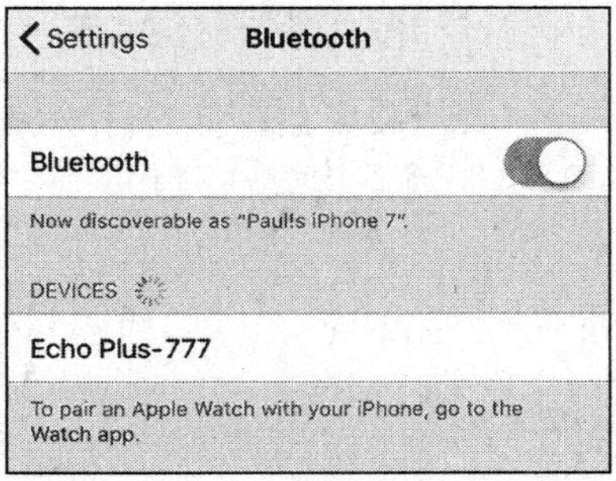

FIGURE 4-7:
Your Alexa device appears in the list of available Bluetooth devices.

> ❮ Settings   **Bluetooth**
>
> Bluetooth   ⬤━
>
> Now discoverable as "Paul's iPhone 7".
>
> DEVICES
>
> Echo Plus-777
>
> To pair an Apple Watch with your iPhone, go to the Watch app.

6. **Tap the device you want to pair.**

   Your mobile devices pairs with your Alexa device.

With the pairing complete, any audio you launch on your mobile device will play through your Alexa device. You're welcome!

TIP

After you've paired your mobile device with Alexa once, future pairings with the same device are as easy as saying, "Alexa, connect my phone."

Watching Video on Alexa

If you have an Echo Show or an Echo Spot, videos are part of your media smorgasbord. Movie trailers? Check. Web videos? Check. Amazon Prime Video TV shows and movies? Check and check. The next few sections provide the details in glorious black and white.

Watching a movie trailer

If you want help deciding whether an upcoming or recently released movie is something you'd like to check out, or if you just get a kick out of previews, you can ask Alexa to play you the trailer for a movie. Use either of the following voice commands:

>> "Alexa, play the trailer for [*movie title*]."

>> "Alexa, show the trailer for [*movie title*]."

Locating and playing web videos

Alexa can search the web for videos related to a subject you specify. (Alternatively, you can leave out the subject to see a list of the videos that are currently the most popular.) Alexa enlists the Bing search engine to scour not only YouTube, but other popular video sites such as Vimeo and Dailymotion. To run a video search, use the following voice command:

>> "Alexa, show me [*subject*] videos."

>> "Alexa, show me videos."

TIP

By default, Alexa searches for web videos with the Safe Search feature turned on, which means it blocks mature content. To turn off Safe Search (my, aren't *you* brave!), swipe down from the top of the Echo screen, choose Settings ➪ Restrict Access ➪ Web Videos, and then tap the Web Video Safe Search switch to Off.

Alexa then displays a carousel for the videos it found. Swipe left to see the next video, or swipe right to go back to the previous video. When you see a video you want to view, tap it to start the playback.

You can use the following voice commands to control the playback:

>> "Alexa, pause."

>> "Alexa, resume."

>> "Alexa, next video."

>> "Alexa, previous video."

>> "Alexa, full-screen."

Watching Amazon's Prime Video

If you're an Amazon Prime member, you have access to thousands of movies and TV shows via Amazon's Prime Video service.

First, you can use any of the following voice commands to search for shows on Prime Video:

>> "Alexa, show me the movie [*movie title*]."

>> "Alexa, show me the TV show [*series title*]."

>> "Alexa, show me new movies."

>> "Alexa, show me new TV shows."

>> "Alexa, show me [*actor*] movies."

>> "Alexa, show me [*genre*] movies."

>> "Alexa, show me [*genre*] TV shows."

>> "Alexa, show me my video library."

>> "Alexa, show me my watchlist."

Alexa displays a carousel with the results from Prime Video. Swipe left or right until you see the TV show or movie you want, and then tap it to start the playback.

You can also use the following voice commands to control the playback:

>> "Alexa, pause."

>> "Alexa, resume."

>> "Alexa, rewind" (rewinds 10 seconds).

>> "Alexa, fast-forward" (fast-forwards 10 seconds).

>> "Alexa, next episode."

>> "Alexa, previous episode."

Taking Photos with Alexa

Your Echo Spot or Echo Show comes with a front-mounted camera. You normally use the camera for video calls, but you can also take a photo that gets stored online in the Photo Booth, which is part of Amazon Photos. All Amazon accounts get 5GB of photo storage, but Amazon Prime members get unlimited photo storage, so you can take as many silly photos as you want.

To take a photo, use either of the following voice commands:

>> "Alexa, take a photo."

>> "Alexa, take a picture."

Alexa gives you a 3-second countdown (say, "Cheese!"). During that countdown, you can swipe left to add a *sticker* to the photo, which is a fun overlay such as a party hat or moustache. When the countdown ends, Alexa snaps the photo and then saves it to the Photo Booth.

To view your photos, use the following voice command:

"Alexa, show my photos."

Alexa displays a slide show of your photos. To pause the show, say, "Alexa, pause." You can then control the photos by saying "Alexa, next," "Alexa, previous," or "Alexa, resume."

» **Using Alexa to send and receive text messages**

» **Making voice and video calls with Alexa**

» **Dropping in on other Alexa devices**

» **Using an Alexa device as a one-way intercom**

Chapter **5**

Communicating with Alexa

When you think about Alexa (you *do* think about Alexa, don't you?), you probably think about standard Alexa tasks such as getting answers to your questions, summoning some mood music, and turning lights on and off. What most folks do *not* think about when Alexa comes to mind is communicating. Yep, sure, you "communicate" with Alexa in a way, but I'm talking here about communicating with other sentient beings: your family, friends, perhaps even a colleague or two.

If you have an eyebrow raised in surprise, I can't say that I blame you. Alexa's communication features are unexpected, but they're quite real. For example, you can send and receive text messages between any two Alexa devices, or between any two mobile devices that have the Alexa app. You can also make and receive phone calls, make and receive video calls, and even use your Alexa device as an intercom.

It's all quite fun and, best of all, it's free (although, as usual, some restrictions apply). This chapter takes you through everything you need to know to turn your Alexa device or app into a communications system.

Managing Your Alexa Contacts List

As I discuss a bit later in this chapter, you can use Alexa to make voice and video calls. You can initiate these tasks by specifying the other person's phone number, but it's almost always easier and faster to specify the other person's name. Alexa is smart, sure, but it's not smart enough to know the name of your best friend or your sister. To give Alexa those smarts, you need to give it access to your contacts. Note, too, that Alexa can only send text messages to other Alexa users, and for that to happen Alexa needs to examine your contacts to see which ones use Alexa.

Giving Alexa access to your contacts

How you give Alexa permission to use your contacts depends on whether you're using the Alexa app on an iOS device or an Android device:

>> **iOS:** Choose Settings ⇨ Amazon Alexa and then tap the Contacts switch to On.

>> **Android:** Choose Settings ⇨ Apps ⇨ Amazon Alexa ⇨ Permissions and then tap the Contacts switch to On.

After you've given the Alexa app permission to access your contacts, you can view those contacts by choosing Menu ⇨ Contacts. As you can see in Figure 5-1, the Alexa app displays the Contacts screen and shows your profile at the top.

FIGURE 5-1:
On the Conversations tab of the Alexa app, tap the Contacts icon to see your contacts.

It's important to note that Alexa divides your contacts into two categories:

>> **Alexa-to-Alexa:** Contacts who, like you, also use Alexa's Calling & Messaging feature, which means you can communicate with one of these contacts by sending a text or making a call from your Alexa device to your friend's Alexa device. The Alexa app identifies Alexa-to-Alexa contacts by adding the Alexa Calling & Messaging icons to the contact's screen, as shown in Figure 5-2.

>> **Non-Alexa:** Contacts who don't use Alexa's Calling & Messaging feature, which means you can communicate with one of these contacts by making a call from your Alexa device to your friend's mobile device. Note that you can't send text messages to non-Alexa contacts.

FIGURE 5-2:
An Alexa-to-Alexa contact has these Alexa Calling & Messaging icons.

Giving a contact a nickname

When Alexa has access to your contacts, you normally specify a text or call recipient by including that person's full name in your voice command. That's fine for people you communicate with only occasionally, but it feels a bit formal and a tad long-winded for folks you're in touch with frequently.

You can make it easier and faster to start a conversation with your regular contacts by giving each one a unique nickname that you can use in your calling and texting voice commands instead of the person's full name. Here are the steps to follow:

1. **In the Alexa app, choose Menu ⇨ Contacts.**

2. **Tap the contact you want to work with.**

3. **Tap the Add Nickname link, which appears just under the contact's full name.**

   The Alexa app opens the Edit Contact screen.

4. Use the Nickname text box to type the nickname you want to use for the contact.

5. Tap Save to preserve your changes.

Editing contacts

In the preceding section, I explain how you can open the Edit Contact screen for a contact and then enter a nickname for that person. What else can you do in that screen? Zero. Zip. Zilch. That is, other than the nickname (which is only used by Alexa), you can't make any changes to the contact at all using the Alexa app. If you need to change a contact's info, you need to use the Contacts app on your mobile device. You should see the updated information in the Alexa app's Contacts list within a few seconds. (If the contact you edited is currently open in the Alexa app, close the contact card and then reopen it to see the changes.)

Blocking a contact

If you have an Alexa-to-Alexa contact that has become tiresome, annoying, or even abusive, you can prevent that pest from contacting your through your Alexa device by blocking him. Here's how it's done:

1. In the Alexa app, choose Menu ⇨ Contacts.

2. Tap the contact you want to block.

3. Scroll to the bottom of the contact's card and tap Block Contact.

   The Alexa app asks you to confirm the block.

4. Tap Block to confirm.

TIP

If you have a lengthy Contacts list, there's a quicker way to block someone. In the Contacts screen, tap Manage Contacts (the three dots that appear in the upper-right corner; see Figure 5-1), and then tap Block Contacts. This displays a list of all your Alexa-to-Alexa contacts, each of which has a Block link to the right of the person's name. Tap the Block link for the person you want to shun, and then tap Block when Alexa asks you to confirm.

Managing your profile and settings

Alexa's Contacts list also includes an entry for you, which Alexa refers to as your *Calling & Messaging profile.* This entry appears at the top of the list, and tapping it enables you to make a couple of useful changes:

>> **Your name:** To change the name associated with your profile, tap Edit, use the Edit Contact screen to change the First Name and Last Name fields as needed, and then tap Save.

>> **Caller ID:** By default, Alexa says or shows your profile phone number as a caller ID when you make a call. If you'd rather not have your phone number spoken or displayed, tap the Show Caller ID switch to Off.

Exchanging Text Messages

If your Contacts list includes people who also use Alexa Calling & Messaging, you're in luck: You can pester those people with Alexa-to-Alexa text messages.

REMEMBER

Note that your text messages are sent through Alexa, not your mobile account, so any messages you ship out are not counted against your mobile account's texting quota.

To do the messaging thing, you can use either voice commands or the Alexa app.

Sending a text using voice commands

Unlike most Alexa interactions, sending a text message to another Alexa user requires several voice commands. It's really the closest you come to having an actual conversation with your virtual personal assistant.

To get started, use any of the following voice commands:

>> "Alexa, send a text message."

>> "Alexa, send a message."

>> "Alexa, send a text."

Alexa responds with, "To whom?"

Now say the contact's name or nickname. Alexa responds with, "Did you mean [*name*]?," where *name* is the contact Alexa thinks you meant. If that's not the person you want, say, "No," and try again; otherwise, say, "Yes."

Now Alexa prompts you with "What's the message?" Go ahead and recite your message. When you're done, Alexa says, "Got it. Should I send it?" Say, "Yes," and your message is on its way.

Sending a text using the Alexa app

Using voice commands to send a text requires quite a long conversation with Alexa, so the hands-free texting route is really only suitable for short messages. For longer messages, or if you want to give your message a bit more thought as you compose it, you can send the text the old-fashioned way: by typing it.

Typing and sending text requires the Alexa app and the following steps:

1. **In the Alexa app, choose Menu ⇨ Contacts.**

2. **Tap the contact you want to message.**

3. **Tap the Message icon.**

   I pointed out this icon earlier in Figure 5-2. If you don't see the Message icon, it means the contact isn't using Alexa Calling & Messaging, so I'm afraid you're out of luck.

   The Alexa app opens a conversation screen for the recipient.

4. **In the Type Your Message text box at the bottom of the screen (see Figure 5-3), tap out your message.**

   If you want to record a message, instead, tap the Record icon (pointed out in Figure 5-3), say your message, and then tap the Stop button.

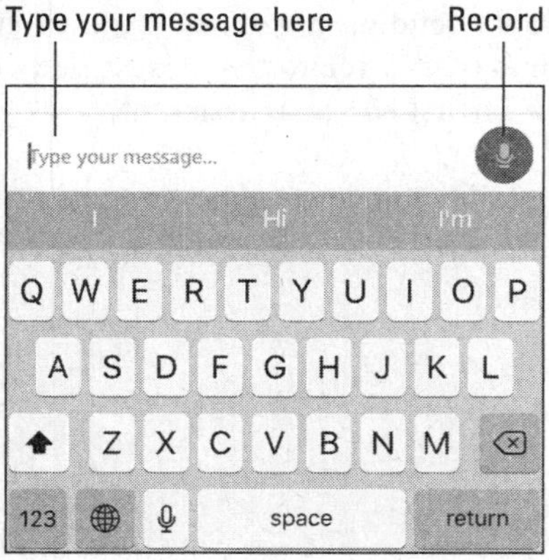

Type your message here   Record

FIGURE 5-3: Use the Type Your Message text box to, well, type your message.

5. **Tap Return to send the message.**

Receiving a text message

When someone sends you a text, Alexa has no shortage ways to let you know:

» You hear a tone on your Alexa device.

» On an Alexa device without a screen, the light ring pulses yellow.

» On an Alexa device with a screen, you see "Message for [*you*] from [*name*]," where *you* is your first name and *name* is the sender's name.

» On the mobile device that has the Alexa app installed, you see a device notification.

To get your message using your Alexa device, say the following voice command:

"Alexa, play my messages."

To see your message using the Alexa app, tap the Communication tab, which shows the most recent messages you're received from each sender you're talking to. To view the entire conversation, tap a message. In the resulting conversation screen, you might see two types of messages:

» Standard-issue text messages for messages sent your way via typing them in the Alexa app

» Voice messages that show both the message text and a Play Message icon (see Figure 5-4) that you can tap to hear the original message

FIGURE 5-4: When you receive a voice message, tap the Play Message icon to hear the original recording.

Making Voice or Video Calls

Alexa devices come with both a speaker and a microphone. What does that remind you of? That's right: a telephone. So, it seems fitting that your Alexa device supports a feature called Alexa Calling, which lets you use Alexa to make phone calls.

For example, with Alexa-to-Alexa Calling, you can use your Alexa device to make phone calls to other Alexa devices. Now here's the surprising part: You can also use your Alexa device to make phone calls to any mobile phone (Alexa-to-Mobile Calling) or landline (Alexa-to-Landline Calling) in the United States, Canada, and Mexico. Sweet!

But wait, it gets even better. If you and the person you're calling have Alexa devices with screens, you can also make video calls between those Alexa devices. Sweet with a cherry on top!

What's that? You don't have an Alexa device? Don't sweat it: You can also make Alexa-to-Alexa, Alexa-to-Mobile, and Alexa-to-Landline calls using the Alexa app.

What's the charge? Exactly nothing. What's the catch? There isn't one, although Alexa Calling does have a few restrictions. Specifically, you can't use Alexa to call the following:

>> Emergency services, such as "911"

>> All other service codes (also called *N11* numbers), such as "311" and "411"

>> Premium-rate numbers, such as toll numbers and "1-900" numbers

>> Dial-by-letter numbers (also called *phonewords*), such as "1-800-FLOWERS" and "1-800-GOT-JUNK"

>> Non–North American numbers (that is, numbers outside of the United States, Canada, and Mexico)

Other than that, you're free to call Aunt Sally in Saskatoon or your cousin Vinny in Vegas. The next few sections take you through the details.

Making voice calls with voice commands

If you have an Alexa device, you can use voice commands to make voice calls. The specific commands to use depend on who (or what) you're calling, so let me take you through the possibilities.

Calling an Alexa device

To place a voice call to another Alexa device, you can use either of the following voice commands:

>> "Alexa, call [*name*]."

>> "Alexa, call [*device*].

Here are some notes about these commands:

>> You can replace the word *call* with *phone, telephone, dial,* or *ring.*

>> For *name,* specify either the person's name or nickname if that person is in your Contacts list and is using Alexa Calling & Messaging.

>> For *device,* specify the name of another Alexa device on your network.

Calling a contact

If the person you want to call is in your Contacts list, you can use any of the following voice commands to call that person's mobile or landline:

>> "Alexa, call [*name*]'s [*label*]."

>> "Alexa, call [*name*] at [*label*]."

>> "Alexa, call [*name*] on his/her [*label*] phone."

Here are a few notes to remember when you use these commands:

>> You can replace the word *call* with *phone, telephone, dial,* or *ring.*

>> For *name,* specify either the person's name or nickname.

>> For *label,* specify the label associated with the phone number you want to call. These are labels you assigned to the numbers using your mobile device's Contacts app. Examples include *mobile, home,* and *work.*

Calling a phone number

If you know the phone number you want to call, you can use the following voice command to have Alexa dial the number for you:

"Alexa, call [*phone number*]."

Replace *phone number* with the numbers you want Alexa to dial, including the area code. Here's an example:

"Alexa, call 3 1 7 5 5 5 1 2 3 4."

If you want, you can replace the word *call* with *phone, telephone, dial,* or *ring.*

Making voice calls using the Alexa app

To make a call using your smartphone or tablet, use the Alexa app to initiate the call. There are several ways you can go about this, and the next three sections tell you about them.

Calling an Alexa device

If the person you want to speak with is in your Contacts list and is using Alexa Calling & Messaging, you can call that person's Alexa device by following these steps:

1. **In the Alexa app, choose Menu ⇨ Contacts.**

2. **Tap the Alexa user you want to call.**

3. **Tap the Voice Call icon.**

   I call out this icon earlier in this chapter (refer to Figure 5-2). If you don't see the Voice Call icon, it means the contact isn't using Alexa Calling & Messaging, so you can't call this person's Alexa device.

   The Alexa app places the call to the contact's Alexa device.

Calling a contact

If the person you want to talk to is in your Contacts list, you can call that person by following these steps:

1. **In the Alexa app, choose Menu ⇨ Contacts.**

2. **Tap the contact you want to call.**

3. **Tap the phone number you want to call.**

   The Alexa app places the call to the contact phone number.

Making calls with voice commands

You can also use the Alexa app to initiate phone calls using voice commands. In the app, tap the Alexa icon and then use any of the following commands, which I discuss in more detail in the "Making voice calls with voice commands" section, earlier in this chapter:

>> "Alexa, call [*name*]."

>> "Alexa, call [*device*]."

>> "Alexa, call [*name*]'s [*label*]."

>> "Alexa, call [*name*] at [*label*]."

>> "Alexa, call [*name*] on his/her [*label*] phone."

>> "Alexa, call [*phone number*]."

Making video calls with voice commands

If both you and the person you want to call have either an Alexa device with a screen and a camera or a mobile device that has both a front camera and the Alexa app installed, you can make video calls where you not only hear each other, but also see each other on the device screens. Here are the voice commands you can use:

>> "Alexa, video call [*name*]."

>> "Alexa, video call [*device*]."

Some notes about these commands:

>> You can replace the word *call* with *phone, telephone, dial,* or *ring.*

>> For *name,* specify either the person's name or nickname if that person is in your Contacts list and is using Alexa Calling & Messaging.

>> For *device,* specify the name of another Alexa device on your network.

If you see a dialog asking whether Amazon Alexa can use the camera on your device, be sure to tap OK (iOS) or Allow (Android).

Making video calls using the Alexa app

If the person you want to see and hear is in your Contacts list and is using Alexa Calling & Messaging, you can video-call that person's Alexa device by following these steps:

1. **In the Alexa app, choose Menu ➪ Contacts.**

2. **Tap the contact you want to video-call.**

3. **Tap the Video Call icon.**

   I call out this icon earlier in this chapter (refer to Figure 5-2). No Video Call icon in sight? Bummer. It means the contact isn't using Alexa Calling & Messaging, so you can't video-call this person's Alexa device.

   The Alexa app places the video call to the contact's Alexa device.

Connecting Alexa to your landline with an Echo Connect

By default, Alexa doesn't use your home landline to make calls, but what if you'd prefer that? For example, you may want the people you call to see your home phone caller ID, you may want to make long-distance calls using your provider's calling plan, you may want to make international calls, or you may want voice access to 911. To do all that *and* get the hands-free handiness of your Alexa device, get an Echo Connect from Amazon. With this device, you split your landline (using an RJ11 splitter) so that one line goes to your landline phone and the other goes to the Echo Connect.

After you've done that, open the Alexa app, choose Devices⇨Add (+)⇨Add Device⇨Amazon Echo⇨Echo Connect, and then follow the instructions to set up your Echo Connect.

With that done, you can make voice calls using the same voice commands or Alexa procedures that I outline earlier in this chapter, and those calls will go out through your landline.

Answering an incoming Alexa-to-Alexa call

If another Alexa user calls you on your Alexa device, you have three ways to answer or ignore the call:

>> **Alexa device without a screen:** When a call comes in, your Alexa device's light ring flashes green, you hear a tone, and Alexa announces "[*name*] would like to talk" (where *name* is the name of the person calling you). Say, "Answer," to answer the call, or say, "Ignore," if you don't want to talk right now.

>> **Alexa device with a screen:** When a call comes in, your Alexa device plays a tone, you see [*name*] on the screen, and Alexa announces "[*name*] would like to talk" (where, in both cases, *name* is the name of the person calling you). To answer the call, either say, "Answer," or tap the green Answer button; if, instead, you don't want to talk, say, "Ignore," or tap the red Ignore button. (The Answer and Ignore buttons you see are the same as the ones pointed out in Figure 5-5.)

>> **Alexa app:** When a call comes in, your smartphone or tablet displays its default "Hey, there's an incoming call!" screen, which includes the caller's name. For example, Figure 5-5 shows the screen that appears on an Android phone. To answer the call on an Android device, tap the green Answer button; to skip the call, tap the red Ignore button; if you're using an iOS device, tap Accept to answer the call or Decline to ignore it.

Alexa Call

Karen Hammond

Ignore   Answer

FIGURE 5-5:
An incoming Alexa call as it appears on an Android phone.

Ending a call

If you're talking to someone on your Alexa device, you can use either of the following voice commands to end the call:

>> "Alexa, hang up."

>> "Alexa, end call."

If you're using the Alexa app, instead, end the call by tapping the red End button that appears on your mobile device screen (see Figure 5-6).

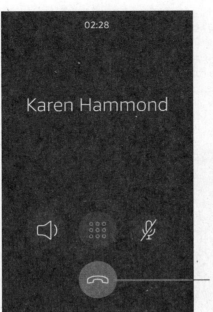

02:28

Karen Hammond

End

Dropping In on Other Alexa Users

If you have multiple Alexa devices in your home, it seems like overkill to "call" someone on another one of those devices. Wouldn't it be easier and faster just to be able to establish a direct voice connection with another Alexa device? Why, yes, it would, and that's no doubt why Alexa offers the Drop In feature. With Drop In, you pick a person on your home network that you want to talk to, and Alexa immediately makes the connection.

Wait, I hear you say, isn't that a bit, well, *intrusive?* Yep, it can be. However, people can only drop in on you if you give them permission, so you have some control. The next few sections explain how Drop In works.

Letting folks drop in on you

Before anyone can drop in on your Alexa device, you have to give that person permission. That makes sense because you may not want just anyone dropping in on you. Here are the steps to follow to allow someone to drop in on your Alexa device:

1. In the Alexa app, choose Menu ⇨ Contacts.

2. Tap the contact you want to allow.

3. **Tap the Allow Drop In switch to On, as shown in Figure 5-7.**

The Alexa app asks you to confirm.

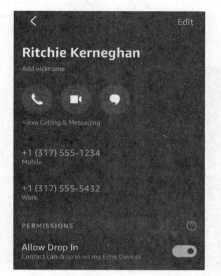

4. **Tap OK.**

The Alexa user can now drop in on you.

Dropping in on someone using voice commands

If an Alexa user has given you permission to drop in, you can make the connection using either of the following voice commands using your Alexa device or the Alexa app:

» "Alexa, drop in on [*name*]."

» "Alexa, drop in on [*device*]."

Here are some notes about these commands:

» For *name,* specify either the person's name or nickname if that person is in your Contacts list and is using Alexa Calling & Messaging.

» For *device,* specify the name of another Alexa device on your network.

Dropping in on someone using the Alexa app

When an Alexa user on your network gives you permission to drop in, that person's contact card in the Alexa app's Contacts list sprouts a new Drop In icon, pointed out in Figure 5-8.

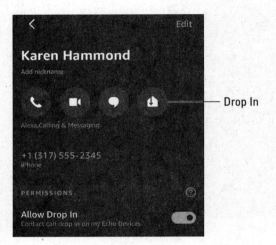

FIGURE 5-8:
You see the Drop In icon if a contact has allowed you to drop in.

To drop in on someone using the Alexa app, follow these steps:

1. **In the Alexa app, choose Menu ⇨ Contacts.**

2. **Tap the contact you want to drop in on.**

3. **Tap the Drop In icon (refer to Figure 5-8).**

   If you don't see the Drop In icon, it means the user hasn't given you Drop In permission or the contact isn't using Alexa Calling & Messaging.

   The Alexa app connects to the contact's Alexa device. If you're both using devices with screens, the Drop In connection uses video as well as audio.

Configuring global Drop In settings for your Alexa device

By default, your Alexa device is configured to allow drop-ins only from people to whom you've given Drop In permission, and that applies to every Alexa device on your home network. You can change that to allow only users on your Amazon account or to disable Drop In entirely. Here's how:

1. **In the Alexa app, choose Devices ⇨ Echo & Alexa.**

   The Alexa app displays a list of Echo and Alexa devices on your Amazon account.

2. **Tap the Alexa device you want to configure.**

   The Alexa device's settings appear.

3. **Tap Communications.**

   The Alexa device's Communications screen appears.

4. **In the Drop In section, shown in Figure 5-9, select a setting:**

   - **On:** This is the default setting, which allows any Alexa device on your home network, regardless of the Amazon account associated with that device, to drop in, but only if you've given the person using that device permission to do so.

   - **My Household:** This setting allows only Alexa devices that are on your Amazon account to drop in, but, again, only if you've given the person using that device permission.

   - **Off:** This setting prevents anyone from dropping in on your Alexa device.

FIGURE 5-9:
Use the settings in the Drop In section to configure global Drop In access to your Alexa device.

TIP

If you only want to disable Drop In temporarily, you can put your Alexa device into Do Not Disturb mode. I show you how that's done in Chapter 6.

Using Your Alexa Device as an Intercom

What do you do when the members of your family are scattered around the house and you want to get their attention (say, to call everyone to dinner)? Shout yourself hoarse, right? Well, maybe not. If you have multiple Alexa devices throughout your house, you can make an *announcement,* which is a special Alexa voice message that gets instantly transmitted to every Alexa device on your network. No shouting required (although feel free to do so, if it feels right).

To turn your Alexa device (or the Alexa app) into a one-way intercom, use either of the following voice commands:

>> "Alexa, announce [*message*]."

>> "Alexa, broadcast [*message*]."

Change *message* to the announcement you want to make, and Alexa dutifully broadcasts a recording of your voice to every Alexa device on your network. Let's eat!

» **Making lists (and, optionally, checking them twice)**

» **Getting the latest weather, traffic, news, and sports**

» **Managing your calendar**

» **Setting reminders, alarms, and timers**

Chapter **6**

Using Alexa at Home

lexa is often described as a "virtual personal assistant," and if you haven't felt the truth of that description yet, you almost certainly will by the time you're done with this chapter. That's because over the next few pages, you explore a wide range of Alexa settings, features, and voice commands that are designed to make your home life easier and more efficient. Do you shop? Do you make up a list before you go shopping? Alexa can help with both chores. Do you like to start your day with updates about the latest news, sports, and traffic? Alexa's on it. Would you like someone who doesn't forget an appointment to manage your calendar? That someone would be Alexa. Do you need to time something or be reminded of something? Just ask Alexa to do these and a bunch of the other tasks that I talk about in this chapter.

A Quick Word about Household Profiles

Before getting to the homey chores, I should mention a couple of Amazon features that, though not related directly to Alexa, can still affect how you and your family use Alexa:

» **Amazon Household:** This feature enables you to share Amazon content (and, for adults, payment methods) with other members of your family. You add family members either by using the Manage Your Household Page (www. amazon.com/myh/manage) or, in selected countries, the Alexa app. For the latter, choose Menu ➪ Settings ➪ Alexa Account ➪ Amazon Household. Either way, you can then add one or more adults, teens, and children to your household. After you've done that, you can switch your Alexa device to another member of the household by saying, "Alexa, switch accounts." (Not sure which household member is using your device? Say, "Alexa, which account is this?" to find out.)

>> **FreeTime:** This feature gives you a Parent Dashboard that you can use to monitor which content your children are accessing, use parental controls to restrict the types of content your kids can access, and set time restrictions on using Alexa. There's a free version and a paid FreeTime Unlimited version that gives you extra controls and content.

Shopping with Alexa

Amazon's main business is retail, so it's no surprise that the company has created an extensive set of Alexa commands related to buying stuff. You can ask Alexa for recommendations, prices, and the latest deals; you can order new items and reorder previous items; and you can track your orders and get delivery notifications. An old ad for the Yellow Pages used the tagline, "Let your fingers do the walking." Now, with Alexa, you can let your *talking* do the walking.

To use voice shopping with Alexa, you need to set up a few things in advance:

>> The Amazon account you use with Alexa must have a valid payment method and shipping address.

>> Your Amazon account must have 1-Click purchasing enabled.

>> You must be a member of Amazon Prime.

Enabling voice purchases

Before you can use voice commands to shop at Amazon, you have to make sure that Alexa's Purchase by Voice setting is turned On. That setting is activated by default, but you should follow these steps to make sure:

1. In the Alexa app, choose Menu ⇨ Settings to open the Settings screen.

2. Choose Alexa Account ⇨ Voice Purchasing.

3. Make sure the Purchase by Voice switch is set to On, as shown in Figure 6-1.

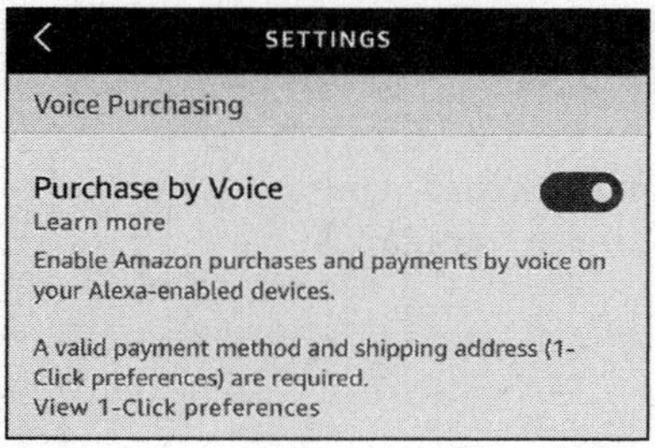

<SETTINGS>

Voice Purchasing

Purchase by Voice
Learn more
Enable Amazon purchases and payments by voice on
your Alexa-enabled devices.

A valid payment method and shipping address (1-
Click preferences) are required.
View 1-Click preferences

FIGURE 6-1:
The Purchase by
Voice switch
needs to be On
to buy stuff with
voice commands.

Getting product recommendations

If you know generally what you're going to buy, but you're not sure exactly what you want, Alexa can help by offering suggestions based on Amazon customer reviews, ratings, and sales. Use any of the following voice commands to get product recommendations from Alexa:

>> "Alexa, find the most popular [*product*]."

>> "Alexa, find the best [*product*]."

>> "Alexa, what is the best-selling [*product*]?"

In each case, replace *product* with the name of the product you want to buy. Alexa responds with a product name and gives you the product's user rating, number of reviews, and price. Alexa then asks, "Would you like to buy it?" Respond with "Yes" to purchase the item.

Placing an order

If you know exactly which item you want to purchase, your heart's desire is but a mere voice command away:

>> "Alexa, buy [*item*]."

>> "Alexa, order [*item*]."

>> "Alexa, purchase [*item*]."

Alexa tells you the item it found and then asks, "Do you want to buy it?" Say, "Yes," to place the order.

WARNING

If you purchase an item by accident, or just get immediate post-purchase regret, don't get your shirt in a knot: You can usually cancel the item if you act fast. See Chapter 14 for details on how to cancel an Amazon order.

Reordering an item

If you've purchased a particular item in the past, you can make ordering that item again a breeze by using these voice commands:

>> "Alexa, reorder [*item*]."

>> "Alexa, order [*item*] again."

Alexa searches through your order history, suggests an item from that history, and then offers the usual "Do you want to buy it?" prompt. Say "Yes" to reorder the item.

Ordering multiple items

If you want to order more than one of a particular item, use one the following voice commands to make it so:

>> "Alexa, buy [*quantity*] of [*item*]."

>> "Alexa, order [*quantity*] of [*item*]."

>> "Alexa, purchase [*quantity*] of [*item*]."

In each case, replace *quantity* with the number you want.

What if you want to order multiple *different* items? Nope, sorry, Alexa doesn't allow that.

Setting up a Voice Code for purchases

By default, when Alexa asks, "Do you want to buy it?," and you say, "Yes," your order is placed right away. That can be dangerous if someone else is using Alexa, so you can prevent accidental (or even mischievous) purchases by required a Voice Code. This is a four-digit code that Alexa requires before it places your order. Follow these steps to set up your Voice Code:

1. **In the Alexa app, choose Menu ⇨ Settings to open the Settings screen.**

2. **Choose Alexa Account ⇨ Voice Purchasing.**

3. **Tap the Voice Code switch to On.**

   The Alexa app prompts you to enter the code.

4. **Tap your four-digit code; then tap Save.**

5. **If you want Alexa to not ask for your Voice Code if you've previously given it, leave the Recognized Voice switch On, as shown in Figure 6-2.**

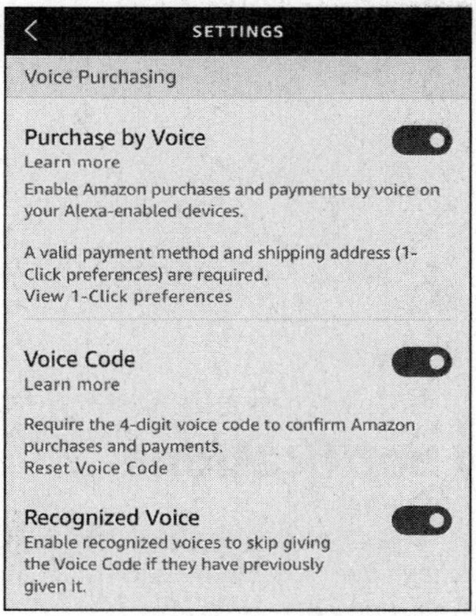

FIGURE 6-2:
Leave the Recognized Voice switch On to avoid having to give the Voice Code every time.

The next time you place an order, after you say, "Yes," to confirm the purchase, Alexa responds with "To order it, tell me your voice code." Say your four-digit code to finalize the order.

Check your delivery status

After you've placed an order, you can ask Alexa to give you the current delivery status by using the following voice command:

"Alexa, where's my stuff?"

Alexa responds by telling you the date the shipment is expected to arrive.

If you have multiple orders in the Amazon pipeline, Alexa's vague references to a "shipment" or "package" in the delivery status response can be maddening. Fortunately, you can work around that by configuring Alexa to include item titles in the delivery status response. Here's how it's done:

1. **In the Alexa app, choose Menu ⇨ Settings to open the Settings screen.**

2. **Choose Notifications ⇨ Shopping Notifications.**

3. **Tap the Within "Where's My Stuff?" Requests switch to On, as shown in Figure 6-3.**

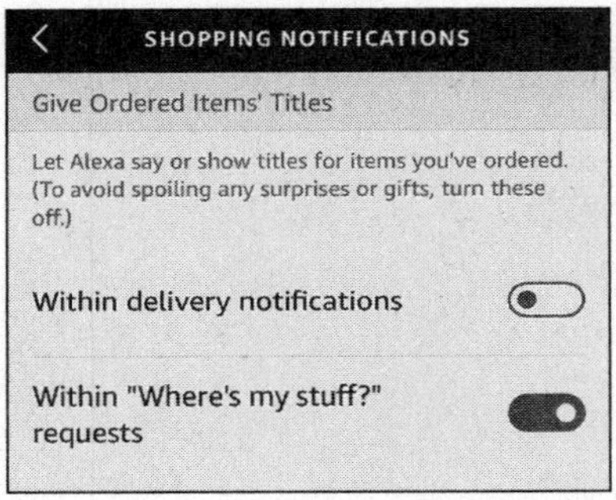

FIGURE 6-3:
Tap the Within "Where's My Stuff?" Requests switch to On to hear item titles.

Getting delivery notifications

Alexa's shopping helpfulness extends to giving you a notification on your Alexa device when your Amazon package has been delivered. Nice. That feature is off by default, however, so follow these steps to turn it on:

1. **In the Alexa app, choose Menu ⇨ Settings to open the Settings screen.**

2. **Choose Notifications ⇨ Shopping Notifications.**

3. **If you want to get a notification when Amazon releases the shipment for delivery, tap the Out for Delivery switch to On.**

4. **To get a notification when the shipment is delivered, tap the Delivered switch to On, as shown in Figure 6-4.**

5. **If you want Alexa to use item titles in the delivery notifications, tap the Within Delivery Notifications switch to On.**

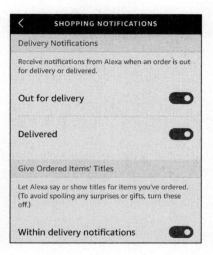

FIGURE 6-4:
Tap the Delivered
switch to On to
get delivery
notifications for
your stuff.

Making a donation

Voice shopping for yourself or your loved ones makes you feel good, but if you've been a bit indulgent of late, perhaps it's time to make a donation to a favorite charity. I should say make a *voice donation*, because, yep, Alexa is down with donations, too. If you live in the United States, you can use any of the following voice commands to do the donation thing:

» "Alexa, make a donation."

» "Alexa, make a donation to [*charity*]."

» "Alexa, donate [*amount*] to [*charity*]."

Here, *amount* is the amount, in dollars, you want to donate, and *charity* is the name of the charity. If you don't specify an amount and/or the charity in your voice command, Alexa will prompt you for the missing info.

To see a complete list of the charities supported by Alexa, go to `https://pay.amazon.com/us/alexadonations`.

Creating Lists

Raise your hand if this has happened to you: Your hands are busy or your arms are full, and you suddenly remember something important you need to do. You know that if you don't make a note about that task right away, you'll just forget about it all over again. But making a note means either interrupting what you're doing or finding a place to put down your stuff, hunting around for pen and paper or pulling out your smartphone, writing the note, and then resuming. Okay, you can lower your hand now.

ALEXA AND THIRD-PARTY LIST APPS

Apps for managing lists are, well, I was going to reach for the "dime a dozen" cliché, but that seems *way* overpriced. Let me just say that there are *lots* of list apps out there. However, a few such apps have risen to the top of the, er, list and are worth checking out. Popular list apps include Any.do (www.any.do), AnyList (www.anylist.com), and Todoist (https://todoist.com). Good list managers are also part of so-called *family organizer* apps such as Cozi (www.cozi.com) and Picniic (https://picniic.com).

So, why am I telling you all this in a book about Alexa? Because I bring tidings of great list joy. If you already use — or want to start using — any of the apps I just mentioned, Alexa is cool with that because each app also provides an Alexa skill (see Chapter 8). When you enable a list app skill and then link your list app account with Alexa, any list requests you make of Alexa are automatically applied to your third-party lists.

To make this happen, first sign up for an account with one of the five list apps I mention earlier. After you've done that, follow these steps to enable the app's skill and link your account to Alexa:

1. **In the Alexa app, choose Menu ⇨ Settings.**

2. **Tap Lists.**

   The Alexa app displays a screen showing the third-party list apps it supports.

3. **Tap the list app you want to link.**

   The list app's skill page appears.

4. **Tap Enable.**

   The Skill Permissions dialog appears. I talk about skill permissions in Chapter 8, but for now all you need to know is that the app is requesting permission to read from and write to your Alexa lists. That's exactly what you want, so leave the two switches in the On position.

5. **Tap Save Permissions.**

   The Alexa app takes you to the list app's login page.

6. **Enter your account credentials for the list app and then log in.**

   The Alexa app links your list app account with Alexa.

Adding items to a to-do list isn't usually that burdensome, but when it is, Alexa can help by offering no-hands-required features that enable you to create and manage lists of things: tasks to do, items to buy, your favorite moments of each day, or whatever.

Creating and managing lists

Alexa helpfully comes with two prefab lists that you can use right away:

>> **Shopping:** A list of items to pick up on your next shopping trip

>> **To-Do:** A list of tasks you need or want to get done

These two lists cover probably 90 percent of list making for most of us, but it isn't hard to come up with, well, a list of other types of lists you may need. Whatever type of list you need, you can add it to Alexa using either voice commands or the Alexa app.

To create a list with your voice, use either of the following commands:

>> "Alexa, create a list."

>> "Alexa, create a list named [*name*]."

If you didn't specify the name, Alexa prompts you for it. Alexa then asks for the first item, and you can continue adding items as long as you want.

To create a list in the Alexa app, follow these steps:

1. **In the Alexa app, choose Menu ⇨ Lists.**

   The Alexa app displays the Lists screen. If this is your first time here, you'll see just the default Shopping and To-Do lists.

2. **Tap Create List.**

3. **Use the List Name text box to type the name you want to use.**

4. **Tap Done.**

   The Alexa app adds the new list to the My Lists section of the Lists screen, as shown in Figure 6-5.

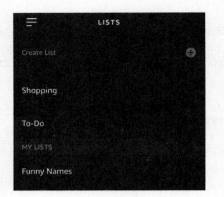

FIGURE 6-5:
Your custom lists
appear in the My
Lists section of
the Lists screen.

You can't modify or delete the Shopping and To-Do lists, but there's lots you can do to mess around with any custom lists you create. In the Alexa app, you can do the following:

TIP

>> **View a list:** In the Alexa app's Lists screen, tap a list to see its contents.

   If you have an Alexa device with a screen, you can say, "Alexa, show me my lists," and then tap the list you want to view. Alternatively, say, "Alexa, show me my [*name*] list" (or "Alexa, what's on my [*name*] list?") to see the contents of the list named *name*.

>> **Rename a list:** In the Alexa app's Lists screen, swipe left on the custom list, tap the Edit button that appears, type the new name, and then tap Done.

>> **Share a list:** To email, message, or otherwise share a list with another app or person, open the Lists screen, tap the list, tap More (the three dots in the upper-right corner), and then tap Share.

>> **Print a list:** Navigate to https://alexa.amazon.com, click Lists, click the list you want to print, and then click Print.

>> **Archive a list:** If you're done with a list, but you want to preserve the list and its items for some future use, you can archive the list. In the Alexa app's Lists screen, swipe left on the custom list and then tap the Archive button. Alexa archives the list and adds the View Archive link to the Lists screen. Tap View Archive to see your archived lists.

>> **Restore an archived list:** To get an archived list back on the main Lists screen, open the Lists screen, tap View Archive, swipe left on the list you want to restore, and then tap the Restore button that appears.

>> **Delete a list:** To get rid of a list you no longer need, first archive the list as I describe earlier. On the Alexa app's Lists screen, tap View Archive, swipe left on the list you want to remove, and then tap the Delete button that appears.

Adding and managing list items

As I show in the previous section, when you create a list, Alexa prompts you to add one or more items to that list. To add subsequent items, use any of the following voice commands:

>> "Alexa, add to my [*name*] list."

>> "Alexa, add [*item*] to my [*name*] list."

>> "Alexa, put [*item*] on my [*name*] list."

If you don't specify an item (as in the first command), Alexa prompts you for it.

Here are the steps to follow to add an item to a list using the Alexa app:

1. **Choose Menu ⇨ Lists.**

   The Alexa app displays the Lists screen.

2. **Tap the list you want to use.**

3. **Tap Add Item.**

4. **Use the Add Item Name text box to type the item you want to include in the list.**

5. **Tap Done.**

   The Alexa app adds the new item to the list. Figure 6-6 shows a To-Do list with a few items added. Note, too, the Completed section, which displays list items that you've marked as complete, as I describe in the bulleted list that follows.

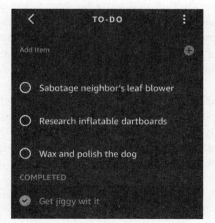

FIGURE 6-6:
A To-Do list with a few items.

After you've got one or more list items on the go, Alexa and the Alexa app offer quite a few techniques for managing your items:

>> **Editing a list item:** In the Alexa app's Lists screen, tap the list and then tap the item you want to change. This opens the item text for editing. Make your changes and then tap Done.

>> **Marking an item as complete:** In the Alexa app's Lists screen, tap the list, then tap the radio button that appears to the left of the item you completed. You can also swipe right on the item or use either of the following voice commands:

- "Alexa, remove [*item*] from my [*name*] list."

- "Alexa, check off [*item*] in my [*name*] list."

>> **Marking all list items as complete:** Say, "Alexa, clear my [*name*] list." When Alexa asks you to confirm, say, "Right" or "Yes" or "You go, girl."

>> **Hiding a list's completed items:** In the Alexa app's Lists screen, tap the list, tap More (the three dots in the upper-right corner), and then tap Hide Completed. To restore the completed items, tap the list, tap More, and then tap Show Completed.

>> **Removing a list's completed items:** In the Alexa app's Lists screen, tap the list, tap More, and then tap Clear Completed.

Getting the Information You Need

When you get up in the morning, or perhaps a bit later when you're just about ready to leave the house (and are a bit more awake having had that vital first cup of coffee), you need to know a few things: the weather (both the current conditions and the forecast), the traffic conditions, the latest news, and whether your favorite team won last night's game.

Oh, sure, you can listen to a local radio station and hope they eventually get around to telling you all that, or you can wrestle with the necessary apps on your smartphone, but as a thoroughly modern citizen of the world, you know there's an easier way, right? Yep, you got it: Alexa was practically *invented* to give all that information. All you need to know are a few voice commands.

Getting the weather forecast

You can't get dressed without knowing what it's like outside, so use the following voice commands to ask Alexa what's going on weather-wise:

- » "Alexa, how's the weather?"
- » "Alexa, what's the weather like?"
- » "Alexa, what's the weather like in [*location*]?"
- » "Alexa, what's the temperature?"
- » "Alexa, is it raining?"
- » "Alexa, is it snowing?"
- » "Alexa, is it windy?"

For some of these commands (particularly the first two), Alexa goes on to give you the weather forecast. For more specific forecast info, use the following voice commands:

- » "Alexa, what's the extended weather forecast?"
- » "Alexa, will I need an umbrella today?"
- » "Alexa, what will the weather be like [*time*]?" (For example, "Alexa, what will the weather be like at 6 p.m.," "Alexa, what will the weather be like this afternoon?," or "Alexa, what will the weather be like tonight?")
- » "Alexa, what will the weather be like [*day*]?" (For example, "Alexa, what will the weather be like today?," "Alexa, what will the weather be like tomorrow?," "Alexa, what will the weather be like Saturday?," or "Alexa, what will the weather be like this weekend?")
- » "Alexa, will it rain [*day*]?"
- » "Alexa, will it snow [*day*]?"

Checking traffic

Alexa can also give you reasonably current traffic information for your commute between home and work. Wait a minute: How does Alexa know where you work? Short answer: It doesn't. That's good news because, well, if Alexa could somehow figure out where you work, that would be downright creepy. No, instead you need to let Alexa know the address of your place of employment. You do that in the Alexa app by following these steps:

1. **Choose Menu ⇨ Settings.**

2. **Tap Traffic.**

   The Traffic screen appears. You should see your home address as the From value. Alexa assumes you're commuting from home, but that may not be the case if, say, you're traveling or running an errand from another location.

3. **To change the starting point, tap From, enter the new starting address, and then tap Save.**

4. **If you'll be making a stop along the way, tap Add Stop, enter the stop address, and then tap Save.**

5. **To add your ending point, tap To, enter the address of your destination, and then tap Save.**

With your commute info saved, you can now ask Alexa to give you a traffic update. Here are the voice commands you can use:

>> "Alexa, how's traffic?"

>> "Alexa, what's traffic like?"

>> "Alexa, what's my commute look like?"

Alexa responds with the approximate time of the journey and some suggested streets to take.

Hearing the latest news with the Flash Briefing

If it's news you're after, then I recommend Alexa's Flash Briefing feature, which gives you the latest headlines from news sources, as well as the most recent daily content offered by certain third-party providers.

The easy part is hearing your Flash Briefing, which you cajole Alexa into playing for you by using the following voice command:

"Alexa, play my Flash Briefing."

The (slightly) harder part is customizing your Flash Briefing to play only the news and updates that you want to hear. Customizing the Flash Briefing means adding extra features to Alexa called *skills*, particularly skills that are designed to work with the Flash Briefing feature. I go on and on about skills in Chapter 8, but for now you can follow these steps to add content to your Flash Briefing:

1. **In the Alexa app, choose Menu ⇨ Settings.**

2. **Tap Flash Briefing.**

3. **Tap Add Content.**

   The Alexa app displays a new screen with a list of skills that work with the Flash Briefing.

4. **Tap a skill you think might be a nice addition to your Flash Briefing.**

   The Alexa app displays the skill's info screen, which includes a description of the skill and the skill's user ratings and reviews.

5. **To add the skill to your Flash Briefing, tap Enable.**

   After a moment or two, the Alexa app enables the skill.

6. **Tap the Back button (<) in the upper-left corner to return to the list of skills.**

7. **Repeat steps 4 through 6 as needed to populate your Flash Briefing.**

   Figure 6-7 shows a Flash Briefing screen with a few skills added.

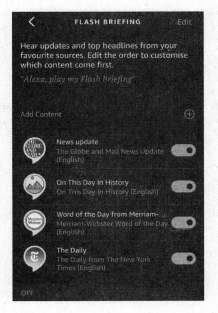

FIGURE 6-7:
A Flash Briefing with some skills added.

To manage your Flash Briefing, use the following techniques:

>> **Temporarily remove a skill.** On the Flash Briefing screen, tap the skill's switch to Off. This moves the skill to the Off section at the bottom of the screen. To restore the skill to your Flash Briefing, scroll down to the Off section and then tap the skill's switch to On again.

>> **Reorder the skills.** During the Flash Briefing, Alexa plays the skills in the order they appear in the Flash Briefing screen. To get the skills in the order you want to hear them, open the Flash Briefing screen, and then tap Edit. Tap and hold a skill, drag it to the position you prefer, and then release the skill. Repeat as needed and then tap Done.

Configuring Alexa's sports update

If you wouldn't even *dream* of going out the door without knowing the latest scores and the upcoming games for your favorite teams, you're going to love Alexa's sports update. To give it a whirl, you need only recite the following command in your best sports announcer voice:

"Alexa, play my sports update."

Alexa responds by giving you each team's most recent result, its next game, and the latest team news. Which teams? Alexa does come with a few default teams, but you'll certainly want to get rid of those and add your own. Here's how to do that:

1. **In the Alexa app, choose Menu ⇨ Settings.**

2. **Tap Sports.**

3. **To remove a team, tap Edit and then tap the Delete button that appears to the left of the team name. Repeat as needed; then tap Save.**

   Now you're ready to start adding the teams you follow.

4. **Tap Add a Team.**

   The Alexa app displays the Add a Team screen.

5. **Use the text box provided to start typing the name of the team you want to add.**

   As you type, the Alexa app displays a list of the matching team names.

6. **When you see the team you want to add, tap it.**

   If you want to add multiple matching teams, tap each one to select it.

7. **Tap Save.**

   The Alexa app updates your list of sports teams.

Letting Alexa Manage Your Calendar

No device can call itself a "personal assistant" without also being able to access and manage your appointments, meetings, trysts, special occasions, and other events that populate your calendar. Alexa, I'm happy to report, has earned its "Calendar" badge and can help you manage your schedule so you'll never miss another PTA meeting or recital.

Thankfully, Alexa is smart enough not to offer its own calendar feature because it knows that you almost certainly have your own. In fact, Alexa is ready, willing, and able to work with an existing account from any of the following:

REMEMBER

>> **Apple:** The Calendar component of your iCloud account. Note that Apple requires that your account use two-factor authentication before you can give Alexa access to your iCloud calendar.

For the uninitiated, *two-factor authentication* means that after you enter your account username and password, you have to provide a second account verification, usually a numeric code sent to your phone in a text message.

>> **Google:** The Calendar feature that comes with your Gmail or G Suite account.

>> **Office 365:** The Calendar component of your Office 365 subscription.

>> **Outlook.com:** The Calendar folder of your Outlook.com account.

>> **Microsoft Exchange:** The Calendar folder of your Microsoft Exchange server account. To link this calendar, you need to be using Alexa for Business (see https://aws.amazon.com/alexaforbusiness).

You can add more than one calendar type, but Alexa can only add events to a single calendar at a time.

Linking your calendar to Alexa

Before you can use Alexa to manage your schedule, you need to link an existing calendar to Alexa. *Linking* means giving Alexa permission to access and work with your calendar. Here are the steps to follow to link a calendar to Alexa:

1. **In the Alexa app, choose Menu ⇨ Settings.**

2. **Tap Calendars.**

   The Alexa app displays the available calendar types, as shown in Figure 6-8.

FIGURE 6-8:
The calendar
types that Alexa
can work with.

3. **Tap a calendar type.**

   The Alexa app displays an overview of what you need to do next.

4. **Tap Continue.**

   The calendar provider displays a sign-in screen.

5. **Follow the instructions to sign in to your account.**

   The calendar provider then shows a screen that details what you're giving Alexa permission to do (such as read and update your calendar).

6. **Tap Yes or Allow or whatever button the provider wants you to tap to give Alexa permission.**

Setting the default calendar

If you linked two or more calendars to Alexa, you need to specify the default, which is the calendar to which Alexa will add new events. Here's how to specify the default calendar:

1. **In the Alexa app, choose Menu ⇨ Settings.**
2. **Tap Calendars.**
3. **Use the Alexa Will Add New Events to This Calendar list to select the calendar you want to use as the default.**

Unlinking a calendar

If you no longer want to give Alexa access to a particular calendar, follow these steps to unlink that calendar:

1. **In the Alexa app, choose Menu ⇨ Settings.**
2. **Tap Calendars.**
3. **Tap the type of calendar you want to unlink.**
4. **Tap Unlink This [*provider*] Account, where *provider* is the name of the calendar provider, such as Apple or Google.**

Managing calendar events

When you have a calendar linked to Alexa, you're ready to manage your schedule hands-free. The next few sections take you through Alexa's voice commands for managing calendar events.

Adding an event

To create a new event on your calendar, use any of the following voice commands:

>> "Alexa, add an event to my calendar."

>> "Alexa, create a new appointment."

>> "Alexa, add [*event*] to my calendar for [*date*] at [*time*]."

If you don't specify the event name, date, or time, Alexa will prompt you for the missing specifics.

WARNING

Alexa schedules new events for one hour and there's no voice command to set a different event duration. So, if an event will be shorter or longer than an hour, make sure you adjust the end time in the provider's calendar app or website.

Getting upcoming events

A calendar isn't much good if you don't know what events you have coming up, am I right? Alexa will let you know what's on tap if you pester it with any of the following voice commands:

>> "Alexa, what's on my calendar?"

>> "Alexa, what's on the schedule?"

>> "Alexa, show me my calendar" (for Alexa devices with a screen)

>> "Alexa, when is my next event?"

>> "Alexa, what is my next appointment?"

Getting events for a specific time or day

If you're looking to make plans down the road, you need to know what's on your schedule for a certain day and/or time. Use the following voice commands to get your events for a time or day you specify:

>> "Alexa, what's on my calendar [*day*]?" (For example, "Alexa, what's on my calendar today?," "Alexa, what's on my calendar tomorrow?," "Alexa, what's on my calendar Friday?," "Alexa, what's on my calendar this weekend?," or "Alexa, what's on my calendar December 31st?")

>> "Alexa, what's on my calendar [*time*]?" (For example, "Alexa, what's on my calendar at 6 p.m.?," "Alexa, what's on my calendar this afternoon?," or "Alexa, what's on my calendar tonight?")

>> "Alexa, what's on my calendar [*day*] [*time*]?"

Moving an event

If your plans change or you entered the wrong time or day for an event, Alexa can move the event to the new or correct time and/or date. Here are the voice commands to wield:

>> "Alexa, move my [*event*] to [*time*]?"

>> "Alexa, move my [*event*] to [*day*]?"

>> "Alexa, reschedule my [*time*] event to [*time*]."

>> "Alexa, reschedule my [*day*] event to [*day*]."

Deleting an event

If an event is cancelled or added inadvertently, or you simply don't feel like going, use any of the following voice commands to clear that event off your schedule:

>> "Alexa, delete my [*time*] event."

>> "Alexa, cancel my [*day*] event."

>> "Alexa, delete [*event*] from my calendar."

Scheduling a meeting with a contact

If you want to set up a meeting, lunch date, or other get-together with someone in your Alexa Contacts list, here are the voice commands to use:

>> "Alexa, schedule [*event*] with [*contact*]."

>> "Alexa, create a meeting named [*event*] with [*contact*]."

>> "Alexa, invite [*contact*] to [*event*]."

Setting Alexa Alerts

Some of Alexa's handiest hands-free features are the alerts you can set. Need to be reminded to tickle your dog at a 3 p.m.? Alexa will do that for you (remind you, that is — not tickle the dog). Need to set a daily alarm for 7 a.m. because otherwise you'll *never* get out of bed in the morning? Alexa hears you. Need to set a timer to end your yogic flying session after 30 minutes? Alexa will do that without judgment.

Getting Alexa to remind you of something

If you need to be prodded to perform a task at a certain time (and, optionally, on a particular day), use any of the following voice commands to get Alexa to add a reminder:

>> "Alexa, set a reminder."

>> "Alexa, set a repeating reminder."

>> "Alexa, remind me to [*task*]."

>> "Alexa, set a repeating reminder to [*task*]."

>> "Alexa, remind me to [*task*] at [*time*]." (For example, "Alexa, remind me to pet the dog at 7 a.m.," "Alexa, remind me to call Mom at noon," or "Alexa, remind me to eat milk and cookies at 3 o'clock this afternoon.")

>> "Alexa, remind me to [*task*] [*day*] at [*time*]." (For example, "Alexa, remind me to go to the grocery store tomorrow at 3 p.m.," "Alexa, remind me to practice the piccolo Wednesday at 7 p.m.," "Alexa, remind me to mow the lawn next Monday," or "Alexa, remind me to pay my taxes on April 15th.")

If you leave out the task, time, or day, Alexa prompts you for the missing particulars.

To be, uh, reminded of your reminders, just ask Alexa:

>> "Alexa, what's my next reminder?"

>> "Alexa, what are my reminders?"

You can also set a reminder using the Alexa app:

1. **Choose Menu ⇨ Reminders & Alarms.**

    The Alexa app opens the Reminders & Alarms screen with the Reminders tab displayed.

2. **If you have multiple Alexa devices, use the device list at the top of the screen to select the device you want to use for the reminder.**

3. **Tap Add Reminder.**

    The Alexa app displays the Add Reminder screen, shown in Figure 6-9.

4. **Use the Remind Me To text box to enter the task you want to be reminded to perform.**

5. **(Optional) If you want Alexa to repeat this reminder on a schedule, tap the Repeat switch to On.**

    The Date field changes to the Repeats field, which you then tap to specify how often you want the reminder to occur (such as Every Day or Every Tuesday).

6. **If you're not repeating the reminder, use the Date field to specify the date of the reminder.**

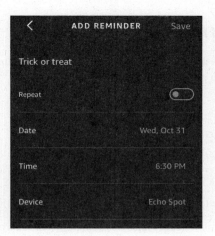

FIGURE 6-9:
Use the Add Reminder screen to spell out the details of your reminder.

7. **Use the Time field to specify the time of the reminder.**

8. **Tap Save.**

   The Alexa app saves your reminder and will prompt you about it on the date and time you specified.

You can also use the Alexa app to manage your reminders. First, open the Reminders & Alarms screen. Use the device list at the top of the screen to select the device you're using for your reminders, and then tap the Reminders tab if it's not already displayed. From the Reminders tab, you can do the following:

» **Change a reminder.** Tap the reminder and then tap Edit. Make your modifications to the reminder, and then tap Save.

» **Mark a reminder as completed.** Tap the reminder and then tap Mark Completed.

» **Delete a reminder.** Tap the reminder, tap Edit, and then tap Delete Reminder. You can also say, "Alexa, delete my [*task*] reminder."

TIP

If you want to cancel all your reminders, you can do so in one fell swoop by intoning the following voice command:

"Alexa, delete all my reminders."

Setting an alarm

Whether you want to wake up from a deep sleep or a light nap, use any of the following voice commands to get Alexa to set an alarm:

>> "Alexa, set an alarm."

>> "Alexa, set a repeating alarm."

>> "Alexa, set an alarm for [*time*]."

>> "Alexa, wake me at [*time*]."

>> "Alexa, set an alarm for [*day*] at [*time*]."

>> "Alexa, set a repeating alarm every [*interval*] at [*time*]." (For example, "Alexa, set a repeating alarm every day at 8 a.m.," "Alexa, set a repeating alarm every weekday at 6:30 a.m.," "Alexa, set a repeating alarm every weekend at 10 a.m.," or "Alexa, set a repeating alarm every Monday at noon.")

If you leave out the time, the day, or the repeat frequency, Alexa prompts you for the missing info.

Want to wake up to some music instead of the default alarm sound? Sure you do! Here are some commands you can use:

>> "Alexa, wake me up to [*song*] at [*time*]."

>> "Alexa, wake me up to [*artist*] at [*time*]."

>> "Alexa, wake me up to [*genre*] at [*time*]."

>> "Alexa, wake me up to [*playlist*] at [*time*]."

You can augment any of these commands with a day or a repeat interval, as I describe earlier.

TIP

If you want to wake up to music from a service other than your default music provider, include the music service in your command. For example, "Alexa, wake me up to [*playlist*] on Spotify at [*time*]."

If you can't remember when your alarms are set, ask Alexa:

>> "Alexa, what's my next alarm?"

>> "Alexa, what are my alarms?"

You can also use the Alexa app to see your set alarms: Choose Menu ⇨ Reminders & Alarms, use the device list at the top of the screen to select the Alexa device you're using for your alarms, and then tap the Alarms tab (see Figure 6-10). From this tab, you can also use the following techniques to manage your alarms:

>> **Change an alarm.** Tap the alarm, make your changes, and then tap Save.

>> **Disable an alarm.** Tap the alarm's switch to Off.

>> **Delete an alarm.** Tap the alarm and then tap Delete Alarm.

TIP

You can get rid of all your alarms at once by using the following voice command:

"Alexa, delete all my alarms."

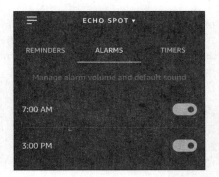

FIGURE 6-10:
In the Reminders & Alarms screen, tap the Alarms tab to see your set alarms.

When an alarm sounds, you can grab nine more minutes of precious sleep by saying, "Alexa, snooze." To shut off the alarm when it sounds, say, "Alexa, stop" or "Alexa, cancel."

Running a timer

A *timer* — more properly known as a *countdown timer* — is an alert that goes off after a specified duration. Whether you're steeping a cup of tea for 4 minutes or baking a loaf of bread for 40 minutes, use a timer to make sure you don't forget. Alexa does timers with ease and lets you create multiple named timers. Use any of these voice commands to set a timer:

>> "Alexa, set a timer."

>> "Alexa, set a timer for [*duration*]." (For example, "Alexa, set a time for four minutes.")

>> "Alexa, set a [*name*] timer." (For example, "Alexa, set a bread timer.")

>> "Alexa, set a [*name*] timer for [*duration*]." (For example, "Alexa, set a bread timer for 40 minutes.")

If you leave out the duration, Alexa prompts you for it.

If you can't remember what timers are running, ask Alexa:

>> "Alexa, what are my timers?"

>> "Alexa, how much time is left on the timer?"

>> "Alexa, how much time is left on the [*name*] timer?"

>> "Alexa, show me the [*name*] timer" (on a device with a screen).

You can also use the Alexa app to check out your running timers: Choose Menu ⇨ Reminders & Alarms, use the devices list at the top of the screen to select the Alexa device you're using for your timers, and then tap the Timers tab (see Figure 6-11).

FIGURE 6-11:
In the Reminders & Alarms screen, tap the Timers tab to see your running timers.

To delete a timer, you have three choices:

>> If you have a single timer running, say, "Alexa, delete the timer."

>> If you have multiple timers running, say, "Alexa, delete the [*name*] timer."

>> In the Alexa app, tap the timer and then tap Delete Timer.

TIP

You can cancel all your timers using the following voice command:

"Alexa, delete all my timers."

Customizing your alarm sounds

When Alexa alerts you with an alarm, it plays a simple sound effect that comes on at whatever volume your Echo device is using. That's not a great way to wake up, so you can customize the sounds and the volume. For example, you can select a different sound effect, you can specify the volume level, and you can ask Alexa to increase the volume gradually for an easier transition to wakefulness.

Here are the steps to follow to customize your alarm sounds:

1. **In the Alexa app, choose Devices ⇨ Echo & Alexa, and then tap the device you're using for the alarm.**

2. **Tap Sounds.**

   The Alexa app displays the device's Sounds screen, as shown in Figure 6-12.

TIP

   When you're managing your alarms in the Alexa app, a quicker way to open the Sounds screen is to tap the Manage Alarm Volume and Default Sound link that appears in the Alarms tab. You can also tap the Manage Timer Volume in the Timers tab.

FIGURE 6-12:
The Sounds screen for an Alexa device.

3. **Use the Alarms, Timers and Notifications slider to set the alarm volume.**

   Note that this volume level also applies to your timers and to Alexa notifications.

4. **If you want Alexa to gradually increase the volume when the alarm goes off, tap the Ascending Alarm switch to On.**

5. **To change the sound effect that Alexa plays when the alarm goes off, tap Alarm in the Custom Sounds section, and then tap the sound you want to hear.**

   The sound effect only plays if you don't specify music — a song, artist, genre, or playlist — as part of your alarm command.

Putting Alexa in Do Not Disturb Mode

When you combine Alexa's alerts for incoming calls, messages, and drop-ins, with the alerts associated with events, reminders, alarms, and timers, you might start thinking your new virtual assistant is a noisy addition to your home.

You can tone down the noise at least a bit by putting your Alexa device into Do Not Disturb mode, which silences the notifications for incoming voice and video calls, text messages, and drop-ins. Follow these steps to enable Do Not Disturb mode:

1. **In the Alexa app, choose Devices ⇨ Echo & Alexa, and then tap the device you want to put into Do Not Disturb mode.**

2. **Tap Do Not Disturb.**

   The Alexa app displays the device's Do Not Disturb screen.

3. **Tap the Do Not Disturb switch to On.**

4. **(Optional) If you want to control the start and end times for Do Not Disturb mode, tap the Scheduled switch to On; otherwise, skip the rest of these steps.**

   The Alexa app adds the Start and End controls, as shown in Figure 6-13.

5. **Tap Start to set the time when you want Do Not Disturb mode to begin.**

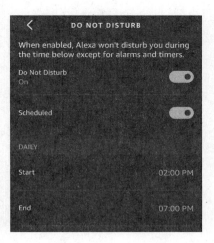

FIGURE 6-13:
You can set up
a schedule for
Do Not Disturb
mode.

6. **Tap End to set the time when you want Do Not Disturb mode to finish.**

Your Alexa device will dutifully go into Do Not Disturb mode at the Start time you specified.

3
Getting More out of Your Relationship with Alexa

IN THIS PART . . .

Pester Alexa with endless questions about nearby places, financial stuff, medical conditions, science topics, math problems, and just about anything under the sun.

Augment Alexa with third-party programs called *skills* that give Alexa new features, new content, new tricks, or new ways to have fun.

Make Alexa accessible for folks who have hearing, mobility, or visual challenges.

IN THIS CHAPTER

» **Asking Alexa about nearby places, finances, and medical conditions**

» **Asking Alexa to solve math and conversion problems**

» **Asking Alexa about science, culture, and books**

» **Asking Alexa about dates and times**

» **Asking Alexa to ask Wikipedia something**

Chapter **7**

Asking Alexa Questions

We live in a world where the promise of "information at your fingertips" (IAYF, to those in the know) has gone from pie-in-the-sky daydream just 10 or 15 years ago to let-me-look-that-up-for-you reality now. That's because our fingertips are never far from a device — particularly a smartphone — that's connected to the Internet and its vast supply of information.

But what happens when your fingertips are busy cooking a meal, sewing a dress, sanding a chair, or playing a ukulele? Well, you can just wait until you're done. Ha, just kidding, of course. Fortunately, you don't have to wait or do without the information you need right now because you've got Alexa right there, by your side. Alexa is on speaking terms (pun intended) with a huge number of facts and figures, and if Alexa doesn't know something, it has a network of sources (such as Wikipedia) that it can dragoon into service. Call it "information at your vocal chords," and in this chapter you unearth the many ways you can ask Alexa what you need to know.

Note that what follows is only the teensiest subset of what you can ask since, technically, you can pretty much ask Alexa about anything and everything. My plan here is to give you a representative sampling of the kinds of questions you can ask. After that, it's up to you and your curiosity.

Searching for Nearby Places

Alexa knows your home address, and that means it can find nearby businesses, such as restaurants and coffee shops. Alexa also knows facts such as the business address, phone number, and hours. You can find out all this info and more by asking the following questions:

>> "Alexa, what [*businesses*] are nearby?" (For example, "Alexa, what restaurants are nearby?")

>> "Alexa, what [*businesses*] are close by?"

>> "Alexa, where's the nearest [*business name or type*]?" (For example, "Alexa, where's the nearest Starbucks?" or "Alexa, where's the nearest coffee shop?")

>> "Alexa, where can I get [*product*]?" (For example, "Alexa, where can I get coffee?")

>> "Alexa, what's the address of [*business*]?"

>> "Alexa, what's the phone number of [*business*]?"

>> "Alexa, what are the hours of [*business*]?"

>> "Alexa, is [*business*] open?"

>> "Alexa, how far is [*business*]?"

Asking for Financial Info

You probably don't want to get crucial financial information from Alexa, but if you just want some basic info, the following questions can help:

>> "Alexa, what's the [*company*] stock price?"

>> "Alexa, what's the price of [*commodity*]?" (For example, "Alexa, what's the price of gold?")

>> "Alexa, what's the current value of [*index*]?" (For example, "Alexa, what's the current value of the Dow Jones Industrial Average?")

>> "Alexa, what is [*number*] [*currency1*] in [*currency2*]?" (For example, "What is 100 U.S. dollars in British pounds?")

>> "Alexa, what is the real interest rate in [*country*]?"

>> "Alexa, what is the inflation rate in [*country*]?"

>> "Alexa, what is the gross domestic product of [*country*]?"

Getting Symptoms and Other Medical Facts

Alexa has access to some top-tier medical sources, including the Centers for Disease Control and Prevention, the National Institutes of Health, and the Mayo Clinic. So, while I'd caution you not to read too much into Alexa's answers regarding symptoms and treatments (you *really* should see a doctor about that), you can at least rest assured that you're not getting medical advice from some dude in a basement. Here are some medical queries you can pose to Alexa:

» "Alexa, what are the causes of [*disease*]?"

» "Alexa, is [*disease*] contagious?"

» "Alexa, what are the symptoms of [*disease*]?"

» "Alexa, what are the treatments for [*disease*]?"

WARNING

Amazon records all your Alexa questions and stores them somewhere in its cloud. Because medical info falls into the "sensitive" category, you should consider deleting any medical queries you make through Alexa. See Chapter 14 to learn how to delete your Alexa recordings.

Asking Alexa to Do the Math

Your Android or iOS smartphone has a calculator that does simple math in portrait mode and more advanced math in landscape mode. That's great, but if you need a quick calculation while your hands are otherwise occupied, Alexa's math skills are quite impressive. Here's a sample of the kinds of math questions you can toss Alexa's way:

» "Alexa, what is [*number*] [*operator*] [*number*]?" (For example, "Alexa, what is 2 plus 2?," "Alexa, what is 1,000 minus 383?," "Alexa, what is 52 times 47?," or "Alexa, what is 31 divided by 365?")

» "Alexa, what is [*number1*] percent of [*number2*]?" (For example, "Alexa, what is 18 percent of 85.72?")

» "Alexa, what is [*number*] squared?"

» "Alexa, what is [*number*] cubed?"

>> "Alexa, what is [*number*] to the power of [*number*]?"

>> "Alexa, what is the square root of [*number*]?"

>> "Alexa, what is the cube root of [*number*]?"

>> "Alexa, what is the [*nth*] root of [*number*]?" (For example, "Alexa, what is the 4th root of 256?")

>> "Alexa, what is [*number*] factorial?"

>> "Alexa, what is the cosine of [*number*]?"

>> "Alexa, what is the sine of [*number*]?"

>> "Alexa, what is the tangent of [*number*]?"

>> "Alexa, what is the natural logarithm of [*number*]?"

>> "Alexa, what is [*number1*] modulo [*number2*]?"

>> "Alexa, pick a number between [*number1*] and [*number2*]."

>> "Alexa, give me a random number between [*number1*] and [*number2*]."

>> "Alexa, is [*number*] a prime number?"

>> "Alexa, what's the value of *e*?"

>> "Alexa, what's the value of Pi to [*number*] decimal places?"

>> "Alexa, what's the value of Pi?" (**Warning:** Expect a *very* detailed [read: long] answer!)

Converting Units

If you want Alexa to convert from one unit to another, there are just two general voice commands you need to know:

>> "Alexa, how many [*units1*] are in [*number*] [*units2*]?"

>> "Alexa, what is [*number*] [*units2*] in [*units1*]?"

Here, replace *units1* with the unit measurement you want calculated, and replace *units2* with the unit measurement you know. Here are some examples:

>> "Alexa, how many teaspoons are in 1 ounce?"

>> "Alexa, how many quarts are in 5 gallons?"

- "Alexa, how many kilograms are in 5.5 pounds?"
- "Alexa, what is 10 degrees Celsius in Fahrenheit?"
- "Alexa, what is 75 degrees in radians?"
- "Alexa, how many U.S. dollars are in 10 British pounds?"
- "Alexa, how many kilometers are in 32 miles?"

Getting Science Answers

If you want to get a quick definition or overview of a particular science topic, use either of the following general questions:

- "Alexa, what is [topic]?"
- "Alexa, tell me about [topic]."

For more specific queries, you can really just ask Alexa anything you want. Here are a few examples to give you the flavor:

- "Alexa, how thick is the Earth's crust?"
- "Alexa, what's the tallest tree?"
- "Alexa, what's the fastest animal?"
- "Alexa, what is the Earth's atmosphere composed of?"
- "Alexa, who won the 2018 Nobel Prize for physics?"
- "Alexa, what's the chemical symbol of Mendelevium?"
- "Alexa, who invented the television?"
- "Alexa, when was the telegraph invented?"
- "Alexa, what's the closest galaxy?"
- "Alexa, how old is the Earth?"
- "Alexa, what is the melting point of lead?"
- "Alexa, how many bones are in the human hand?"

Quizzing Alexa about the Culture

For general culture questions, ask Alexa about the topic like so:

>> "Alexa, what is [*topic*]?"

>> "Alexa, tell me about [*topic*]."

Specific questions you can ask are as varied as the culture itself, which means anything goes. Some examples:

>> "Alexa, what's the birthday roundup?"

>> "Alexa, who is Amal Clooney married to?"

>> "Alexa, when are the Oscars?"

>> "Alexa, who is the prime minister of Canada?"

>> "Alexa, how old is James Corden?"

>> "Alexa, who designed the Chrysler Building?"

>> "Alexa, how many people live in Truth or Consequences, New Mexico?"

>> "Alexa, is chocolate good for me?"

>> "Alexa, when was the War of 1812?"

>> "Alexa, who painted the *Mona Lisa?*"

>> "Alexa, when was Galileo born?"

Bugging Alexa about Books

For a virtual AI who lives in a cloud, Alexa knows a *lot* about books. Whether you want to know more about a favorite author or need to settle a bet, here are few book-related questions you can shout Alexa's way:

>> "Alexa, who wrote [*book*]?"

>> "Alexa, when was [*book*] published?"

>> "Alexa, what is [*book*]?"

>> "Alexa, what is [*book*] about?"

>> "Alexa, tell me about [*author*]."

- ➤ "Alexa, how many books has [*author*] written?"

- ➤ "Alexa, what is [*author*]'s latest book?"

- ➤ "Alexa, what is [*author*]'s next book?"

- ➤ "Alexa, what genre is [*book*]?"

- ➤ "Alexa, give me a quotation from [*book*]."

- ➤ "Alexa, who are the main characters in [*book*]?"

- ➤ "Alexa, tell me about [*character*]?" (For example, "Alexa, tell me about Holden Caulfield.")

- ➤ "Alexa, who won the [*year*] Nobel Prize for Literature?"

Asking Linguistic Questions

Alexa has a few useful linguistic tricks up its digital sleeve. Here are some questions you can ask:

- ➤ "Alexa, what's the definition of [*word*]?"

- ➤ "Alexa, how do you spell [*word*]?"

- ➤ "Alexa, how do you pronounce [*word*]?"

- ➤ "Alexa, what's a synonym for [*word*]?"

- ➤ "Alexa, what's the opposite of [*word*]?"

- ➤ "Alexa, what rhymes with [*word*]?"

- ➤ "Alexa, what's the longest word in the English language?"

Alexa is also pretty decent at translating English words and phrases and can work with more than 50 languages. Here are some translation-related questions you can pose:

- ➤ "Alexa, what languages can you translate?"

- ➤ "Alexa, how do you say [*word*] in [*language*]?"

- ➤ "Alexa, translate [*word*] in [*language*]."

- ➤ "Alexa, what's the word for [*word*] in [*language*]?"

Note that in each case you can substitute a short phrase for the *word* placeholder.

Asking Questions about Companies

If you're looking for some basic facts about a company, Alexa can help. Here are a few general questions you can lob at Alexa:

>> "Alexa, what is [*company*]?"

>> "Alexa, when was [*company*] founded?"

>> "Alexa, who founded [*company*]?"

>> "Alexa, who is the [*position*] of [*company*]?" (For example, "Alexa, who is the CEO of Apple?")

>> "Alexa, what is the location of [*company*]'s headquarters?"

>> "Alexa, what is the stock price of [*company*]?"

>> "Alexa, what is the market capitalization of [*company*]?"

Asking about Dates and Times

Personally, I never know when Easter falls this year or when daylight saving time begins or ends. Now I don't need to know because I can just ask Alexa. Here are some questions you can ask related to dates and times:

>> "Alexa, what day of the week is [*date*]?"

>> "Alexa, how many days until [*date*]?"

>> "Alexa, how many days until [*holiday*]?"

>> "Alexa, how many days has it been since [*date*]?"

>> "Alexa, how many years has it been since [*year*]?"

>> "Alexa, when is [*holiday*]?"

>> "Alexa, when is the first day of [*season*]?"

>> "Alexa, when is the [*solstice or equinox*]?"

>> "Alexa, when does daylight saving time start/end?"

>> "Alexa, when is the next full moon?"

For Everything Else: Querying Wikipedia

If Alexa can't find something or doesn't understand a query, there's a good chance that same topic has an article on Wikipedia. So, to close this chapter on asking Alexa stuff, here are the voice commands to use to ask Alexa to return the Wikipedia article on a particular topic:

>> "Alexa, ask Wikipedia about [*topic*]."

>> "Alexa, Wikipedia [*topic*]." (For example, "Alexa, Wikipedia rocket science.")

» **Telling Alexa to use a skill**

» **Managing your skill set**

» **Checking out a few skills to get you started**

» **Constructing your very own skill**

Chapter **8**

Adding Skills to Alexa

The Alexa you interact with on your Echo or other Alexa-enhanced device, or on your mobile device via the Alexa app, is jaw-droppingly good technology. Sure, once in a while Alexa misinterprets one of your voice commands or tells you that "I can't find X" when you know for a *fact* that X exists, but these are mere quibbles. Even if you're skeptical about artificial intelligence in general, and wary of inviting a "listening device" into your home in particular, you have to admit that Alexa is awfully impressive.

But that impressiveness is just out-of-the-box Alexa. Amazingly, you can make Alexa even better by bolting on extra features. These "skills," as Amazon calls them, enhance Alexa with new capabilities, such as playing games, teaching you new things, and controlling home-automation products.

In this chapter, you explore the world of Alexa skills by learning what they are, where to find them, and how to enable them on your Alexa device. You even learn how to build your own skills!

Understanding What a Skill Is

When you take your new smartphone or tablet out of its box and turn it on for the first time, the Home screen is plastered with a set of default apps that enable you to perform basic tasks such as managing your contacts and calendar, exchanging email and texts, and browsing the web. If you want to perform more specialized tasks such as hailing a Lyft, finding out what's on Netflix tonight, or playing Words with Friends, you need to open up your device's app store and install the appropriate app.

The Alexa equivalent of mobile-device apps are called *skills.* Like a mobile device, Alexa can do a few things out of the box, such as playing music or audiobooks, telling you the time or the weather, and making voice or video calls. But if you want Alexa to perform more specialized tasks, then you need to add the appropriate skills.

What kinds of skills can you add? Well, more than 50,000 skills are available in categories such as Business & Finance, Education & Reference, Games, Trivia & Accessories, and Smart Home, so the sky is pretty much the limit. Want to hail an Uber or a Lyft? There are skills for that. Want to know what's on TV tonight? There's a skill for that. Want to play an adventure game or challenge you and your family with some trivia? There are skills for those, too.

Checking Out Amazon's Alexa Skills Department

Okay, skills certainly sound intriguing, but how do you get them? The skill equivalent of an app store is Amazon's Alexa Skills department, which you can access in one of two ways:

>> **On the web:** Use your favorite web browser to surf to www.amazon.com (or your local Amazon domain, such as www.amazon.ca for Canada), and then choose Departments ⇨ Echo & Alexa ⇨ Alexa Skills. Figure 8-1 shows a portion of the Alexa Skills page that appears.

>> **In the Alexa app:** Choose Menu ⇨ Skills & Games. You see a screen similar to the one shown in Figure 8-2.

TIP

By default, the Alexa app doesn't show skills that were designed specifically for children. To see those skills, you need to adjust your settings. Choose Menu ⇨ Settings ⇨ Alexa Account ⇨ Kid Skills, and then tap the Allow Kid Skills switch to On. (If you don't see the Kid Skills item, it means that feature hasn't been rolled out in your location just yet.)

FIGURE 8-1:
Amazon's Alexa Skills department.

FIGURE 8-2:
The Alexa app's Alexa Skills screen.

Whether you're using the web or the app, you see a few featured skills upfront, and you also get a search box to locate specific skills. However, when you're just starting out, it's usually best to examine the various skill categories, which are listed on the left side of the web page. In the Alexa app, tap the Categories button to see the list.

Select a category to see what's available. If something looks interesting, select the skill to open its info page, which gives you a description of the skill, voice commands you can use, user ratings, and any permissions that are required (such as allowing notifications or giving your address for a delivery skill). Figure 8-3 shows the information page for a typical skill. Note that it contains two phrases that may have you scratching your head:

>> **In-Skill Purchases Available:** The skill offers extra features or content that you can purchase while using the skill.

>> **Account Linking Required:** The skill requires access to a third-party user account. For example, if you want to use a ride-sharing service such as Lyft or Uber, both of which offer Alexa skills, you must give the skill permission to access your user account on the service, a process called *account linking.*

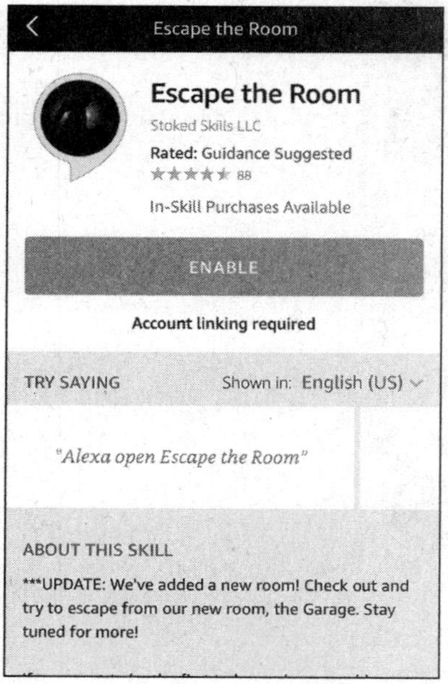

FIGURE 8-3: The info page for a typical Alexa skill.

LEARNING MORE ABOUT IN-SKILL PURCHASING

You may be thinking that seeing the notification "In-Skill Purchases Available" is like seeing "batteries not included" in the fine print of a toy's packaging. In other words, getting the item is one thing, but making it actually do something useful is going to set you back some money. Fortunately, that's not true with skills. All skills are free at the beginning, but a few make money through these in-skill purchases. However, these purchases are completely optional, which means the skill still offers at least basic functionality without requiring any extra features or content.

So, what kinds of purchases can you expect? It depends on the skill, but all in-skill purchases fall into one of the following types:

- **One-time purchase:** Activates, adds, or unlocks a new skill feature or extra skill content. The added feature or content is available to all your Alexa devices that use your Amazon account, and access to that feature or content is permanent. For example, many games offer in-skill purchases for bonus levels or theme packs.

- **Subscription:** Gives you access to new skill content over a specified time, such as a year for an annual subscription. When the subscription period ends, you must renew to continue receiving new content. For example, most media-related skills — news, magazines, podcasts, and so on — offer in-skill purchases for recurring premium content.

- **Consumable purchase:** Adds a resource to the skill that gets depleted as you use the skill. When the resource runs out, you can purchase the resource again to get a fresh supply. For example, consumables are very popular in game skills and include resources such as extra lives, in-game currency, and game hints.

Enabling a Skill

If you locate a skill that looks fun, entertaining, or useful, go ahead and give it a try (hey, it's free, remember?). To use a skill with Alexa, you must enable it.

Enabling a skill with a voice command

To enable a skill with your voice, use either of the following commands:

>> "Alexa, enable [*skill*]."

>> "Alexa, open [*skill*]."

Here, *skill* is the so-called *invocation name* of the skill: a word or phrase unique to the skill. How in the name of Jeff Bezos are you supposed to know a skill's invocation name? That's available on the skill's info page, in the Skill Details section. For example, Figure 8-4 shows the Skill Details section for the popular skill Headspace: Guided Meditation for Everybody, and you can see that its invocation name is *headspace*.

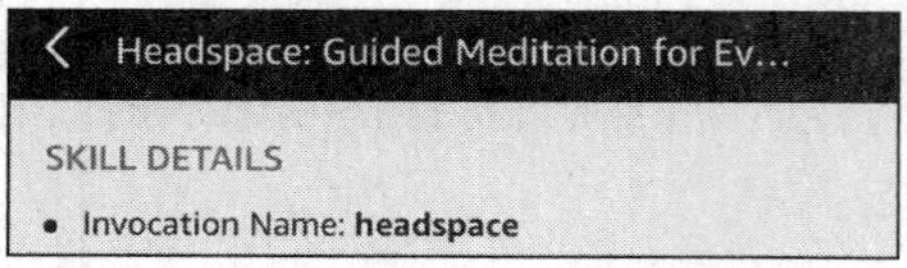

FIGURE 8-4:
See the Skill Details section to get a skill's invocation name.

Alexa tells you the skill is enabled and then invokes the skill. The first time the skill runs, you usually get a brief introduction and some suggested commands or tasks.

If the skill requires permission from you to access information on your Alexa device, you can't enable the skill with a voice command. Instead, you have to use the Alexa app, as I describe next.

Enabling a skill using the Alexa app

You can also enable a skill using the Alexa app, as shown in the following steps:

1. **In the Alexa app, choose Menu ⇨ Skills & Games.**

2. **Locate the skill you want to enable.**

3. **Tap the skill to open its information page.**

4. **Tap Enable.**

    If the skill requires extra permissions from you, you see the Skill Permissions dialog. For example, Figure 8-5 shows a Skill Permissions dialog for a skill that requires the country and postal code information that's associated with the Alexa device. Another common permission that skills ask for is whether they can send you notifications.

5. **If you see the Skill Permissions dialog, set the permission switch or switches to On or Off, as desired, and then tap Save Permissions.**

    Alexa enables the skill.

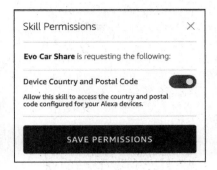

FIGURE 8-5:
Some skills
require extra
permissions
form you.

**TECHNICAL
STUFF**

Amazon has announced that it wants to eventually do away with enabling skills altogether. That doesn't mean it's getting rid of skills, however — not even close. Instead, Amazon's goal is to hide skills and have them available in the background, no enabling required. So, how will Alexa know which skill you want? That's hazy at the moment, but the general idea is that Alexa will either "learn" what skills you prefer, or will simply choose the most relevant skill depending on your request. This is high-end AI stuff, so don't expect the Alexa Skills department to go away anytime soon.

Working with Skills

Alexa and the Alexa app give you a fistful of ways to use and maintain your skills. There's nothing strenuous or complex about any of this, so the next few sections just take a quick look at what you can do.

Invoking a skill

When you have a skill enabled, you invoke the skill by using one of the following voice commands:

>> "Alexa, open [*skill*]."

>> "Alexa, launch [*skill*]."

>> "Alexa, start [*skill*]."

Replace *skill* with the skill's invocation name.

Note, too, that most skills have their own commands for operating or configuring the skill. To see these commands, open the skill's info page and examine the suggested voice commands shown in the Try Saying section. One common command is to get Alexa to ask the skill to perform a task. Here's the general form of that voice command:

"Alexa, ask [*skill*] to [*task*]."

For example, to get the skill named Amazon Storytime to tell you a story, you'd use the following command:

"Alexa, ask Amazon Storytime to read me a story."

Viewing your enabled skills

It's great that Alexa makes it so easy to enable skills, but that ease can also lead to a problem: You may forget which skills you've enabled! Hey, it can happen to anyone, but the Alexa app has your back on this one. Follow these steps to view a list of your enabled skills:

1. **Choose Menu ⇨ Skills & Games.**

2. **Tap Your Skills.**

    The Alexa app displays the Your Skills screen, which lists the skills you've enabled. Figure 8-6 shows an example.

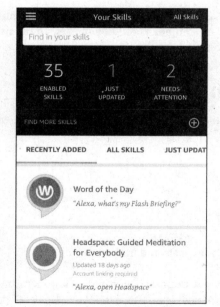

FIGURE 8-6:
The Alexa app's Your Skills list shows you which skills you've enabled.

3. **Use the Your Skills screen tabs to manage the list:**

- **Recently Added:** Displays the skills you've added most recently.

- **All Skills:** Displays a complete lists of your enabled skills.

- **Just Updated:** Displays a list of skills that have released new versions recently.

- **Needs Attention:** Displays a list of skills that have some sort of problem or extra steps that you need to handle. For example, if a skill uses account linking and you haven't completed that step yet, the skill appears on the Needs Attention list with the phrase *Account linking required.*

If you create your own skills, as I describe later in this chapter in the "Building Your Own Skill" section, the Your Skills screen sprouts two more tabs:

» **Private Skills:** Skills you or someone using your Amazon account have built

» **Dev Skills:** Skills you've built

Changing skill settings

Most skills are extremely simple and require only a basic voice command to work. However, some skills have one or more settings you can play around with. For example, some of the most common settings are activating account linking for skills that require it, managing permissions, and choosing whether you want the skill included in your Flash Briefing, which I described in Chapter 6.

Follow these steps to adjust a skill's settings:

1. **Choose Menu ⇨ Skills & Games.**
2. **Tap Your Skills.**
3. **Tap the skill you want to work with.**
4. **Tap Settings.**

    The Alexa app displays the Skill Settings screen.

5. **Tap the setting you want to change.**

    In some cases, you don't tap the setting name itself, but a link that appears beside it. For example, with the Account Linking setting (see Figure 8-7), you tap the Link Account link, which takes you to a page on the skill's website that you use to link your account to Alexa.

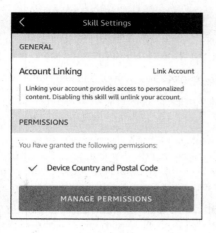

FIGURE 8-7:
Some settings offer a link that you tap to change the setting.

6. **Make your changes to the setting.**

7. **If the skill requires permissions, you can tap the Manage Permissions button to adjust those permissions.**

   Alexa saves your new settings.

Disabling a skill

If you find that a skill has become boring, useless, or in some other way a waste of your precious time, you should disable that skill and get it out of your life.

If you have your Alexa device nearby, you can use the following voice command:

   "Alexa, disable [*skill*]."

Here, again, *skill* is the skill's invocation name.

WARNING

Alexa doesn't ask for confirmation before it disables the skill, so be sure you've got the correct invocation name and that you really do want the skill disabled.

To disable a skill in the Alexa app, follow these steps:

1. **Choose Menu ⇨ Skills & Games.**

2. **Tap Your Skills.**

3. **Tap the skill you want to remove.**

4. **Tap Disable Skill.**

   The Alexa app asks you to confirm.

5. **Tap Disable Skill.**

   Alexa disables the skill.

Thirty Cool Alexa Skills to Try

Yup, I hear you: With more than 50,000 skills available, finding a useful, fun, or entertaining skill is a true needle-in-the-proverbial-haystack exercise. Who has time to comb through either a haystack or Amazon's Alexa Skills department? If you're just not sure where to begin, let me help. Here are 30 ready-to-enable skills that you can take for a test drive:

>> **7-Minute Workout:** Daily workouts that aim to improve strength and aerobic fitness in just seven minutes. Invocation name: *seven minute workout.*

>> **Akinator:** Think of a real or fictional character and this skill guesses the name of that character after asking a few questions. Invocation name: *akinator.*

>> **Alexa Things to Try:** Gives you a daily Alexa tip and news on the latest Alexa features as part of your Flash Briefing. Invocation name: unknown.

>> **Amazon Storytime:** Plays professionally narrated short stories for kids aged 5 through 12. Invocation name: *amazon storytime.*

>> **Ambient Sounds:** A collection of sound loops to help you sleep, relax, or block out noises. There are a few dozen sounds in all, including thunderstorms, windy trees, and fireplace. Invocation name: *ambient sounds.*

>> **AnyPod:** A podcast skill that enables you to add podcasts to your library, sync your listening history to your Alexa device, and much more. Invocation name: *anypod.*

>> **The Bartender:** Delivers cocktail recipes. Invocation name: *the bartender.*

>> **Big Sky:** A weather skill that goes well beyond the default Alexa weather report. Account linking is required. Invocation name: *big sky.*

>> **Burglar Deterrent:** Protects your home when you're out by playing realistic audio for activities such as talking, cleaning, and cooking to make it seem as though someone's home. Invocation name: *burglar deterrent.*

>> **CBC:** News, music, or a specific Canadian Broadcasting Corporation Radio One station. Invocation name: *CBC.*

- » **Curiosity:** This skill asks you to choose between two topics and then tells you interesting facts about the topic you chose. Invocation name: *curiosity.*

- » **The Daily Show:** A satiric takes on the day's news stories, delivered as part of your Flash Briefing. Invocation name: *the daily show.*

- » **Feels Like:** Tells you what the current temperature in your location feels like, meaning the wind-chill temperature in winter and the humidex in summer. Invocation name: *feels like.*

- » **Headspace:** Provides guided meditations, including a new guided meditation each day. Invocation name: *headspace.*

- » **Inspire Me:** Inspirational quotations from famous people (who do the talking instead of Alexa) that you can invoke at random, by speaker, or by topic. Invocation name: *inspire me.*

- » **Learn Something Radio:** Plays daily new episodes from some of the web's most learned brands, including NPR, 99% Invisible, and Freakonomics Radio. Invocation name: *learn something radio.*

- » **Lyft:** Enables you to use Alexa to hail a Lyft. Account linking is required. Invocation name: *lyft.*

- » **The Magic Door:** An interactive adventure game. Invocation name: *the magic door.*

- » **Mayo Clinic First Aid:** Provides first-aid instructions for common injuries and illnesses. Invocation name: *mayo first aid.*

- » **Meat Thermometer:** Say a type of meat (such as "steak") and how you want it cooked (such as "medium rare"), and this app tells you the internal temperature to shoot for. Invocation name: *meat thermometer.*

- » **Mastermind:** An all-purpose AI-driven assistant that you can use to send text messages and emails, make phone calls, search the web, and tons more. Invocation name: *mastermind.*

- » **MySomm:** A wine-pairing skill. That is, given a food, the skill suggests a wine to go with it. Invocation name: *wine gal.*

- » **NPR News Now:** News stories from National Public Radio, delivered via Alexa's Flash Briefing. Invocation name: *npr news now.*

- » **SAT Word of the Day:** Presents a new word each day, spells the word, and uses it in a sample sentence. Invocation name: *s-a-t word of the day.*

- » **TED Talks:** Gives you audio access to all the TED Talks. Invocation name: *ted talks.*

- » **This Day in History:** Tells you the top historical event that occurred on the current day of the year. Invocation name: *this day in history.*

>> **Translated:** Translates short phrases from English into more than three dozen languages, from American Spanish to Welsh. Invocation name: *translated*.

>> **Uber:** Enables you to use Alexa to hail an Uber. Account linking is required. Invocation name: *uber*.

>> **The Wayne Investigation:** An interactive mystery game where the choices you make as you investigate a mystery affect the outcome of the story. Invocation name: *the wayne investigation*.

>> **What to Expect:** Daily tips and advice during pregnancy. Invocation name: *what to expect*.

WARNING

Many of these skills are only available in certain countries. If you don't see the skill either in Amazon's Alexa Skills department or in the Alexa app, it means the skill isn't available where you live.

Building Your Own Skill

Have you checked out a few skills and thought, "Heck, I can do better than *that!*" Do you or someone in your family have a great idea for a skill? Whatever your motivation, building custom Alexa skills is a good news/bad news/good news proposition.

The good news is that, yes, you most certainly can build a custom Alexa skill. The bad news is that building a skill typically requires that you be proficient in a programming language such as Python, C#, or JavaScript. The good news is that you can ignore the bad news! Why? Because Amazon offers a much easier route to a building a custom skill: Alexa Skill Blueprints.

Blueprints are templates that enable you to build a custom skill. More than 40 templates are available in four categories: Fun & Games, Learning & Knowledge, At Home, and Storyteller. Each template takes you step-by-step through the entire process of building your skill. If you can follow a recipe, you can build your own Alexa skill.

Is there a catch? Yep, just one: Any skill you build using a blueprint is only available on Alexa devices that are signed in to your Amazon account. So, to be clear, the skill you build will *not* be available in Amazon's Alexa Skills store.

TIP

If you want to build a skill that *anyone* can use — that is, if you want your skill to take residence in Amazon's Alexa Skills store — and if you have some programming chops, you can use the Alexa Skills Kit to build whatever skill you want and make it universally available. To learn more, check out the Alexa Skills Kit home page at `https://developer.amazon.com/alexa-skills-kit`.

You get started by pointing your web browser to `https://blueprints.amazon.com`. Figure 8-8 shows the page that appears. If you see the Sign In button in the upper-right corner, click that button to sign in to your Amazon account.

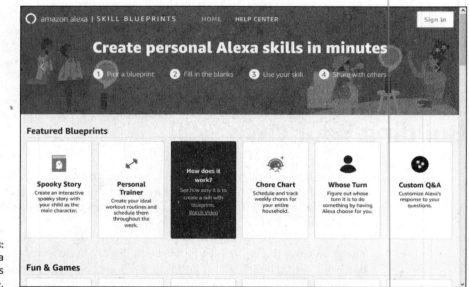

FIGURE 8-8:
Amazon's Alexa Skill Blueprints home page.

Each blueprint has a few unique steps, but there's a general procedure that's common to all the blueprints. The following steps take you through that general procedure:

1. **On the Alexa Skill Blueprints home page, click the template for the skill you want to build.**

You see the template's home page, which offers a short overview, a sample of the skill, and the steps that are unique to the template. Figure 8-9 shows the home page for the Inspirations template.

2. **Click Make Your Own.**

If you see the Three Steps to a Skill carousel, run through the steps, if you feel like it, then click Close (X).

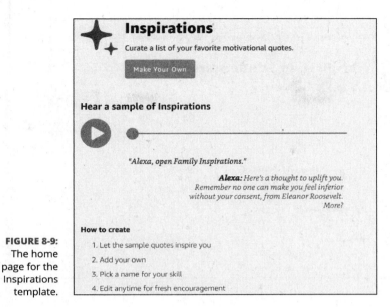

3. **For each step in the blueprint, supply the requested information, and then click the Next button.**

4. **When you get to the Name step, edit the template's default name.**

   When entering the name, be sure to use two or three words that are relatively simple; contain only letters, periods, and apostrophes; and don't use either your Alexa device wake word or connecting words such as *and, to,* or *for.*

5. **Click Next: Create Skill.**

   If this is your first skill, the blueprint tells you that you need to create an Amazon developer account.

6. **Click Update Account.**

   Amazon sets up your developer account and then creates your skill, which takes a few minutes. You'll know your new skill is fully baked when you see the Your skill is ready to use and edit message, as shown in Figure 8-10.

Here are some notes for working with your new skill:

>> To invoke your skill, say "Alexa, open [*skill*]," where *skill* is the name you gave your skill.

>> To rename your skill, click the pencil icon that appears to the right of the name, edit the name, and then click Rename Skill.

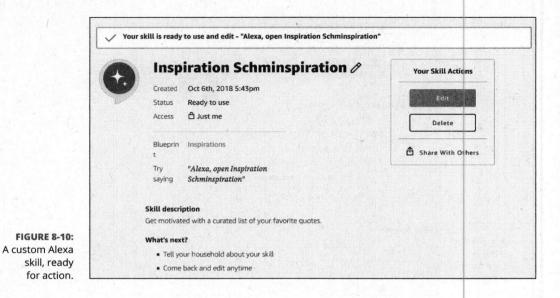

FIGURE 8-10:
A custom Alexa
skill, ready
for action.

>> To make changes to your skill, click Edit.

>> To get rid of the skill, click Delete.

>> To share your skill, click Share with Others, click either Yes or No when
Amazon asks if the skill is intended for kids under 13 years old, and then click
how you want to share the skill: Email, Facebook, Twitter, and so on.

Chapter **9**

Making Alexa Accessible

For people with a vision impairment or mobility challenges, Alexa is a gift from the technological gods because devices such as the Echo, Echo Dot, and Echo Plus can be operated by voice only: Good vision or steady hands are not required.

Similarly, for people with severe hearing problems, Alexa is also apparently heaven sent, because devices such as the Echo Spot and Echo Show can display Alexa's results onscreen.

Alexa's benefits to people with physical challenges are significant, but they don't mean that either Alexa or an Alexa device are configured ideally for those same people. In this chapter, you explore the accessibility features that can make Alexa easier to use for people with speech, hearing, and vision issues.

Controlling Alexa If You Have a Speech Impairment

Alexa is billed as a voice-activated personal assistant, but that "voice-activated" part is problematic if you can't speak at all or have speech challenges. To fix that, you can take advantage of the many features offered by Alexa and the Alexa app to make Alexa devices accessible to those with speech problems.

Making Alexa more speech accessible

Alexa and the Alexa app come with a few features that you can customize or enable to work around speech impairments:

>> You can use the Alexa app to perform many Alexa tasks by tapping instead of speaking, including creating lists and adding items to lists (see Chapter 6), setting reminders (also in Chapter 6), viewing contacts (Chapter 5), creating smart-home routines (Chapter 11), and adding skills (Chapter 8).

>> If you have trouble saying "Alexa," you can try a different wake word, as I describe in Chapter 14.

>> If you have an Alexa device with a screen, you can use the Tap to Alexa feature to issue Alexa commands by tapping instead of speaking (see "Using Tap to Alexa," later in this chapter).

>> If you have an Alexa device with a screen, you can swipe down from the top of the screen and use the status bar to set alarms, create smart-home routines, and control smart-home devices.

>> If you have an Alexa device with a screen, you can send text messages by tapping instead of speaking (see "Texting without speech," later in this chapter).

Installing a text-to-speech app

One way to work around speech problems with Alexa is to use a text-to-speech (TTS) app on your smartphone or other mobile device. A TTS app lets you type some text, and the app then speaks that text for you through the device speaker. Here are a few popular (and free) TTS apps that are available for both iOS and Android:

>> Google Translate

>> Talk For Me

>> Text to Speech!

Using Tap to Alexa

TTS apps enable you to interact with screenless Alexa devices such as the Echo, Echo Dot, and Echo Plus. However, if you have an Echo Show, you can use its screen to access a few common Alexa features with just a couple of taps on the screen.

This feature is called Tap to Alexa, and as I write these words it's only available on the Echo Show. (Amazon says Tap to Alexa will eventually come to the Echo Spot in the future, so it may be available as you read this.)

When you enable Tap to Alexa, you can tap the Echo Show Home screen to display a grid of icons — Amazon calls them *tiles* — that represent common Alexa tasks: getting the weather or news, setting a timer or alarm, playing music, or adding an item to your Shopping or To-Do list.

To get started, you first have to enable Tap to Alexa by following these steps:

1. **Swipe down from the top of the screen.**
2. **Tap Settings.**
3. **Tap Accessibility.**
4. **Tap the Tap to Alexa switch to On.**

With Tap to Alexa enabled, your Echo Show's Home screen now includes an icon of a pointing finger "tapping" the screen. Tap that icon and you see the Tap to Alexa screen, shown in Figure 9-1. Note that you can swipe left to see a second page of tiles.

FIGURE 9-1:
The default first page of the Tap to Alexa screen.

What happens when you select a tile depends on the underlying task. Tapping the Weather tile is the same as saying, "Alexa, tell me the weather," so you immediately hear Alexa giving you the current weather conditions and forecast. Similarly, tapping the Music tile is the same as saying, "Alexa, play some music," so you hear a random playlist. Other tiles such as Traffic, News, and Joke also invoke Alexa immediately.

Some tiles represent tasks where Alexa requires more information from you. For example, tapping the Timer tile displays a screen that presents you with several options for the length of the timer. Similarly, tapping the Shopping List tile displays a screen that enables you to enter the item you want Alexa to add to the list.

The top-right corner of the Tap to Alexa screen is home to the following three icons:

>> **Keyboard:** Displays an onscreen keyboard, which you can use to send any command you like to Alexa without having to use your voice.

>> **Add:** Enables you to create your own Tap to Alexa tiles. When you tap Add, the onscreen keyboard appears, which you use to enter the command you want Alexa to carry out. You're then prompted to select an icon and enter a label for the tile. When you're done, your new tile appears in the Tap to Alexa screen (starting on the second page) using the icon and label you specified.

>> **Manage:** Enables you to rearrange the Tap to Alexa tiles by dragging and dropping them. You can also delete a tile you don't use by tapping the X that appears with the tile.

Texting without speech

Alexa's feature that enables you to speak a text message and have it sent to someone in your Contacts list is convenient and easy. Well, it's convenient and easy *if* you can say the "Alexa, send a text" command and speak your message. If you can't, are you out of luck? Nope, not if you have an Alexa device with a screen. The Echo Show and Echo Spot both support a feature that enables you to send texts (as well as place phone calls) by tapping the screen.

First, follow these steps to enable the Calling & Messaging Without Speech feature:

1. **Swipe down from the top of the screen.**

2. **Tap Settings.**

3. **Tap Accessibility.**

4. **Tap the Calling & Messaging Without Speech switch to On.**

With the Calling & Messaging Without Speech switch enabled, when you swipe down from the top of the screen you see a new Conversation icon — a speech bubble — which represents the Calling & Message feature.

Here's how to use Calling & Messaging to send a text by tapping the screen:

1. **Swipe down from the top of the screen.**

2. **Tap the Communication icon (the speech bubble).**

   The Calling & Messaging screen appears.

3. **Tap Contacts.**

   Alexa displays a list of the contacts that are eligible for messaging.

4. **Tap the person to whom you want to send your message.**

5. **Tap the Keyboard icon.**

   Alexa displays an onscreen keyboard.

6. **Tap your message.**

7. **Tap the checkmark.**

   Alexa sends your message.

Checking Out Alexa's Features for the Hearing Impaired

If your hearing has deteriorated over the years, or if you have a hearing impairment in one or both ears, hearing Alexa's responses and enjoying music and videos can be a challenge. Fortunately, help is at hand. Alexa has a few tools that you can configure to help or work around your hearing issues. The next few sections give you the lowdown on the hi-fi.

Making Alexa more hearing accessible

Alexa and the Alexa app come with a few features that you can customize or turn on to work around hearing impairments:

>> The Light Ring provides a visual indicator of the status of your Echo device (see Chapter 3).

>> For Alexa devices with a screen, onscreen messages and icons provide visual indications of the device's status.

>> Alexa devices have either physical buttons you can press to adjust the volume or a volume ring (see Chapter 3).

>> You can use the Alexa app to adjust the volume for alarms, timers, and notifications (see Chapter 6).

>> You can configure Alexa to display Closed Captioning on videos and Alexa Captioning on Alexa's responses (see "Enabling Closed Captioning" and "Enabling Alexa Captioning," later in this chapter).

>> You can connect Alexa with external speakers or headphones, either directly using a cable or wirelessly via Bluetooth (see Chapter 2).

ALEXA WITH HEADPHONES

If you suffer from only minor hearing loss, you may be able to compensate by turning up the volume of your Alexa device. However, this may be impractical if there are other people nearby and you don't want to disturb them, and it may be useless if your hearing loss is severe.

In such cases, an often better solution is to use headphones. Because the sound from the headphones takes a shorter and more direct path to your ear, it can make the sounds sharper and easier to discern — and it has the added advantage of not disturbing anyone within earshot.

If you decide to invest in some headphones, here are a few pointers to bear in mind:

- If you use an in-the-ear (ITE) hearing aid, look for ear-pad headphones (also called on-ear headphones), which rest on your ears.

- If you use a behind-the-ear (BTE) hearing aid, you'll need to move up to full-size headphones (also called full-cup, ear-cup, or over-the-ear headphones), which are large enough to cover not only your ear but also your hearing-aid microphone.

- With any type of hearing aid, you need to guard against *feedback,* where amplified sounds from your hearing aid "leak" out and bounce off the headphones back into the hearing aid. The cycle repeats until a painful feedback squeal is the result. To prevent feedback, get headphones that use foam ear pads, which reduce the chance of sound being reflected into the hearing aid.

- If your hearing aid comes with a *telecoil mode* (which enables the hearing aid to process sounds sent electromagnetically), be sure to get telecoil-compatible headphones (which broadcast sounds electromagnetically).

- Consider getting noise-canceling headphones, which virtually eliminate background noises to let you hear just the sounds from the headphones.

Enabling Closed Captioning

If you have an Alexa device with a screen, the Closed Captioning feature over-lays text transcriptions — which Amazon calls *subtitles* — of the voice track in a TV show, movie, or video. Follow these steps to enable and customize Closed Captioning:

1. Swipe down from the top of the screen.

2. Tap Settings.

3. Tap Accessibility.

4. Tap the Subtitles switch to On.

5. Tap Subtitle Preferences.

   Alexa displays a long list of settings that enable you to customize the appear-ance of the subtitles. The word *Preview* that appears at the top of the screen shows you what your custom subtitles will look like.

   Example settings include Text Size, Text Color, Font, and Text Background Color.

6. For each setting you want to customize, tap the setting, use the screen that shows up to adjust the setting to your liking, and then tap the Back button (<) to return to the settings.

TIP

If you end up with Closed Captioning subtitles that look downright awful, you can start over again quickly by scrolling to the bottom of the settings and then tapping the Reset to Defaults command.

Enabling Alexa Captioning

On an Alexa device with a screen, the Alexa Captioning feature overlays text transcriptions — called *subtitles* — of Alexa's responses to your voice commands. Follow these steps to enable and customize Alexa Captioning:

1. Swipe down from the top of the screen.

2. Tap Settings.

3. Tap Accessibility.

4. Tap the Alexa Subtitles switch to On.

5. **Tap Alexa Subtitle Preferences.**

   Alexa displays a screenful of settings for customizing the look of the subtitles.

6. **For each setting you want to customize, tap the setting, use the screen that shows up to adjust the setting to your liking, and then tap the Back button (<) to return to the settings.**

TIP

If you make a mess of the Alexa Captioning subtitles, reboot by scrolling to the bottom of the settings and then tapping Reset to Defaults.

Enabling Alexa's Features for the Vision Impaired

Those of you who are no longer spring chickens (or even summer chickens, for that matter) know one thing for certain: The older you get, the worse your eyesight becomes. Sure, you can ramp up your eyeglass prescription or invest in extra-strength reading glasses, but even that may not be enough when it comes to reading text and deciphering icons on your Alexa device screen. And, of course, if your eyesight problems go beyond relatively simple afflictions such as farsightedness or astigmatism, then a change of eyewear isn't going to help you make sense of what's happening on the device screen.

Whatever the source of your visual challenges, you can't work with your Alexa device (or the Alexa app) if you can't see what Alexa is trying to show you onscreen. Fortunately, a number of tools are available for enlarging screen items, making things easier to see, and even hearing audio transcriptions of what's on the screen.

Making Alexa more vision accessible

Both your Alexa device and the Alexa app come with a few features that you can tweak or activate to work around vision problems:

>> Alexa devices have either physical buttons you can press to adjust the volume or a volume ring (see Chapter 3).

>> You can use the Alexa app to adjust the volume for alarms, timers, and notifications (see Chapter 6).

>> The Alexa app supports the vision accessibility features — such as dynamic type sizes and high contrast — available on your smartphone:

- **iOS:** Choose Settings ⇨ General ⇨ Accessibility and adjust the settings in the Vision section.

- **Android:** Choose Settings ⇨ Accessibility ⇨ Vision.

» If your Alexa device's white text on a black screen is hard to read, you can invert the colors. Swipe down from the top of the screen, choose Settings ⇨ Accessibility, and then tap the Color Inversion switch to On.

» You can operate the Alexa app using a screen reader:

- **iOS:** Choose Settings ⇨ General ⇨ Accessibility ⇨ VoiceOver and tap the VoiceOver switch to On.

- **Android:** Choose Settings ⇨ Accessibility ⇨ TalkBack and then tap the switch to On.

» You can navigate your Alexa device screen with a screen reader (see "Navigating with VoiceView," next).

» You can zoom in on your Alexa device screen (see "Zooming in with Screen Magnifier," later in this chapter).

» You can configure your Alexa device to play a sound when Alexa starts processing a request and when it finishes processing that request. In the Alexa app, choose Devices ⇨ Echo & Alexa, tap your Alexa device, and then tap Sounds. Tap the Start of Request and End of Request switches to On, as shown in Figure 9-2.

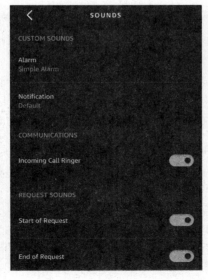

FIGURE 9-2:
Tap Start of Request and End of Request to On to know when Alexa is processing your voice commands.

Navigating with VoiceView

If you have an Echo Spot or Echo Show, you can use the VoiceView feature as a screen reader. As you open each screen, VoiceView tells you the name of the screen and you can tap any item on the screen to have the item's name or text read out loud to you.

To activate VoiceView, follow these steps:

1. **Swipe down from the top of the screen and then tap Settings.**

2. **Choose Accessibility ⇨ VoiceView Screen Reader.**

3. **Tap the VoiceView switch to On.**

The Alexa device switches into VoiceView mode and a voice says, "VoiceView ready." You may at this point see a tutorial for VoiceView. If so, go ahead and run through the tutorial to learn the basics. When you're done with the tutorial, you can continue with these steps.

While VoiceView is active, how you interact with the screen changes. I talk more about these changes in a bit, but to continue, you need to know about three VoiceView gestures:

- To hear the name or text associated with a screen item, tap that item.

- To open a screen item (for example, to run a command), tap the item to select it and then double-tap anywhere on the screen.

- To scroll a list, use three fingers to swipe down or up.

4. **Tap VoiceView Preferences and then double-tap anywhere on the screen.**

You now see a long list of settings for customizing VoiceView to suit your style. Here's a quick summary of the settings:

- **Reading Speed:** Sets the speed at which VoiceView reads the screen text.

- **Speech Volume:** Sets the VoiceView speech volume relative to the Alexa device's current volume setting. By default, VoiceView uses the device's current volume (the Match Device Volume option), but you can opt for a quieter playback (such as 75 percent or 50 percent of the device volume).

- **Sounds Volume:** Sets the VoiceView sound effects volume relative to the Alexa device's current volume setting.

- **Key Echo:** Specifies how VoiceView confirms what you've input when you're entering text using the onscreen keyboard. By default, VoiceView says each character as you type it and each word as you complete it (that is, it *echoes* the keys you press and the words you complete). You can also opt to have VoiceView echo just characters or just words.

- **Punctuation Level:** Specifies whether and how much punctuation VoiceView includes in its descriptions.
- **Identify Capital Letters:** Specifies how VoiceView indicates uppercase letters.
- **Verbosity:** Lets you specify which screen elements VoiceView mentions.
- **VoiceView Tutorial:** Runs a tutorial that gives you a quick lesson in how to use VoiceView.

With VoiceView activated and configured, you can use the gestures outlined in Table 9-1 to navigate your Alexa device.

TABLE 9-1   ## Navigating with VoiceView Gestures

Task	VoiceView Gesture
Open the status bar.	Swipe down from the top of the screen with three fingers.
Go to the next page or previous page.	Swipe left or right with three fingers.
Explore the screen.	Drag a finger over items on the screen to have them read aloud.
Go to the next item.	Swipe right using one finger.
Go to the previous item.	Swipe left using one finger.
Open an item.	Tap the item and then double-tap anywhere on the screen.
Increase granularity.	Swipe up and then down using a single motion. This allows you to step through items either by word or by character.
Decrease granularity.	Swipe down and then up using a single motion.
Go to the next item by granularity.	Swipe down.
Go to the previous item by granularity.	Swipe up.
Type on the keyboard.	Move one finger slowly over the keys to hear them read to you. When you hear the letter you want to type, lift your finger from the keyboard to enter the letter.
Scroll vertically.	Swipe up or down with three fingers.
Scroll horizontally.	Swipe left or right with three fingers.
Stop speech.	Single-tap with two fingers.

(continued)

TABLE 9-1 *(continued)*

Task	VoiceView Gesture
Read all from selected item.	Swipe down using two fingers.
Read all from first item.	Swipe up using two fingers.
Start or stop media.	Double-tap using two fingers.
Mute or unmute speech.	Double-tap using three fingers.
Adjust a slider.	Tap the slider to select it, and then swipe right and then left in a single motion to increase, or left and then right in a single motion to decrease. Alternatively, double-tap and hold, and then slide your finger to adjust the control.
Enter or exit Learn mode for gesture practice.	Double-tap using four fingers. (Currently available on Echo Show only.)
Go to the first item on the screen.	Tap the upper half of the screen using four fingers. (Currently available on Echo Show only.)
Go to the last item on the screen.	Tap the lower half of the screen using four fingers. (Currently available on Echo Show only.)

Zooming in with Screen Magnifier

You may find that although you can make out most of the items on your Alexa device screen, the occasional icon or bit of text is just too small to decipher. You can always grab a nearby magnifying glass to get a closer look at the section you can't make out, but Alexa offers an electronic version of the same thing. It's called, appropriately enough, Screen Magnifier, and it enables you to zoom in on a portion of the screen.

Screen Magnifier is on by default, but you may want to run through these steps just to make sure:

1. **Swipe down from the top of the screen and then tap Settings.**

2. **Tap Accessibility.**

3. **Tap the Screen Magnifier switch to On.**

To give Screen Magnifier a whirl, use the gestures listed in Table 9-2.

TABLE 9-2 ## Screen Magnifier Gestures

Task	Screen Magnifier Gesture
Zoom in on the screen.	Triple-tap the screen.
Pan a zoomed screen.	Drag two fingers around the screen. Be sure to keep your two fingers slightly apart for panning to work.
Change the magnification level of a zoomed screen.	To zoom out, place two fingers on the screen and pinch them together; to zoom in, place two fingers on the screen and spread them apart.
Zoom out to normal magnification.	Triple-tap the magnified screen.
Temporarily zoom in on the screen.	Triple-tap the screen, but leave your finger on the screen after the third tap. You can then pan the screen by dragging your finger.

4

Controlling Your Smart Home

IN THIS PART . . .

Learn how you can extend Alexa's hands-free convenience to your smart home devices.

Use Alexa to control every type of smart home gadget, including lights, switches, thermostats, cameras, and TVs.

Make your smart home a veritable "genius" home by setting up device groups, multifunction routines, and applets that enable Alexa to work with any home automation doodad.

» Getting your smart-home devices connected

» Telling Alexa about your smart-home knickknacks

» Managing your increasing horde of smart-home gadgets

» Using Alexa voice commands to control smart-home stuff

Chapter **10**

Setting Up Your Smart Home

echnology's tall-forehead types seem to be obsessed with the word *smart*. It began in earnest in the early 2000s when simple flip phones were replaced by powerful new devices that can surf the web, send email, and much more. Cellphones gave way to smartphones. A few years later, simple time-only watches were replaced by powerful new devices that can count your steps, provide directions, and much more. Wristwatches gave way to smartwatches.

What makes these devices "smart" depends on who you ask. Some folks say it's the impressive list of tasks you can now perform on the devices. Others claim that a device is "smart" if it can connect to the Internet and be controlled remotely.

Whatever the reason, the "smart" modifier is poised to take over your home. These days, you can't swing a cat without coming dangerously close to a smart lightbulb, a smart thermostat, or a smart doorbell. Perhaps the ultimate such device is the smart speaker — particularly any of Amazon's Echo devices — because it enables you to control other "smart" things with voice commands.

It's this idea of using Alexa to control nearby smart-home devices that forms the heart of this chapter. In the pages that follow, you explore this brave new world of smart-home stuff, learn how to get it all set up, and then dig into the specifics of using Alexa to control your new smart castle. This is going to be a fun one.

What's So Smart about a Smart Home?

Unless you're under five years old, you probably grew up in a home that was, well, dumb. You turned on lamps with a switch (or perhaps a clap), the thermostat told you only the current temperature, and the only task you could automate was setting your alarm clock. All that seemed perfectly normal at the time, but that dumb home is starting to look quaint when placed next to the modern idea of a smart home.

What, exactly, do people mean when they add the *smart* adjective to the word *home*? The simple — and not all that helpful — definition of a smart home is a home that contains one or more devices that enhance your home life in some way. That word *enhance* is vague, I know, but it's really the key to everything. How does a smart-home device enhance your home life? It comes down to three things:

>> **Convenience:** You operate most dumb-home devices manually, meaning you have to walk up to the device and then throw a switch or adjust a dial. If someone's at the door, the only way to see who's there is to open the door or peek through the peephole. By contrast, you operate smart-home devices from a distance using an app or a voice assistant such as Alexa. If someone's at the door, your smart security camera lets you see who's there using an app or an Alexa device with a screen.

>> **Information:** Dumb-home devices tell you either nothing about themselves or just the bare minimum. A dumb dimmer tells you nothing about the current light level, while a dumb thermostat shows only the current temperature. By contrast, smart-home devices are bristling with information — such as current settings, status indicators, and power usage — that gets relayed to an app or device for easy reference.

>> **Automation:** Dumb-home devices just sit there until you do something. A dumb lamp goes on when you flip the switch and will stay on until you flip the switch back. A dumb thermostat will keep the house at the temperature you set, no matter what the time of day. By contrast, smart-home devices can be programmed. You can program a smart lamp to turn on and off automatically at specified times. You can program a smart thermostat to use your preferred temperature during the day, and to use an energy-saving lower or higher temperature overnight.

Yes, some smart-home stuff is a solution in search of a problem. A smart water bottle that tells you when it's time to take a drink and a smart hair brush that lets you know when you're not brushing correctly are among the dumber smart devices. On the other hand, even something as basic (in the smart-home world, anyway) as programming when your lights go on and off can both save you money by reducing energy costs and extending bulb life, and make your home more secure by making it look occupied even when you're not there.

Working with smart-home devices

One of the most confusing things about getting into the smart-home scene is understanding how you work with those smart devices that you bring into your home. How do you control them? How do you get information from them? How do you automate them?

That confusion exists because there isn't just one way to work with any smart-home device. There are, in fact, three different ways:

>> **Using an app:** The simplest way to work with a smart-home device is to use the manufacturer's app on your smartphone or tablet. With the app installed, after you plug in and turn on the device, the app will recognize the device (I talk about how this happens in the next section) and set it up. You can then use the app to control the device (say, by turning it on and off), get information about the device, and automate the device in some way. If you add a second device from the same manufacturer, you can use the same app to control that new device, as well. (Although some manufacturers offer separate apps for their devices.) However, if you add a device from another manufacturer, you need that company's app to control the new device.

>> **Using a device controller, such as Alexa:** The problem with app-based device control is that as you add smart devices to your home, the number of apps you have to juggle gets larger and larger. Two or three apps is no big deal, but a dozen smart-home apps is unwieldy. The solution is to bypass the apps in favor of a *smart-home controller,* which is a device that can recognize and work with multiple devices from multiple manufacturers. An Alexa device such as an Echo or Echo Spot is an example of such a controller. For this to work, you must make sure you get smart-home devices that are compatible with your controller.

>> **Using a smart-home hub:** A smart-home controller lets you bypass an app to control a device, but you still need the app to enable the controller to find the device and to give the controller permission to work with the device. That means the setup for many devices is complex and time-consuming. The solution is to eschew the controller in favor of a *smart-home hub,* which is a device that uses

special networking technology (again, see the next section) to automatically recognize and connect with compatible smart-home devices. Many smart-home device manufacturers also make hubs, but the Echo Plus and the second-generation Echo Show are examples of devices that have built-in smart-home hubs.

WARNING

If you want to use Alexa voice commands to control your smart-home devices, you need to be careful because not every device is Alexa-friendly. If you're shopping on Amazon, look for "Works with Alexa" in the item name or description. On the Amazon product page, look for the Amazon-Certified badge that guarantees the device can be controlled by Alexa.

Understanding smart-home connections

Another source of confusion (besides how you work with devices, as I talk about in the preceding section) is how smart-home devices communicate. You already know you can send commands to a device and get information from a device, but what mechanism is used to send and receive this data? Because nothing is ever simple with home automation, there are not one, not two, but *three* mechanisms by which smart-home devices can communicate:

>> **Wi-Fi:** Most smart-home devices have built-in Wi-Fi hardware, meaning that you can get these devices connected to your home Wi-Fi network, which enables them to work with an app, controller (such as Alexa), or hub that's connected to the same network. Getting the smart-home device on your Wi-Fi network usually involves three steps:

1. The smart-home device creates a temporary Wi-Fi network.

2. You connect your mobile device to the smart-home device's network. This gives the app, controller, or hub access to the device to configure it.

3. You use the app, controller, or hub to connect the smart-home device to your Wi-Fi network.

With newer Amazon Echo devices, the setup procedure now skips Step 2.

>> **Bluetooth:** Many smart-home devices — particularly headphones and speakers — come with Bluetooth networking, which enables a controller or hub to connect to (or *pair* with) the device directly, thus avoiding the convoluted Wi-Fi setup steps.

>> **Wireless mesh network:** This is a type of wireless network where all the devices — they're called *nodes* — can communicate with each other directly. Crucially, mesh network nodes can connect to each other without requiring credentials (as in a Wi-Fi connection) and can make themselves available to multiple devices (unlike a Bluetooth connection, which can only exist between

two devices). Not having to jump through these hoops means that a smart-home hub that's compatible with the mesh network can automatically locate and connect to any network nodes it finds. The "compatible" part of that last sentence is important because there are actually many different wireless mesh technologies. The two most popular are Zigbee and Z-Wave, so whatever smart-home hub you choose, your devices should also support the same type of mesh network. The Echo Plus and the second-generation Echo Show both support Zigbee networks.

So, just to tie this section and the previous one together, if you're using one or more manufacturer apps to connect and control devices, you'll almost always use Wi-Fi; if you're using a device controller (such as Alexa), you'll connect and control devices using either Wi-Fi or Bluetooth; if you're using a smart-home hub, you'll connect and control devices using Wi-Fi, Bluetooth, or a mesh network such as Zigbee.

How does Alexa fit in?

You probably already know the answer to this section's question: Alexa is an example of a smart-home device controller, which means you can use an Alexa device to connect to and operate smart-home devices using either your home's Wi-Fi network or a direct Bluetooth connection. In most cases, the connection procedure involves two steps:

1. **For a Wi-Fi connection, use the manufacturer's app to give Alexa permission to connect to the device.**

2. **Enable the manufacturer's device skill to update Alexa with the voice commands needed to operate the device.**

I go into both steps in more detail later in this chapter.

Do you need a smart-home hub?

Assuming (because you're reading this book) you're using Alexa to control your smart-home devices, you may be wondering whether you need to upgrade your smart home with a hub. The beauty of a hub is that it locates and connects to compatible mesh-network devices without your having to lift a finger (other than to tap the hub's "Locate devices" command).

A smart-home hub is also the way to go if you have some smart devices that aren't compatible with your Alexa device. For example. if you have an Echo, Echo Dot, or Echo Spot, Alexa can't work with mesh-network devices such as Zigbee and Z-Wave. However, if you install a smart-home hub that supports these networks, Alexa will be able to control at least some devices on those networks.

If you think you need a hub, there are two ways to go:

>> **Buy an Alexa device that has a built-in hub, meaning either an Echo Plus or a second-generation Echo Show.** In this case, you must make sure that your smart-home devices support Zigbee mesh networking.

>> **Buy a third-party hub and then connect it to a non-hub Alexa device, such as an Echo, Echo Dot, or Echo Spot.** This gives you a bit more flexibility because, after you install the hub's Alexa skill, it means Alexa can now control any device that's compatible with the hub (which, for most hubs, means Wi-Fi, Bluetooth, Zigbee, and Z-Wave devices, among others).

REMEMBER

If you don't want to spend money on a hardware hub, you can get similar results by going the software route. A service named IFTTT (If This Then That) lets you create small scripts called *applets* that enable you to control smart-home devices whatever their connection. I talk more about IFTTT in Chapter 11.

Setting Up Your Smart-Home Devices

Assuming you've got some smart-home devices newly delivered, it's time to figure out how to get those devices set up so that you can control them through Alexa using voice commands. The next few sections take you through the setup procedures for Wi-Fi and Zigbee devices. (I cover connecting Bluetooth stuff back in Chapter 2.)

Installing a Wi-Fi smart-home device

If your smart-home device is Wi-Fi-friendly, go to your mobile device app store and install the manufacturer's app. Then follow these steps to get your Wi-Fi smart-home device set up in the app:

1. **Plug in and, if required, turn on the smart-home device.**

2. **Open the smart-home device manufacturer's app.**

3. **Initiate the procedure for setting up a new device.**

   Look for a command named Add or Add [*manufacturer*] Device (where *manufacturer* is the name of the company), or just a big plus sign (+).

   The setup routine will tell the device to broadcast its Wi-Fi network.

4. **Open your mobile device's Wi-Fi settings and look for the device's Wi-Fi network.**

   Figure 10-1 shows a collection of Wi-Fi networks that includes WeMo. Insight.03C, which is a network broadcast by a WeMo Insight smart switch.

FIGURE 10-1:
Open your
Wi-Fi settings and
look for the
smart-home
device's Wi-Fi
network.

Device network

5. **Tap the device network to connect to it.**

6. **When the connection is complete, return to the device app.**

   The app automatically detects the new network and uses the connection to set up the device. This usually involves giving the device a name, as shown in Figure 10-2. You'll often have to set up an account with the manufacturer, as well.

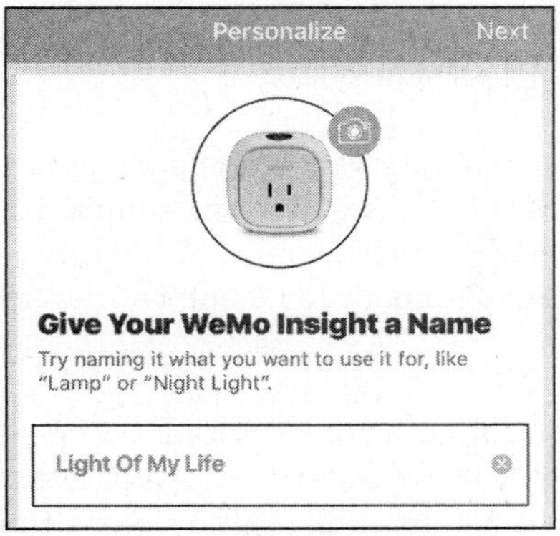

FIGURE 10-2:
You usually have
to run through a
few configuration
chores, such as
giving the device
a silly name.

7. **The app will usually ask for your Wi-Fi credentials, which enables the device to connect to and operate over your network.**

   Having the device on your network is also how Alexa discovers and operates the device, so this step is important.

8. **If you see a notice asking whether you want to upgrade the smart-home device firmware, by all means tap Yes or Allow or Update or whatever button answers in the affirmative.**

   The firmware is internal software that runs the device. Keeping all your smart-home devices updated with the latest firmware is highly recommended because new versions of the software are often needed to patch security holes and improve performance.

Understanding Wi-Fi Simple Setup

The steps I outline in the preceding section mostly deal with getting a Wi-Fi-enabled smart-home device on your home network. The step where you need to connect your smartphone or tablet to the device's temporary network always bothers me because it seems like an imposition. The Amazon engineers must have felt the same way, because they came up with a way to avoid that annoying extra step. It's called Wi-Fi Simple Setup, and it requires two things:

>> An Echo device compatible with Wi-Fi Simple Setup — that is, a second-generation or later Echo, Echo Plus, Echo Dot, or Echo Show — that's already connected to your Wi-Fi network

>> The password to your Wi-Fi network saved to Amazon

If you've checked off both items, then setting up a new device that's compatible with Wi-Fi Simple Setup — such as the Amazon Smart Plug or the AmazonBasics Microwave — is either easy or ridiculously easy.

The ridiculously easy setup comes your way if you purchased your Wi-Fi Simple Setup device from Amazon. In that case, Amazon automatically associates the device with your Amazon account, which means that when you plug in the device, it will connect to your network automatically using your saved Wi-Fi password. Now *that's* ridiculously easy!

If you purchased the Wi-Fi Simple Setup device from a retailer other than Amazon, then the device won't be associated with your Amazon account, so it can't connect to your network automatically. That's okay, though, because you can still use the Alexa app to add the device: Choose Devices ⇨ Add (+) ⇨ Add Device.

Discovering smart-home devices using an Alexa skill

If you're not using an Alexa device that includes a smart-home hub (such as the Echo Plus and second-generation Echo Show), then you usually need to upgrade

Alexa to work with your smart-home device. You upgrade Alexa by enabling the device manufacturer's Alexa skill. This not only lets Alexa discover the device, but also upgrades Alexa with the voice commands that let you operate the device.

REMEMBER

Alexa can locate and connect to some smart-home devices without requiring a skill. For example, Alexa can work with a Philips Hue Bridge to control lights without needing a skill. Say, "Alexa, discover devices," and then press the button on top of the Hue Bridge to put it into pairing mode.

Follow these steps to enable the manufacturer's Alexa skill and discover the manufacturer's smart-home device:

1. **Install the manufacturer's app and use it to get your smart-home device on your Wi-Fi network.**

See "Installing a Wi-Fi smart-home device," earlier in this chapter, for the details.

2. **In the Alexa app, tap Devices.**

3. **Tap the Add button (+) that appears in the top-right corner.**

4. **Tap Add Device.**

The Alexa app displays icons for some popular brands and some device categories.

5. **Tap the category that fits your device, and then tap the manufacturer.**

The Alexa app prompts you to perform the duties I outline in Step 1. You've done all that, so proceed.

6. **Tap Continue.**

The Alexa app opens the information page for the manufacturer's Alexa skill.

7. **Tap Enable.**

At this point, what happens next depends on the skill, but you'll usually have to perform one or both of the following:

● Use the smart-home device app to give Alexa permission to access the device.

● Link Alexa to the user account associated with the smart-home device.

8. **When you're done, tap Close (X) to return to the skill page.**

9. **Tap Discover Devices (see Figure 10-3).**

The Alexa app uses the manufacturer's Alexa skill to search for available devices. If one or more devices are found, you see a screen similar to the one shown in Figure 10-4.

10. **Tap Done.**

FIGURE 10-3:
When a skill is enabled, tap Discover Devices to see what's available.

FIGURE 10-4:
You see a screen similar to this one if the Alexa app discovers any devices using the manufacturer's Alexa skill.

With a manufacturer's Alexa skill enabled, you can discover new devices by following steps 1 through 5 and then tapping Discover Devices, or you can ask Alexa to run the following voice command:

"Alexa, discover my devices."

Discovering Zigbee smart-home devices

If you have one or more smart-home devices that support Zigbee and you have an Echo Plus or a second-generation Echo Show, the built-in hub in your Echo will automatically discover your devices.

Before continuing, make sure your Zigbee devices are in pairing mode by turning them off and then turning them back on again.

The easiest way to get Alexa to find your Zigbee devices is to issue the following voice command:

"Alexa, discover my devices."

Otherwise, you can use the Alexa app as follows:

1. **Tap Devices.**

2. **Tap the Add button (+) that appears in the top-right corner.**

3. **Tap Add Device.**

   The Alexa app displays icons for some popular brands and some device categories.

4. **Tap the category that fits your device and then tap the manufacturer.**

   If you don't see the manufacturer, tap Other, instead.

5. **Tap Discover Devices.**

   The Alexa app scans for nearby pairable Zigbee devices. If it finds one or more devices, you see a screen similar to the one shown in Figure 10-4.

6. **Tap Done.**

   Your Zigbee devices are ready to go.

Managing Smart-Home Devices

After you have one or more smart devices installed and connected to Alexa, you can start controlling those devices with voice commands. Sweet! I get into that a bit later, but for now you should know a few techniques for managing your smart-home devices.

Viewing your smart-home devices

The easiest way to keep track of what smart-home devices you've got installed is to use the Alexa app. Tap the Devices icon to open the Devices screen. As shown in Figure 10-5, the top part of the Devices screen is divided into categories as follows:

>> **Echo & Alexa:** Displays a list of your Echo devices and Alexa gadgets.

>> **[*Type*]:** You see a separate icon for each type of device, such as the Lights and Plugs types shown in Figure 10-5.

>> **All Devices:** Displays every device that's connected to Alexa.

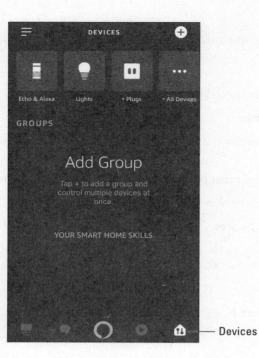

FIGURE 10-5:
Use the Devices
screen to keep
track of your
installed
smart-home
devices.

REMEMBER

If you see a little green dot next to a device category, it means Alexa has recently discovered or connected to a new device in that category.

To view information about (and, as I show in the next few sections, make changes to) a device, tap the device category, tap the device, and then tap the Device Settings icon (the three dots) that appears in the upper-right corner. Figure 10-6 shows an example of the Device Settings screen that appears.

FIGURE 10-6:
Use the
Device Settings
screen to get
device info and
perform a few
device-related
tasks.

Most of the data you see on the Device Settings screen is straightforward (or explained in the next few sections). However, I'd like to point out the Connected Via setting, which tells you how Alexa is connected to the device. Depending on the device, you'll see one of the following three connection types:

>> **Alexa skill:** If Alexa used a manufacturer's skill to connect to the device, the Connected Via setting shows the manufacturer's name.

>> **Network:** If Alexa connected to the device using Wi-Fi, Bluetooth, or Zigbee, the Connected Via setting shows the network type.

>> **Hub:** If Alexa connected to the device through a smart-home hub, the Connected Via setting shows the name of the hub.

Renaming a smart-home device

You usually name a smart-home device using the manufacturer's app, but you can also follow these steps to rename the device using the Alexa app:

1. **Tap Devices.**

2. **Tap the device type (or All Devices) and then tap the device you want to rename.**

   If your All Devices list is long, an easier way to locate your device is to tap the appropriate device type at the top of the Devices screen.

3. **Tap the Device Settings icon (the three dots) in the top-right corner of the screen.**

4. **Tap Edit Name.**

   The Alexa app opens the device name for editing.

5. **Edit the name of the device.**

   You'll be saying some device names over and over, so make sure you give any frequently used device a name that's short, easy to pronounce, and memorable.

WARNING

6. **Tap Done.**

   The Alexa app renames the device.

Changing the device type

The Alexa app's Device Settings screen includes a Type setting, which tells you the device type, such as Light, Plug, or Switch. For most devices, the type is set in the digital equivalent of stone, but some devices can change type. For example, a smart plug is, of course, a plug, but if you connect, say, a lamp, then isn't the device really now a light instead of merely a plug?

Okay, sure, but why does that matter? It matters because, as I show in Chapter 11, you can set up device groups that you can control as a unit. If you have, say, several smart lights in that group, but you also want to include a lamp connected to a smart plug, then it's easier if you tell Alexa to treat the smart plug as a light, instead of just a plug.

For devices that can take on different types, follow these steps to change the type using the Alexa app:

1. **Tap Devices.**

2. **Tap the device type (or All Devices) and then tap the device you want to change.**

3. **Tap the Device Settings icon (the three dots) in the top-right corner of the screen.**

4. **Tap Type.**

   The Alexa app displays the Select Type screen, an example of which is shown in Figure 10-7.

FIGURE 10-7: On supported devices, use the Select Type screen to change the device type.

5. **Tap the device type you want to use.**

   Alexa now treats the device as the type you selected.

Disabling or deleting a smart-home device

If you're not using a smart-home device temporarily, you can disable it to reduce clutter in your device lists. Alternatively, if you're never going to use a smart-home device again, you can delete it permanently from Alexa. Follow these steps in the Alexa app to disable or delete a device:

1. **Tap Devices.**

2. **Tap the device type (or All Devices) and then tap the device you want to disable or delete.**

3. **Tap the Device Settings icon (the three dots) in the top-right corner of the screen.**

4. **Tap the Enabled switch to Off.**

   Alternatively, if you prefer to remove the device completely, tap Delete (the trashcan icon in the top-right corner of the screen), and then tap Delete when the Alexa app asks you to confirm.

   The Alexa app disables or deletes the device.

Working with Smart-Home Devices

With your smart-home devices plugged in, turned on, connected to Alexa, and sensibly named, you're ready to reap the harvest of all that labor: controlling those devices through Alexa using voice commands. Don't let all that power go to your head!

REMEMBER

In the sections that follow, I outline the Alexa voice commands that are generally available for each type of device. Keep in mind, however, that the ways you can control a smart-home device through Alexa are almost always only a subset of what you can do using the manufacturer's app. With a smart plug, for example, Alexa can only turn the device on or off, but the manufacturer's app will usually let you schedule on/off times, turn the plug off automatically after a set time, and more.

Controlling a smart-home device

Before getting to the meat of this section, you should know that there are actually three methods you can use to control a smart-home device:

>> **Voice commands:** This is how you'll operate most of your smart-home devices, and the rest of this section takes you through the most common voice commands for a selection of smart-home devices.

>> **Alexa app:** If you have your Alexa device microphone turned off, you can still use the Alexa app to control your smart-home devices. Tap Devices, tap the device type (or All Devices), and then tap the device you want to mess with. The screen that appears contains the controls you can use. For example, Figure 10-8 shows the device screen for a smart lightbulb, which includes two controls: a button for turning the device on and off and a slider for setting the brightness.

FIGURE 10-8:
The device control screen for a smart lightbulb.

>> **Alexa device with a screen:** Swipe down from the top of the screen to open the status bar, and then tap the icon for the device type (such as a bulb icon for your smart lights, plugs, and switches). Note, too, that after you issue a smart-home device-related command to an Alexa device with a screen, you see some device controls on the screen for a few seconds.

Working with device scenes

Another "device" that Alexa may discover when you shout out the "Alexa, discover my devices" command is a scene. In the smart-home world, a *scene* is a custom collection of devices and device settings. For example, if a room has four smart lightbulbs, a scene may include two of those bulbs and set them to 50 percent brightness. Many smart-home devices come with one or more pre-fab scenes, which you can check out in the manufacturer's app. In most cases, that app also gives you a way to create your own scenes.

When you enable the manufacturer's skill and ask Alexa to discover devices, Alexa checks in with the manufacturer's app and connects not only to any devices defined in the app, but also to any scenes defined in the app. If Alexa discovers at least one scene, the Devices screen in the Alexa app sprouts a new Scenes tab, as shown in Figure 10-9. Tap Scenes to get a list of the available scenes, as shown in Figure 10-10.

FIGURE 10-9:
The Devices screen includes Scenes if Alexa discovers one or more scenes.

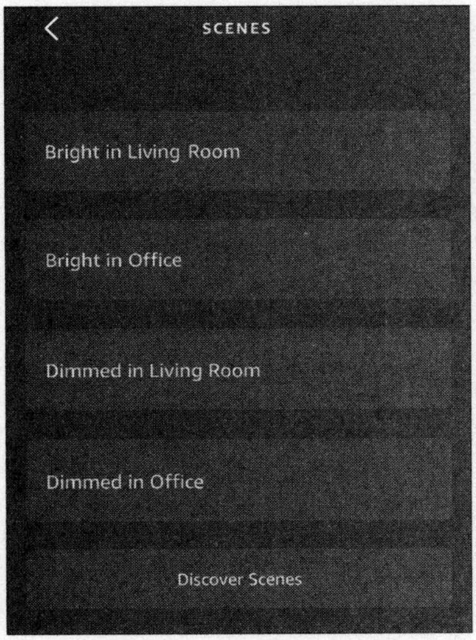

FIGURE 10-10:
Tap Scenes to see what's available.

To activate a scene, use the following voice command:

"Alexa, turn on [*scene*]."

Replace *scene* with the name of the scene you want to run, where the name you say must be one of the names in the Scenes screen (such as "Bright in Living Room" shown in Figure 10-10).

TIP

A typical scene uses a moniker such as "[*name* in *room*]," where *name* is the label for the scene settings and *room* is the space to which the scene applies (that is, where the devices are located). This means that you can use voice commands such as "Alexa, turn on [*room*]" or "Alexa, turn off [*room*]" to control the devices in the location given by *room*.

Whenever you create or change a scene, let Alexa know by using the Alexa app to open the Scenes screen and tap the Discover Scenes button.

TIP

If you delete a scene in the smart-home device app, Alexa doesn't usually remove that scene, so you need to do it manually, Use the steps I outline earlier in the "Disabling or deleting a smart-home device" section.

Turning smart plugs on and off

If you're curious about smart-home technology, but you don't want to spend a ton of money or time, a smart outlet — most often called a *smart plug* — is the way to go. A smart plug is an electrical outlet that you can control with voice commands. The smart outlet plugs into a regular electrical outlet for power and then you plug a non-smart device — such as a lamp or coffeemaker — into the smart outlet. *Voilà!* You now have voice control over the dumb device.

TIP

Do you have a bunch of nearby dumb devices that you want control via Alexa? In that case, instead of getting multiple smart plugs, buy a single smart power strip.

Note, however, that "control" here just means turning the device on and off using the following voice commands:

» "Alexa, turn [*device name*] on."

» "Alexa, turn [*device name*] off."

Replace *device name* with the name you gave to the smart plug using either the manufacturer's app or the Alexa app (see "Renaming a smart-home device," earlier in this chapter).

Working with smart lights

Another easy and relatively inexpensive way to get your smart-home feet wet is with a smart lightbulb or two. You can buy a smart bulb for less than $20, and installing it is as easy as changing any regular lightbulb. You can also get smart bulbs that change brightness without a separate dimmer switch and that can display different colors.

What if you have a large collection of lights in, say, your kitchen or living room? Swapping out all those dumb bulbs for smart versions would cost a fortune, so a better choice is a smart light switch that you can turn on and off via Alexa. For more control, you can get a smart dimmer switch that enables you to control the brightness with voice commands.

WARNING

Although a smart light bulb is easy to install, a smart light switch is another matter because it needs to be wired to your home's electrical system. Unless you really know what you're doing, hire an electrician to do the installation for you.

Here are the voice commands to use to turn a smart lightbulb or light switch on or off:

>> "Alexa, turn [*device name*] on."

>> "Alexa, turn [*device name*] off."

For dimmable smart lights (or smart dimmer switches), use any of the following voice commands:

>> "Alexa, brighten [*device name*]."

>> "Alexa, dim [*device name*]."

>> "Alexa, set [*device name*] brightness to [*number*] percent."

For smart lights that support different colors, use these voice commands:

>> "Alexa, set [*device name*] to warm white."

>> "Alexa, set [*device name*] to cool white."

>> "Alexa, set [*device name*] to [*color*]." (For example, "Alexa, set Chill Room to blue.")

Controlling smart thermostats

A smart thermostat gives you voice control over not only the thermostat mode — for example, switching between heating and cooling — but also the temperature setting. You can also interrogate a smart thermostat to learn the current temperature setting.

Smart thermostats that work with Alexa are a little on the pricey side — you can easily spend over $200 — and require installation by someone qualified to work with electrical connections, so be sure the benefits of being able to raise or lower the temperature a degree or two with your voice are worth it.

After you've installed a smart thermostat, you can control it using the following voice commands:

>> "Alexa, set [*device name*] to cool."

>> "Alexa, set [*device name*] to heat."

>> "Alexa, set [*device name*] to auto."

>> "Alexa, set [*device name*] to off."

>> "Alexa, set [*device name*] to [*number*] degrees."

>> "Alexa, increase [*device name*] by [*number*] degrees."

>> "Alexa, decrease [*device name*] by [*number*] degrees."

>> "Alexa, what is [*device name*]'s temperature?"

>> "Alexa, what is [*device name*] set to?"

Keeping an eye on things with smart cameras

It's a fact of life that we can only ever be in one place at a time, but that doesn't stop us from wanting to know what's going on elsewhere. It may be monitoring your sleeping child, seeing what your dog or cat gets up to while you're not around, or getting a look at who's just rung the front doorbell.

You can do all those things and more with a smart camera connected to an Alexa device that has a screen. Smart cameras come in both outdoor versions and indoor versions. Outdoor cameras are usually called security cameras or surveillance cameras. You can also get a *smart doorbell* that has a built-in camera that activates whenever someone rings the bell. Alexa even supports smart doorbells with two-way communications, so you can talk to your visitor without getting up. Indoor smart cameras include specialized versions for monitoring babies, nannies, and pets.

If you have an Alexa device with a screen, you can show the smart camera's feed right on your screen by saying the following voice command:

"Alexa, show [*device name*]."

REMEMBER

Most smart cameras have a maximum time they'll display the feed, such as 30 minutes. If you bump up against that ceiling, hide the feed and then show it again to get a fresh start.

To turn off the camera feed, issue the following voice command:

"Alexa, hide [*device name*]."

Other types of smart-home gear

The smart-home gadgets I cover in the last few sections are the most common device types, but other types of home gear are slapping on the "smart" label faster than you can say "Alexa." The proverbial space limitations prevent me from talking about every possible device, so here's a quick summary (in no particular order) of what's out there that's Alexa-friendly as I write this:

>> **Smart speakers:** Echo isn't the only smart speaker game in town. Big-time audio companies such as Bose, Denon, and Sonos have their own smart speakers that have Alexa built in. If you want top-quality sound, forget Echo and go with a smart speaker from an audio specialist.

>> **Smart locks:** These are door locks that you can control with your voice.

>> **Smart sprinklers:** You can control and schedule garden and lawn watering with a smart sprinkler system.

>> **Smart TVs:** This is a television or remote that you can control by voice.

>> **Smart appliances:** These are kitchen appliances that you can operate with voice commands. Amazon's new Alexa-friendly microwave is the latest addition to this category.

>> **Smart vacuums:** Why push a vacuum yourself when you can have a robot vacuum that you control via voice?

» **Combining Echo devices into a speaker set**

» **Convincing Alexa to play music in multiple rooms**

» **Automating smart-home chores with routines and applets**

Chapter **11**

Uncovering Some Smarter Smart-Home Techniques

When I first starting playing around with home automation in the early 2000s, the state of the art was woeful. Few standards existed, companies used proprietary technologies, the connections were spotty, and the control interfaces (Windows only, of course) were mind-numbingly complicated. So you can't imagine my glee these days when I insert a Wi-Fi Simple Setup plug or a Zigbee light bulb and it's connected, configured, and ready to command within a few seconds.

Today's smart-home stuff still has its complications, as I describe in Chapter 10, but the trend is toward faster and easier discovery and connection. So, if your smart home Jones is satisfied with plugging in a few gadgets and controlling them through your Alexa device, I for one will not judge. However, there are still quite a few techniques you can learn to improve your smart home. In this chapter, I fill you in on a five of these take-it-to-the-next-level features. If you're looking to make your smart home even smarter, read on.

Creating Device Groups

When you have multiple smart-home devices, you run face-first into the biggest obstacle in the home automation game: You have to turn on (and, later, turn off) every device one at a time. This is a two-for-the-price-of-one problem:

>> You have to remember the name assigned to each device.

>> The more devices you have, the longer it takes to get them all powered up or down.

Oh, it's fun for the first few days, but a week into barking out multiple "Alexa, turn on [*device name*]" voice commands and you'll be ready to throw your smart-home gear into the nearest dumb trashcan.

Fortunately, Alexa feels your pain and offers a solution: *smart-home groups*. A smart-home group is a collection of devices that Alexa treats as a unit. When you ask Alexa to turn on a group, Alexa handles the previously frustrating and time-consuming chore of turning on each and every device that's in that group. You just sit back, sip your kombucha, and watch it all unfold.

Creating a smart-home group

If smart-home groups sound like just the ticket, you can create all the groups you need using the Alexa app. Here are the steps to plow through:

1. **Tap Devices.**

2. **Tap Add (+) and then tap Add Group.**

   The Alexa app prompts you for a group name. To help you out, the app displays a long list of common names such as Kitchen, Dining Room, and Bedroom.

3. **Tap one of the preset names or use the Custom Name text box to enter your own name; then tap Next.**

   You can only use letters and numbers in the group name. No special symbols (such as, sadly, apostrophes) or emojis are allowed.

   The Alexa app now prompts you to select the devices that are part of the group.

WARNING

   After you tap Next, you may see a notification telling you the name is already in use. That usually means the name is being used by a smart-home device app and has been discovered by Alexa. You'll either need to use another name for the group or delete the name from Alexa's All Devices list (see Chapter 10).

4. If your location has an Alexa device, tap it in the Alexa-Enabled Devices section (see Figure 11-1).

5. In the Devices section, tap each device you want to add to the group (see Figure 11-2).

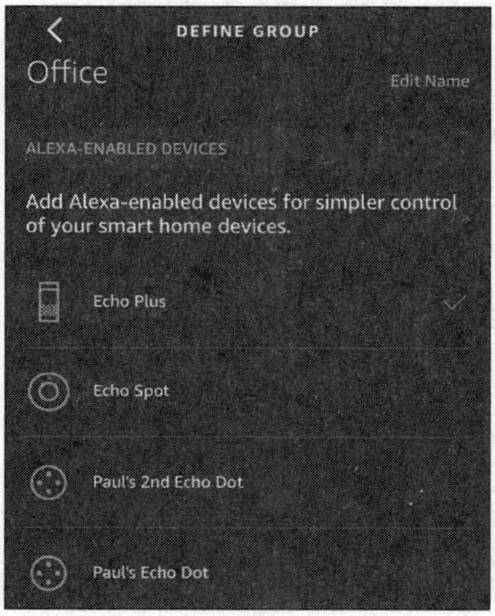

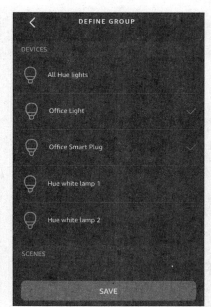

FIGURE 11-1: Tap the location's Alexa device, if it has one.

FIGURE 11-2: Tap each device you want to control via the group.

6. **In the Scenes section, tap each scene you want to add to the group.**

7. **Tap Save.**

    The Alexa app creates your group.

Controlling a smart-home group

With one or more groups ready for action, you can control any group by invoking the following voice commands:

>> "Alexa, turn on [*group*]."

>> "Alexa, turn off [*group*]."

In both cases, replace *group* with the name you gave to your group. You can also turn specific device types on and off as follows:

>> "Alexa, turn on [*type*] in [*group*]."

>> "Alexa, turn off [*type*] in [*group*]."

Replace *type* in both commands with the device type you want to control: "lights," "plugs," and so on.

You can also control a smart-home group using the always-handy Alexa app. When you create a group, the Alexa app adds it to the Groups section of the Devices screen, as shown in Figure 11-3.

FIGURE 11-3: The groups you create appear in the Groups section of the Devices screen.

Lights   Plugs

The Alexa app give you three ways to control a group and/or its devices:

>> **Turn a device type on or off.** On the Devices screen, each group includes an icon for every type of device in the group. For example, the Office group shown in Figure 11-3 has two icons: one for Lights (on the left) and one for Plugs (on the right). Tap a device icon to toggle that type of device on and off.

>> **Turn all the group's devices on or off.** On the Devices screen, tap the group to open it; then tap either All On or All Off.

>> **Turn individual devices on or off.** On the Devices screen, tap the group to open it; then tap a device switch to toggle that device on and off (see Figure 11-4).

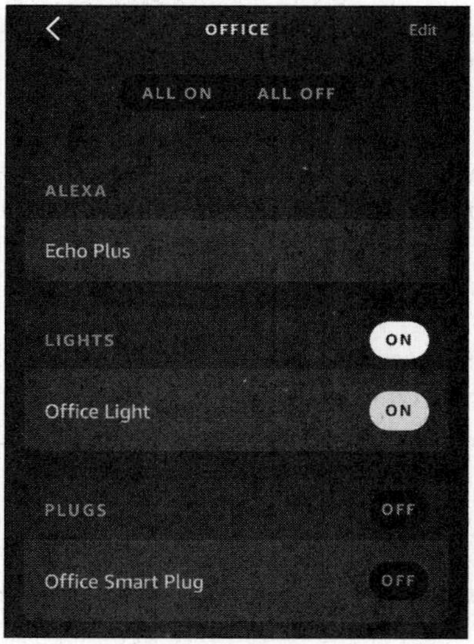

FIGURE 11-4:
Opening a group
enables you to
control all the
devices or
individual
devices.

Managing a smart-home group

If you add new devices to a group location, remove devices from that location, or decide you want to modify the group name or device set, the Alexa app is the place to go for these group management chores. Follow these steps:

1. **In the Alexa app, tap Devices.**

2. **Tap the group you want to edit.**

3. **Tap Edit.**

4. **To change the group name, tap the Edit Name link, make your changes, and then tap Next.**

5. To add a new Echo, device, or scene to the group, tap it to select it.

6. To remove an Echo, device, or scene from the group, tap it to deselect it.

7. Tap Save.

Alexa in Stereo: Working with Speaker Sets

I have a confession to make: Although I love music and have played in garage bands, I have a tin ear when it comes to sound quality. Sure, I can tell that music sounds awful on a cheap radio and it sounds great through mortgage-the-house-expensive speakers. It's everything in between those extremes that fools my ears. Which is a long-winded way of saying that I like the sound I get out of all my Echo devices, from my big Echo Plus all the way down to the little Echo Dots I have scattered around the house. True, all my devices are the latest and greatest versions, which helps because Amazon keeps bulking up its speaker sizes. For example, my third-generation Echo Dots have 1.6-inch speakers, compared to the teensy 1.1-inch speaker in the second-generation Echo Dot.

In Chapter 2, I explain that you can get even better sound out of your Echo by connecting wired or wireless external speakers. That can be an expensive way to go, however, so I'm pleased to report that Amazon offers two other roads to better sound:

» **Stereo:** You can pair two identical Echo devices to create a stereo effect: One Echo device plays the audio output's left channel, while the other Echo device plays the right channel.

» **Subwoofer:** You can pair an Echo device with an Echo Sub, which is a big 6-inch subwoofer that puts out 100 watts of deep, rich bass sound.

These combinations are called *speaker sets.* Note that these routes aren't either/or. If you've got two identical Echo devices and an Echo Sub, you can "pair" all three devices for the ultimate in Alexa sound systems.

It's important to remember that not all Echo devices can be used to create either a stereo pair or a subwoofer pair. Table 11-1 lists the Echo devices that are compatible with speaker sets.

TABLE 11-1

Echo Devices Compatible with Speaker Sets

Echo Device	Create a Stereo Pair?	Add a Subwoofer?
Echo (first generation)		Yes
Echo (second generation)	Yes	Yes
Echo Dot (third generation)	Yes	Yes
Echo Plus (first generation)	Yes	Yes
Echo Plus (second generation)	Yes	Yes
Echo Show (first generation)		Yes
Echo Show (second generation)		Yes

Before getting to the steps, here are some notes to ponder:

» **For a stereo pair, the two devices you use must be identical: the same Echo model and generation.** For example, you can pair two third-generation Echo Dots, but you can't pair a third-generation Echo Dot with a second-generation Dot or any generation of Echo or Echo Plus.

» **Speaker sets only work with music output.**

» **Your Echo speakers and/or Echo Sub must be in the same room.**

» **Place your Echo speakers a few feet apart for best stereo sound quality.**

» **Place your Echo Sub on the floor in the same room as your Echo speaker.** If you're also pairing two Echo speakers, place the Echo Sub about halfway between the speakers.

Creating a speaker set

Okay, I'm finally ready to reveal the steps to follow to create a speaker set:

1. **In the Alexa app, tap Devices.**

2. **Tap Add (+).**

3. **Tap Add Stereo Pair/Subwoofer.**

   The Alexa app displays some setup info for creating a speaker set.

4. **Tap Continue.**

   The Alexa app displays a list of your Echo devices that are compatible with speaker sets.

5. **Tap the devices you want to include in your speaker set.**

   For example, Figure 11-5 shows two Echo Dots selected for a stereo pairing.

   Note that the Echo Plus has the status Not Compatible. That's confusing because it does *not* mean the Echo Plus isn't compatible with speaker sets (as you can see from Table 11-1). Instead, it means the Echo Plus isn't compatible with the selected Echo Dots for creating a speaker set.

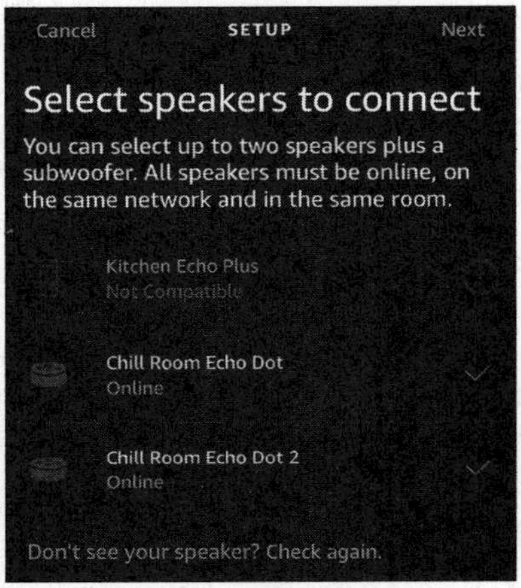

FIGURE 11-5: Tap the devices you want to include in your speaker set.

6. **Tap Next.**

   If you're creating a stereo pair, the Alexa app asks you to select an output channel for one of your devices.

7. **Tap Left or Right, as shown in Figure 11-6.**

   The Alexa app automatically assigns the other audio channel to the second Echo device.

FIGURE 11-6: For a stereo pair, select an audio channel for one of the devices.

8. **Tap Next.**

    The Alexa app sets up the speaker set, which takes a minute or so.

When the pairing is complete, you see a screen that shows the speaker set you created, such as the Stereo Pair screen shown in Figure 11-7. In this case, if you want to swap the audio channels, tap any speaker, and then tap the channel you want the speaker to use. The Alexa app automatically assigns the other channel to the second speaker.

FIGURE 11-7: When your speaker set is complete, the Alexa app displays a summary of the included devices.

Tap Done to return to the Devices screen, where you now see a new section called Speaker Groups, as shown in Figure 11-8.

Playing music through a speaker set

To use your speaker set as the playback device, include the speaker set name (refer to Figure 11-8) in your voice command. Here are some examples:

>> "Alexa, play some music on [*speaker set name*]."

>> "Alexa, pause [*speaker set name*]."

Speaker set name

If you want to replay some recent music through your new speaker set, open the Alexa app, tap Music & Books, tap the music you want to hear in the Recently Played section, and then tap your speaker set in the Play On list that appears (see Figure 11-9).

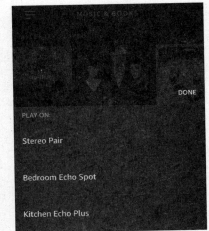

To control the volume on the speaker set, press the Volume Up or Volume Down control on any device in the set to adjust the volume for both speakers. You can also include the speaker set name in your voice commands, as shown in these examples:

>> "Alexa, turn up the volume on [*speaker set name*]."

>> "Alexa, mute [*speaker set name*]."

Streaming Music to Multiple Rooms

If you have multiple Alexa devices and you want to command one device to play music on another, you use a voice command such as this:

"Alexa, play some music on [*device*]."

Replace *device* with the name of the Alexa device you want to use for playback.

That's pretty sweet, but consider these multi-device musical scenarios:

>> You have multiple Alexa devices in the same room, and you want them all to play the same music.

>> You have multiple Alexa devices in multiple rooms, and you want them all to play the same music.

>> You have multiple Alexa devices all through your home, and you want to play the same music on every device.

You'd need some kind of high-end audio gear to make any of those scenarios a reality, right? Nope. Alexa can do it all without breaking a digital sweat thanks to one of its most awesome features: *multi-room music.* The idea is that you define a group location, such as Second Floor, Downstairs, or Everywhere; add to that group all the Alexa devices you want to play the same music; and then tell Alexa to play music in that location.

TIP

"Hey, wait a minute, Author Boy. What if I want to play, say, two different music streams in two separate groups?" Yep, that scenario's possible, but you can only do it if you have an Amazon Music Unlimited Family plan.

Setting up multi-room music

Here are the steps to follow to make it happen:

1. **In the Alexa app, tap Devices.**

2. **Tap Add (+).**

3. **Tap Add Multi-Room Music Speakers.**

   The Alexa app prompts you for a group name. The app displays a long list of common names such as Everywhere, Kitchen, and Downstairs.

4. **Tap one of the existing names or use the Custom Name text box to make up your own name; then tap Next.**

   For your custom group name, you can only use letters and numbers. You can't use symbols (such as apostrophes) or emojis.

   The Alexa app now prompts you to select the devices that are part of the group.

5. **Tap each speaker or speaker set you want to include in the group, as shown Figure 11-10.**

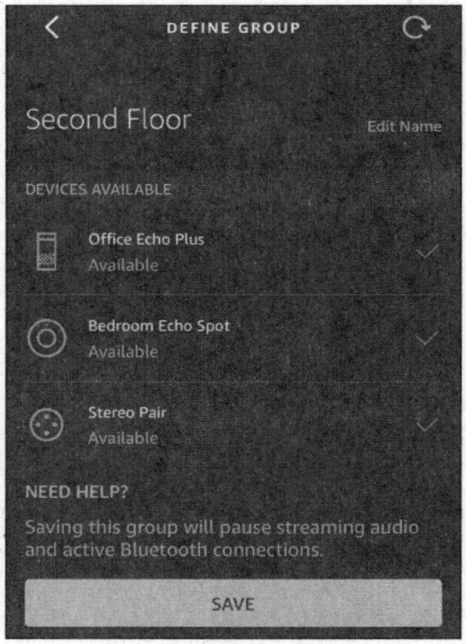

FIGURE 11-10:
Tap each speaker or speaker set you want to include in your multi-room group.

6. **Tap Save.**

   The Alexa app sets up the multi-room speakers, which takes a minute or so.

In the Devices screen, you now see your multi-room music group in the Speaker Groups section, as shown in Figure 11-11.

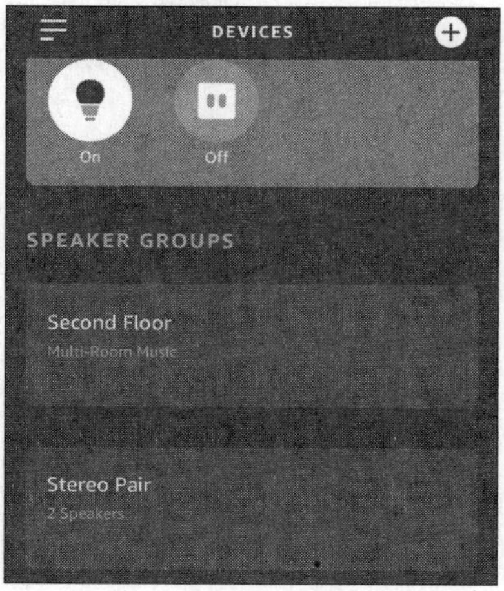

FIGURE 11-11: Your multi-room music group appears in the Devices screen's Speaker Groups section.

Playing multi-room music

To use your multi-room music group as the playback device, include the group name in your voice command. Here are some examples:

>> "Alexa, play some music on Second Floor."

>> "Alexa, next on Second Floor."

If you want to replay some recent music through the multi-room music group, open the Alexa app, tap Music & Books, tap the music you want to hear in the Recently Played section, and then tap your multi-room music group in the Play On list that appears.

To control the volume on the multi-room music group, include the group name in your voice commands, as shown in these examples:

>> "Alexa, turn down the volume on Second Floor."

>> "Alexa, volume 7 Second Floor."

Fixing multi-room music sync problems

TECHNICAL STUFF

If your multi-room music setup includes one or more Alexa devices that use external Bluetooth speakers, you may find that the playback over the Bluetooth speakers is out of sync with the rest of the Alexa devices. The result is an annoying echo effect. To fix the problem, follow these steps to resync the speaker playback:

1. **Play some music to your multi-room music group.**

   As you see a bit later in Step 7, you adjust the playback of the Bluetooth speaker to get it in sync with the rest of your multi-room devices, so you need to have the music playing to do that.

2. **In the Alexa app, tap Devices.**

3. **In the Speaker Groups section, tap the multi-room music group you're having problems with.**

4. **Tap the Audio Sync Problems? link.**

   The Alexa app displays the Audio Sync screen, shown in Figure 11-12.

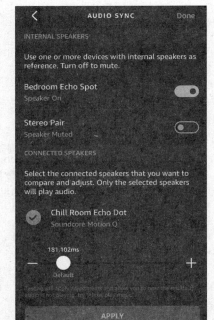

FIGURE 11-12: Use the Audio Sync screen to resync an external Bluetooth speaker.

5. **In the Internal Speakers section, decide which device you want to use as a reference for the sync. Leave that device's switch set to On, and tap the switches to Off for every other device in the section.**

   You can use multiple devices if you want, but it's usually simpler to work with one device at a time.

6. **In the Connected Speakers section, tap the device you want to compare to the reference speaker you selected in Step 5.**

   If you have just one device with a connected Bluetooth speaker, you can skip this step because the Alexa app selects the device for you automatically.

7. **Drag the slider left or right to try to get the playback in sync.**

   The Alexa app adjusts the playback to let you hear the results.

   If you get the playback in sync, skip to Step 9; otherwise, continue with Step 8.

8. **If the playback is still out of sync, repeat steps 5 through 7 as needed with different combinations of internal and connected speakers.**

9. **Tap Apply.**

Automating Alexa with Routines

Out of the box, Alexa is a one-command/one-action assistant. That is, when you give Alexa a command, Alexa does just one thing in response to the command — give you a traffic report, set a timer, turn on a light, and so on. With scenes (see Chapter 10), groups, speaker sets, and multi-room music, you can get Alexa to operate on multiple devices at once, but Alexa is still only performing a single action at a time.

However, there may be times during the day when you ask Alexa to perform a bunch of actions in quick succession. For example, when you wake up, you may ask Alexa to turn on some lights, tell you the weather, play your Flash Briefing, give a traffic report, read your day's events, and then play some music. That's a lot of commands to bark out, especially when you're only half-awake.

Wouldn't it be nice to just say something simple such as, "Alexa, good morning," and then have Alexa automatically run through all those wakeup chores? Yes, it would! Do you need to learn some impenetrable programming language to do it? No, you don't!

Instead, you can create an Alexa *routine*, which is list of actions that you want Alexa to perform either in response to a single voice command (such as "Alexa, good morning"), at a specified time (such as 7:00 a.m.), or when a device trigger goes off (such as a motion or contact sensor detecting when you enter a room). Alexa comes with a couple of prebuilt routines, but you can create custom routines with not too many taps.

Understanding routine actions

What kinds of actions can you automate into a routine? Amazon is adding new types all the time, but as I write this, there are eight types of actions that can go into a routine:

>> **Alexa Devices:** Sets the Alexa device's volume.

>> **Alexa Says:** You tell Alexa to say something, which can be a preset phrase such as "Good morning" or "Your voice is magnificent" (no, I'm not making that one up) or a custom phrase you enter. You can also get Alexa to sing a song, tell a joke, or relate a story.

>> **Calendar:** You can have Alexa tell you what's on your calendar.

>> **Music:** You can specify a song, artist, or playlist.

>> **News:** Tells Alexa to play your Flash Briefing.

>> **Smart Home:** You specify which smart-home device, group, or scene you want Alexa to turn on and/or adjust.

>> **Traffic:** Tells Alexa to give you a traffic report.

>> **Weather:** Tells Alexa to give you a weather report.

You can include any number of each type in your routines.

Creating a routine

If you're ready to program Alexa to run a routine, here are the steps you have to follow to make it so:

1. **In the Alexa app, choose Menu ⇨ Routines.**

   You see the Routines screen, which includes two ready-to-run routines — "Alexa, Start my day" and "Alexa, Goodnight" — as you can see in Figure 11-13. I think you're better off ignoring these existing routines and just creating your own, but you're free to adjust these routines as needed.

FIGURE 11-13:
The default
Routines screen
includes two
prefab routines.

2. **Tap Create Routine (+).**

   The Alexa app displays the New Routine screen, which includes two commands: When This Happens and Add Action.

3. **Tap When This Happens.**

4. **Tap an option to specify how you want to trigger the routine.**

   - **Voice:** Enter a voice command to trigger the routine, and then tap Save.

   - **Schedule:** Select the time when you want the routine to run. You can also choose to repeat the trigger Every Day, Weekdays, Weekends, or on a specific day. Tap Done.

   - **Device:** Select the device you want to use to trigger the routine, select the action you want to use as the trigger (for example, with a door sensor, you can choose either opening or closing the door), and then tap Save.

5. **Tap Add Action.**

   The Alexa app displays the Add New screen, shown in Figure 11-14.

6. **Tap the type of action you want to add to your routine.**

7. **Specify the action details, if any, and then tap Add.**

   Actions such as News, Traffic, and Weather don't require anything extra. The other types do need a bit more info from you:

   - **Alexa Devices:** Tap Volume, use the slider to set the Alexa device volume during the routine, tap Next, and then tap Add.

   - **Alexa Says:** Select a set phrase or tap Custom to add your own.

- **Calendar:** Tap Today's Calendar, Tomorrow's Calendar, or Next Event.

- **Music:** Enter a song, artist, or playlist, as well as the music provider you want to use (such as Amazon Music or Spotify).

- **Smart Home:** Tap Control Device to turn on and customize a device (such as setting a lightbulb's brightness); tap Control Group to turn on the devices in a group you specify; or tap Control Scene to turn on the devices and settings in a scene you specify.

8. **Repeat steps 6 and 7 as needed to add all the actions you want your routine to perform.**

9. **Use the From list to choose which Alexa device you want Alexa to respond from.**

   If you chose Voice in Step 4, the default is The Device You Speak To, which means whatever Alexa device you say the command to. Otherwise, you can select any Alexa device.

10. **Tap Create.**

    The Alexa app creates your routine.

FIGURE 11-14:
Use the Add New
screen to add an
action to your
routine.

Running a routine

Unless you created a routine based on a schedule or a device trigger, you run a routine by giving Alexa the voice command you specified. However, you can run any of your routines at any time in the Alexa app by choosing Menu ⇨ Routines and then tapping the Play button that appears to the right of the routine, as shown in Figure 11-15.

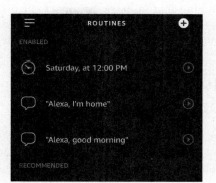

Working with IFTTT Applets

Alexa is very powerful, but sometimes it feels a bit insular because you spend most of your time making Alexa do Alexa-related things. You can help Alexa break out of its shell by connecting it with a service called If This Then That (IFTTT, for short). IFTTT's purpose in life is to enable connections between disparate apps and devices using special scripts called *applets*. IFTTT supports hundreds of services, from iOS apps such as Reminders and Calendar, to Google services such as Drive and Gmail, to devices such as Philips Hue lights and Fitbit.

IFTTT also works with Alexa, which means you can open up your Alexa voice commands to a wide world of app and device connections:

>> Let Alexa add items to mobile device apps such as Reminders and Calendar.

>> Give Alexa access to extra smart-home device settings.

>> Have Alexa call your phone anywhere in the world.

There are dozens of existing applets that you can enable to make your Alexa experience even more powerful and useful.

To get the ball rolling, surf to `https://ifttt.com` and sign up for an account.

TECHNICAL STUFF

If you're feeling ambitious, you can create your own applets. Surf to `https://platform.ifttt.com` and sign up for the IFTTT Platform. You don't need any programming know-how. Instead, you create applets using a simple interface where you specify a *trigger* (something that initiates the applet, such as an Alexa voice command or action; this is the "If This" part) and an *action* (what the applet does when the trigger goes off, such as send an email; this is the "Then That" part).

Connecting your IFTTT and Amazon accounts

With your IFTTT account activated, you now need to connect your IFTTT account with your Amazon account so that your IFTTT applets can control your Alexa devices. Here are the steps to follow:

1. **Go to** `https://ifttt.com/amazon_alexa`.

2. **Sign in to your IFTTT account.**

3. **Click the big Connect button.**

You're prompted to sign in to your Amazon account.

4. **Enter your Amazon account credentials, and then click Sign In.**

You see a description of the access you're granting to IFTTT.

5. **Click Allow.**

Amazon grants IFTTT permission to access Alexa via your Amazon account.

Enabling an IFTTT applet

With your IFTTT and Amazon accounts joined at the digital hip, you can now activate any Alexa-related applets that look interesting or useful. Here's how:

1. **Go to** `https://ifttt.com/amazon_alexa`.

2. **Sign in to your IFTTT account.**

3. **Locate an applet that you want to enable and click it.**

IFTTT displays the applet's information page. Figure 11-16 shows an example page. You get a brief description of the applet, and you can get a bit of extra info by clicking Learn More.

FIGURE 11-16:
The information
page for an
IFTTT applet.

4. **Click Turn On.**

   IFTTT displays the applet's settings. Figure 11-17 shows the settings that appear for the applet shown in Figure 11-16.

5. **Fill in the settings and then click Save.**

   Your IFTTT applet is ready to use.

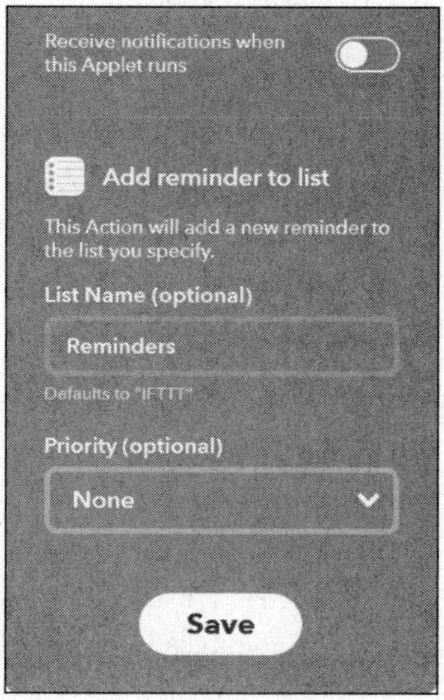

FIGURE 11-17:
Most IFTTT
applets have one
or more settings
you can tweak.

Checking out some Alexa applets

IFTTT has thousands of applets, so finding interesting or useful examples can be a chore. To help you get started with IFTTT, here are few good Alexa-related applets to try out:

>> **Find My Phone:** If you've left your cellphone in some unknown location around the house, say, "Alexa, trigger call my phone" to have Alexa call your phone so that you can follow the ring tone to locate your lost device. Go to https://ifttt.com/applets/341784p-tell-alexa-to-find-your-phone to use this applet.

>> **Sync your Amazon Alexa to-do with your reminders.** When you add an item to your Alexa To-Do list, this applet also adds the item to your mobile device's Reminders list. Go to https://ifttt.com/applets/ieCE52WK-sync-your-amazon-alexa-to-dos-with-your-reminders to use this applet.

>> **Tell Alexa to email you your shopping list.** Emails your Alexa Shopping List to your Gmail account. Go to https://ifttt.com/applets/284243p-tell-alexa-to-email-you-your-shopping-list to use this applet.

>> **Ask Alexa what's on your shopping list, and it will text it to you.** Get your Alexa Shopping List items sent to you via an SMS text message. Go to https://ifttt.com/applets/cBkh79yu-ask-alexa-what-s-on-your-shopping-list-and-she-ll-text-it-to-you to use this applet.

>> **Tell Alexa to start the party with a Hue light color show.** Plays a color loop light show using Philips Hue smart lightbulbs. Go to https://ifttt.com/applets/yP4BgwuS-tell-alexa-to-start-the-party-with-a-hue-light-color-show to use this applet.

>> **Receive a notification on your phone when your Amazon Alexa timer goes off.** Set an Alexa timer, and when it ends, the IFTTT app on your mobile device displays a notification. Go to https://ifttt.com/applets/303974p-receive-a-notification-on-your-phone-when-your-amazon-alexa-timer-goes-off to use this applet.

5
The Part of Tens

Get Alexa to tell jokes, perform oddball tasks, sing songs, tell stories, play games, and generally let its hair down and have fun.

Take a look at some common problems with Alexa and Alexa devices and learn how to solve them.

Ensure that this new listening device you have ensconced in your home is secure and private.

» **Asking Alexa to sing songs and recite poems**

» **Cajoling Alexa into telling you a story**

» **Getting personal with Alexa**

» **Uncovering some Alexa Easter eggs**

Chapter **12**

Ten (Times Ten) Ridiculously Fun Alexa Tricks

Your Alexa interactions will mostly have a serious bent as you command your new smart speaker to tell you the weather, play some music, set a timer, or turn on some lights. However, there's nothing in Alexa's fine print that says *all* your conversations have to be sober and practical. Perhaps surprisingly, Alexa actually has an extensive fun side that you can check out to lighten the mood, entertain your kids (not to mention the kid in you), or relax after a tough day.

In this chapter, you explore Alexa's whimsical side as you learn how to get Alexa to tell a joke, pose a riddle, sing a song, and tell a story. You'll also delve into the scarily extensive world of Alexa Easter eggs, where you see that Alexa's pop-culture roots run deep.

Ten Ways to Ask Alexa to Tell a Joke

For a virtual personal assistant, Alexa certainly has what seems like a real sense of humor. It's a decidedly corny sense of humor, to be sure. Want proof? Just make any of the following joke requests:

>> "Alexa, make me laugh."

>> "Alexa, say something funny."

>> "Alexa, tell me a blooper."

>> "Alexa, tell me a joke."

>> "Alexa, tell me a prank."

>> "Alexa, tell me a dad joke."

>> "Alexa, tell me a dirty joke."

>> "Alexa, tell me a knock-knock joke."

>> "Alexa, tell me a 'yo mama' joke."

>> "Alexa, tell me a [*topic*] joke." Alexa will usually come up with a joke related to whatever you substitute for *topic,* including just about any sport (or the word *sport* itself), any science subject (or *science*), and any holiday (or *holiday*). Two other fruitful joke topics are "Star Wars" and "Star Trek."

TIP

Bonus joke request: "Alexa, tell me an Alexa joke."

Ten Alexa Wordplay Tricks

Programmers and nerds of all persuasions love playing with words, so is it any wonder that Alexa — the creation of coders and other Amazonian nerds — is conversant with many different forms of wordplay? Here are ten to have fun with:

>> "Alexa, tell me a haiku."

>> "Alexa, tell me a limerick." (Also: "Alexa, tell me a [*topic*] limerick.")

>> "Alexa, tell me an oxymoron."

>> "Alexa, tell me a palindrome."

>> "Alexa, tell me some Pig Latin."

>> "Alexa, tell me a puzzle."

>> "Alexa, tell me a pun."

>> "Alexa, tell me a rhyme." (Also, "Alexa, speak in iambic pentameter.")

>> "Alexa, tell me a riddle."

>> "Alexa, tell me a tongue-twister."

TIP

Speaking of tongue–twisters, if you want to hear Alexa twist its virtual tongue around a term that's a full 45 letters long, ask, "Alexa, what's the longest word?" The answer, in case you want to follow along, is *pneumonoultramicroscopicsilicovolcanoconiosis.*

Ten Ways to Get Alexa to Sing

Alexa talks a good game, but did you know that it can also sing? It's true. Sure, Alexa's singing voice won't win any Grammys, but it's pleasant enough, and Alexa's original songs are often hilarious. (My favorite? "It's Raining in the Cloud.") Here are ten ways to get Alexa to serenade you:

>> "Alexa, sing me a song."

>> "Alexa, sing the ABCs."

>> "Alexa, sing 'Auld Lang Syne.'"

>> "Alexa, sing in Auto-Tune."

>> "Alexa, sing a Christmas carol."

>> "Alexa, sing 'Happy Birthday.'"

>> "Alexa, sing a love song."

>> "Alexa, sing the national anthem."

>> "Alexa, beatbox for me." (Also: "Alexa, rap for me," "Alexa, rap for Mom," or "Alexa, rap for Dad.")

>> "Alexa, yodel for me."

TIP

You can ask Alexa to sing specific songs, although the results might not be what you expect! For example, try asking Alexa to sing "Itsy Bitsy Spider" or "The Wheels on the Bus."

Ten Oddball Things to Ask Alexa to Do

The tasks you ask Alexa to do are mostly utilitarian: "Set an alarm," "Play some music," "Be quiet." But all work and no play makes Alexa a dull virtual personal assistant. To give Alexa something fun to do, try any of the following ten requests:

>> "Alexa, drumroll."

>> "Alexa, flip a coin." (Also: "Alexa, heads or tails?," "Alexa, spin the dreidel," "Alexa, roll the dice," "Alexa, roll [*number*] dice," "Alexa, roll a [*number*]-sided die," or "Alexa, roll [*number1*] [*number2*]-sided dice.")

>> "Alexa, high five."

>> "Alexa, make me a sandwich."

>> "Alexa, pick a random [*object*]." (For example, you can replace *object* with *animal, actor, card, city, color, food, name, number, occupation,* or *person.*)

>> "Alexa, pretend to be a supervillain." (Also: "Alexa, pretend to be a superhero.")

>> "Alexa, rock paper scissors." (Also: "Alexa, rock paper scissors lizard Spock.")

>> "Alexa, talk like a pirate." (Also: "Alexa, talk like Yoda," "Alexa, talk like a Klingon," "Alexa, moo like a cow," "Alexa, bark like a dog," or "Alexa, make animal noises.")

>> "Alexa, tell me something weird." (Also: "Alexa, tell me a thought from the cloud," "Alexa, tell me a fun fact," "Alexa, tell me a fun fact about [*topic*]," or "Alexa, tell me a life hack.")

>> "Alexa, self-destruct."

Ten Funny Questions to Ask Alexa

You can ask Alexa just about anything, and a surprising percentage of the time it will return a legit answer. That's Alexa's artificial intelligence at work, but just because AI is serious technology that doesn't mean all your questions have to be serious, too. Here are ten fun ways to interrogate Alexa:

>> "Alexa, can you do an impression?"

>> "Alexa, can you sneeze?"

>> "Alexa, do you believe in love at first sight?"

- "Alexa, how much wood could a woodchuck chuck, if a woodchuck could chuck wood?" (Also: "Alexa, how much wood could a woodchuck chuck, if a woodchuck could Chuck Norris?")

- "Alexa, how was your day?"

- "Alexa, what are you thinking about?"

- "Alexa, what is the meaning of life?"

- "Alexa, what should I wear today?"

- "Alexa, where is Chuck Norris?"

- "Alexa, why did the chicken cross the road?"

Ten Ways to Get Alexa to Tell a Story

Alexa comes with a collection of stories and poems, which can be just the thing to hear on a lazy or cold night. Use any of the following voice commands to hear a performance by Alexa, The Storyteller:

- "Alexa, tell me a story."

- "Alexa, tell me a funny story."

- "Alexa, tell me a [topic] story." (For example, you can replace topic with bedtime, friendship, love, or scary.)

- "Alexa, tell me your [title] story." (For example, you can replace title with Batter Up, Measure Twice, Puppy Love, Sea Time, or Tango Night.)

- "Alexa, tell me a tale."

- "Alexa, what's your favorite story?"

- "Alexa, tell me a poem."

- "Alexa, tell me a bad poem."

- "Alexa, tell me a 'roses are red' poem."

- "Alexa, tell me a [topic] poem."

Ten Ways to Get Personal with Alexa

Alexa sounds friendly enough, but how much do you really know about your cloud-based personal assistant? Do you know its birthday or where it lives? I didn't think so. Here are ten questions you can ask to get to know Alexa a little better:

- » "Alexa, are you a robot?" (Also: "Alexa, are you Skynet?")
- » "Alexa, do you have a last name?"
- » "Alexa, do you have pets?"
- » "Alexa, how much do you weigh?"
- » "Alexa, how tall are you?"
- » "Alexa, what are you wearing?"
- » "Alexa, what is your favorite [*object*]?" (For example, you can replace *object* with *book, color, food, sport,* and so on.)
- » "Alexa, when is your birthday?"
- » "Alexa, where did you grow up?"
- » "Alexa, where do you live?"

Ten Movie Easter Eggs

In the software world, an *Easter egg* is a whimsical program feature that's hidden by default and must be discovered. Alexa, you'll be delighted to know, contains hundreds of Easter eggs. You can get a random one using either of these commands:

- » "Alexa, give me an Easter egg."
- » "Alexa, give me a hard-boiled Easter egg."

For a more targeted Easter egg hunt, you can try specific topics such as TV and music, which I discuss in the next sections. Movies are another great source for Alexa Easter eggs. There are dozens, perhaps even hundreds, so consider the following ten to be a mere appetizer:

- » "Alexa, open the pod bay doors." *(2001: A Space Odyssey)*
- » "Alexa, who's on first?" (Abbot and Costello)
- » "Alexa, release the Kraken!" *(Clash of the Titans)*
- » "Alexa, klattu barada nikto." *(The Day the Earth Stood Still)*
- » "Alexa, E.T. phone home." *(E.T. the Extra-Terrestrial)*
- » "Alexa, define supercalifragilisticexpialidocious" *(Mary Poppins)*
- » "Alexa, are we in the Matrix?" *(The Matrix)*
- » "Alexa, what is my mission?" *(Mission: Impossible)*
- » "Alexa, what is the airspeed velocity of an unladen swallow?" *(Monty Python and the Holy Grail)*
- » "Alexa, what is the Jedi code?" *(Star Wars)*

Ten TV Easter Eggs

Alexa doesn't have a ton of TV Easter eggs, but here are a few to whet your whistle:

- » "Alexa, what is your cunning plan?" *(Blackadder)*
- » "Alexa, who shot JR?" *(Dallas)*
- » "Alexa, don't mention the war." *(Fawlty Towers)*
- » "Alexa, Winter is coming." *(Game of Thrones)*
- » "Alexa, who loves orange soda?" *(Kenan & Kel)*
- » "Alexa, who loves ya baby?" *(Kojak)*
- » "Alexa, this is a dead parrot." *(Monty Python)*
- » "Alexa, more cowbell." *(Saturday Night Live)*
- » "Alexa, what is the Prime Directive?" *(Star Trek)*
- » "Alexa, where's the beef?" (Wendy's commercial)

Ten Music Easter Eggs

Music is one of Alexa's strong suits, so you won't be surprised to hear that it has dozens of music-related Easter eggs waiting to be discovered. Here are ten to get you started:

- "Alexa, badger badger badger badger badger." ("The Badger Song")

- "Alexa, how many roads must a man walk down?" ("Blowin' in the Wind" by Bob Dylan)

- "Alexa, do you know the way to San Jose?" ("Do You Know the Way to San Jose?" by Dionne Warwick)

- "Alexa, I shot a man in Reno." ("Folsom Prison Blues" by Johnny Cash)

- "Alexa, what does the fox say?" ("The Fox" by Ylvis)

- "Alexa, hello it's me." ("Hello" by Adele)

- "Alexa, how much is that doggie in the window?" ("How Much Is That Doggie in the Window?" by Patti Page)

- "Alexa, have you heard that the bird is the word?" ("Surfin' Bird" by The Trashmen)

- "Alexa, who is the Walrus?" ("The Walrus" by The Beatles)

- "Alexa, who let the dogs out?" ("Who Let The Dogs Out" by Baha Men)

» **Troubleshooting Wi-Fi and Bluetooth issues**

» **Solving device problems**

» **Fixing calling and streaming woes**

Chapter **13**

Ten Things That Can Go Wrong with Alexa (And How to Fix Them)

The good news about Alexa problems — whether the problems are with the Alexa app or an Alexa device — is that they're relatively rare. On the hardware side, although every Echo is a sophisticated device that's really a small computer (not just a fancy speaker), it's far less complex than a full-blown PC, and so much less likely to go south on you. On the software side (and to a lesser extent on the accessories side, meaning external speakers and smart-home gadgetry), skill developers (and accessory manufacturers) only have to build their products to work with a few similar devices made by a single company. This really simplifies things, and the result is fewer problems.

Not, however, zero problems. After all, this is still digital technology we're dealing with. Have you ever used a digital device or software that worked flawlessly all the time? I didn't think so. So, yes, sometimes even Alexa behaves strangely. In this chapter, you investigate ten of the most common problems related to Alexa software and hardware, and learn how to solve every one of them.

Troubleshooting 101

TIP

Before getting to the specific problems and their solutions, I want to take you through a few very basic troubleshooting steps. Many problems, particularly problems related to your Echo device, can be solved by doing the following three things (each of which I explain in more detail in the sections that follow):

>> Restart your Echo device.

>> Update your Echo device's system software.

>> Reset your Echo device to its factory default settings.

REMEMBER

Try restarting your Echo device to see if it solves your problem. If not, move on to updating the software and see if that helps. If there's still no joy, only then should you try resetting your Echo device to its factory default settings.

Restarting your Echo

If your Echo is having trouble connecting to Wi-Fi, pairing with a Bluetooth device, locating smart home doodads, or doing any of its normal duties, by far the most common solution is to shut the device down and then restart it. By rebooting the device, you reload the system, which is often enough to solve many problems.

TIP

Restarting sounds easy, but you can examine your Echo with your most powerful magnifying glass and you won't find a power button or a restart switch. So, how do you restart your Echo? Take the low-tech route: Unplug it!

You may be tempted to just plug the Echo back in again right away, but hold on a second. The Echo has internal electronic components that take some time to completely discharge. To ensure you get a proper restart, wait at least three seconds before reconnecting your Echo's power supply.

Updating your Echo

Your Echo device uses internal software to perform all sorts of tasks, including listening for the wake word, recording your voice commands, sending your command to Amazon Voice Service (AVS), and handling the result (such as playing an audio file returned by AVS). If your Echo is acting wonky, and restarting the device doesn't help, you can often de-wonkify the device by updating the Echo system software. Sometimes installing a fresh version of the software is all you need to make your problem go away. In other cases, updating the software may fix a software glitch that was causing your problem.

Happily, all Echo devices update their software automatically. You'll know when a new software update is ready to install when the light ring pulses blue or you hear Alexa say, "An update for this device is available." However, there are steps you can take to encourage and force an update. See "Your Echo Device Isn't Using the Latest Software," later in this chapter.

Resetting your Echo

If your problem is particularly ornery, restarting or updating the device won't solve it. In that case, you need to take the relatively drastic step of resetting your Echo. I describe this step as "drastic" because it means you have to go through the setup process all over again, so only head down this road if restarting and updating your device don't solve the problem.

How you perform the reset depends on your device:

>> **Echo or Echo Dot (first generation):** Use the end of a paperclip (or something with a similar tip) to press and hold the Reset button, which is located underneath the device on the base. Continue holding the button as the light ring turns orange, then turns blue, then turns off. When the light ring comes back on and turns orange, release the Reset button.

>> **Echo or Echo Dot (second generation):** Press and hold the Microphone Off and Volume Down buttons at the same time. After about 20 seconds, the light ring turns orange and you can release the buttons.

>> **Echo or Echo Dot (third generation):** Press and hold the Action button. After about 25 seconds, the light ring turns orange and you can release the button.

>> **Echo Plus (first generation):** To perform a quick reset, use the end of a paperclip (or something similar) to press and then quickly release the Reset button, which is located underneath the device on the base. This restores most of the device's settings to their defaults, but it doesn't touch your smart-home device connections.

To perform a factory defaults reset, press and hold the Reset button for at least eight seconds. This restores all the device settings to their factory default and removes all your smart-home device connections.

>> **Echo Plus (second generation):** To perform a quick reset, press and hold the Action button. After about 20 seconds, the light ring turns off and you can release the button.

To perform a factory defaults reset, press and hold the Microphone Off and Volume Down buttons at the same time. After about 20 seconds, the light ring turns off and you can release the buttons.

>> **Echo Spot or Echo Show:** Choose Settings ⇨ Device Options ⇨ Reset to Factory Defaults.

Alexa or Your Echo Device is Unresponsive

Perhaps the most teeth-gnashingly frustrating problem you can encounter in technology is when a device — particularly one you paid good money for — just stops working. The device appears to be on, but tapping it, shoving it, gesticulating at it, and yelling at it are all ineffective at making the device respond.

If that happens to Alexa or to your Alexa device, try the following troubleshooting steps, in order:

1. **Wait a few minutes.**

   Sometimes devices just freeze up temporarily and then right themselves after a short break.

2. **Check your Wi-Fi network to make sure it's working properly and that your device is connected.**

   See "You Can't Connect to Your Wi-Fi Network," later in this chapter.

3. **Restart the device.**

   See the "Restarting your Echo" section, earlier in this chapter.

4. **Check to see if your device is using the most up-to-date system software.**

   See "Your Echo Device Isn't Using the Latest Software," next.

5. **Reset your device.**

   See the "Resetting your Echo" section, earlier in this chapter.

Your Echo Device Isn't Using the Latest Software

Your Echo device's light ring indicates a pending software update using a blue, pulsing light (you may also hear Alexa say that an update is available). If you haven't see the blue, pulsing light ring for a long time (or heard Alexa mention anything about an update), you may be concerned that your Echo isn't using the latest software. Follow these steps to check the installed software version against the version of the most recent update:

1. **In the Alexa app, choose Devices ⇨ Echo & Alexa.**

2. **Tap the Echo device you want to check.**

3. **At the bottom of the screen, tap About.**

4. **Make note of the Device Software Version, shown in Figure 13-1.**

FIGURE 13-1: On your Echo device's About screen, note the Device Software Version.

5. **Go to the Alexa Device Software Updates page at** www.amazon.com/gp/help/customer/display.html?nodeId=201602210.

6. **Find your Echo device type in the list (see Figure 13-2) and make note of latest software version.**

Here's what to do if the two versions are different:

>> Make sure your Echo device is connected to your Wi-Fi network. If there's a problem, see "You Can't Connect to Your Wi-Fi Network," later in this chapter.

>> Restart your Echo device, as I described earlier in the "Restarting your Echo" section.

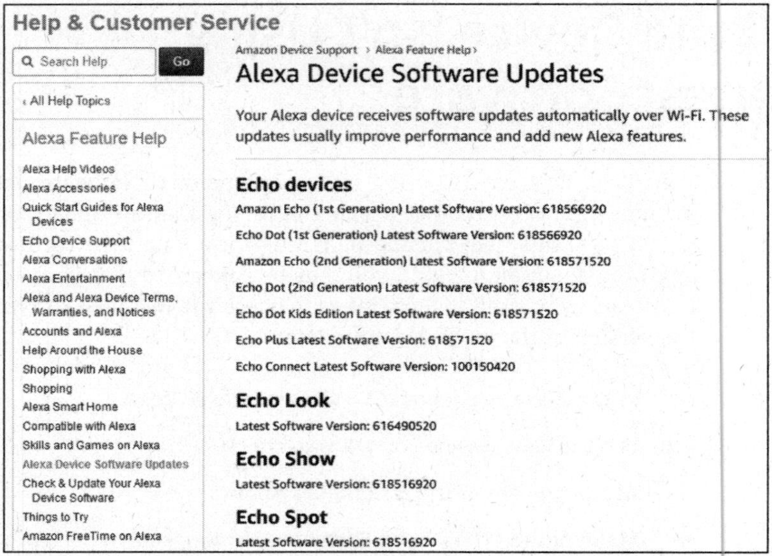

FIGURE 13-2:
On the Alexa
Device Software
Updates page,
note the Latest
Software Version.

>> Avoid using any voice commands — either directly to the device or via the Alexa app — for a little while. Amazon won't update an Alexa device that's in use.

>> If your Echo device has a screen, you can check for an update (and force the update to happen, if one is available) by choosing Settings ⇨ Device Options ⇨ Check for Software Updates.

You Can't Connect to Your Wi-Fi Network

Wireless networking adds a whole new set of potential snags to your troubleshooting chores because of problems such as interference and device ranges. Here's a list of a few troubleshooting items that you should check to solve any wireless connectivity problems you're having with your Alexa device:

>> **Restart your devices.** Reset your hardware by performing the following tasks, in order:

1. Turn off your modem.

2. Turn off your Wi-Fi router.

3. After a few seconds, turn the modem back on and wait until the modem reconnects to the Internet, which may take a few minutes.

4. Turn on your Wi-Fi router.

   REMEMBER Most Wi-Fi devices these days are all-in-one gadgets that combine both a Wi-Fi router and a modem for Internet access. If that's what you have, instead of performing steps 1 through 4, you can just turn off the Wi-Fi device, wait a bit, turn the device back on, and then wait for the device to connect to your Internet provider.

5. Restart your Alexa device as I describe earlier in the "Restarting your Echo" section.

» **Look for interference.** Devices such as baby monitors and cordless phones that use the 2.4 GHz radio frequency (RF) band can play havoc with wireless signals. Try either moving or turning off such devices if they're near your Alexa device or Wi-Fi device.

WARNING Keep your Alexa device and Wi-Fi router well away from microwave ovens, which can jam wireless signals.

» **Check your range.** Your Alexa device may be too far away from the Wi-Fi router. You usually can't get much farther than about 230 feet away from most modern Wi-Fi devices before the signal begins to degrade (that range drops to about 115 feet for older Wi-Fi devices). Either move the Alexa device closer to the Wi-Fi router or, if it has one, turn on the router's range booster. You could also install a wireless range extender.

» **Check your password.** Make sure you're using the correct password to access your Wi-Fi network. It's also possible that your Wi-Fi device requires both Wi-Fi Protected Access (WPA) and Wi-Fi Protected Access II (WPA2) for extra security. Alexa can only deal with one of these security types at a time so, if possible, configure your Wi-Fi device to use only WPA or WPA2. See your Wi-Fi device documentation to find out how to do this.

» **Update the wireless router firmware**. The wireless router firmware is the internal program that the router uses to perform its various chores. Wireless router manufacturers frequently update their firmware to fix bugs, so you should see if an updated version of the firmware is available. See your device documentation to find out how this works.

» **Update and optionally reset your Alexa device.** Make sure your Alexa device is up to date (see "Updating your Echo," earlier in this chapter) and, if you still can't connect to Wi-Fi, reset your Alexa device (see "Resetting your Echo," earlier).

» **Reset the Wi-Fi device.** As a last resort, reset the Wi-Fi router to its default factory settings (see the device documentation to find out how to do this). Note that if you do this, you need to set up your network again from scratch.

You're Having Trouble Streaming Media

When you play music, podcasts, audiobooks, or videos through Alexa, the media isn't stored on the Alexa device or even somewhere on your network. Instead, the media file you're hearing or seeing is being sent in real time from Amazon's cloud to your Alexa device, a process known as *streaming*.

Streaming works well most of the time, but problems can arise, particularly the following:

>> The media never starts.

>> The media takes a long time to start.

>> The media plays intermittently.

>> The media stops playing and never resumes.

It's maddening, for sure, but most of the time you can fix the problem. I say most of the time because there are a couple of situations where media streaming just doesn't work well:

>> **When you have a low Internet connection speed:** Media files are usually quite large, so for these files to play properly you need a reasonably fast Internet connection. Amazon recommends at least a half a megabit per second (0.5 Mbps), but realistically you should probably have a connection that offers at least 5 Mbps download speeds.

>> **When you have an intermittent Internet connection:** If you live in an area with spotty Internet service, that now-you-see-it-now-you-don't Internet connection makes streaming media impossible.

What if you have a zippy Internet connection and strong service all the time? First, congratulations! Second, there are a few things you can try to get media streaming to work better (or at all). Try these troubleshooting ideas in the following order:

>> Restart your Wi-Fi router and Alexa device using the steps I outline in the preceding section.

>> If you have other devices accessing your Wi-Fi network, shut down any devices you're not using.

>> Move your Alexa device closer to your Wi-Fi router. Your Alexa device must be within 230 feet of the router (115 feet for older routers), but the closer the two devices, the stronger the Wi-Fi signal.

>> Make sure your Wi-Fi router isn't situated near devices that can cause interference, such as microwave ovens and baby monitors.

>> Make sure your Alexa device isn't close to a wall or a metal object.

>> If your Alexa device is sitting on a low shelf or even on the floor, move it to a higher location.

You're Having Trouble Connecting a Bluetooth Device

Alexa devices support a wireless technology called Bluetooth, which enables you to make wireless connections to other Bluetooth-friendly devices, such as headsets, speakers, and smartphones. In theory, connecting Bluetooth devices is supposed be criminally easy, but in practice that's often not the case, so this section provides you with a few common troubleshooting techniques.

You don't see a Bluetooth device

Not surprisingly, you can't make a Bluetooth connection if you can't see the device on the Alexa device's Bluetooth Devices screen (which you display in the Alexa app by choosing Devices ➪ Echo & Alexa, tapping the Alexa device, and then tapping Bluetooth Devices).

REMEMBER

If you're using an Alexa device with a screen, you display the available Bluetooth gear by swiping down from the top of the screen, tapping Settings, and then tapping Bluetooth.

If you don't see a Bluetooth device in the Alexa app, try the following:

>> Make sure the device is turned on and fully charged.

>> Make sure the device is discoverable. Most Bluetooth devices have a switch you can turn on or a button you can press to make them discoverable.

>> Make sure the Bluetooth device is well within 33 feet of your Alexa device, because that's the maximum range for most Bluetooth devices. (Some so-called *Class 1* Bluetooth devices have a maximum range ten times as long.)

>> If possible, reboot the Bluetooth device. If you can't reboot the device, or the reboot doesn't solve the problem, restart your Alexa device.

>> Check with the Bluetooth device manufacturer to ensure the device is capable of being paired with Alexa devices. Specifically, you need to find out whether the device supports either of the following Bluetooth profiles:

- Advanced Audio Distribution Profile (A2DP)
- Audio/Video Remote Control Profile (AVRCP)

You can't pair with a Bluetooth device

As a security precaution, many Bluetooth devices need to be paired with another device before the connection is established. You initiate the pairing by tapping the device on the Alexa device's Bluetooth Devices screen (in the Alexa app, choose Devices ⇨ Echo & Alexa, tap the Alexa device, and then tap Bluetooth Devices).

In some cases, the pairing is accomplished by entering a multidigit passkey — sometimes called a PIN — that you must enter. Alexa devices don't support Bluetooth PINs, so if your device requires a PIN, you're out of luck.

Otherwise, you may find that even though the device shows up fine in the Bluetooth Devices screen, you can't pair it with your Alexa device.

First, try the solutions in the previous section. If you still can't get the pairing to work, tell Alexa to start over by forgetting what it knows about the device:

1. **In the Alexa app, choose Devices ⇨ Echo & Alexa.**
2. **Tap the Alexa device and then tap Bluetooth Devices.**
3. **Tap the downward-pointing arrow to the right of the Bluetooth device name.**
4. **Tap Forget Device.**

   The Alexa app removes the device from the Bluetooth Devices screen.

Press the switch or button that make the device discoverable. When the device reappears on the Bluetooth Devices screen, try pairing with it again.

You Ordered Something Accidentally

The good news with Alexa is that it makes ordering stuff from Amazon as easy as pie. The bad news with Alexa is that it makes ordering stuff from Amazon as easy as pie! That is, when products such as phone soap and moisturizer made from snail mucus are just a voice command away at 2 a.m. on a Sunday, well, it gives the phrase *post-purchase regret* a whole new meaning.

Fortunately, many types of Amazon orders can be canceled if — and this is crucial — you act fast.

WARNING

Some Amazon orders are final sales, including anything you buy from Amazon Music.

If you order something from Amazon.com (or your home-country equivalent), you can cancel it as long as it hasn't got too far into the processing pipeline. Here are the steps to follow:

1. Go to www.amazon.com **(or your local Amazon domain) and sign in to your account.**

2. **Choose Account & Lists ⇨ Your Orders.**

Depending on your version of Amazon, you may have to choose Your Account ⇨ Your Orders, instead.

3. **Locate your order (it should be at the top of the list) and click the order's Cancel Items button.**

If you see a Request Cancellation button, instead, it usually means the item is fulfilled by a vendor other than Amazon, so you need to send your cancellation request to the vendor.

Amazon displays the items in your order.

4. **Select the check box beside each item you want to cancel.**

5. **Click Cancel Checked Items.**

Amazon either cancels the order or tells you you're too late.

If it's a Kindle book you don't want, you've got a week to ask for a refund. Here's how:

1. Surf to www.amazon.com **(or your local Amazon domain) and sign in to your account.**

2. **Choose Account & Lists ⇨ Manage Your Content and Devices.**

Depending on your version of Amazon, you may have to choose Your Account ⇨ Manage Your Content and Devices, instead.

3. **Click the Actions button to the left of the Kindle book you want to return.**

4. **Click Return for Refund.**

   If you don't see the Return for Refund command, it means you're too late and your stuck with the ebook.

   Amazon asks you to confirm the return.

5. **Click Return for Refund.**

   Amazon returns the book and processes a refund for you.

Alexa Doesn't Understand Your Commands

Alexa's voice recognition is very good, even downright uncanny sometimes, but that doesn't mean it's perfect. Occasionally, Alexa will either not respond at all to a command, or will respond with something like "Sorry, I'm not sure about that." Most perplexing of all is when you issue the same command twice in a row, and Alexa works perfectly on the first command, but fails on the second!

If this happens to you only every now and then, it's probably just a temporary glitch on Alexa's part, so there's nothing to "fix." However, if Alexa consistently fails to understand what you're saying, that's a problem. It not only makes Alexa less useful, but also makes it less fun.

Here are a few simple tweaks you can try first:

>> **Make sure your Alexa device isn't blocked or covered.** The exquisitely sensitive microphone array in your Alexa device can pick up even faint whispers from a several feet away, but it may not hear you at all if the device is behind a wall, under a desk, buried under couch cushions, or tucked away in a closet. Bring your Alexa device out into the open for best results.

>> **Move your Alexa device away from any device that has people speaking.** If you place your Alexa device close to a TV, radio, or stereo, when you say your wake word, Alexa may pick up voices from the media device and think they're part of the command, which will almost certainly result in a failure. Keep your Alexa device a reasonable distance from any speaker that's emitting voices.

>> **Move your Alexa device away from a wall or other large vertical surface.** Such surfaces can cause reverberations that confuse the Alexa device microphone.

>> **Turn down the volume.** If your Alexa device is playing audio at a loud volume (say, level 9 or 10), the device may not hear you over the Led Zeppelin, particularly if you're not close to the device. Turn down the volume by pressing the device's physical Volume Down button and then retry your command.

>> **Check out what Alexa thinks you said.** In the Alexa app, choose Menu ⇨ Settings ⇨ Alexa Account ⇨ History. Locate the recording where Alexa misheard you and read the transcription of what Alexa thinks you said. If you find Alexa is having trouble with a particular word, ask a friend if you're pronouncing that word correctly. Otherwise, if possible, replace the problem word with a synonym or similar word.

>> **Restart your Alexa device.** I describe how to do this earlier in this chapter in the "Restarting your Echo" section.

If you're still having trouble getting Alexa to understand you, then you should go through Alexa's Learn My Voice feature to train Alexa to recognize you. If you have another Alexa device nearby, turn off its microphone temporarily. Make sure you're in a relatively quiet place, and then give the following command:

"Alexa, learn my voice."

Alexa then takes you through the voice training where it asks you to repeat a series of phrases. Be sure to speak in a natural, conversational tone. You don't need to speak overly slowly or with exaggerated pronunciation.

If after all that Alexa *still* doesn't understand you, try resetting your Alexa device to its factory defaults, as I explain earlier in the "Resetting your Echo" section.

You're Having Trouble Making Calls

If you use Alexa to make voice or video calls, you may find that those calls either don't go through at all, or they go through but suffer from poor quality or frequent disconnects. Bummer. Here are a few things you can try to solve your calling woes:

>> Check your Alexa Contacts list to make sure you're asking Alexa to call the correct name. If you've just edited the person's name in your mobile device's Contacts app, give Alexa few moments to get the updated info.

>> If you're asking Alexa to call a specific phone number, double-check the number.

WARNING

Alexa won't dial 911 (or any other emergency service number), toll numbers, premium-rate numbers, and *N11* service codes (such as 311 and 411).

» Sign out of your Amazon account. In the Alexa app, choose Menu ➪ Settings, and then tap the Sign Out link at the bottom of the Settings screen. Sign back in and try your call again.

» Restart your Wi-Fi router and Alexa device using the steps I outline earlier in the "You Can't Connect to Your Wi-Fi Network" section.

» If you have other devices accessing your Wi-Fi network, shut down any devices you're not using.

» Move your Alexa device closer to your Wi-Fi router. Your Alexa device must be within 230 feet of the router (115 feet for older routers), but the closer the two devices, the stronger the Wi-Fi signal.

» Make sure your Wi-Fi router isn't situated near devices that can cause interference, such as microwave ovens and baby monitors.

You Changed Your Wi-Fi Network Password

Your Alexa device needs access to your Internet-connected Wi-Fi network to do its thing. When you first set up your Alexa device, getting the device on your network by entering your network password is one of the first chores. That usually works flawlessly, but what happens if down the road you change your network password? How you tell Alexa about the new password depends on the type of device you have.

If you have an Alexa device with a light ring, you need to go through the entire setup procedure all over again:

1. **In the Alexa app, tap the Devices icon.**

2. **Tap Echo & Alexa and then tap the Alexa device you want to connect.**

3. **Tap the Change link that appears to the right of the Wi-Fi Network setting.**

4. **From here, follow the setup instructions that I provide in Chapter 2.**

If you have an Alexa device with a screen, follow these steps:

1. **Swipe down the from the top of the screen and then tap Settings.**

2. **Tap Network.**

   You see a list of available networks, with your network at the top of the list.

3. **Tap the Info icon that appears to the right of your network name.**

4. **Tap Forget.**

   The Alexa device disconnects from the network and returns you to the list of available networks.

5. **Tap your network.**

6. **Enter your new network password.**

7. **If prompted, verify your Amazon account.**

A Smart-Home Device Doesn't Work Properly

If you're having trouble with a smart-home device, the good news is that a fair chunk of those problems have a relatively limited set of causes. You may be able to get the device back on its feet by attempting a few tried-and-true remedies:

» **Check connections, power switches, and so on.** Some of the most common (and most embarrassing) causes of hardware problems are the simple physical things, so make sure that the device is fully plugged in to its power outlet (if applicable), that the device is turned on, and that any cable connections are secure.

» **Replace the batteries.** Smart-home devices can really chew through batteries, so if such a device is working intermittently (or not at all), try replacing the batteries to see if that solves the problem.

» **Turn the device off and then on again.** You power cycle a device by turning it off, waiting a few seconds for its electronic innards to stop humming, and then turning it back on. You'd be amazed how often this simple procedure can get a device back up and running. For a device that doesn't have an On/Off switch, try unplugging it from the power outlet, unscrewing it (if it's a lightbulb), or removing and replacing the batteries.

>> **Double-check that the smart-home device is compatible with your Alexa device.** For Alexa units that don't have a built-in hub, you can only use Wi-Fi and Bluetooth devices; for an Echo Plus or second-generation Echo Show (both of which do have hubs), you can use Wi-Fi, Bluetooth, or Zigbee devices.

>> **If applicable, make sure you've installed the smart-home device's app and used the app to set up the device.**

>> **If applicable, use the Alexa app to enable the smart device's skill.** If you've already done that, try disabling the skill and then enabling it again.

>> **Move your Wi-Fi smart-home device closer to your Wi-Fi router.** Your device must be within 230 feet of the router (115 feet for older routers), but the closer the two devices, the stronger the Wi-Fi signal.

>> **Restart your Wi-Fi router and Alexa device using the steps I outline earlier in the "You Can't Connect to Your Wi-Fi Network" section.**

>> **For a Wi-Fi smart-home device, make sure your Wi-Fi router isn't situated near devices that can cause interference, such as microwave ovens and baby monitors.**

>> **Make sure your Alexa device isn't close to a wall or a metal object.** If your Alexa device is sitting on a low shelf or even on the floor, move it to a higher location.

>> **Reset the device's default settings.** If you can configure a device, perhaps some new setting is causing the problem. If you recently made a change, try returning the setting back to its original value. If that doesn't do the trick, most configurable devices have some kind of Restore Default Settings option that enables you to quickly return them to their factory settings.

>> **Upgrade the device's firmware.** Some devices come with firmware — a small program that runs inside the device and controls its internal functions. Check with the manufacturer to see if a new version exists. If it does, download the new version and then see the device's manual to learn how to upgrade the firmware.

» **Tweaking Alexa for extra security and privacy**

» **Locking up your Amazon account**

» **Removing personal data from Amazon**

Chapter **14**

Ten Ways to Beef Up Alexa Security and Privacy

Alexa devices are part of the Internet of Things (IoT), which refers to the collection of gadgets and appliances that have Internet connections. Unfortunately, IoT devices have a well-deserved notoriety for being unsecure. Online miscreants are having a field day compromising so-called "smart" refrigerators, TVs, and even baby monitors. Does that mean your Alexa device is vulnerable? It's *probably* not, but I'm hedging my security bets here because any system is only as secure as its most vulnerable component. So, even if Alexa itself is fine, you can still run into trouble if your network or your Amazon account are not as secure as they could be. Don't worry, though: In this chapter, I show you how to plug such security holes.

Okay, what about privacy? After all, you've invited a dedicated *listening device* into your home, a device that, moreover, sends recordings of your voice to some cloud and stores them there. Is Alexa *always* listening? Is Alexa recording *everything* you say? As I show in this chapter, Alexa isn't the surveillance nightmare that some privacy advocates say it is, but neither should you take your privacy for granted. There are steps you can (and should) take to protect your personal data, and you learn all about them in this chapter.

Make Sure Your Wi-Fi Network Is Locked Up Tight

The first step in securing Alexa is securing the network that Alexa uses to access the Internet: your home Wi-Fi network. A secure Wi-Fi network is necessary because of a practice called *wardriving*, where a black-hat hacker drives through various neighborhoods with a portable computer or another device set up to look for available wireless networks. If the miscreant finds an unsecured network, he uses it for free Internet access (such a person is called a *piggybacker*) or to cause mischief with shared network resources.

The problem is that wireless networks are inherently unsecure because the wireless connection that enables you to access Alexa from the kitchen or the living room can also enable an intruder from outside your home to access the network. Fortunately, you can secure your wireless network against these threats with a few tweaks and techniques:

REMEMBER

Most of what follows here requires access to your Wi-Fi router's administration or setup pages. See your router's documentation to learn how to perform these tasks.

>> **Change the router's administrator password.** By far the most important configuration chore for any new Wi-Fi router is to change the default password (and username, if your router requires one). Note that I'm talking here about the administrative password, which is the password you use to log on to the router's setup pages. This password has nothing to do with the password you use to log on to your Internet service provider (ISP) or to your wireless network. Changing the default administrative password is crucial because it's fairly easy for a nearby malicious hacker to access your router's login page and all new routers use common (and therefore well-known) default passwords (such as "password") and usernames (such as "admin").

>> **Change the Wi-Fi network password.** Make sure your Wi-Fi network is protected by a robust, hard-to-guess password to avoid unauthorized access. See the sidebar "Coming up with a strong password," a bit later in this chapter.

>> **Beef up your Wi-Fi router's encryption.** To ensure that no nearby mischief-maker can intercept your network data (using a tool called a *packet sniffer*), you need to encrypt your wireless network. Some older routers either have no encryption turned on or use an outdated (read: unsecure) encryption called Wired Equivalent Privacy (WEP). The current gold standard for encryption is Wi-Fi Protected Access II (WPA2), so make sure your router uses this security type.

>> **Check your network name for identifying info.** Make sure the name of your Wi-Fi network — known as its *service set identifier* (SSID) — doesn't include any text that identifies you (for example, "Joe Flaherty's Network") or your location ("123 Primrose Lane Wi-Fi").

COMING UP WITH A STRONG PASSWORD

As I show in this chapter, making Alexa more secure involves setting passwords on three things: your Wi-Fi network and your Wi-Fi router's administration app, which I talk about in "Make Sure Your Wi-Fi Network Is Locked Up Tight," as well as your Amazon account, which I discuss later (see "Give Your Amazon Account a Bulletproof Password"). However, it's not enough to just use any old password that pops into your head. To ensure the strongest security for your Alexa system, you need to make each password robust enough that it's impossible to guess and impervious to software programs designed to try different password combinations. Such a password is called a *strong password.* Ideally, you should build a password that provides maximum protection while still being easy to remember.

Lots of books will suggest ridiculously abstruse password schemes (I've written some of those books myself), but you really need to know only three things to create strong-like-a-bull passwords:

- **Use passwords that are at least 12 characters long.** Shorter passwords are susceptible to programs that just try every letter combination. You can combine the 26 letters of the alphabet into about 12 million five-letter word combinations, which is no big deal for a fast program. If you use 12-letter passwords — as many experts recommend — the number of combinations goes beyond mind-boggling: 90 quadrillion, or 90,000 trillion!

- **Mix up your character types.** The secret to a strong password is to include characters from the following categories: lowercase letters, uppercase letters, punctuation marks, numbers, and symbols. If you include at least one character from three (or, even better, all five) of these categories, you're well on your way to a strong password.

- **Don't be obvious.** Because forgetting a password is inconvenient, many people use meaningful words or numbers so that their passwords will be easier to remember. Unfortunately, this means that they often use extremely obvious things such as their name, the name of a family member or colleague, their birth dates, or their Social Security numbers. Being this obvious is just asking for trouble. Adding 123 or ! to the end of the password doesn't help much either. Password-cracking programs try those.

>> **Update your router's firmware.** The internal program that runs the Wi-Fi router is called its *firmware*. Reputable router manufacturers release regular firmware updates not only to fix problems and provide new features, but also to plug security holes. Therefore, it's crucial to always keep your router's firmware up to date.

>> **Create a separate Wi-Fi network for smart-home stuff.** If your router supports multiple networks, set up one network for your regular web access and a second network for your smart-home devices. Home-automation gadgets tend not to be very secure, so by shunting them (and Alexa) off to a separate network, you keep your regular network safe.

WARNING

If you create a second Wi-Fi network for your Alexa and smart-home devices, the Alexa app and any device manufacturer apps will only be able to work with their respective devices if the smartphone (or tablet) running the apps is also connected to that network.

Change Alexa's Wake Word

In 2018, an Echo device surreptitiously recorded a conversation between a wife and her husband, and then sent that conversation to one of the husband's work colleagues. Did Alexa have a grudge against the couple, or was it all just a series of unfortunate events? Happily, it seems to have been the latter (Alexa, so far as we know, can hold no grudges). Amazon's explanation for the bizarre occurrence was that the following equally bizarre series occurred:

1. Alexa heard a word in the conversation that sounded like "Alexa," the default wake word, so it began recording the conversation.

2. Alexa subsequently heard a phrase in the conversation that sounded like "send message." Alexa then asked, "To whom?"

3. As the conversation continued, Alexa heard what sounded like the name of a person in the couple's Contacts list. Alexa repeated the contact's name and asked, "Right?"

4. Alexa heard a word — such as "Yes" or "Right" — that it interpreted as confirmation, so it stopped recording and sent the conversation as a message to the contact.

Each of these steps is improbable on its own, but for four of them to happen in a row seems so unlikely that it beggars belief. It *did* happen, though, and the only other explanation is malice aforethought on Alexa's part.

Assuming that Alexa is not a sociopath, what can be done to prevent such an alarming privacy breach? Amazon says it's working on ways to ensure that this series of events doesn't happen again, but in the meantime you can see that it all started with the Alexa device "hearing" the default wake word: "Alexa." So a good first step is to change the wake word to another word that you're less likely to say.

There are three other possible wake words — Amazon, Echo, and Computer — and you choose one of them by following these steps:

1. **In the Alexa app, tap the Devices icon.**

2. **Tap Echo & Alexa (or All Devices).**

3. **Tap your Alexa device.**

4. **Tap Wake Word.**

    The Alexa app displays the Wake Word screen, as shown in Figure 14-1.

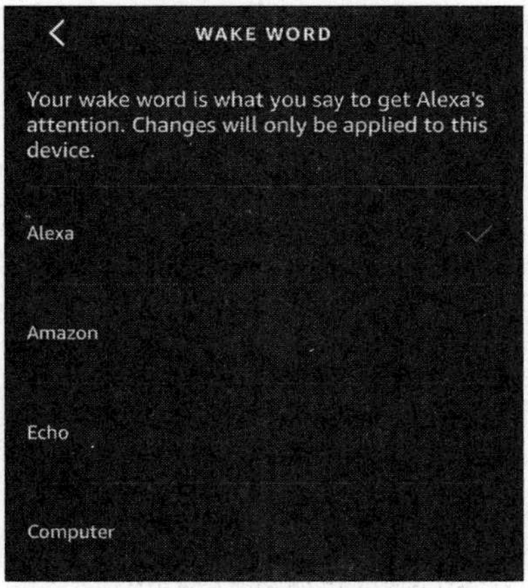

FIGURE 14-1:
Use the Wake Word screen to tap the word you want to use to summon Alexa.

5. **Tap the wake word you prefer to use.**

    The Alexa app warns you that it will take a few minutes to update your device to the new wake word.

6. **Tap OK.**

    Alexa updates the wake word. Note that until the update is complete, you won't be able to use your Alexa device or the voice component of the Alexa app.

Stop Alexa from Listening (And Watching)

It's unfortunate that Alexa doesn't offer a way to specify a custom wake word. The problem is that the default wake word choices — Alexa, Amazon, Echo, and Computer — aren't that unique, so it's easy to invoke Alexa by accident. Letting you specify an unmistakable wake word — such as, say, "Beelzebub" or "rutabaga" — would go a long way to prevent accidental Alexa wakeups.

Also, you should be aware that your Alexa device really *is* listening to everything you say. The device maintains a constant *audio buffer* — a one-second-long recording — that it monitors for the wake word.

Therefore, to prevent inadvertent wakeups or to prevent that creepy feeling of knowing the device is listening to you *right now,* if you know you won't be using Alexa for a while, you should turn off the device microphone. You do that by pressing the Microphone Off button, which I point out in Chapter 3.

WARNING

Another good reason to mute your Alexa device when you're not using it is the so-called *dolphin attack* that researchers demonstrated recently. Broadcasting audio at a frequency too high for humans to hear (but within the range of dolphin ears, hence the name of the attack), the researchers were able to surreptitiously make Alexa devices dial phone numbers and take photographs.

If you have an Alexa device with a screen, it means you also have an Alexa device with a camera. However, device cameras are notoriously hackable, meaning some creep could gain access to the camera to watch you or take photos. When you mute your device, you also turn off the camera. But when you have the microphone on, it's not a bad idea to be paranoid and turn off the camera if you don't need it:

1. **Swipe down the from the top of the screen.**
2. **Tap Settings.**
3. **Tap Device Options.**
4. **Tap the Camera switch to Off.**

Trash Sensitive Alexa Recordings

When you say Alexa's wake word, your Alexa device begins recording everything it hears until your interaction is complete. You may think Amazon just deletes those recordings after Alexa is done with them, but that's not the case. In fact, Amazon keeps your Alexa recordings indefinitely.

Why would Amazon do such a thing? For the simple and innocent reason that Amazon uses your old voice recordings to improve your Alexa experience. Alexa "learns" your voice and your preferences, and that makes your Alexa interactions better every time you use it.

That Amazon has recordings of you asking for the time, the latest Death Cab for Cutie song, or breaking-wind sound effects may seem like no big deal. But as you get more used to having Alexa around, you may expose more private or sensitive information in your conversations, such as medical problems, legal issues, and financial preferences. If having *those* types of recordings stored indefinitely in the cloud somewhere gives you the heebie–jeebies (and it should), then you should delete your Alexa recordings.

I'm not saying you have to delete everything. That's probably not a good idea anyway because it would almost certainly mean that your Alexa experience would get much worse for a while as Alexa relearns your voice and preferences. Fortunately, you can be selective about the recordings you delete. Here's what to do:

1. **In the Alexa app, choose Menu ⇨ Settings.**

2. **Choose Alexa Account ⇨ Alexa Privacy.**

3. **Tap Review Voice History.**

   The Alexa app displays the Review Voice History screen, which by default shows your recordings made today.

4. **Use the Date Range list to select the recordings you want to review.**

   Your choices are Today, Yesterday, This Week, This Month, All History, or Custom. If you go with Custom, use the controls that show up to select the day, month, and year for the Start Date and End Date you want to review; then tap Show.

   Each recording shows when the interaction occurred and on which device. Importantly, in most cases you also see the text of your Alexa voice command. If you want to hear the recording itself, tap the interaction's Show icon (the downward-pointing arrow) and then tap the Play button.

   Figure 14-2 shows a typical list of recordings.

5. **Choose how you want to delete the voice recordings:**

   - To delete individual recordings, select the check box to the left of each recording and then tap Delete Selected Recordings.

   - To delete all the recordings in the current date range, tap Delete All Recordings for [*range*], where *range* is the current Date Range value from Step 4.

6. **When the Alexa app asks you to confirm the deletion, tap Yes.**

The Alexa app deletes your voice recordings.

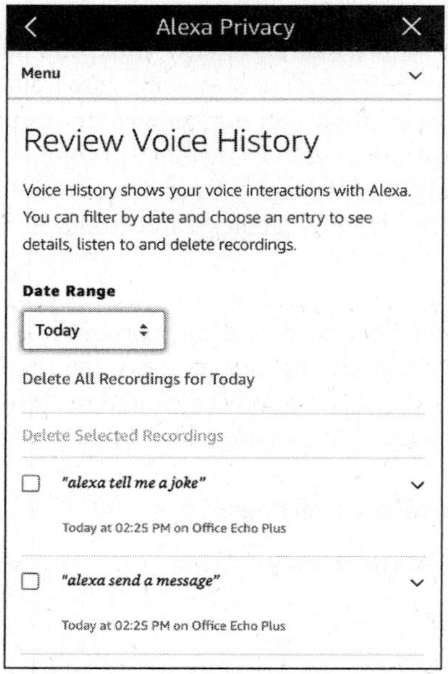

FIGURE 14-2:
The Review Voice
History screen
shows your Alexa
voice recordings
from the selected
date range.

Configure Alexa Not to Use Your Personal Data

By default, Amazon Voice Services (AVS) uses some of your Alexa–generated data to improve and enhance Alexa. There are two types of data that Amazon uses to make Alexa better:

>> **Voice recordings:** When Amazon is developing a new feature for Alexa, it uses some of its customers' voice recordings to "train" Alexa on that new feature. The more diverse that collection of recordings is, the more likely it is that the feature will work well for a broad range of users.

>> **Text messages:** When you use a voice command to send a text message through your Alexa device, AVS transcribes that recording into text to ship to your recipient. AVS also uses your messages to analyze the accuracy of its transcriptions.

If you're uncomfortable having your Alexa data used in either or both ways, you can configure Alexa to not include your data when it's improving Alexa. Here are the steps to follow:

1. **In the Alexa app, choose Menu ⇨ Settings.**

2. **Choose Alexa Account ⇨ Alexa Privacy.**

3. **Tap Manage How Your Data Improves Alexa.**

The Alexa app displays the Manage How Your Data Improves Alexa screen, shown in Figure 14-3.

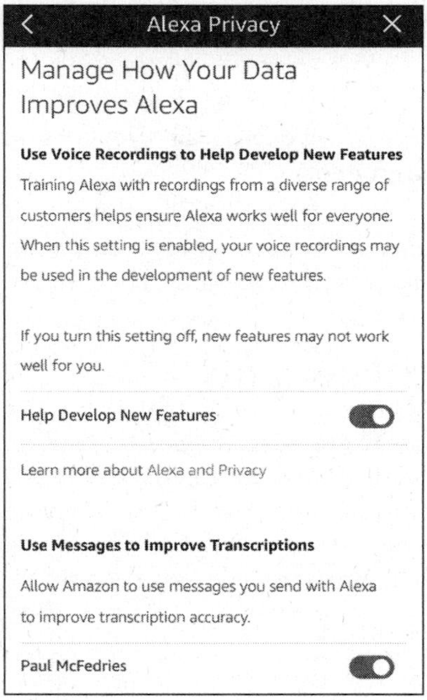

Alexa Privacy

Manage How Your Data Improves Alexa

Use Voice Recordings to Help Develop New Features

Training Alexa with recordings from a diverse range of customers helps ensure Alexa works well for everyone. When this setting is enabled, your voice recordings may be used in the development of new features.

If you turn this setting off, new features may not work well for you.

Help Develop New Features

Learn more about Alexa and Privacy

Use Messages to Improve Transcriptions

Allow Amazon to use messages you send with Alexa to improve transcription accuracy.

Paul McFedries

FIGURE 14-3: Use the switches on this screen to control what data Amazon uses to improve Alexa.

4. **If you don't want Amazon to use your voice recordings, tap the Help Develop New Features switch to Off.**

The Alexa app asks you to confirm.

5. **Tap Turn Off.**

6. **If you don't want Amazon to use your text messages, tap the switch that appears beside your name in the Use Messages to Improve Transcriptions section to Off.**

Shut Down Alexa's Communications

Alexa's communication features enable you to send messages, make voice or video calls, and drop in (with permission) on other Alexa users, or have them drop in on you. It's undoubtedly convenient to be able to perform these tasks hands-free, but they do open up some security and privacy concerns:

» **Messages are received as an audio file.** That's sounds benign, but it may be possible for an attacker to fool Alexa into "playing" an audio file that contains malicious code.

» **Enabling Drop In on your Alexa device means someone in your Contacts list could initiate a voice or even a video conversation with you without warning.**

» **Alexa requires access to your contacts, but if an attacker could somehow manage to access your Alexa device, then your contacts' information would also be compromised.**

You can get around these concerns by turning off Alexa's communications features and revoking access to your contacts, as I describe in the next two sections.

Turn communications off

If you don't use (or rarely use) your Alexa device to send or receive messages or drop-ins, you can make your device both more secure and more private by disabling all its communications features. Here's how it's done:

1. In the Alexa app, tap the Devices icon.

2. Tap Echo & Alexa (or All Devices).

3. Tap your Alexa device.

4. Tap Communications.

5. Tap the Communications switch to Off, as shown in Figure 14-4.

FIGURE 14-4:
To make your Alexa device more secure and private, tap the Communications switch to Off.

TIP

If you only want to disable the intrusive Drop In feature, leave the Communications switch in the On position and instead tap the Off option in the Drop In section.

Revoke access to your contacts

If you've shut down Alexa's communications features permanently, then you should also revoke Alexa's access to your contacts because you no longer need them. Revoking access to contacts causes two things to happen:

>> Alexa no longer imports new and changed contacts from your mobile device's Contacts app.

>> The previously imported contacts are deleted from Amazon's servers.

Here's what to do:

1. **In the Alexa app, choose Menu ⇨ Contacts.**

2. **Tap Manage Contacts, which is the three-dots icon in the upper-right corner.**

3. **Tap Import Contacts.**

4. **Tap the Import Contacts switch to Off, as shown in Figure 14-5.**

   The Alexa app asks you to confirm.

5. **Tap Disable.**

   The Alexa app stops importing your mobile-device contacts, and your previously imported contacts are deleted from Amazon.

FIGURE 14-5:
To remove your contacts from both Alexa and Amazon, tap the Import Contacts switch to Off.

Secure Your Amazon Account

Because everything Alexa does is tied to your Amazon account, your Alexa experience is only as secure as your Amazon account. Therefore, it's vital to ensure that you've got your Amazon account locked down. Fortunately, that requires just two things: giving your account a strong password and turning on Amazon's Two-Step Verification feature.

Give your Amazon account a bulletproof password

Your Amazon account's first line of defense is a strong password. First, check back in this chapter to the "Coming up with a strong password" sidebar. After you've got a bulletproof password figured out, follow these steps to change your existing Amazon password:

1. **Surf to** www.amazon.com **(or your country's Amazon domain) and sign in to your account.**

2. **Click Accounts & Lists ⇨ Your Account.**

   On other Amazon domains, you usually click Your Account ⇨ Manage Your Content and Devices.

3. **Click Login & Security.**

4. **Click the Edit button beside the Password setting.**

   Amazon displays the Change Password page, shown in Figure 14-6.

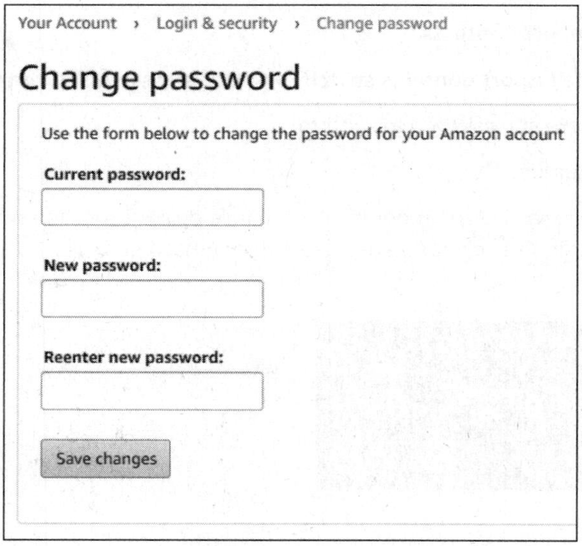

Your Account › Login & security › Change password

Change password

Use the form below to change the password for your Amazon account

Current password:

New password:

Reenter new password:

Save changes

FIGURE 14-6:
Use the Change Password page to change your Amazon account password.

5. **Type your current password.**

6. **Type your new, strong password in the two text boxes.**

7. **Click Save Changes.**

   Amazon applies the new password to your account.

Turn on Amazon's Two-Step Verification

A password made of steel is a necessary security feature, but, sadly, it's not a sufficient security feature. A malicious user may still worm his way into your account with guile or brute force, so you need a second line of defense. That line is a feature that Amazon calls Two-Step Verification (which is a more comprehensible name than what the rest of the Internet most often uses for the same feature: Two-Factor Authentication). The "Two-Step" part means that getting access to your Amazon account requires two separate actions:

1. **Sign in using your Amazon account credentials.**

2. **Verify that you're authorized to access the account by entering a code that Amazon sends via text or voice to a phone number you control.**

Here are the steps to follow to enable Two-Step Verification and tell Amazon how you want to receive your verification codes:

1. **Surf to** www.amazon.com **(or your country's Amazon domain) and sign in to your account.**

2. **Click Accounts & Lists ⇨ Your Account.**

   On other Amazon domains, you usually click Your Account ⇨ Manage Your Content and Devices.

3. **Click Login & Security.**

4. **Click the Edit button beside Advanced Security Settings.**

   Amazon displays the Advanced Security Settings page.

5. **Click the Get Started button that appears to the right of the Two-Step Verification label.**

   Amazon asks how you want to receive your Two-Step Verification codes, as shown in Figure 14-7.

6. **Select the radio button for the method you want to use.**

   Most people select Text Message, but you can also select Voice Delivery to get the code through an automated call, instead.

7. **Enter the phone number, and then click Send Code.**

   Amazon sends you a test code.

8. **Use the Enter the Code That Is Sent to Your Device text box to do just that, and then click the Verify Code and Continue button.**

   Amazon displays some information about using Two-Step Verification on devices that can't display a second screen to enter the verification code.

9. **Click Got It. Turn on Two-Step Verification.**

Two-Step Verification is now active on your Amazon account.

Your Account › Login & security › Advanced Security Settings › Two-Step Verification

Step 1 of 3
Choose how you'll receive codes

Phone number Receive codes on your phone
Tell us the phone number where you'd like to receive Two-Step Verification codes. You should have this phone available whenever you sign into your Amazon account.

Select from existing phone numbers on your account where you'd like to receive codes.
Receive code by:
◉ Text message (SMS)
○ Voice delivery--you will receive an automated phone call

| +14888888888   ‡ | Send code |

Enter the code that is sent to your device

| | Verify code and continue |

Message and data rates may apply.

FIGURE 14-7:
Use this page to specify how you want to receive your Two-Step Verification codes.

Delete Your Saved Wi-Fi Passwords

In Chapter 10, I describe Amazon's Wi-Fi Simple Setup technology, which makes it easier to set up supported devices by automatically connecting them to your Wi-Fi network. That automatic connection works because Amazon stores your Wi-Fi network password on its servers. Amazon has gone to great lengths to ensure your saved network password is safe:

>> Amazon's Privacy Policy states that it will not share your Wi-Fi password with a third party without your permission.

>> The password is stored in encrypted form on the server.

>> Devices that ask for network access are first authenticated by Amazon.

>> When needed, the password is sent using an encrypted connection.

These security steps are reassuring, but you may still feel more than a little uneasy having the password to your home network stored in the cloud. And, yes, Amazon authenticates third-party devices that want on your network, but can you really be sure that no rogue device can also breach your network?

To allay these justifiable fears, you can delete your saved Wi-Fi passwords from Amazon and, optionally, turn off Wi-Fi Simple Setup. Here are the steps to follow:

1. **Surf to** www.amazon.com **(or your country's Amazon domain) and sign in to your account.**

2. **Click Accounts & Lists ⇨ Your Content and Devices.**

   On other Amazon domains, you usually click Your Account ⇨ Manage Your Content and Devices.

3. **Click the Preferences tab.**

4. **Click Saved Wi-Fi Passwords.**

   The Saved Wi-Fi Passwords settings appear, as shown in Figure 14-8.

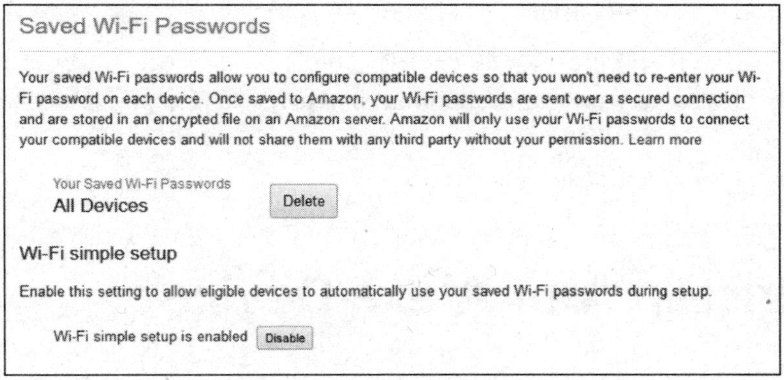

FIGURE 14-8: Use the Saved Wi-Fi Passwords page to remove your saved passwords from Amazon.

Saved Wi-Fi Passwords

Your saved Wi-Fi passwords allow you to configure compatible devices so that you won't need to re-enter your Wi-Fi password on each device. Once saved to Amazon, your Wi-Fi passwords are sent over a secured connection and are stored in an encrypted file on an Amazon server. Amazon will only use your Wi-Fi passwords to connect your compatible devices and will not share them with any third party without your permission. Learn more

Your Saved Wi-Fi Passwords
All Devices   Delete

Wi-Fi simple setup

Enable this setting to allow eligible devices to automatically use your saved Wi-Fi passwords during setup.

Wi-Fi simple setup is enabled   Disable

5. **To remove your saved network password from Amazon, click Delete.**

   Amazon asks you to confirm the deletion.

6. **Click Yes, Delete Permanently.**

   Amazon deletes your saved Wi-Fi password.

7. **To prevent devices from using Wi-Fi Simple Setup, click Disable.**

   Amazon asks you to confirm.

   If you proceed with disabling Wi-Fi Simple Setup, you'll have manually add all new smart-home devices to your network.

WARNING

8. **Click Yes, Disable.**

   Amazon disables Wi-Fi Simple Setup.

Revoke a Skill's Permissions

When you enable a skill, as I describe in Chapter 8, you often have to give the skill permission to access some feature, such as your location, or to perform some action, such as display notifications. Some permissions can get a little annoying (for example, when a skill notifies you too often), but others are more of a problem on the privacy side (for example, when a skill asks for your location). If you no longer want a skill to have whatever permissions you gave it, follow these steps to revoke those permissions:

1. **In the Alexa app, choose Menu ⇨ Skills & Games.**

2. **Tap Your Skills.**

3. **Tap the skill you want to work with.**

4. **Tap Settings.**

5. **Tap Manage Permissions.**

6. **For each permission you want to revoke, tap the permission's switch to Off.**

7. **Tap Save Permissions.**

Deregister Your Alexa Device

If you're selling or giving away an Alexa device, you want to make sure the device is wiped clean of all your custom settings and personal info. You can do this by resetting your device, which I describe in Chapter 13.

You also want to ensure that the device is no longer connected to your Amazon account, and that means *deregistering* the device with Amazon. If you have an Echo Show or Echo Spot, you're all set, because resetting the device also deregisters it with Amazon. For other Alexa devices, you have two choices:

>> In the Alexa app, choose Devices ⇨ Echo & Alexa, tap the device you're getting rid of, and then tap the Deregister link that appears near the bottom of the Device Settings screen. When the Alexa app asks you to confirm, as shown in Figure 14-9, tap Deregister.

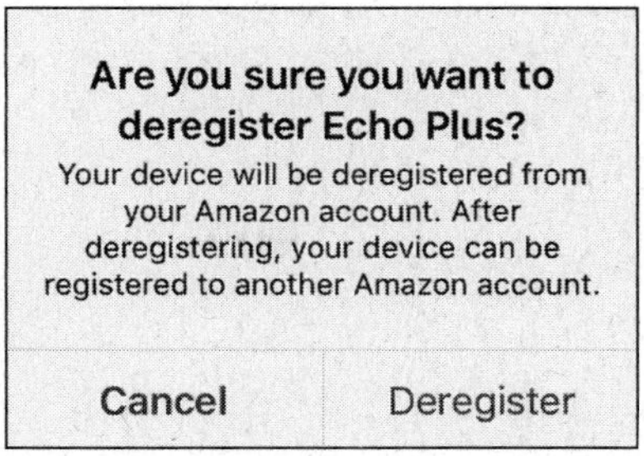

FIGURE 14-9:
You see this
dialog when
Amazon asks
you to confirm
a device
deregistration.

Are you sure you want to deregister Echo Plus?

Your device will be deregistered from your Amazon account. After deregistering, your device can be registered to another Amazon account.

| Cancel | Deregister |

>> Surf to www.amazon.com (or your country's Amazon domain), sign in to your account, click Accounts & Lists ⇨ Your Content and Devices (or Your Account ⇨ Manage Your Content and Devices), click the Devices tab, click the Action button beside the device you're getting rid of, and then click Deregister. When Amazon asks you to confirm, click Deregister.

Index

Numerics

7-Minute Workout skill, 153
2001: A Space Odyssey (movie), 8

A

accessibility
  accessing skills, 19, 144–146
  for people with hearing impairments
    Alexa Captioning feature, 165–166
    closed captioning, 165
    headphones, 164
    overview, 163–164
  for people with speech impairments
    overview, 159–160
    Tap to Alexa feature, 160–162
    texting without speech, 162–163
    text-to-speech app, 160
  for people with vision impairments
    overview, 166–167
    Screen Magnifier, 170–171
    VoiceView feature, 168–170
account linking
  Big Sky skill, 153
  defined, 146
  Lyft, 154
  Uber, 155
acoustic echo cancellation, far-field microphone, 45
Action button, Echo devices, 45–46
actions (for routines)
  Alexa Devices action, 212, 213
  Alexa Says action, 212, 213
  Calendar action, 212, 214
  Music action, 212, 214
  News action, 212
  Smart Home action, 212, 214
  Traffic action, 212
  Weather action, 212

activity, playing music by, 64–65
Akinator skill, 153
alarms
  changing, 125
  commands for, 53
  customizing sounds, 127–128
  deleting, 125
  disabling, 125
  setting, 124–125
album, playing music by, 63
alerts
  alarms
    changing, 125
    customizing sounds, 127–128
    deleting, 125
    disabling, 125
    setting, 124–125
  delivery notifications, 106–107
  reminders
    changing, 123
    commands for, 54
    deleting, 123
    marking as complete, 123
    setting, 121–122
  start/end of request, 167
  timers
    commands for, 53–54
    running, 125–127
Alexa
  accessing skills, 19
  Brief mode, 50–51
  capabilities
    answering questions, 18
    communication, 18
    news and information, 18
    personal assistant, 18
    playing media, 17
    shopping, 18

Alexa *(continued)*

commands
alarm, 53
audio, 52–53
calendar, 54
communication, 54–55
everyday-info, 51–52
general information, 52
reminders, 54
shopping, 55
smart-home, 55
timer, 53–54
to-do list, 54
video, 53
components of
Alexa Voice Service, 10
name recognition, 9
speech recording, 9
speech synthesis, 10
conversational artificial intelligence, 9
defined, 7
ending conversation, 50
funny questions to ask, 224–225
getting attention of, 48
hardware devices that work with
Amazon's Echo devices, 13–16
choosing, 16–17
types of, 12
home-automation and, 19
how device works, 11
jokes from, 222
keeping attention of, 49–50
linking Calendar to, 118
as personal assistant, 8–9
purpose of, 7–8
recreation/entertainment, 19
routines
actions, 212
creating, 212–214
overview, 211–212
running, 214–215
singing, 223
smart-home devices compatibility, 178
stories and poems from, 224–225
wordplay tricks from, 222–223

Alexa app
accessing Skills department, 144–146
controlling smart-home devices with, 190
Devices screen, 185–186
Devices Settings screen, 186–187
enabling skills with, 148–149
installing
Alexa icon, 26
Communication icon, 25
Devices icon, 26
granting access to device microphone, 26
Home icon, 25
Menu icon, 25
Music & Books icon, 26
overview, 21–22
signing into Amazon account, 22–24
starting audiobook with, 76
streaming podcasts with, 75
texting via, 88
using Drop In feature with, 98
voice calls via
calling Alexa device, 92
calling contact, 92
using voice commands, 92–93
Alexa Captioning feature, 165–166
Alexa Devices action, 212, 213
Alexa icon, Alexa app, 26
Alexa portal page, 22–23
Alexa Says action, 212, 213
Alexa Skill Blueprints, 155–158
Alexa Things to Try skill, 153
Alexa Voice Service (AVS), 10
Alexa-to-Alexa Calling
answering incoming calls
with Alexa app, 95
on device with screen, 94
on device without screen, 94
overview, 89
Alexa-to-Alexa contacts, 84
Alexa-to-Landline Calling, 89
Alexa-to-Mobile Calling, 89
Alice's Adventures in Wonderland, 7
Amazon account
cancelling orders, 238–240
connecting IFTTT applets to, 216

linking third-party device to, 32–33

security and privacy

overview, 255

password, 256

two-step verification, 257–258

signing into, 22–24

Amazon Household feature, 101–102

Amazon Music app, accessing Alexa via, 68–69

Amazon Smart Plug, 12

Amazon Storytime skill, 153

Amazon Voice Service (AVS), 230

Amazon Web Services (AWS), 10

Amazon's Echo devices

with built-in smart-home hubs, 179–180

buttons

Action, 45–46

Microphone Off, 45–46

Volume Down, 45–46

Volume Up, 45–46

choosing, 16–17

compatibility

with speaker sets, 203

with Wi-Fi Simple Setup, 182

connecting to Wi-Fi, 178

Echo Auto device, 15–16

Echo Dot device, 13–14

Echo Plus device, 14

Echo Show device, 15

Echo Spot device, 15

far-field microphone, 44–45

feedback/responses from

light ring, 47

sound adjustment, 46

visual response, 46

voice response, 46

overview, 43–44

resetting, 231–232

restarting, 230

with screen, 28

as smart-home controllers, 177

text-to-speech app, 160

touchscreen, 47–48

troubleshooting unresponsive device, 232

updating, 230–231

wireless mesh networks and, 179–180

without screen, 28–32

Ambient Sounds skill, 153

Android devices

giving Alexa access to contacts, 84

requirements for using Alexa app on, 22

screen reader, 167

vision accessibility features, 167

announcements, 100

Any.do app, 108

AnyList app, 108

AnyPod skill, 153

Apple Siri speech-recognition app, 8

applets, IFTTT

Alexa-related, 218

connecting to Amazon accounts, 216

defined, 180

enabling, 216–217

overview, 215–216

triggers, 216

appliances (smart appliances), 195

artist, playing music by, 63

Assistant program, Google, 8

Audible service, 75

audio buffer, 250

audio commands, 52–53

Audio Output port, 32–33

audiobooks, 75–76

automation, smart-home devices, 176. *See also* smart-home devices

AVS (Alexa Voice Service), 10

AVS (Amazon Voice Service), 230

AWS (Amazon Web Services), 10

B

background image, setting, 37

barge-in feature, far-field microphone, 45

The Bartender skill, 153

Bass setting, equalizer, 70–71

beamforming, far-field microphone, 45

behind-the-ear (BTE) hearing aid, 164

Big Sky skill, 153

blocking

  contacts, 86

  mature content, 80

blueprints (Alexa Skill Blueprints),
    155–158

Bluetooth

  connecting external speakers or headphone to
    Alexa device via, 39–40

  disconnecting from Alexa device, 40–41

  making device discoverable, 39

  multi-room music sync problems, 210

  smart-home devices, 178

  streaming mobile device audio, 78–79

  troubleshooting

    device discoverability, 237–238

    pairing devices, 238

Bluetooth Devices list, 41

book-related questions, 138–139

Brief mode, 50–51

BTE (behind-the-ear) hearing aid, 164

Burglar Deterrent skill, 153

business queries, 140

C

cables

  connecting external speakers or headphone to
    Alexa device via, 38

  Echo Auto device, 15

Calendar

  commands, 54

  events

    adding, 119–120

    checking, 120

    deleting, 121

    moving, 120–121

    scheduling meeting with contact, 121

  linking to Alexa, 118

  overview, 117

  setting default calendar, 119

  unlinking, 119

Calendar action, 212, 214

call letters, 72

caller ID, 87

Calling & Messaging profile, contacts, 86–87

Calling & Messaging Without Speech feature, 162–163

cameras

  Echo Show device, 15, 17, 81

  Echo Spot device, 15, 17, 81

  smart-home devices, 176, 194–195

  turniing off, 250

CBC skill, 153

closed captioning, 165

cloud

  Amazon Web Services, 10

  defined, 10

  iCloud calendar, 117

  storing Alexa recordings in, 135, 250–252

  storing Wi-Fi password in, 258

commands. *See* voice commands

communication

  announcements, 100

  capabilities of Alexa, 18

  contacts

    adding nickname to, 85–86

    blocking, 86

    Calling & Messaging profile, 86–87

    editing, 86

    giving Alexa access to, 84–85

  disabling features, 254–255

  Drop In feature

    Alexa app, 98

    configuring settings for, 98–99

    giving permissions, 96–97

    voice commands for, 97

  intercom system, 100

  overview, 83

  smart-home devices

    Bluetooth, 178

    Wi-Fi, 178

    wireless mesh network, 178–179

  texting

    configuring Alexa not to use text messages,
      252–253

    receiving, 88–89

    sending, 87–88

    texting with Alexa, 18

    texting without speech, 162–163

troubleshooting voice and video calls, 90–91

video calls, 90, 93, 241–242

voice calls

  Alexa-to-Alexa Calling, 89, 94–95

  Alexa-to-Landline Calling, 89

  Alexa-to-Mobile Calling, 89

  ending, 95–96

  landline, 94

  overview, 89–90

  via Alexa app, 92–93

  voice commands for, 90–91

Communication icon, Alexa app, 25

consumable purchase, skills, 147

contacts

  adding nickname to, 85–86

  blocking, 86

  Calling & Messaging profile, 86–87

  calling via Alexa app, 92

  editing, 86

  giving Alexa access to, 84–85

  revoking access to, 255

  scheduling meeting with contact, 121

conversational artificial intelligence, 9

converting units, 136–137

Cortana program, Microsoft, 8

countdown timers

  commands for, 53–54

  running, 125–127

Cozi app, 108

cultural questions, 138

Curiosity skill, 154

customizing

  devices

    background image, 37

    language, 36

    location, 34–35

    measurement units, 36–37

    naming device, 34

    time zone, 35

    voice profile, 33–34

  sounds

    adjusting sound quality, 70–71

    alerts/notifications, 127–128

D

The Daily Show skill, 154

Dailymotion, 80

data centers, defined, 10

dates and times, questions about, 140

default calendar, 119

deleting

  alarms, 125

  Calendar events, 121

  lists, 110

  recordings, 250–252

  saved Wi-Fi passwords, 258–259

  smart-home devices from Alexa, 189

delivery notifications, 106–107

delivery status, 105–106

deregistering device, 260–261

device groups

  controlling, 200–201

  creating, 198–200

  managing, 201–202

devices. *See also* smart-home devices

  adding to Alexa app, 27–33

    Echo device with screen, 28

    Echo device without screen, 28–32

    overview, 27–28

    third-party device, 32–33

  Android

    giving Alexa access to contacts, 84

    requirements for using Alexa app on, 22

    screen reader, 167

    vision accessibility features, 167

  customizing

    background image, 37

    language, 36

    location, 34–35

    measurement units, 36–37

    naming device, 34

    time zone, 35

    voice profile, 33–34

  deregistering, 260–261

  Echo devices

    Action button, 45–46

    with built-in smart-home hubs, 179–180

devices *(continued)*
    choosing, 16–17
    connecting to Wi-Fi, 178
    Echo Auto device, 15–16
    Echo Dot device, 13–14
    Echo Plus device, 14
    Echo Show device, 15
    Echo Spot device, 15
    far-field microphone, 44–45
    light ring, 47
    Microphone Off button, 45–46
    overview, 43–44
    resetting, 231–232
    restarting, 230
    with screen, 28
    as smart-home controllers, 177
    sound adjustment, 46
    with speaker sets, 203
    text-to-speech app, 160
    touchscreen, 47–48
    troubleshooting unresponsive device, 232
    updating, 230–231
    visual response, 46
    voice response, 46
    Volume Down button, 45–46
    Volume Up button, 45–46
    with Wi-Fi Simple Setup, 182
    wireless mesh networks and, 179–180
    without screen, 28–32
  granting access to device microphone, 26
  iOS
    giving Alexa access to contacts, 84
    requirements for using Alexa app on iPhone, 22
    screen reader, 167
    vision accessibility features, 167
  pairing Bluetooth devices, 39, 178
  positioning, 27
Devices icon, Alexa app, 26
devices scenes, smart-home devices, 190–192
Devices screen, Alexa app, 185–186
Devices Settings screen, Alexa app, 186–187
disabling
  alarms, 125
  communication features, 254–255
  skills, 152–153

  smart-home devices, 189
  Wi-Fi Simple Setup, 259
Do Not Disturb Mode, 128–129
dolphin attack, 250
donations, voice commands for making, 107
doorbells (smart doorbells), 190–192
Drop In feature
  Alexa app, 98
  configuring settings for, 98–99
  giving permissions, 96–97
  voice commands for, 97

E

ear-cup (full-cup) headphones, 164
ear-pad (on-ear) headphones, 164
Easter eggs
  defined, 19
  movie, 226–227
  music, 228
  TV, 227
Echo Auto device, 15–16
Echo devices. *See also names of specific Echo devices*; smart-home devices
  with built-in smart-home hubs, 179–180
  buttons
    Action, 45–46
    Microphone Off, 45–46
    Volume Down, 45–46
    Volume Up, 45–46
  choosing, 16–17
  compatibility
    with speaker sets, 203
    with Wi-Fi Simple Setup, 182
  connecting to Wi-Fi, 178
  far-field microphone, 44–45
  feedback/responses from
    light ring, 47
    sound adjustment, 46
    visual response, 46
    voice response, 46
  overview, 43–44
  resetting, 231–232
  restarting, 230
  with screen, 28

as smart-home controllers, 177

text-to-speech app, 160

touchscreen, 47–48

troubleshooting unresponsive device, 232

updating, 230–231

wireless mesh networks and, 179–180

without screen, 28–32

Echo Dot device

  overview, 13–14

  resetting, 231

  text-to-speech app, 160

Echo Plus device

  overview, 14

  resetting, 231–232

  text-to-speech app, 160

Echo Show device

  overview, 15

  resetting, 232

  Tap to Alexa feature, 160–161

  VoiceView feature, 168

Echo Spot device

  overview, 15

  resetting, 232

  VoiceView feature, 168

ecobee smart thermostat, 32

enabling

  IFTTT applets, 216–217

  skills

    with Alexa app, 148–149

    with voice commands, 147–148

  voice purchases, 102–103

encrypting routers, 246

ending conversation with Alexa, 50

ending voice calls, 95–96

entertainment

  Easter eggs

    defined, 19

    movie, 226–227

    music, 228

    TV, 227

  funny questions to ask Alexa, 224–225

  jokes from Alexa, 222

  odd things to ask Alexa to do, 224

  personal questions, 226

  singing/songs from Alexa, 223

  stories and poems from Alexa, 224–225

  wordplay tricks from Alexa, 222–223

equalizer, 70–71

events, Calendar

  adding, 119–120

  checking, 120

  deleting, 121

  moving, 120–121

  scheduling meeting with contact, 121

everyday-info commands, 51–52

external speakers, connecting to Alexa device

  disconnecting paired Bluetooth device, 40–41

  overview, 37–38

  via Bluetooth, 39–40

  via cable, 38

F

family organizer apps, 108

far-field microphone, 44–45

feedback, hearing aids and headphones, 164

Feels Like skill, 154

financial information, querying, 134

Fire tablets, 22

firmware, updating

  device, 182, 244

  router, 248

Flash Briefing feature, 18, 114–116

Follow-Up mode, 49–50

FreeTime feature, 101–102

full-cup (ear-cup; over-the-ear) headphones, 164

funny questions to ask Alexa, 224–225

G

general information commands, 52

genre, playing music by, 64

gestures

  for Echo device touchscreen, 47–48

  Screen Magnifier feature, 171

  swipe, 48, 169–170

  tap, 48, 169–170, 171

  VoiceView feature, 169–170

Google Calendar, 117

Google's Assistant program, 8

H

hands-free devices, 45

hardware devices that work with Alexa

  Amazon's Echo devices

    Echo, 13

    Echo Auto, 15–16

    Echo Dot, 13–14

    Echo Plus, 14

    Echo Show, 15

    Echo Spot, 15

  choosing, 16–17

  types of, 12

HD (high definition), 15

headphones

  connecting to Alexa device, 37–41

    disconnecting paired Bluetooth device, 40–41

    overview, 37–38

    via Bluetooth, 39–40

    via cable, 38

  hearing aids and, 164

Headspace skill, 154

hearing aids, 164

hearing impairments, accessibility features for people with

  Alexa Captioning feature, 165–166

  closed captioning, 165

  headphones, 164

  overview, 163–164

high definition (HD), 15

Home icon, Alexa app, 25

home-automation, 19. *See also* smart-home devices

Household profiles, 101–102

I

iCloud calendar, 117

Identify Capital Letters setting, VoiceView feature, 169

IFTTT (If This Then That) service, 180, 215–218

in-skill purchases

  consumable purchase, 147

  one-time purchase, 147

  subscription, 147

Inspire Me skill, 154

installing Alexa app

  Alexa icon, 26

  Communication icon, 25

  Devices icon, 26

  granting access to device microphone, 26

  Home icon, 25

  Menu icon, 25

  Music & Books icon, 26

  overview, 21–22

  signing into Amazon account, 22–24

intercom system, Alexa device as, 18, 100

interference, Wi-Fi network, 235

Internet

  connection speeds, 236

  Wi-Fi network

    changing password, 246

    connecting Echo devices to, 28–32

    creating separate network for smart-home devices, 248

    deleting saved Wi-Fi passwords, 258–259

    securing service set identifier, 247

    security and privacy, 246–248

    setting up smart-home devices, 180–182

    smart-home devices, 178

    troubleshooting connectivity problems, 234–235

    troubleshooting network password, 242–243

    Wi-Fi Simple Setup, 182

Internet of Things devices. *See* IoT (Internet of Things) devices

in-the-ear (ITE) hearing aid, 164

iOS devices

  giving Alexa access to contacts, 84

  requirements for using Alexa app on iPhone, 22

  screen reader, 167

  vision accessibility features, 167

IoT (Internet of Things) devices. *See also* Echo devices

  defined, 245

  smart-home devices

    Alexa skills, 182–184

    appliances, 195

    automation, 176

    Bluetooth, 178

cameras, 194–195
changing device type, 188
compatibility with Alexa, 178
controlling, 177–178, 189–190
convenience, 176
deleting, 189
device groups, 198–202
devices scenes, 190–192
disabling, 189
IFTTT service, 215–218
information, 176
lights, 177, 192–193
locks, 195
multi-room music feature, 208–211
overview, 175–176
plugs/outlets, 192
renaming, 187
routines, 212–214
smart-home hub, 179–180
speaker sets, 202–207
speakers, 195
sprinklers, 195
thermostats, 193–194
troubleshooting, 243–244
TVs, 195
vacuums, 195
viewing, 185–187
Wi-Fi, 178, 180–182
wireless mesh network, 178–179
Zigbee, 184–185
turniing off microphone, 250
updating firmware for, 182, 244
ITE (in-the-ear) hearing aid, 164
items, list
adding, 111
managing, 112

J

jokes from Alexa, 222

K

Key Echo setting, VoiceView feature, 168
keywords, 11
Kindle book, 77–78

L

landline calls, 94
language, setting, 36
Learn My Voice feature, 241
Learn Something Radio skill, 154
light ring, Echo devices, 47
lights (smart lights), 177, 192–193
linguistic questions, 139
linking
account linking
Big Sky skill, 153
defined, 146
Lyft, 154
Uber, 155
Alexa to Calendar, 118
Alexa to music provider, 60–61
lists
archiving, 110
creating, 109
deleting, 110
items
adding, 111
editing, 112
hiding completed items, 112
marking as complete, 112
removing completed items, 112
managing, 110
overview, 107–109
printing, 110
renaming, 110
restoring, 110
sharing, 110
third-party, 108
viewing, 110
location, setting, 34–35
locks (smart locks), 195
Lyft, 146, 154

M

Mac web browser, 22
The Magic Door skill, 154
Mastermind skill, 154
math questions, 135–136
Mayo Clinic First Aid skill, 154

measurement units, setting, 36–37
Meat Thermometer skill, 154
media
  audiobooks, 75–76
  Kindle book, 77–78
  music
    adjusting music quality, 70–71
    Amazon Music app, 68–69
    controlling with voice commands, 63–68
    linking Alexa to music provider, 60–61
    playing through Alexa, 60
    setting up default music provider, 61–63
    third-party music, 69–70
  overview, 59
  photos, 81–82
  podcasts, 74–75
  radio
    overview, 71–74
    selecting station with Alexa app, 72–74
    voice commands for, 72
  streaming mobile device audio, 78–79
  videos, 79–81
medical/health queries, 135
Menu icon, Alexa app, 25
mesh networks
  defined, 178–179
  Zigbee, 184–185
  Z-Wave, 179
messaging
  configuring Alexa not to use text messages, 252–253
  receiving, 88–89
  sending
    via Alexa app, 88
    voice commands for, 87
  texting with Alexa, 18
  texting without speech, 162–163
  voice commands for, 87
microphone array, far-field microphone, 44
Microphone Off button, Echo devices, 45–46
microphones
  far-field microphone, 44–45
  granting access to device microphone, 26
  turniing off, 250
Microsoft Cortana program, 8

Microsoft Exchange Calendar, 117
Midrange setting, equalizer, 70–71
mood, playing music by, 64–65
movie Easter eggs, 226–227
movie trailers, 80
multi-room music feature
  overview, 207
  playing, 209
  setting up, 208–209
  sync problems, fixing, 210–211
music
  adjusting music quality, 70–71
  Amazon Music app, 68–69
  controlling with voice commands
    controlling playback, 67–68
    controlling volume, 66–67
    discovering new music, 65–66
    getting information about music, 65
    playing by genre, 64
    playing by mood or activity, 64–65
    playing by song, album, or artist, 63
    playing popular music, 66
    playlists, 65
    rating music, 66
  linking to music provider, 60–61
  playing through Alexa, 60
  setting up default music provider, 61–63
  third-party music, 69–70
Music & Books icon, Alexa app, 26
Music action (for routines), 212, 214
music Easter eggs, 228
MySomm skill, 154

N

N11 phone numbers, 90
name recognition, 9
naming device, 34
natural-language processing, 10
networks
  Wi-Fi
    changing password, 246
    connecting Echo devices to, 28–32
    creating separate network for smart-home devices, 248

deleting saved Wi-Fi passwords, 258–259
securing service set identifier, 247
security and privacy, 246–248
setting up smart-home devices, 180–182
smart-home devices, 178
troubleshooting connectivity problems, 234–235
troubleshooting network password, 242–243
Wi-Fi Simple Setup, 182
wireless mesh networks
defined, 178–179
Zigbee, 184–185
Z-Wave, 179
News action (for routines), 212
news and information
capabilities of Alexa, 18
Flash Briefing feature, 18, 114–116
sports update, 116–117
traffic report, 113–114
weather forecast, 113
nickname, adding to contacts, 85–86
nodes, wireless mesh network, 178–179
noise reduction, far-field microphone, 45
noise-canceling headphones, 164
non-Alexa contacts, 85
notifications
alarms
changing, 125
customizing sounds, 127–128
deleting, 125
disabling, 125
setting, 124–125
delivery notifications, 106–107
reminders, 121–123
changing, 123
commands for, 54
deleting, 123
marking as complete, 123
setting, 121–122
start/end of request sounds, 167
timers
commands for, 53–54
running, 125–127
NPR News Now skill, 154

O

odd things to ask Alexa to do, 224
Office 365 Calendar, 117
on-ear (ear-pad) headphones, 164
one-time purchase, skills, 147
ordering multiple items, 104
Outlook.com Calendar, 117
over-the-ear (full-cup) headphones, 164

P

packet sniffer, 246
pairing devices, Bluetooth, 39, 178
parental controls, 102
passkey (PIN), Bluetooth, 238
passwords
administrative, routers, 246
Amazon account, 256
strong, 247
Wi-Fi network, 235, 242–243, 246, 258–259
permissions. See also accessibility
for Drop In feature, 96–97
granting access to device microphone, 26
revoking skill's permissions, 260
personal assistant, Alexa as, 18
personal data, protecting, 252–253
personalizing device
background image, 37
language, 36
location, 34–35
measurement units, 36–37
naming device, 34
time zone, 35
voice profile, 33–34
phonewords, 90
photos, 81–82
piggybackers, 246
PIN (passkey), Bluetooth, 238
placing orders, 103–104
playback, controlling with voice commands, 67–68
playing media
audiobooks, 75–76
capabilities of Alexa, 17

playing media *(continued)*
  Kindle book, 77–78
  music
    adjusting music quality, 70–71
    Amazon Music app, 68–69
    controlling with voice commands, 63–68
    linking to music provider, 60–61
    playing through Alexa, 60
    setting up default music provider, 61–63
    third-party music, 69–70
  overview, 59
  photos, 81–82
  playing music through speaker sets, 205–207
  podcasts, 74–75
  radio station
    overview, 71–74
    selecting station with Alexa app, 72–74
    voice commands for, 72
  streaming mobile device audio, 78–79
  troubleshooting streaming, 236–237
  videos, 79–81
playlists, controlling with voice commands, 65
plugs/outlets (smart plugs), 192
podcasts, 74–75
poems from Alexa, 224–225
positioning device, 27
Prime Video service, 81
privacy
  Amazon account
    overview, 255
    password, 256
    two-step verification, 257–258
  deleting recordings, 250–252
  deleting saved Wi-Fi passwords, 258–259
  deregistering device, 260–261
  disabling communication features, 254–255
  general discussion, 245
  preventing Alexa from listening, 250
  protecting personal data, 252–253
  revoking access to contacts, 255
  revoking skill's permissions, 260
  wake word, 248–249
  Wi-Fi network, 246–248

product recommendations, 103
Punctuation Level setting, VoiceView feature, 169
Purchase by Voice setting, 102–103

Q

questions
  about companies, 140
  answering capabilities of Alexa, 18
  book-related questions, 138–139
  converting units, 136–137
  cultural questions, 138
  dates and times, 140
  financial information, 134
  funny questions to ask Alexa, 224–225
  linguistic questions, 139
  math questions, 135–136
  medical/health queries, 135
  overview, 133
  science questions, 137
  searching nearby locations, 134
  for Wikipedia, 141

R

radio
  overview, 71–74
  selecting station with Alexa app, 72–74
  voice commands for, 72
range, Wi-Fi network, 235
rating music, 66
Reading Speed setting, VoiceView feature, 168
Recognized Voice setting, 105
recordings
  configuring Alexa not to use, 252–253
  deleting, 250–252
  storing in cloud, 135
recreation
  Easter eggs
    defined, 19
    movie, 226–227
    music, 228
    TV, 227

funny questions to ask Alexa, 224–225

jokes from Alexa, 222

odd things to ask Alexa to do, 224

personal questions, 226

singing/songs from Alexa, 223

stories and poems from Alexa, 224–225

wordplay tricks from Alexa, 222–223

reminders

  changing, 123

  commands for, 54

  deleting, 123

  marking as complete, 123

  setting, 121–122

renaming

  lists, 110

  smart-home devices, 187

reordering items, 104

responses

  light ring, 47

  sound adjustment, 46

  visual response, 46

  voice response, 46

restarting device, 234–235

routers

  changing administrator password, 246

  distance between smart-home device and, 244

  encrypting, 246

  resetting, 235

  updating firmware, 235, 248

routines

  actions, 212

  creating, 212–214

  overview, 211–212

  running, 214–215

S

Safe Search feature, 80

SAT Word of the Day skill, 154

scenes, device, 190–192

science questions, 137

Screen Magnifier, 170–171

screen readers, 167

security

  Amazon account

    overview, 255

    password, 256

    two-step verification, 257–258

  deleting recordings, 250–252

  deleting saved Wi-Fi passwords, 258–259

  deregistering device, 260–261

  disabling communication features, 254–255

  general discussion, 245

  preventing Alexa from listening, 250

  protecting personal data, 252–253

  revoking access to contacts, 255

  revoking skill's permissions, 260

  wake word, 248–249

  Wi-Fi network, 246–248

servers

  defined, 10

  removing contacts' information from, 255

  storing network password on, 30

service set identifier (SSID), 247

setting up Alexa

  adding device to app

    Echo device with screen, 28

    Echo device without screen, 28–32

    overview, 27–28

    third-party device, 32–33

  connecting external speakers or headphones

    disconnecting paired Bluetooth device, 40–41

    overview, 37–38

    via Bluetooth, 39–40

    via cable, 38

  installing app

    Alexa icon, 26

    Communication icon, 25

    Devices icon, 26

    granting access to device microphone, 26

    Home icon, 25

    Menu icon, 25

    Music & Books icon, 26

    overview, 21–22

    signing into Amazon account, 22–24

setting up Alexa *(continued)*
  personalizing device
    background image, 37
    language, 36
    location, 34–35
    measurement units, 36–37
    naming device, 34
    time zone, 35
    voice profile, 33–34
  positioning device, 27
7-Minute Workout skill, 153
shopping
  cancelling Amazon orders, 238–240
  capabilities of Alexa, 18
  voice shopping
    checking delivery notifications, 106–107
    checking delivery status, 105–106
    commands for, 55
    enabling voice purchases, 102–103
    ordering multiple items, 104
    placing orders, 103–104
    product recommendations, 103
    reordering items, 104
    setting up, 102
    Voice Code, 104–105
    voice donations, 107
singing/songs from Alexa, 223
Siri speech-recognition app, 8
skills
  accessing, 19
  account linking, 146
  Akinator, 153
  Alexa Things to Try, 153
  Amazon Storytime, 153
  Ambient Sounds, 153
  AnyPod, 153
  The Bartender, 153
  Big Sky, 153
  building your own, 155–158
  Burglar Deterrent, 153
  CBC, 153
  changing settings, 151–152
  Curiosity, 154

The Daily Show, 154
defined, 19
disabling, 152–153
enabling
  with Alexa app, 148–149
  with voice commands, 147–148
Feels Like, 154
Flash Briefing feature and, 114–116
Headspace, 154
in-skill purchases
  consumable purchase, 147
  one-time purchase, 147
  subscription, 147
Inspire Me:, 154
invoking, 149–150
Learn Something Radio, 154
Lyft, 154
The Magic Door, 154
Mastermind, 154
Mayo Clinic First Aid, 154
Meat Thermometer, 154
MySomm, 154
NPR News Now, 154
overview, 143–144
revoking permissions to, 260
SAT Word of the Day, 154
setting up smart-home devices, 182–184
7-Minute Workout, 153
Skills Department, 144–147
TED Talks, 154
This Day in History, 154
Translated, 155
Uber, 146, 155
viewing, 150–151
The Wayne Investigation, 155
What to Expect, 155
smart hair brush, 177
Smart Home action (for routines), 212, 214
smart speakers
  Echo Auto device, 15–16
  Echo device, 13
  Echo Dot device, 13–14

Echo Plus device, 14
Echo Show device, 15
Echo Spot device, 15
   third-party, 195
smart water bottle, 177
smart-home commands, 55
smart-home devices
   Alexa, 179
   appliances, 195
   automation, 176
   cameras, 194–195
   changing device type, 188
   communication
      Bluetooth, 178
      Wi-Fi, 178
      Wireless mesh network, 178–179
   compatibility with Alexa, 178
   controlling
      with Alexa app, 190
      with Alexa device with screen, 190
      with app, 177
      with smart-home controller, 177
      with smart-home hub, 177–178
      with voice commands, 189
   convenience, 176
   deleting, 189
   device groups
      controlling, 200–201
      creating, 198–200
      managing, 201–202
   devices scenes, 190–192
   disabling, 189
   If This Then That (IFTTT) service,
      215–218
   information, 176
   lights, 177, 192–193
   locks, 195
   multi-room music feature
      overview, 207
      playing, 209
      setting up, 208–209
      sync problems, fixing, 210–211
   overview, 175–176
   plugs/outlets, 192
   renaming, 187

routines
   actions, 212
   creating, 212–214
   overview, 211–212
   running, 214–215
setting up
   Alexa skill, 182–184
   Wi-Fi, 180–182
   Zigbee, 184–185
smart-home hub, 179–180
speaker sets
   creating, 203–205
   overview, 202–203
   playing music through, 205–207
speakers, 195
sprinklers, 195
thermostats, 193–194
troubleshooting, 243–244
TVs, 195
vacuums, 195
viewing, 185–187
smart-home hub, 177–178
smartphones, requirements for using Alexa app on, 22
software
   IFTTT service, 180
   updating, 233–234
   updating firmware
      for device, 182, 244
      for router, 248
songs, playing music by, 63
Sonos One speaker, 32
sound adjustment, 46
sound quality, adjusting, 70–71
Sounds Volume setting, VoiceView feature, 168
speaker sets
   creating, 203–205
   overview, 202–203
   playing music through, 205–207
speakers
   connecting external speakers or headphones
      disconnecting paired Bluetooth device, 40–41
      overview, 37–38
      via Bluetooth, 39–40
      via cable, 38
   smart speakers, 13–15, 195

speech impairments, accessibility features for people with
  overview, 159–160
  Tap to Alexa feature, 160–162
  texting without speech, 162–163
  text-to-speech app, 160
speech recognition
  Alexa Voice Service, 10
  far-field microphone, 45
  name recognition, 9
  Siri speech-recognition app, 8
speech recording, 9
speech synthesis, 10
Speech Volume setting, VoiceView feature, 168
sports update, 116–117
sprinklers (smart sprinklers), 195
SSID (service set identifier), 247
Star Trek IV: Voyage Home (movie), 8
stereo, 202. *See also* speaker sets
stickers, adding to photos, 80
stories from Alexa, 224–225
streaming media
  mobile device audio, 78–79
  troubleshooting, 236–237
subscription, skills, 147
subtitles, 165–166
subwoofers, 202. *See also* speaker sets
swipe gestures
  on Echo device touchscreen, 48
  for VoiceView feature, 169–170
sync problems, fixing, 210–211

T

tablets, requirements for using Alexa app on, 22
tap gestures
  on Echo device touchscreen, 48
  for Screen Magnifier feature, 171
  for VoiceView feature, 169–170
Tap to Alexa feature, 160–162
TED Talks skill, 154
telecoil mode, hearing aids, 164
texting
  with Alexa, 18
  configuring Alexa not to use text messages, 252–253

receiving, 88–89
  sending
    via Alexa app, 88
    voice commands for, 87
  voice commands for, 87
  without speech, 162–163
text-to-speech (TTS) app, 160
thermostats (smart thermostats), 193–194
third-party device, adding to Alexa app, 32–33
third-party music, 69–70
This Day in History skill, 154
time zone, setting, 35
timers (countdown timers)
  commands for, 53–54
  running, 125–127
to-do list commands, 54
Todoist app, 108
tongue-twisters, 224–225
touchscreens, Echo devices, 47–48
Traffic action (for routines), 212
traffic reports, 113–114
Translated skill, 155
Treble setting, equalizer, 70–71
triggers
  IFTTT applets, 216
  routines, 213
troubleshooting
  Alexa misunderstanding commands, 240–241
  Bluetooth
    device discoverability, 237–238
    pairing devices, 238
  cancelling Amazon orders, 238–240
  making calls, 241–242
  overview, 229–230
  resetting Echo, 231–232
  restarting Echo, 230
  smart-home devices, 243–244
  streaming media, 236–237
  unresponsive device, 232
  updating Echo, 230–231
  updating software, 233–234
  Wi-Fi connectivity problems, 234–235
  Wi-Fi network password, 242–243
TTS (text-to-speech) app, 160

TuneIn service
  podcasts, 74–75
  radio, 72–74
TV Easter eggs, 227
TVs (smart TVs), 195
2001: A Space Odyssey (movie), 8
two-factor authentication (two-step verification), 117

U

Uber, 146, 155
unpairing devices, 40–41

V

vacuums (smart vacuums), 195
Verbosity setting, VoiceView feature, 169
video calls, 90, 93, 241–242
video commands, 53
videos
  Amazon's Prime Video service, 81
  finding and playing web videos, 80
  movie trailers, 80
  overview, 79
viewing
  skills, 150–151
  smart-home devices, 185–187
Vimeo, 80
vision impairments, accessibility features for
      people with
  overview, 166–167
  Screen Magnifier, 170–171
  VoiceView feature, 168–170
voice calls
  Alexa-to-Alexa Calling, 89, 94–95
  Alexa-to-Landline Calling, 89
  Alexa-to-Mobile Calling, 89
  ending, 95–96
  landline, 94
  overview, 89–90
  troubleshooting, 241–242
  via Alexa app, 92–93
  voice commands for, 90–91
Voice Code, 104–105

voice commands
  alarm, 53
  for Alexa reading Kindle book aloud,
      77–78
  audio, 52–53
  calendar, 54
  communication, 54–55
  controlling playback with, 67–68
  controlling smart-home devices with, 189
  controlling volume with, 66–67
  discovering new music, 65–66
  for Drop In feature, 97
  enabling skills with, 147–148
  everyday-info commands, 51–52
  general information, 52
  getting information about music, 65
  making donations, 107
  making voice call with Alexa app, 92–93
  playing music
    by genre, 64
    by mood or activity, 64–65
    popular music, 66
    by song, album, or artist, 63
  playlists, 65
  for radio, 72
  rating music, 66
  reminders, 54
  shopping, 55
  smart-home, 55
  for texting, 87
  timer, 53–54
  to-do list commands, 54
  troubleshooting, 240–241
  TuneIn service, 74–75
  video, 53
  for voice calls, 90–91
voice profile, 33–34
voice recordings
  configuring Alexa not to use,
      252–253
  deleting, 250–252
  storing in cloud, 135
voice responses, 46

voice service, defined, 7

voice shopping
  checking delivery notifications, 106–107
  checking delivery status, 105–106
  enabling voice purchases, 102–103
  ordering multiple items, 104
  placing orders, 103–104
  product recommendations, 103
  reordering items, 104
  setting up, 102
  Voice Code, 104–105
  voice donations, 107

voice user interface (VUI), 9

voice-aware systems, 9

voice-control tools, 8

VoiceView feature
  gestures, 169–170
  Identify Capital Letters setting, 169
  Key Echo setting, 168
  Punctuation Level setting, 169
  Reading Speed setting, 168
  Sounds Volume setting, 168
  Speech Volume setting, 168
  Verbosity setting, 169
  VoiceView Tutorial setting, 169

VoiceView Tutorial setting, VoiceView feature, 169

volume
  controlling with voice commands, 66–67
  Echo devices, 45–46
  VoiceView feature, 168

Volume Down button, Echo devices, 45–46

Volume Up button, Echo devices, 45–46

VUI (voice user interface), 9

W

wake word
  changing, 248–249
  default, 48
  defined, 9

wardriving, 246

The Wayne Investigation skill, 155

Weather action (for routines), 212

weather forecast, 113

web videos, 80

WEP (Wired Equivalent Privacy), 246

What to Expect skill, 155

Wi-Fi network
  changing password, 246
  connecting Echo devices to
    device with screen, 28
    device without screen, 28–32
  creating separate network for smart-home
    devices, 248
  deleting saved Wi-Fi passwords, 258–259
  securing service set identifier, 247
  security and privacy, 246–248
  setting up smart-home devices, 180–182
  smart-home devices, 178
  troubleshooting connectivity problems, 234–235
  troubleshooting network password, 242–243
  Wi-Fi Simple Setup, 182

Wi-Fi Protected Access II (WPA2), 246

Wi-Fi Simple Setup, 182, 259

Wikipedia, 141

WIndows web browser, 22

Wired Equivalent Privacy (WEP), 246

wireless mesh networks
  defined, 178–179
  Zigbee, 184–185
  Z-Wave, 179

wordplay tricks from Alexa, 222–223

WPA2 (Wi-Fi Protected Access II), 246

Z

Zigbee mesh network
  discovering Zigbee devices, 184–185
  Echo devices compatible with, 179

zooming, 170–171

Z-Wave mesh network, 179

About the Author

Paul McFedries is the president of Logophilia Limited, a technical writing company. He has worked with computers large and small since 1975. Although he's now primarily a writer, Paul has worked as a programmer, consultant, database developer, and website developer. He has written more than 95 books that have sold more than four million copies worldwide. Paul is also the proprietor of Word Spy (www.wordspy.com), a website that has been tracking recently coined words and phrases since 1995. Paul invites everyone to drop by his personal website (www.mcfedries.com) or follow him on Twitter (@paulmcf and @wordspy).

Dedication

To Karen and Chase, who make life fun.

Author's Acknowledgments

If we're ever at the same cocktail party and you overhear me saying something like "I wrote a book," I hereby give you permission to wag your finger at me and say "Tsk, tsk." Why the scolding? Because although I did write this book's text and take its screenshots, that represents only a part of what constitutes a "book." The rest of it is brought to you by the dedication and professionalism of Wiley's editorial and production teams, who toiled long and hard to turn my text and images into an actual book.

I offer my sincere gratitude to everyone at Wiley who made this book possible, but I'd like to extend a special "Thanks a bunch!" to the folks I worked with directly: Associate Publisher Katie Mohr and Project Editor Elizabeth Kuball. I'd also like to give a big shout-out to my agent, Carole Jelen, for helping to make this project possible.

Publisher's Acknowledgments

Associate Publisher: Katie Mohr
Project Editor: Elizabeth Kuball
Copy Editor: Elizabeth Kuball
Sr. Editorial Assistant: Cherie Case

Production Editor: Mohammed Zafar Ali
Cover Image: © Courtesy of Amazon.com

Take dummies with you everywhere you go!

Whether you are excited about e-books, want more from the web, must have your mobile apps, or are swept up in social media, dummies makes everything easier.

Find us online!

Leverage the power

Dummies is the global leader in the reference category and one of the most trusted and highly regarded brands in the world. No longer just focused on books, customers now have access to the dummies content they need in the format they want. Together we'll craft a solution that engages your customers, stands out from the competition, and helps you meet your goals.

Advertising & Sponsorships

Connect with an engaged audience on a powerful multimedia site, and position your message alongside expert how-to content. Dummies.com is a one-stop shop for free, online information and know-how curated by a team of experts.

- Targeted ads
- Video
- Email Marketing

- Microsites
- Sweepstakes sponsorship

20 MILLION PAGE VIEWS EVERY SINGLE MONTH

15 MILLION UNIQUE VISITORS PER MONTH

43% OF ALL VISITORS ACCESS THE SITE VIA THEIR MOBILE DEVICES

700,000 NEWSLETTER SUBSCRIPTIONS TO THE INBOXES OF *300,000* UNIQUE INDIVIDUALS EVERY WEEK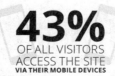

Custom Publishing

Reach a global audience in any language by creating a solution that will differentiate you from competitors, amplify your message, and encourage customers to make a buying decision.

- Apps
- Books
- eBooks
- Video
- Audio
- Webinars

Brand Licensing & Content

Leverage the strength of the world's most popular reference brand to reach new audiences and channels of distribution.

For more information, visit dummies.com/biz

PERSONAL ENRICHMENT

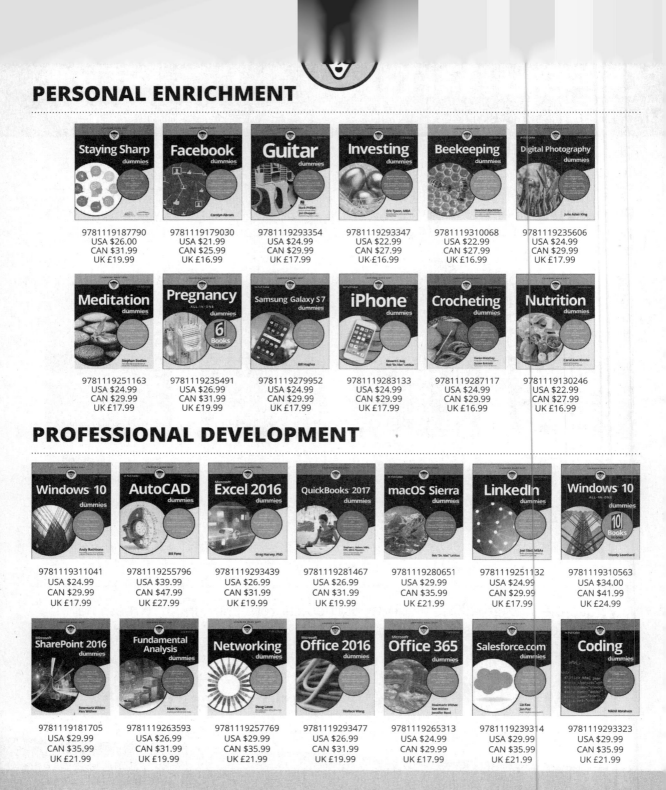

Staying Sharp dummies
9781119187790
USA $26.00
CAN $31.99
UK £19.99

Facebook dummies
9781119179030
USA $21.99
CAN $25.99
UK £16.99

Guitar dummies
9781119293354
USA $24.99
CAN $29.99
UK £17.99

Investing dummies
9781119293347
USA $22.99
CAN $27.99
UK £16.99

Beekeeping dummies
9781119310068
USA $22.99
CAN $27.99
UK £16.99

Digital Photography dummies
9781119235606
USA $24.99
CAN $29.99
UK £17.99

Meditation dummies
9781119251163
USA $24.99
CAN $29.99
UK £17.99

Pregnancy ALL-IN-ONE dummies
9781119235491
USA $26.99
CAN $31.99
UK £19.99

Samsung Galaxy S7 dummies
9781119279952
USA $24.99
CAN $29.99
UK £17.99

iPhone dummies
9781119283133
USA $24.99
CAN $29.99
UK £17.99

Crocheting dummies
9781119287117
USA $24.99
CAN $29.99
UK £16.99

Nutrition dummies
9781119130246
USA $22.99
CAN $27.99
UK £16.99

PROFESSIONAL DEVELOPMENT

Windows 10 dummies
9781119311041
USA $24.99
CAN $29.99
UK £17.99

AutoCAD dummies
9781119255796
USA $39.99
CAN $47.99
UK £27.99

Excel 2016 dummies
9781119293439
USA $26.99
CAN $31.99
UK £19.99

QuickBooks 2017 dummies
9781119281467
USA $26.99
CAN $31.99
UK £19.99

macOS Sierra dummies
9781119280651
USA $29.99
CAN $35.99
UK £21.99

LinkedIn dummies
9781119251132
USA $24.99
CAN $29.99
UK £17.99

Windows 10 ALL-IN-ONE dummies
9781119310563
USA $34.00
CAN $41.99
UK £24.99

SharePoint 2016 dummies
9781119181705
USA $29.99
CAN $35.99
UK £21.99

Fundamental Analysis dummies
9781119263593
USA $26.99
CAN $31.99
UK £19.99

Networking dummies
9781119257769
USA $29.99
CAN $35.99
UK £21.99

Office 2016 dummies
9781119293477
USA $26.99
CAN $31.99
UK £19.99

Office 365 dummies
9781119265313
USA $24.99
CAN $29.99
UK £17.99

Salesforce.com dummies
9781119239314
USA $29.99
CAN $35.99
UK £21.99

Coding dummies
9781119293323
USA $29.99
CAN $35.99
UK £21.99

dummies.com

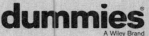

dummies®
A Wiley Brand

Learning Made Easy

ACADEMIC

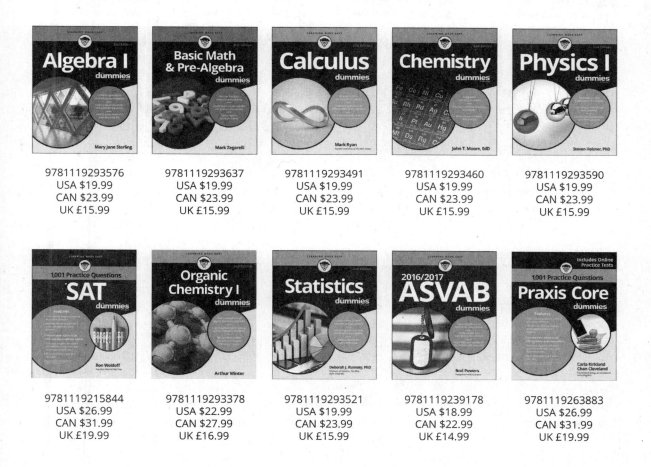

Algebra I dummies
Mary Jane Sterling
9781119293576
USA $19.99
CAN $23.99
UK £15.99

Basic Math & Pre-Algebra dummies
Mark Zegarelli
9781119293637
USA $19.99
CAN $23.99
UK £15.99

Calculus dummies
Mark Ryan
9781119293491
USA $19.99
CAN $23.99
UK £15.99

Chemistry dummies
John T. Moore, EdD
9781119293460
USA $19.99
CAN $23.99
UK £15.99

Physics I dummies
Steven Holzner, PhD
9781119293590
USA $19.99
CAN $23.99
UK £15.99

1,001 Practice Questions SAT dummies
Ron Woldoff
9781119215844
USA $26.99
CAN $31.99
UK £19.99

Organic Chemistry I dummies
Arthur Winter
9781119293378
USA $22.99
CAN $27.99
UK £16.99

Statistics dummies
Deborah J. Rumsey, PhD
9781119293521
USA $19.99
CAN $23.99
UK £15.99

2016/2017 ASVAB dummies
Rod Powers
9781119239178
USA $18.99
CAN $22.99
UK £14.99

1,001 Practice Questions Praxis Core dummies
Carla Kirkland, Chan Cleveland
9781119263883
USA $26.99
CAN $31.99
UK £19.99

Available Everywhere Books Are Sold

dummies.com

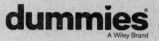

Small books for big imaginations

GETTING STARTED WITH Coding
Get Creative with Code!
Camille McCue, PhD

9781119177173
USA $9.99
CAN $9.99
UK £8.99

MODDING Minecraft
Build Your Own Minecraft Mods!
Sarah Guthals, PhD
Stephen Foster, PhD
Lindsey Handley, PhD

9781119177272
USA $9.99
CAN $9.99
UK £8.99

MAKING YouTube VIDEOS
Star in Your Own Video!
Nick Willoughby

9781119177241
USA $9.99
CAN $9.99
UK £8.99

DESIGNING Digital Games
Create Games with Scratch!
Derek Breen

9781119177210
USA $9.99
CAN $9.99
UK £8.99

GETTING STARTED WITH Raspberry Pi
Program Your Raspberry Pi!
Richard Wentk

9781119262657
USA $9.99
CAN $9.99
UK £6.99

EXPERIMENTING WITH Science
Think, Test, and Learn!

9781119291336
USA $9.99
CAN $9.99
UK £6.99

CREATING Digital Animations
Animate Stories with Scratch!
Derek Breen

9781119233527
USA $9.99
CAN $9.99
UK £6.99

GETTING STARTED WITH Engineering
Think Like an Engineer!

9781119291220
USA $9.99
CAN $9.99
UK £6.99

WRITING Computer Code
Learn the Language of Computers!
Chris Minnick and Eva Holland

9781119177302
USA $9.99
CAN $9.99
UK £8.99

Unleash Their Creativity

31901064176482

dummies.com

dummies®
A Wiley Brand